W9-CKF-673

Lgen
(don)

Guide d'enseignement

Contenu du classeur à anneaux

- Cédérom
- Carton d'accès au Compagnon Web
- Vue d'ensemble
- Guide d'enseignement de la littératie
- Module 1
- Module 2
- Module 3
- Module 4
- Module 5
- Module 6
- Évaluation de la compréhension en lecture
- Transparents

Centre éducatif de la Faculté d'éducation
Université d'Ottawa · University of Ottawa
Educational Centre of the Faculty of Education

5757, RUE CYPIHOT, SAINT-LAURENT (QUÉBEC) H4S 1R3
TÉLÉPHONE : **514 334-2690**   TÉLÉCOPIEUR : **514 334-4720**
erpidlm@erpi.com

11056

448.6
.L5886
2010
Guide

Littératie en action

Guide d'enseignement

MODULE **1**
Une question d'équité !

PEARSON
ERPI

11056

POUR L'ÉDITION FRANÇAISE

Directrice à l'édition
Monique Daigle

Traductrice
Monique Lanouette

Rédacteurs (fiches d'activités 10 à 18)
Virginie Krysztofiak
Paul Ste-Marie

Chargée de projet
Lina Binet

Réviseure linguistique
Annick Loupias

Correctrices d'épreuves
Lina Binet
Sabine Cerboni

Coordonnatrice à l'édition Web
Jeannette Lafontaine

Couverture (reliure à anneaux)
Édiflex inc.

Édition électronique
La Plume Virtu-Elle enr.

POUR L'ÉDITION ORIGINALE

Chef d'équipe
Anita Borovilos

Consultantes nationales en littératie
Beth Ecclestone
Norma MacFarlane

Éditrices
Susan Green
Elynor Kagan

Chef de produit
Paula Smith

Directrice de rédaction
Monica Schwalbe

Directrices de la recherche et du développement
Carol Wells
Mariangela Gentile
Rena Sutton

Coordonnatrice de la production
Alison Dale

Directrice artistique
Zena Denchik

Graphiste
David Cheung

Vice-président, édition et marketing
Mark Cobham

Littératie en action 6, Guide d'enseignement,
édition française publiée par ERPI (ÉDITIONS
DU RENOUVEAU PÉDAGOGIQUE INC.)
© 2008 Pearson Canada Inc.
© 2010 ERPI pour l'édition française.

Traduction et adaptation autorisées de *Literacy in Action 6,
Teacher's Guide*, par Jeroski et autres, publié par Pearson
Canada Inc.
© 2008 Pearson Education Canada, une division de Pearson
Canada Inc.

 Tous droits réservés.
On ne peut reproduire aucun extrait de ce livre
sous quelque forme ou par quelque procédé que
ce soit – sur une machine électronique, mécanique, à photocopier ou à enregistrer, ou
autrement – sans avoir obtenu, au préalable, la permission écrite de Pearson Canada Inc. Pour toute demande
à ce sujet, veuillez vous adresser à Pearson Canada Inc.,
Rights and Permissions Department, 26 Prince Andrew Place,
Don Mills, Ontario M3C 2T8 Canada.

Pearson® est une marque déposée de Pearson plc.

Dépôt légal – Bibliothèque et Archives nationales du Québec,
2010
Dépôt légal – Bibliothèque et Archives Canada, 2010

| Imprimé au Canada | 1234567890 TRN 13 12 11 10 |
| ISBN 978-2-7613-2595-0 | 11056 | OF10 |

Littératie en action 6, Guide d'enseignement,
French language edition, published by ERPI
(ÉDITIONS DU RENOUVEAU PÉDAGOGIQUE INC.)
© 2008 Pearson Canada Inc.

Authorized translation and adaptation from the English
language edition, entitled *Literacy in Action 6*, *Teacher's
Guide*, by Jeroski *et al.*, published by Pearson Education
Canada, a division of Pearson Canada Inc.

All rights reserved. This publication is protected by copyright.
No part of this book may be reproduced or transmitted in any
form or by any means, electronic or mechanical, including
photocopying, recording, or by any information storage
retrieval system, without permission from Pearson Canada
Inc. For information regarding permission(s), please submit
your request to: Pearson Canada Inc., Rights and Permissions
Department, 26 Prince Andrew Place, Don Mills, Ontario
M3C 2T8 Canada.

Pearson® is a registered trademark of Pearson plc.

POUR L'ÉDITION FRANÇAISE

Directeurs de collection
Léo-James Lévesque
Johanne Proulx

REMERCIEMENTS

L'éditeur remercie les personnes suivantes pour leurs commentaires judicieux au cours de l'élaboration de la collection *Littératie en action 6* :

Johanne Austin, N.-B.
Joanne Cameron, N.-É.
Alicia Logie, C.-B.
Karen Olsen, Sask.
Brian Svenningsen, Ont.
Diane Tijman, C.-B.
Nathalie Wall, Ont.

POUR L'ÉDITION ORIGINALE

Auteurs et consultants
Dr Sharon Jeroski

Andrea Bishop
Jean Bowman
Anne Boyd
Lynn Bryan
Linda Charko
Marla Ciccotelli
Susan Clarke
Alisa Dewald
Maureen Dockendorf
Ken Ealey
Susan Elliott
Christine Finochio
Patricia Gough
Jo Ann Grime
Doug Herridge
Patricia Horstead
Don Jones
Joanne Leblanc-Haley
Marg Lysecki
Jill Maar
Deidre McConnell
Carol Munro
Cathie Peters
Sue Pleli
Lorraine Prokopchuk
Joanne Rowlandson
Carole Stickley
Arnold Toutant
Kim Webber
Iris Zammit
Beth Zimmerman

Table des matières

* Ces fiches ont été conçues pour répondre aux attentes en ce qui concerne les connaissances et habiletés grammaticales du programme-cadre de français (6ᵉ année) du curriculum de l'Ontario. À titre d'enrichissement, toutefois, elles peuvent être aussi proposées aux élèves en immersion.

Module 1 : Une question d'équité !

Dans ce module, les élèves liront des biographies de gens ayant lutté pour l'équité dans le monde. Au fil des activités et des lectures, les élèves seront amenés à faire des liens avec leurs propres expériences, à lire et à écouter une variété de textes sur le thème de l'équité, dont une chronique journalistique, un récit personnel, un reportage, une pièce de théâtre et un conte. Ils mèneront ensuite une entrevue avec une personne ayant lutté pour l'équité et la justice dans sa communauté. Finalement, ils concevront un prix ou un trophée pour honorer une telle personnalité.

LES OBJECTIFS DE L'ENSEIGNEMENT

Stratégies	Faire des prédictions ; vérifier ses prédictions et faire de nouvelles prédictions ; faire des liens
Littératie critique	Analyser différents points de vue
Forme de texte	Biographies
Éléments d'écriture	Comprendre la structure de la biographie ; distinguer une biographie d'une autobiographie ; organiser les renseignements présentés dans l'ordre chronologique
Communication orale	Écouter de manière active ; réagir ; raconter
Littératie médiatique	Regarder des bulletins de nouvelles à la télévision pour déterminer s'ils sont représentatifs de la diversité canadienne

L'ÉVALUATION AU SERVICE DE L'APPRENTISSAGE

Évaluation diagnostique	Évaluation formative	Évaluation sommative
• Présentation du module (L : 1)	• Observations, interventions pédagogiques (L : 1 à 3, 5 à 15) • Évaluation par les élèves (L : 2, 5, 6, 9, 11, 14, 15, 16) • Création de tableaux de référence (L : 1, 2, 4, 13, 15, 16) • Réflexion des élèves (toutes les leçons) • Tâche d'évaluation « À l'œuvre ! » (L : 11) • À ton tour ! (L : 15)	• Ton portfolio (L : 16) • Entrevues individuelles (L : 16) • Réflexion des élèves (L : 16) • Tâche d'évaluation de la compréhension en lecture (L : 16)

LE CADRE D'ENSEIGNEMENT

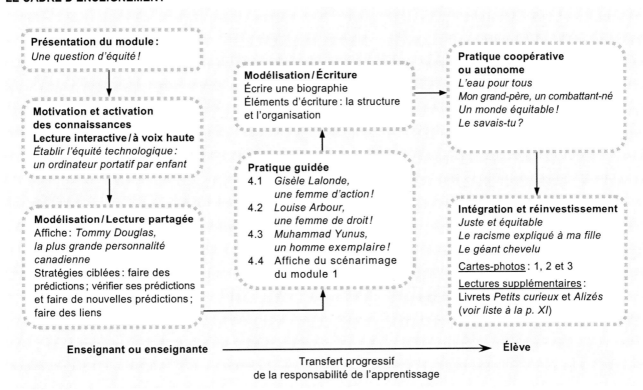

Présentation du module :
Une question d'équité !

Motivation et activation des connaissances
Lecture interactive / à voix haute
Établir l'équité technologique : un ordinateur portatif par enfant

Modélisation / Lecture partagée
Affiche : *Tommy Douglas, la plus grande personnalité canadienne*
Stratégies ciblées : faire des prédictions ; vérifier ses prédictions et faire de nouvelles prédictions ; faire des liens

Modélisation / Écriture
Écrire une biographie
Éléments d'écriture : la structure et l'organisation

Pratique guidée
4.1 *Gisèle Lalonde, une femme d'action !*
4.2 *Louise Arbour, une femme de droit !*
4.3 *Muhammad Yunus, un homme exemplaire !*
4.4 Affiche du scénarimage du module 1

Pratique coopérative ou autonome
L'eau pour tous
Mon grand-père, un combattant-né
Un monde équitable !
Le savais-tu ?

Intégration et réinvestissement
Juste et équitable
Le racisme expliqué à ma fille
Le géant chevelu
Cartes-photos : 1, 2 et 3
Lectures supplémentaires :
Livrets *Petits curieux* et *Alizés* (voir liste à la p. XI)

Enseignant ou enseignante ⟶ **Élève**
Transfert progressif
de la responsabilité de l'apprentissage

CONTENUS D'APPRENTISSAGE

Littératie en action est un outil d'enseignement qui vise à répondre aux attentes des programmes d'études[1] de l'ensemble des provinces et régions du Canada en matière de littératie. L'apprentissage des habiletés reliées à la littératie amène les élèves à utiliser l'écoute, l'expression orale, la lecture et l'écriture pour communiquer en français.

Le tableau intitulé «Corrélations avec les autres disciplines», aux pages 102 à 106 du présent fascicule donne un aperçu des liens possibles avec les autres disciplines.

COMMUNICATION ORALE (écoute et expression)

	LEÇONS
Écoute	
• Déterminer l'intention de la situation d'écoute.	1, 2, 7, 8, 9, 11, 14, 15
• Mettre en pratique l'écoute active.	1, 2, 3, 4, 5, 7, 8, 9, 11, 14, 15
• Faire des inférences.	1, 3, 14
• Reconnaître les indices non verbaux et les interpréter.	1, 11, 14
• Se concentrer et retenir les éléments importants.	1, 2, 3, 4, 7, 8, 9, 12, 14
• Faire la synthèse des renseignements.	1, 2, 3, 4, 9, 10, 12
Expression	
• Participer à une discussion en posant des questions, en répondant à des questions et en exprimant son point de vue.	1, 2, 3, 4, 5, 7, 8, 9, 10, 13, 14
• S'exprimer oralement de façon efficace en tenant compte du contexte.	1, 2, 3, 4, 5, 7, 8, 9, 10, 11, 15
• Communiquer clairement ses idées.	1, 2, 3, 4, 7, 8, 9, 10, 11, 15
• Recourir à divers supports visuels pour appuyer son message.	1, 3, 4, 7, 13, 14
Réflexion	
• Reconnaître l'aide des habiletés en lecture et en écriture dans la communication orale.	1, 2, 3, 4

LECTURE (et observation)

	LEÇONS
Préparation à la lecture	
• Déterminer l'intention de lecture.	2, 3, 4, 7, 8, 12, 13, 14
• Choisir ses textes selon diverses intentions.	2, 3, 4, 7, 8, 12, 13, 14
Lecture	
• Lire différents types de textes.	2, 3, 4, 7, 8, 12, 13, 14
• Connaître et utiliser diverses stratégies de compréhension.	2, 3, 4, 7, 8, 12, 13, 14
• Ajuster ses stratégies et son rythme de lecture selon le genre de texte et l'intention de lecture.	2, 3, 4, 7, 8, 12, 13, 14
• Faire appel à un répertoire de mots connus.	2, 3, 4, 7, 8, 12, 13, 14
• Connaître et utiliser des stratégies de résolution de problèmes.	2, 3, 4, 5, 7, 8, 12, 13, 14
• Connaître et utiliser les conventions linguistiques pour mieux comprendre le texte.	2, 3, 4, 7, 8, 12, 13, 14
• Utiliser les éléments visuels pour soutenir sa compréhension.	2, 3, 4, 7, 8, 12, 13, 14
• Connaître et utiliser les caractéristiques des divers genres de textes pour mieux comprendre le texte.	2, 3, 4, 7, 8, 12, 13, 14
• Analyser les idées, les renseignements et les points de vue contenus dans le texte.	2, 3, 4, 7, 8, 12, 13, 14
• Réagir de diverses manières aux textes lus.	2, 3, 4, 7, 8, 12, 13, 14
Réflexion	
• Démontrer une réflexion métacognitive face à son processus et à ses stratégies de lecture.	2, 3, 4, 5, 7, 8, 12, 13, 16
• Reconnaître l'aide des habiletés en communication orale et en écriture dans la lecture.	2, 3, 4, 5, 7, 8, 12, 13, 16

---

1. Pour les corrélations précises avec les programmes d'études, consulter les tableaux contenus dans le Compagnon Web de *Littératie en action 6* à l'adresse suivante: [www.erpi.com/litteratie.cw]. Le nom d'utilisateur et le mot de passe pour y accéder figurent sur le carton de présentation inséré au début du classeur à anneaux.

ÉCRITURE (et représentation)

Planificateur : En un coup d'œil

A = fiches d'activités du présent fascicule   AM = fiches d'activités modèles du fascicule *Guide d'enseignement de la littératie*[1]

É = fiches d'évaluation du présent fascicule   ÉM = fiches d'évaluation modèles du fascicule *Guide d'enseignement de la littératie*

RESSOURCES DE L'ÉLÈVE	APPRENTISSAGES CIBLÉS	DURÉE PRÉVUE	GUIDE D'ENSEIGNEMENT	RESSOURCES SUPPLÉMENTAIRES	DIFFÉRENCIATION / INTERVENTIONS PÉDAGOGIQUES
Motivation et activation des connaissances					
1. Présentation du module (manuel, pages 2 et 3)	Communiquer clairement des idées et des renseignements ; faire des liens avec ses connaissances et ses expériences ; utiliser une variété de mots et de phrases pour s'exprimer au sujet de l'équité ; s'exprimer en français lors du travail en groupe.	De 40 à 60 min	Leçon 1	**ÉM 1 :** Profil de l'élève **A 1 :** Lettre à l'intention des parents / Home Connection Letter **A 2 :** Un survol du module **É 1 :** Observations continues	Aider les élèves à s'approprier le vocabulaire sur le thème de l'équité.
Lecture interactive / à voix haute					
2. Établir l'équité technologique : un ordinateur portatif par enfant (manuel, pages 4 à 7)	Mettre en application les stratégies d'interaction orale ; faire preuve de respect envers les expériences et les idées des autres ; participer à une discussion ; préparer une annonce d'intérêt public.	De 40 à 60 min	Leçon 2	**A 10 :** Les pronoms compléments *lui* et *leur* **A 11 :** Les pronoms relatifs *qui, que, dont* et *lequel* **A 12 :** Le complément direct et le complément indirect **É 1 :** Observations continues **Coffret audio**	Modéliser la façon de poser des questions pour vérifier sa compréhension pendant une discussion. Faire écouter des messages d'intérêt public sur divers sujets et faire ressortir le message qu'on veut transmettre.

1. Ce fascicule présente des stratégies d'enseignement fondées sur les plus récentes recherches en littératie. S'y trouvent également des fiches d'activités modèles à adapter ou à utiliser telles quelles.

Modélisation / lecture partagée

RESSOURCES DE L'ÉLÈVE	APPRENTISSAGES CIBLÉS	DURÉE PRÉVUE	GUIDE D'ENSEIGNEMENT	RESSOURCES SUPPLÉMENTAIRES	DIFFÉRENCIATION / INTERVENTIONS PÉDAGOGIQUES
3. Lire une biographie (manuel, pages 8 et 9) 3.1 Lis avec habileté : Précise ton intention 3.2 Lis avec habileté : Décode le texte 3.3 Lis avec habileté : Construis le sens du texte – Fais et vérifie des prédictions 3.4 Lis avec habileté : Construis le sens du texte – Fais des liens 3.5 Lis avec habileté : Analyse le texte	Préciser son intention de lecture ; utiliser le contexte pour comprendre un mot nouveau ; comprendre et évaluer les stratégies de lecture utilisées ; reconnaître l'utilité d'un organisateur graphique ; faire des liens avec le texte lu ; déterminer le point de vue ou l'intention de l'auteur ou de l'auteure.	De 90 à 120 min (2 à 4 séances)	Leçons 3.1, 3.2, 3.3, 3.4 et 3.5	**Affiche de lecture partagée (transparent 14) :** *Tommy Douglas, la plus grande personnalité canadienne* **AM 9 (transparent 9 et organisateur graphique 9) :** Faire des liens **A 3 :** Fais des observations et des prédictions **A 4 :** Fais des liens **É 1 :** Observations continues	Modéliser l'utilisation des stratégies. Proposer des jeux de rôles pour aider les élèves ayant de la difficulté à trouver le point de vue de l'auteur.

Pratique guidée

RESSOURCES DE L'ÉLÈVE	APPRENTISSAGES CIBLÉS	DURÉE PRÉVUE	GUIDE D'ENSEIGNEMENT	RESSOURCES SUPPLÉMENTAIRES	DIFFÉRENCIATION / INTERVENTIONS PÉDAGOGIQUES
4.1 Gisèle Lalonde, une femme d'action ! (manuel, pages 10 et 11) 4.2 Louise Arbour, une femme de droit ! (manuel, pages 12 et 13) 4.3 Muhammad Yunus, un homme exemplaire ! (manuel, pages 14 et 15) 4.4 Affiche du scénarimage du module 1	Mettre en application les stratégies : faire des prédictions ; vérifier ses prédictions et faire de nouvelles prédictions ; faire des liens.	De 40 à 60 min	Leçons 4.1, 4.2, 4.3 et 4.4	**Affiche de lecture partagée (transparent 14) :** *Tommy Douglas, la plus grande personnalité canadienne* **Affiche du scénarimage du module 1** **AM 9 (transparent 9 et organisateur graphique 9) :** Faire des liens **A 3 :** Fais des observations et des prédictions **A 4 :** Fais des liens **A 5 :** Le vocabulaire de l'équité **A 13 :** Le sujet de la phrase et l'accord du verbe **A 14 :** L'accord du participe passé avec *être* **Coffret audio**	Chaque texte présente un niveau de difficulté différent[1]. Attribuer un texte à chaque élève selon ses habiletés et ses préférences. Pour les élèves ayant des habiletés de lecture limitées, utiliser l'affiche du scénarimage afin de les aider à développer leur maîtrise de la langue et des concepts.

1. Niveau de lecture des textes : texte **4.1** : S-T, DRA 48-50 ; texte **4.2** : T-U, DRA 50-54 ; texte **4.3** : U-V, DRA 54-58.

PLANIFICATEUR : EN UN COUP D'ŒIL (*SUITE*)

A = fiches d'activités du présent fascicule
É = fiches d'évaluation du présent fascicule

AM = fiches d'activités modèles du fascicule *Guide d'enseignement de la littératie*
ÉM = fiches d'évaluation modèles du fascicule *Guide d'enseignement de la littératie*

RESSOURCES DE L'ÉLÈVE	APPRENTISSAGES CIBLÉS	DURÉE PRÉVUE	GUIDE D'ENSEIGNEMENT	RESSOURCES SUPPLÉMENTAIRES	DIFFÉRENCIATION / INTERVENTIONS PÉDAGOGIQUES
Pratique guidée (*suite*)					
5. Fais un retour sur tes apprentissages (manuel, page 16)	Discuter en groupe de ses opinions ; revoir le genre de texte ; comprendre et évaluer les stratégies de lecture ; structurer l'information.	De 40 à 60 min	Leçon 5	**Affiche de lecture partagée (transparent 14) :** *Tommy Douglas, la plus grande personnalité canadienne* **AM 9 (transparent 9 ou organisateur graphique 9) :** Faire des liens **A 6 :** Lis une courte biographie **É 1 :** Observations continues	Modéliser le travail de groupe et la manière d'exprimer son opinion de façon respectueuse. Modéliser la réflexion à voix haute et rendre explicite le dialogue intérieur essentiel au processus de lecture.
Pratique coopérative ou autonome					
6. Écris avec habileté (manuel, page 17)	Comprendre la structure d'une courte biographie ; planifier la rédaction d'une courte biographie ; écrire une courte biographie.	De 40 à 60 min	Leçon 6	**Affiche de lecture partagée (transparent 14) :** *Tommy Douglas, la plus grande personnalité canadienne* **Affiche de modélisation en écriture 1 (transparent 33) :** Écrire une biographie **AM 13 (organisateur graphique 13 et transparent 13) :** Organiser l'information sur une ligne du temps **A 7 :** La structure d'une courte biographie **A 8 :** Compare la structure de différents textes **É 1 :** Observations continues	Faire travailler les élèves sur de courts textes qu'ils ont déjà lus. Pour les élèves ayant besoin de plus de soutien, utiliser un organisateur graphique et diviser le texte en différentes parties. Proposer aux élèves éprouvant des difficultés de travailler en petit groupe.

RESSOURCES DE L'ÉLÈVE	APPRENTISSAGES CIBLÉS	DURÉE PRÉVUE	GUIDE D'ENSEIGNEMENT	RESSOURCES SUPPLÉMENTAIRES	DIFFÉRENCIATION / INTERVENTIONS PÉDAGOGIQUES
Pratique coopérative ou autonome (*suite*)					
7. L'eau pour tous (manuel, pages 18 à 21)	Faire des liens avec ses expériences personnelles, son entourage, des événements dans le monde ou d'autres textes; appliquer des stratégies de lecture; analyser la structure d'une chronique journalistique; réagir à un texte lu; poser des questions ouvertes.	De 80 à 120 min (2 ou 3 séances)	Leçon 7	**AM 9 (transparent 9 ou organisateur graphique 9) :** Faire des liens **A 4 :** Fais des liens **A 15 :** L'accord du verbe avec le sujet **É 1 :** Observations continues **Coffret audio**	Suggérer aux élèves ayant besoin de plus de soutien d'écouter le texte sur le cédérom du coffret audio. Assigner les textes de la pratique coopérative ou autonome en fonction des préférences et du niveau de lecture des élèves. Il se peut que certains élèves aient besoin de travailler avec les cartes-photos, l'affiche du scénarimage ou les textes supplémentaires. Répartir les élèves en dyades pour favoriser leur collaboration. Livrets *Petits curieux*[1] suggérés : • *Les sources d'eau au Canada* • *Des prix canadiens !* • *Écris ton journal* • *Préservons la Terre* • *Passer à l'action* Livrets *Alizé* suggérés : • *Espion* • *Ma vie avec les oiseaux*

1. Pour plus d'information, consulter le site [www.erpi.com].

PLANIFICATEUR : EN UN COUP D'ŒIL (*SUITE*)

A = fiches d'activités du présent fascicule
É = fiches d'évaluation du présent fascicule

AM = fiches d'activités modèles du fascicule *Guide d'enseignement de la littératie*
ÉM = fiches d'évaluation modèles du fascicule *Guide d'enseignement de la littératie*

RESSOURCES DE L'ÉLÈVE	APPRENTISSAGES CIBLÉS	DURÉE PRÉVUE	GUIDE D'ENSEIGNEMENT	RESSOURCES SUPPLÉMENTAIRES	DIFFÉRENCIATION / INTERVENTIONS PÉDAGOGIQUES
Pratique coopérative ou autonome (*suite*)					
8. Mon grand-père, un combattant-né (manuel, pages 22 à 25)	Appliquer des stratégies de lecture ; réagir à un texte lu ; revoir la structure d'une courte biographie.	De 60 à 90 min (2 séances)	Leçon 8	**Affiche de modélisation en écriture 1 (transparent 33) :** Écrire une biographie **AM 9 (transparent 9 ou organisateur graphique 9) :** Faire des liens **A 7 :** La structure d'une courte biographie **A 9 :** Les travailleurs chinois au Canada **A 16 :** L'imparfait **É 1 :** Observations continues **Coffret audio**	
Option : Choisir parmi les livrets des collections *Petits curieux* et *Alizé* (*voir les titres suggérés dans la dernière colonne de la page précédente*)	Appliquer les stratégies de lecture.	Variable	Prendre pour modèle les leçons 7 et 8	Choisir parmi les fiches d'activités modèles se rapportant au journal de bord. **É 1 :** Observations continues	
9. Un monde équitable ! (manuel, pages 26 et 27)	Survoler des photos ; analyser et comprendre les messages véhiculés par les photos ; écrire au sujet d'une photo ; représenter des idées à l'aide de photos.	De 40 à 60 min	Leçon 9	**Affiche de modélisation en écriture 1 (ou transparent 33) :** Écrire une biographie **A 5 :** Le vocabulaire de l'équité **É 1 :** Observations continues	Modéliser la façon d'écrire une histoire à partir d'une photo.

RESSOURCES DE L'ÉLÈVE	APPRENTISSAGES CIBLÉS	DURÉE PRÉVUE	GUIDE D'ENSEIGNEMENT	RESSOURCES SUPPLÉMENTAIRES	DIFFÉRENCIATION / INTERVENTIONS PÉDAGOGIQUES
Pratique coopérative ou autonome (*suite*)					
10. Le savais-tu ? (manuel, pages 28 et 29)	Analyser et comprendre un message ; produire un document médiatique.	De 40 à 60 min	Leçon 10	**AM 52 :** La création d'un document médiatique **É 1 :** Observations continues	Modéliser la façon d'interpréter un message véhiculé par un texte.
Intégration et réinvestissement					
11. À l'œuvre ? (manuel, pages 30 et 31) **Remarque :** Cette leçon est une tâche d'évaluation. Elle peut être faite à tout moment après la pratique coopérative ou autonome.	Présenter une entrevue ; travailler en groupe pour accomplir une tâche ; mettre en pratique l'écoute active lorsque les camarades communiquent leurs idées.	De 80 à 120 min (2 ou 3 séances)	Leçon 11	**AM 26 :** Retour sur ta présentation **AM 27 :** Travailler en groupe **É 1 :** Observations continues **É 2 :** Grille d'évaluation de la section « À l'œuvre ! »	Veiller à ce que les élèves fassent appel à leurs connaissances et à leurs expériences pour préparer leur entrevue. Leur demander de travailler en dyades pour s'exercer à écouter de manière active les idées des autres. Décrire les comportements attendus.
12. Juste et équitable (manuel, pages 32 à 37)	Développer le vocabulaire ; relever les idées importantes ; interpréter un message publicitaire.	De 40 à 80 min (2 séances)	Leçon 12	**A 17 :** La construction de la phrase passive **É 1 :** Observations continues **Coffret audio**	Modéliser la façon de diviser un texte en sections en vue de relever les idées importantes. Modéliser la façon d'interpréter un message publicitaire.
13. Le racisme expliqué à ma fille (manuel, pages 38 à 41)	Lire avec précision et fluidité ; relire pour mieux gérer sa compréhension ; mettre en pratique les stratégies enseignées et recourir à d'autres stratégies.	De 40 à 80 min (2 séances)	Leçon 13	**É 1 :** Observations continues **Coffret audio**	Modéliser pour les élèves la façon de lire un texte avec expression. Leur rappeler qu'établir des liens avec leurs propres expériences les aide à comprendre les sentiments des personnages et les événements de l'histoire.
14. Le géant chevelu (manuel, pages 42 à 47)	Lire avec précision et fluidité ; relire pour mieux gérer sa compréhension ; mettre en pratique les stratégies enseignées et recourir à d'autres stratégies ; présenter un jeu de rôle.	De 40 à 80 min (2 séances)	Leçon 14	**Affiche de modélisation en écriture 5 (transparent 37) :** Écrire un journal personnel **A 18 :** La construction des types de phrases **É 1 :** Observations continues **Coffret audio**	Modéliser la façon de lire un texte avec expression. Modéliser également la manière d'utiliser les stratégies et de déduire l'information implicite dans un texte.

PLANIFICATEUR : EN UN COUP D'ŒIL *(SUITE)*

A = fiches d'activités du présent fascicule
É = fiches d'évaluation du présent fascicule

AM = fiches d'activités modèles du fascicule *Guide d'enseignement de la littératie*
ÉM = fiches d'évaluation modèles du fascicule *Guide d'enseignement de la littératie*

RESSOURCES DE L'ÉLÈVE	APPRENTISSAGES CIBLÉS	DURÉE PRÉVUE	GUIDE D'ENSEIGNEMENT	RESSOURCES SUPPLÉMENTAIRES	DIFFÉRENCIATION / INTERVENTIONS PÉDAGOGIQUES
Intégration et réinvestissement *(suite)*					
15. À ton tour! (manuel, page 48)	Concevoir un prix ou un trophée ; faire une présentation orale ; mettre en pratique l'écoute active ; réfléchir sur ses apprentissages et se fixer des objectifs.	De 40 à 80 min (2 séances)	Leçon 15	**Affiche de lecture partagée (transparent 14) :** *Tommy Douglas, la plus grande personnalité canadienne* **É 1 :** Observations continues **É 3 :** À ton tour!	Montrer des exemples de prix et de trophées. Modéliser les réflexions à voix haute.
Réflexion et bilan					
16. Ton portfolio : Gros plan sur tes apprentissages (manuel, page 49)	Sélectionner les éléments destinés au portfolio ; réfléchir à ses apprentissages et en discuter.	De 40 à 60 min	Leçon 16	Ensemble des travaux **É 4 :** Gros plan sur tes apprentissages	Les élèves qui ont de la difficulté à commenter leurs choix par écrit pourraient vous les présenter oralement. Il est aussi possible de leur proposer des modèles pour les aider à le faire (p. ex. : voir les fiches AM du *Guide d'enseignement de la littératie*).
Tâche d'évaluation de la compréhension en lecture		De 60 à 90 min	Leçon 16	Fascicule *Évaluation de la compréhension en lecture*	Deux niveaux de difficulté sont proposés pour le texte.
Bilan des apprentissages		Variable	Leçon 16	**É 1 :** Observations continues **É 5 :** Grille d'évaluation du module **É 6 :** Bilan des apprentissages	Tenir compte des données d'évaluation sous différentes formes : participation de l'élève, expression orale, tâche d'évaluation de la compréhension en lecture, travaux divers.

Planificateur : Liens interdisciplinaires

Remarque : Les idées présentées dans cette section peuvent servir de minileçon au cours du module.

Sciences et technologie

Au tableau, créer deux colonnes ayant pour titre les termes *environnement* et *justice*. Demander aux élèves de faire un remue-méninges pour trouver le sens des mots, puis noter leurs idées dans la colonne appropriée. Leur proposer de réfléchir aux liens entre ces termes (p. ex. : les lois contre l'abandon des détritus et la pollution, les programmes et les organismes environnementaux). Inviter les élèves, répartis en petits groupes, à suivre la démarche suivante :
- faire une recherche sur un problème environnemental qui les préoccupe (le problème peut être planétaire ou régional) ;
- préparer une présentation sur les dangers d'un environnement insalubre et sur les solutions ou plans d'action possibles ;
- présenter les résultats de leur recherche et leurs solutions à la classe.

Santé, développement personnel et social

Demander aux élèves de choisir un sport où ils aimeraient être arbitres ou entraîneurs ou entraîneuses. Les inviter à imaginer ce que serait ce sport sans les règlements. (**Remarque :** Rappeler aux élèves que les règlements ne sont pas simplement des instructions sur la façon de jouer. Ils assurent le respect, l'équité et un bon esprit sportif entre les membres de l'équipe et les adversaires.) Inviter les élèves à créer une affiche encourageant l'esprit sportif dans leur sport. Leur demander d'y intégrer :
- un slogan qui favorise un bon comportement sportif (p. ex. : *Gagner sans narguer*; *Aider les adversaires dans le besoin*) ;
- une liste des règlements que les membres de l'équipe devraient suivre.

Avec la classe, discuter des affiches et des slogans. Encourager les élèves à réfléchir sur l'utilité des pénalités, les règlements de leur sport, la pression subie par les athlètes et le changement de règles dans les sports.

Études sociales (sciences humaines)

Demander aux élèves ce qu'ils savent sur le commerce équitable. Les inviter à dresser une liste de produits, utilisés à la maison ou à l'école, qui proviennent de 10 pays différents. Les inviter à situer chaque pays sur une carte du monde et à placer une étoile à côté des produits qu'ils croient équitables. Leur demander :
- Y a-t-il des similitudes entre les pays producteurs ?
- Que pourrait-on faire pour s'assurer que tous les produits importés au Canada sont équitables ?

Demander aux élèves d'effectuer une recherche sur les Premières Nations de la côte Ouest en accordant une attention particulière au potlatch. Les inviter à créer un masque ayant une signification personnelle et susceptible d'être porté durant ce genre de cérémonie. Leur proposer de présenter leur masque et d'expliquer ce qui les a inspirés.

Éducation artistique

Arts plastiques
Discuter avec les élèves de ce qu'ils considèrent comme une invalidité (p. ex. : perte de l'ouïe ou de la vue, paralysie). Leur demander de créer une maquette ou un dessin d'une invention susceptible d'aider une personne invalide vivant une situation injuste. Les encourager à utiliser différentes techniques pour créer leur maquette.

Musique
Faire un remue-méninges pour trouver des chansons qui parlent d'équité. En choisir deux que la classe aimerait apprendre. Faire en sorte que les élèves puissent les chanter à la prochaine assemblée de l'école.

Art dramatique
À l'aide des textes biographiques, demander aux élèves de préparer un théâtre de lecteurs qu'ils pourront présenter à l'ensemble de l'école.

Planificateur : Activités en lien avec les leçons

Remarque : Les idées présentées dans cette section peuvent servir de minileçon au cours du module.

Utilisation des ressources

Biographies

Mettre à la disposition des élèves des biographies (p. ex. : des biographies provenant de la collection *Biographies et gens*[1]) qui conviennent au niveau de 6e année, et les encourager à en trouver d'autres. Leur donner le temps de lire plusieurs biographies ou de chercher de l'information sur la vie des gens. À différents moments, demander aux élèves de travailler en dyades ou en petits groupes pour trouver dans les biographies des personnes susceptibles d'être amies. Les inviter à comparer deux personnes en utilisant un tableau comme l'organisateur graphique **6 : Comparer** (*voir aussi transparent 6 ou fiche d'activité modèle 6*, Guide d'enseignement de la littératie). Quand les élèves ont terminé leur tableau, leur demander de rédiger une brève analyse expliquant pourquoi ces personnes auraient pu être de bonnes amies si elles s'étaient rencontrées.

Journal de bord

Demander aux élèves de tenir un journal de bord afin de prolonger leur réflexion, de clarifier certaines idées et de réfléchir aux connaissances acquises au cours des activités du module.

Poser des questions telles que les suivantes :
- Comment les discussions avec d'autres élèves t'aident-elles à comprendre ce que tu lis ?
- En quoi dessiner ou prendre des notes peut-il t'être utile ?
- Quels genres de livres sont utiles quand tu cherches de l'information ?
- Qu'aimerais-tu que les lecteurs et lectrices pensent après avoir lu tes textes ?
- Parle-moi de ta meilleure présentation. Pourquoi était-elle réussie ?
- Qu'as-tu appris qui pourrait te servir au cours d'un prochain travail ?

Utilisation des technologies

Créer un spectacle son et lumière

Répartir les élèves en petits groupes pour lire, réciter ou présenter leurs versions des textes de ce module. Leur demander d'apporter des instruments pour accompagner leurs lectures. Utiliser des transparents colorés et texturés pour créer des éclairages spectaculaires. Ces lectures peuvent être présentées devant d'autres classes.

Créer un fichier de recherche et d'information

Créer un modèle ou un organisateur graphique à l'aide de l'ordinateur de la classe pour aider les élèves à fournir de l'information contextuelle sur des sujets comme le commerce équitable, la taxe d'entrée ou l'eau potable.

Utiliser un logiciel de traitement de texte

Proposer aux élèves d'écrire leur biographie à l'aide d'un logiciel de traitement de texte. Les encourager à utiliser un dictionnaire électronique en révisant leur texte afin d'améliorer le produit final. Inviter les élèves à utiliser d'autres ouvrages de référence au besoin.

Remarque : Les recherches dans Internet doivent se faire sous la supervision des parents ou des enseignants ou des enseignantes. Rappeler aux élèves de ne jamais divulguer de renseignements personnels dans Internet.

Prendre des notes :
- sur des exemples de biographie (*voir page 8 du manuel, « Lire une biographie »*) ;
- sur des histoires, des livres, des vidéos ou des sites Web traitant de l'équité ;
- sur les stratégies utilisées (*voir page 9 du manuel, « Lis avec habileté »*).

Noter leurs réactions :
- au sujet des textes ou des affiches qu'ils ont étudiés.

Noter leurs réflexions :
- au sujet des stratégies utiles avant, pendant et après la lecture ; sur la façon dont ces stratégies leur permettent d'améliorer leur habileté en lecture ;
- sur les différentes méthodes utilisées (discussion, rédaction, observation et représentation) pour mieux comprendre les textes.

Au besoin, utiliser certaines fiches d'activités modèles fournies dans le *Guide d'enseignement de la littératie*.

---

1. Cette collection est offerte sur le site Web de Bibliothèque et Archives Canada à l'adresse suivante : [www.collectionscanada.gc.ca/biographie-gens/].

Planificateur : Activités langagières

Remarque : Les idées présentées dans cette section peuvent servir de minileçon au cours du module.

Esprit créatif

Proposer des sujets de rédaction aux élèves :

- Un grand-père et son petit-fils dialoguent à propos de l'équité dans le monde. Chacun parle de son expérience. Naturellement, cet échange fera apparaître des différences importantes. Demander aux élèves d'imaginer ce dialogue. Les encourager à adapter la façon de parler de chaque personnage. Leur demander de faire attention à la mise en pages du dialogue et à tous les procédés afférents : respect des alinéas, tirets, diversité des verbes de parole, usage de propositions incises. Inviter les élèves à présenter et à conclure leur dialogue par un passage narratif.

- Le monde sera-t-il plus équitable dans vingt ans ? Demander aux élèves d'imaginer le monde du futur. Comment sera la vie en général : les conditions de logement, la technologie, les loisirs, le travail, etc. ? Inviter les élèves à faire attention à l'emploi des verbes au futur.
- Annoncer aux élèves qu'ils ont hérité d'une somme d'argent importante. Leur demander d'écrire comment ils utiliseraient leur héritage pour rendre le monde plus équitable.

Étude de mots

Tableau des définitions

Montrer aux élèves qu'il existe plusieurs façons de déterminer le sens d'un mot.

Par exemple :

- se rappeler d'autres lectures ou activités ;
- utiliser les indices contextuels ;
- analyser les parties du mot.

Expliquer le sens des mots d'une façon qui aidera les élèves à le retenir, plutôt que de leur donner une définition du dictionnaire. Les encourager à se servir d'un tableau (*voir exemple ci-dessous*) pour apprivoiser des mots nouveaux : ils écrivent le mot nouveau dans la première colonne, une définition simple dans la deuxième, un exemple de situation éclairant le sens du mot dans la troisième, un synonyme dans la quatrième, un antonyme, s'il en existe, dans la cinquième et, enfin, dans la dernière colonne, ils écrivent une note intéressante au sujet du mot. Leur proposer de tenir un registre de mots et de leurs significations ou de produire un mur de mots et d'expressions qu'ils enrichiront au fur et à mesure de leur apprentissage. Encourager les élèves à utiliser un dictionnaire.

Mot	Définition	Exemple	Synonyme	Antonyme	Note
Engagement	Fait de travailler au service d'une cause.	Gisèle Lalonde montre son engagement envers sa communauté.	Dévouement	Indifférence	Anglicisme au sens de rendez-vous

Jeux de mots

Indiquer aux élèves qu'il s'agit de décomposer des mots et d'en créer de nouveaux en jouant avec les syllabes. Leur demander de trouver dans le texte « Juste et équitable » (*voir pages 32 à 37 du manuel*) ou un autre texte des mots à deux, trois, quatre et cinq syllabes. Puis les inviter :

- à trouver des mots dans chaque catégorie ;
- à écrire chaque mot sur une bande de papier ;
- à découper le mot en autant de syllabes qu'il en contient ;
- à mélanger les mots et à les échanger avec un ou une camarade ;
- à vérifier si le ou la partenaire peut reconstituer les mots.

Remarque : Les élèves peuvent donner des indices à leurs camarades s'ils ont de la difficulté à reconstituer les mots (p. ex. : *C'est un mot de trois syllabes qui signifie…*).

Écriture

Organisation d'une biographie

Expliquer aux élèves l'importance de l'ordre chronologique des idées et des événements dans une biographie. Donner l'exemple du train qui roule sur des rails : les wagons représentent des idées ou des paragraphes qui se succèdent, et chaque wagon est relié au précédent pour former un tout.

Demander aux élèves de rédiger une biographie sur une personne ayant lutté pour l'équité dans le monde. Leur fournir la fiche d'activité **7 : La structure d'une courte biographie**. À l'aide d'un texte lu lors de la séance de lecture guidée, revoir les caractéristiques d'une biographie :

- une introduction intéressante ;
- des événements présentés dans l'ordre chronologique ;
- des mots et des expressions qui indiquent quand et dans quel ordre les événements sont survenus ;
- des éléments visuels (photos, schéma ou ligne du temps) ;
- des notes biographiques sur la personne présentée.

À la suite de l'activité, proposer aux élèves d'échanger leur biographie avec celle d'un ou d'une camarade. Chaque élève révise le texte de l'autre afin de donner une rétroaction et des suggestions pour améliorer le produit définitif. Modéliser la façon de donner une rétroaction efficace. Revoir à l'aide du transparent 33 : **Écrire une biographie** (*voir aussi affiche de modélisation en écriture 1*) les étapes à suivre pour écrire une biographie. Mettre un tableau de référence à la disposition des élèves pour les aider à se rappeler les caractéristiques d'une biographie.

Processus d'écriture

Revoir avec les élèves l'affiche **Aide-mémoire 3 : Le processus d'écriture** (*voir aussi transparent 28*) afin de modéliser la rédaction d'un texte.

Grammaire

L'enseignement de la grammaire

Avant de présenter une fiche d'activité liée à l'apprentissage d'une notion grammaticale, amener les élèves à observer des exemples dans des textes, à dégager des constatations et à faire des généralisations, afin de découvrir le fonctionnement de la langue et d'en faire ressortir les régularités. Voici les sept étapes à suivre pour jouer efficacement son rôle d'enseignant ou d'enseignante dans l'apprentissage de la grammaire:

1. **Mise en situation**
   Expliquer l'importance d'étudier la notion grammaticale présentée. Activer les connaissances des élèves sur l'utilisation de cette notion grammaticale.

2. **Observation d'exemples**
   Inviter les élèves à observer, dans des textes lus, la notion grammaticale étudiée.

3. **Discussion et formulation d'hypothèses**
   Demander aux élèves de présenter leurs observations et de formuler des hypothèses sur le fonctionnement de la notion grammaticale. Discuter avec les élèves des hypothèses. Au besoin, enseigner de façon explicite les manipulations linguistiques nécessaires.

4. **Vérification des hypothèses**
   Inviter les élèves à vérifier si les hypothèses formulées s'appliquent à d'autres textes.

5. **Formulation de règles**
   Amener les élèves à formuler une règle et à la valider dans des ouvrages de référence.

6. **Mise en application**
   Proposer une activité au cours de laquelle les élèves appliquent la notion grammaticale apprise.

7. **Réinvestissement**
   Rappeler aux élèves d'utiliser la notion grammaticale apprise dans d'autres activités.

Les classes de mots

Profiter des textes de ce module pour voir ou revoir avec les élèves les huit classes de mots et leurs caractéristiques: le nom (commun, propre), le déterminant (article, démonstratif, possessif, numéral, interrogatif, exclamatif, indéfini), l'adjectif, le pronom (personnel, démonstratif, possessif, interrogatif, indéfini, relatif), le verbe et les trois classes de mots invariables (préposition, adverbe, conjonction). Leur proposer de créer graduellement, en groupes, une affiche pour chaque classe de mots. Cette affiche pourra être étoffée tout au long de l'année (comment repérer cette classe de mots, ses caractéristiques, des exemples, etc.).

Le passé composé et l'accord du participe passé avec l'auxiliaire *être*

Demander aux élèves de noter dans un tableau le sujet et le verbe de chaque phrase de la section « Notes biographiques » des textes de lecture guidée (*voir pages 10 à 15 du manuel*). Poser les questions suivantes:

- Comment avez-vous trouvé les sujets et les verbes dans chaque phrase?
- Qu'avez-vous remarqué?

Faire remarquer aux élèves que ces textes contiennent quelques verbes conjugués au passé composé. Faire remarquer aussi l'accord du participe passé des verbes conjugués avec l'auxiliaire *être*.

Enrichissement du vocabulaire

Distribuer la fiche d'activité **5: Le vocabulaire de l'équité**. Demander aux élèves de remplir individuellement l'organisateur graphique à l'aide des textes du manuel.

1 Présentation du module

(manuel, pages 2 et 3)

Apprentissages ciblés
- Communiquer clairement des idées et des renseignements.
- Faire des liens avec ses connaissances et ses expériences.
- Utiliser une variété de mots et de phrases pour s'exprimer au sujet de l'équité.
- S'exprimer en français lors du travail en groupes.

AVANT

Explorer le langage et les idées se rapportant à l'équité

Faire des liens avec ses expériences

Inviter les élèves à observer la photo des pages 2 et 3 du manuel. Leur poser les questions suivantes :

- Que voyez-vous sur la photo ?
- Comment cette photo illustre-t-elle le thème de l'équité ?

Au cours d'une discussion, amener les élèves à penser aux gens qu'ils connaissent et, selon eux, susceptibles d'être un modèle de personne ayant lutté pour l'équité dans leur communauté ou dans le monde (p. ex. : dans les livres, à la télévision, au cinéma).

Former des groupes de trois à cinq élèves et inviter chaque groupe à créer un tableau sur le thème de l'équité (*voir exemple ci-dessous*). Demander aux élèves de noter dans le tableau au moins cinq façons de montrer qu'un individu lutte pour l'équité dans sa famille, dans sa communauté ou dans le monde. Leur donner quelques exemples.

Créer un tableau sur le thème de l'équité

Participer aux discussions de groupe

Lutter pour l'équité		
Dans la famille	**Dans la communauté**	**Dans le monde**
S'assurer que tous les membres de la famille partagent les tâches domestiques.	Faire en sorte d'offrir aux jeunes un lieu pour faire de la planche à roulettes.	Collecter des fonds pour les pays en développement.

Inviter ensuite les groupes à comparer leurs tableaux. Les élèves doivent :
- noter deux points communs à tous les tableaux ;
- noter un point différenciant leur tableau de celui des autres ;
- noter un point surprenant dans les autres tableaux.

Dans ce module, les élèves verront différentes façons de lutter pour l'équité.

PENDANT

Faire des liens avec ses connaissances et ses expériences

Lire une à une les expressions de la page 3 du manuel et demander aux élèves de décrire leur lien avec l'équité. Si nécessaire, donner des pistes aux élèves sur les diverses façons d'assurer l'équité. Les inciter à faire part de leurs expériences personnelles en rapport avec la photo et les expressions du manuel.

Soutien (étayage)

À l'aide de questions, aider les élèves à comprendre les objectifs d'apprentissage en les reliant à leurs expériences et à leurs réalisations personnelles :
- Cela vous rappelle-t-il une situation semblable ?
- Cela vous rappelle-t-il autre chose ?

Créer au besoin un tableau des objectifs d'apprentissage reformulés avec les mots des élèves.

Présenter les objectifs d'apprentissage de la page 2 du manuel. Inviter les élèves à parler des activités qu'ils aimeraient faire afin d'atteindre ces objectifs.

Survoler le module avec les élèves. Leur remettre la fiche d'activité **2 : Un survol du module** et leur proposer d'y inscrire leurs réponses.

Survoler le module

Remettre aux élèves la fiche d'activité **1 : Lettre à l'intention des parents / Home Connection Letter**. Cette lettre a pour but de faire connaître aux parents ou tuteurs le contenu du présent module et d'encourager leur participation aux apprentissages des élèves.

Réfléchir au thème

APRÈS

Le survol du texte terminé, former des groupes et leur demander de communiquer leurs réponses et leurs observations.

Inviter les élèves à communiquer et à comparer leurs réponses aux questions de la fiche d'activité **2 : Un survol du module**.

Au besoin, faire remplir la fiche d'évaluation modèle **1 : Profil de l'élève** (*voir Guide d'enseignement de la littératie*).

RÉFLEXION

Inviter les élèves à noter une brève réflexion dans leur journal de bord au sujet de l'équité. Les élèves doivent :

- noter une chose apprise ou étonnante ;
- utiliser des mots correspondant au thème de l'équité.

Leur rappeler qu'on peut lutter pour l'équité de diverses manières.

ÉVALUATION AU SERVICE DE L'APPRENTISSAGE *(voir fiche d'évaluation 1 : Observations continues)*

Observations	Interventions pédagogiques
Noter si les élèves peuvent :	Donner aux élèves ayant peu de vocabulaire et de connaissances antérieures l'occasion :
• communiquer clairement des idées et des renseignements ; • faire des liens avec leurs connaissances et leurs expériences ;	• d'écouter des histoires réelles et fictives portant sur l'équité, puis d'en discuter ; • d'utiliser un modèle pour exprimer leur pensée *(p. ex. : _____ a lutté pour l'équité dans sa communauté lorsqu'il ou elle a _____).*
• utiliser une variété de mots et de phrases pour s'exprimer au sujet de l'équité ;	Construire un mur de mots ou d'expressions sur le thème de l'équité afin de fournir du vocabulaire aux élèves ayant davantage besoin de soutien.
• s'exprimer en français lorsqu'ils travaillent en groupes.	Pendant les activités de groupes, aider certains élèves en modélisant le travail de groupe.

2 Établir l'équité technologique : un ordinateur portatif par enfant

(manuel, pages 4 à 7)

Apprentissages ciblés
- Mettre en application les stratégies d'interaction orale.
- Faire preuve de respect envers les expériences et les idées des autres.
- Participer à une discussion.
- Préparer une annonce d'intérêt public.

AVANT

Résumer et échanger des idées

Poser la question de départ (*voir page 4 du manuel*) : Que peux-tu faire pour corriger certaines inégalités dans le monde ?

Inviter les élèves à y répondre et à en discuter. Les encourager à consulter le tableau de la leçon 1 et à y ajouter d'autres idées, s'il y a lieu.

Annoncer aux élèves qu'ils découvriront les actions d'une personne pour établir l'équité technologique dans le monde en voulant offrir un ordinateur portatif à chaque enfant, et ce, à un prix abordable.

Échanger des idées

Proposer aux élèves, en dyades, d'émettre des hypothèses sur les possibilités d'offrir un ordinateur portatif à chaque enfant dans le monde. Les encourager à noter leurs prédictions. Les inciter à échanger leurs idées avec une autre dyade et à justifier leurs prédictions. Pour encourager la discussion, poser les questions suivantes :

- Que faudrait-il faire pour pouvoir offrir un ordinateur à chaque enfant ?
- Pourquoi est-ce important d'offrir un ordinateur portatif à chaque enfant ?
- En quoi cela rendrait-il le monde plus équitable ?

PENDANT

Faire des liens

Lire ou faire écouter le texte (*voir pages 4 à 7 du manuel*). Encourager les élèves à réagir au texte et à en discuter. Leur poser des questions comme les suivantes :

- À votre avis, les élèves des pays en développement pourraient-ils acquérir plus de connaissances s'ils avaient leurs propres ordinateurs ? En quoi cela rendrait-il le monde plus équitable ?
- Que pensez-vous de l'idée de Nicholas Negroponte ?
- Le prix d'un produit diminue si la quantité de ce produit est élevée. Pourquoi, à votre avis ?
- D'après vous, pourquoi certaines entreprises fabriquant des ordinateurs voulaient-elles faire concurrence au XO ?
- L'équité technologique est-elle une bonne idée pour tout le monde ? Pourquoi, selon vous ?

APRÈS

Discuter de l'équité

Demander aux élèves de travailler en dyades et de répondre à la première question de l'encadré « Parlons-en ! », à la page 7 du manuel. Les inciter à échanger leurs idées avec une autre dyade.

> ### Conseil
>
> Modéliser et renforcer les comportements à adopter dans le travail de groupe, notamment en matière de reconnaissance et de respect des idées des autres. Par exemple :
> - *Je crois que nous partageons la même idée...*
> - *C'est une bonne idée parce que...*
> - *Je pense que nous devrions...*
> - *Peux-tu reformuler ton idée, je ne suis pas certaine de comprendre...*

Demander aux élèves de travailler en équipe pour répondre à la deuxième question de l'encadré «Parlons-en!», à la page 7 du manuel. Au besoin, faire écouter des messages d'intérêt public qui serviront de modèle pour ce travail. Avec les élèves, élaborer une liste d'actions à mener par les Canadiens et les Canadiennes pour promouvoir l'équité dans le monde. Au besoin, créer un tableau pouvant servir de référence tout au long du module.

Préparer une annonce d'intérêt public

Revenir en groupe-classe et demander aux élèves de présenter leur message d'intérêt public. Amener les élèves à discuter des messages présentés. En quoi sont-ils efficaces? Que pourrait-on faire pour les rendre encore plus efficaces?

Présenter une annonce d'intérêt public

OBSERVATION GRAMMATICALE EN CONTEXTE

Saisir l'occasion pour enseigner ou revoir les concepts grammaticaux des fiches d'activités **10**, **11** et **12** en contexte.

Faire remarquer aux élèves l'emploi du conditionnel pour décrire une situation souhaitée.

Faire remarquer les expressions avec *avoir* (p. ex.: *avoir accès*, *avoir de la chance*, *avoir les moyens*).

Faire remplir aux élèves les fiches suivantes:

- Fiche d'activité **10**: **Les pronoms compléments *lui* et *leur***;
- Fiche d'activité **11**: **Les pronoms relatifs *qui*, *que*, *dont* et *lequel***;
- Fiche d'activité **12**: **Le complément direct et le complément indirect**.

RÉFLEXION

Poser les questions suivantes aux élèves:

- Qu'avez-vous appris au sujet de l'équité?
- Qu'avez-vous appris sur la préparation d'un message d'intérêt public?
- De quelle façon utiliseriez-vous les connaissances acquises dans d'autres situations?

Réfléchir sur son apprentissage

Inviter les élèves à noter leurs réponses dans leur journal de bord. Modéliser les réponses. Par exemple:

- *J'ai appris que l'équité est...*
- *En préparant un message d'intérêt public, j'ai appris qu'il est important de...*
- *Dans une autre situation semblable, je pourrais...*

ÉVALUATION AU SERVICE DE L'APPRENTISSAGE *(voir fiche d'évaluation 1: Observations continues)*

Observations	Interventions pédagogiques
Noter si les élèves peuvent: • mettre en application les stratégies d'interaction orale ;	Revoir les stratégies d'interaction orale avec les élèves ayant besoin de plus de soutien. Par exemple: • *Je fais des efforts pour parler correctement français.* • *J'utilise mes expériences et mes connaissances.* • *Je pose des questions quand je ne comprends pas.* • *Je donne mon opinion et je respecte les opinions des autres.* • *J'exprime mon accord ou mon désaccord de façon positive.*
• faire preuve de respect envers les expériences et les idées des autres ;	Rappeler aux élèves que chaque personne a des idées et des expériences différentes et qu'on peut toujours apprendre des autres.
• participer à une discussion ;	Modéliser la façon de poser des questions pour vérifier sa compréhension pendant une discussion. Demander au groupe de ne pas s'éloigner du sujet discuté.
• préparer une annonce d'intérêt public.	Faire écouter des messages d'intérêt public sur divers sujets. Faire ressortir le message qu'on veut transmettre. Dresser une liste des techniques utilisées dans les messages d'intérêt public. Comparer des messages d'intérêt public et évaluer leur efficacité.

Lire une biographie

(manuel, pages 8 et 9)

Apprentissages ciblés

- Préciser son intention. Se demander pourquoi on lit des biographies.
- Utiliser le contexte pour comprendre un mot nouveau.
- Comprendre et évaluer les stratégies de lecture utilisées.
- Reconnaître l'utilité d'un organisateur graphique.
- Faire des liens avec le texte lu.
- Déterminer le point de vue ou l'intention de l'auteur ou l'auteure.

Affiche : **Tommy Douglas, la plus grande personnalité canadienne**
(*voir aussi transparent de lecture partagée 14*)

Note : Cette leçon de **lecture partagée** pourrait être enseignée sur une période de deux à quatre séances, selon les besoins des élèves.

3.1 Lis avec habileté : Précise ton intention *(manuel, page 9)*

AVANT

Se familiariser avec le genre de texte

Expliquer aux élèves qu'une biographie fournit des renseignements sur la vie d'une personne en présentant ses principales qualités et ses accomplissements. Animer une discussion au sujet des biographies lues précédemment ou sur un film présentant la vie d'une personne. Lire avec les élèves les questions de la rubrique **Exprime-toi !** (*voir page 8 du manuel*).

PENDANT

Trouver des biographies ou des autobiographies

Demander aux élèves où ils pensent trouver des biographies ou des autobiographies. Faire une liste de personnes dont la biographie les intéresse. Les encourager à lire la page 8 du manuel pour trouver des indices. Les inviter ensuite à travailler avec un ou une camarade pour remplir un tableau comme celui présenté au bas de la page 8.

APRÈS

Préciser son intention

Créer un tableau

Suggérer aux élèves de présenter leur tableau à la classe. Leur demander pourquoi on lit des biographies ou des autobiographies. Créer un tableau avec leurs réponses.

Pourquoi lit-on des biographies ?

- pour avoir de l'information à propos de gens qu'on veut mieux connaître ;
- pour confirmer ce qu'on sait déjà au sujet de certaines personnes ;
- pour connaître de nouvelles idées ;
- pour le plaisir.

Modéliser les réponses pour les élèves (p. ex. : *Je lis des biographies pour…*).

3.2 Lis avec habileté : Décode le texte *(manuel, page 9)*

Note : Cette leçon pourrait facilement s'intégrer à la leçon 3.3.

AVANT

Expliquer aux élèves que les lecteurs efficaces utilisent diverses stratégies pour décoder le sens des mots qu'ils ne connaissent pas. Lire avec les élèves la rubrique **Décode le texte**, à la page 9 du manuel.

Discuter de stratégies de décodage

PENDANT

Relire avec les élèves l'affiche **Tommy Douglas, la plus grande personnalité canadienne**. En dyades, leur demander de relever des mots qui leur sont moins familiers et d'expliquer les stratégies susceptibles de les aider à comprendre ces termes. Ajouter que les employer dans leur contexte en facilite la compréhension. Modéliser cette stratégie en utilisant l'affiche. Par exemple :

Utiliser le contexte pour comprendre un mot

En lisant un texte, si je trouve un mot inconnu, j'emploie les autres mots de la phrase pour m'aider à le comprendre. Par exemple, je le fais avec le mot...

Montrer aux élèves comment le contexte permet de mieux saisir ce mot.

APRÈS

Dresser une liste de tous les mots difficiles aux yeux des élèves et des stratégies proposées pour mieux les comprendre. Encourager les élèves à utiliser d'autres stratégies efficaces.

Réfléchir aux stratégies utilisées

RÉFLEXION

Demander aux élèves de noter dans leur journal de bord les stratégies appropriées pour comprendre des mots moins familiers. Les encourager à en discuter avec un ou une camarade. Les inviter à répondre à la question : Comment les indices dans la phrase ou le paragraphe m'aideraient-ils à comprendre un mot nouveau ?

ÉVALUATION AU SERVICE DE L'APPRENTISSAGE *(voir fiche d'évaluation 1 : Observations continues)*

Observations	Interventions pédagogiques
Noter si les élèves peuvent : • utiliser le contexte pour comprendre un mot nouveau.	Présenter aux élèves de courts textes dans lesquels des mots clés ont été enlevés. Leur demander de réfléchir à voix haute pendant qu'ils cherchent des mots pertinents selon le contexte.

3.3 Lis avec habileté : Construis le sens du texte —
Fais et vérifie des prédictions *(manuel, page 9)*

AVANT

Commencer la lecture partagée

Rappeler aux élèves que les lecteurs efficaces précisent leur intention et, ensuite, choisissent les stratégies qu'ils appliqueront pour mieux comprendre le texte. Installer l'affiche **Tommy Douglas, la plus grande personnalité canadienne** et poser les questions suivantes :

- Quels indices laissent croire qu'il s'agit d'une biographie ?

- Dans quelle intention lisez-vous ce texte ?

- Quelles stratégies vous aideraient à comprendre ce texte ?

Soutien (étayage)

À ce niveau, la plupart des élèves peuvent utiliser plusieurs stratégies de lecture à la fois, mais il importe de continuer à modéliser le choix et l'intégration des stratégies pour qu'ils deviennent des lecteurs efficaces. Ajuster la leçon pour les élèves ayant davantage besoin de soutien.

PENDANT

Modéliser les stratégies ciblées

Lire l'affiche à voix haute en invitant les élèves à participer. Faire des pauses afin de vérifier leur compréhension et de les laisser faire des liens et des prédictions. Pendant la lecture, permettre aux élèves de comparer les stratégies et d'en discuter en dyades. Faire un retour sur ces échanges et poursuivre la lecture. Modéliser davantage les stratégies ciblées. Par exemple :

Faire des prédictions

- *Avant de commencer à lire, je fais des prédictions sur l'intention de la personne qui a rédigé cette affiche. Je sais qu'il s'agit d'une biographie, car je peux voir la photo d'un homme. Je présume qu'il s'agit de Tommy Douglas, car son nom apparaît dans le titre et on peut lire des notes biographiques qui accompagnent la photo.*

- *Cela me fait penser à...*

- *Je vais aussi apprendre le lien de ce texte avec le thème de l'équité.*

- *Je prévois que ce sera intéressant. En lisant les premières lignes, j'ai appris...*

Vérifier ses prédictions et faire de nouvelles prédictions

- *Lorsque je lis, je fais des pauses pour m'assurer d'avoir bien compris et aussi pour vérifier les prédictions faites au début de ma lecture.*

Faire des liens

- *Afin de mieux comprendre, je pense à ce que je connais à propos des biographies. Par exemple, je vois des notes biographiques qui me renseignent sur Tommy Douglas. En les lisant, j'apprends des faits saillants au sujet de cet homme.*

Faire des pauses pendant la lecture pour laisser les élèves discuter en dyades des stratégies à utiliser pour bien comprendre ce texte.

Lire avec les élèves les rubriques **Décode le texte** et **Construis le sens du texte** de la page 9 du manuel et en discuter.

Modéliser la façon de remplir la fiche d'activité **3 : Fais des observations et des prédictions**.

APRÈS

Après la lecture de l'affiche, poser les questions suivantes :

- Qu'avez-vous appris au sujet de Tommy Douglas en lisant cette courte biographie ?
- Quelles stratégies étaient, selon vous, les plus efficaces pour comprendre le texte ? Pourquoi ?

Expliquer aux élèves que, même s'ils lisent tous un texte identique, ils utilisent différentes stratégies, selon leurs besoins. Leur demander : Si vous aviez lu ce texte individuellement, quelles autres stratégies auriez-vous utilisées ?

Discuter des stratégies de compréhension

RÉFLEXION

Inviter les élèves à discuter, en dyades, de l'efficacité d'une stratégie utilisée pour comprendre ce texte.

Réfléchir aux stratégies utilisées

ÉVALUATION AU SERVICE DE L'APPRENTISSAGE *(voir fiche d'évaluation 1 : Observations continues)*

Observations	Interventions pédagogiques
Noter si les élèves peuvent : • préciser leur intention, dire pourquoi ils lisent des biographies ; • comprendre et évaluer les stratégies de lecture utilisées.	Proposer aux élèves de trouver d'autres biographies et les aider à préciser leur intention de lire les biographies. Modéliser l'utilisation des stratégies pour les élèves ayant besoin de plus de soutien. Demander à un ou une élève de modéliser une stratégie pour la classe.

3.4 Lis avec habileté : Construis le sens du texte — Fais des liens *(manuel, page 9)*

AVANT

Revoir des stratégies

Faire des liens

Revoir les activités précédentes avec les élèves. Leur expliquer qu'ils peuvent se servir de leurs expériences personnelles pour comprendre l'information nouvelle.

PENDANT

Utiliser un organisateur graphique

Installer l'organisateur graphique **9 : Faire des liens** (*voir aussi transparent 9 et affiche d'activité modèle 9 : Faire des liens*). Organiser une séance de lecture partagée. Utiliser l'affiche **Tommy Douglas, la plus grande personnalité canadienne**, encourager la réflexion et modéliser la stratégie *Faire des liens* tout en relisant le texte. Modéliser la façon de remplir la fiche d'activité **4 : Fais des liens**.

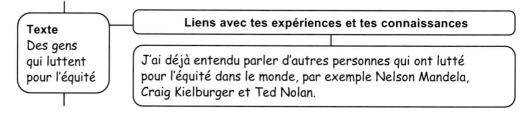

Texte
Des gens qui luttent pour l'équité

Liens avec tes expériences et tes connaissances

J'ai déjà entendu parler d'autres personnes qui ont lutté pour l'équité dans le monde, par exemple Nelson Mandela, Craig Kielburger et Ted Nolan.

Utiliser un organisateur graphique

Une fois l'organisateur graphique rempli, revoir avec les élèves la section « Liens avec tes expériences et tes connaissances » et leur demander comment cette information peut être utile. Leur poser les questions suivantes :

- La biographie de Tommy Douglas vous fait-elle penser à d'autres personnes de votre entourage ?
- Quels sont les liens entre cette biographie et vos expériences personnelles ?

Modéliser la façon de remplir les autres sections de la fiche d'activité **4 : Fais des liens**.

APRÈS

Inviter les élèves à discuter de l'utilité des stratégies de lecture.

Réfléchir aux stratégies utilisées

RÉFLEXION

Demander aux élèves de décrire dans leur journal de bord comment faire des liens peut aider à retenir l'information lue.

ÉVALUATION AU SERVICE DE L'APPRENTISSAGE *(voir fiche d'évaluation 1 : Observations continues)*

Observations	Interventions pédagogiques
Noter si les élèves peuvent : • reconnaître l'utilité d'un organisateur graphique ; • faire des liens avec le texte lu.	Donner des pistes aux élèves pour les aider à faire des liens. Par exemple : • *Tommy Douglas est semblable à moi, car il…* • *Je sais ce que Tommy Douglas ressent lorsqu'il veut établir l'équité dans les soins de santé au Canada, car cela me rappelle la fois où…*

3.5 Lis avec habileté : Analyse le texte *(manuel, page 9)*

AVANT

Rappeler aux élèves que les lecteurs efficaces se posent des questions et essaient de déterminer le message de l'auteur ou l'auteure. Revoir avec les élèves l'intention d'écriture dans la biographie de l'affiche (fournir de l'information à propos de Tommy Douglas et sensibiliser les lecteurs à sa contribution à l'équité dans les soins de santé au Canada). Ensuite, les inviter à relire, à tour de rôle, certaines parties de l'affiche. Amorcer une discussion sur les intentions d'écriture et les différents points de vue. Poser les questions suivantes :

- À ton avis, pourquoi la personne qui a rédigé le texte de l'affiche veut-elle nous présenter Tommy Douglas ?
- Que veut-elle nous transmettre au sujet de cette grande personnalité ?
- Quels sont les faits dans ce texte ? Quelles sont les opinions de l'auteur ou l'auteure ?

Analyser ensuite avec les élèves les idées présentées.

Revoir l'intention de l'auteur ou l'auteure

PENDANT

Lire la rubrique **Analyse le texte** *(voir page 9 du manuel)*. Poser les questions suivantes :

- Pourquoi écrit-on des biographies ? Pourquoi une personne a-t-elle été choisie par un auteur ou une auteure ?
- Qu'est-ce qui rend la biographie de Tommy Douglas intéressante ?
- De quelle autre façon ou de quel autre point de vue pourrait-on présenter cette biographie ?

Laisser quelques minutes aux élèves pour préparer leurs réponses en dyades. En discuter ensuite en groupe-classe.

Discuter de l'importance de lire de façon critique

Analyser des biographies

APRÈS

Souligner qu'il existe toujours plusieurs manières de présenter des faits biographiques au sujet d'une personne. Créer un tableau comparatif pour montrer comment deux auteurs peuvent raconter la vie d'une personne de deux façons différentes.

Modéliser différentes perspectives

RÉFLEXION

Proposer aux élèves de choisir une ou plusieurs stratégies de lecture utilisées pour comprendre ce texte et d'expliquer comment ils pourraient s'en servir dans une autre situation de lecture.

Réfléchir aux stratégies utilisées

ÉVALUATION AU SERVICE DE L'APPRENTISSAGE *(voir fiche d'évaluation 1 : Observations continues)*

Observations	Interventions pédagogiques
Noter si les élèves peuvent : • déterminer le point de vue ou l'intention de l'auteur ou l'auteure.	Aux élèves ayant de la difficulté à trouver le point de vue de l'auteur ou l'auteure, proposer des jeux de rôles pour les aider à considérer d'autres points de vue. Par exemple, en dyades, leur demander de raconter la vie de Tommy Douglas à la manière d'une personne qui serait contre l'idée de payer des impôts pour un régime de santé national.

Enseignement différencié

Assigner aux élèves un des trois textes proposés selon leur niveau de lecture. Avec de l'aide, les élèves lisent le texte en groupes de quatre à six. Pendant ce temps, certains élèves peuvent travailler de façon autonome (p. ex. : à l'aide des cartes-photos) ou avec l'enseignant ou l'enseignante.

4 La pratique guidée

(manuel, pages 10 à 15)

Apprentissages ciblés

Mettre en application les stratégies : *Faire des prédictions*, *Vérifier ses prédictions et faire de nouvelles prédictions*, *Faire des liens*.

4.1 Gisèle Lalonde, une femme d'action ! *(niveau de lecture S-T, DRA 48-50)*

4.2 Louise Arbour, une femme de droit ! *(niveau de lecture T-U, DRA 50-54)*

4.3 Muhammad Yunus, un homme exemplaire ! *(niveau de lecture U-V, DRA 54-58)*

4.4 Affiche du scénarimage du module 1

4.1 Gisèle Lalonde, une femme d'action ! *(manuel, pages 10 et 11)*

AVANT

Inviter les élèves qui liront le texte « Gisèle Lalonde, une femme d'action ! » à se regrouper. Leur demander de survoler le texte en lisant le titre et les intertitres, et en regardant les photos. Afin de modéliser le travail à faire en groupe de lecture guidée, utiliser les outils suivants :

- Fiche d'activité **3 : Fais des observations et des prédictions** ;
- Fiche d'activité **4 : Fais des liens** ;
- Transparent ou organisateur graphique **9 : Faire des liens** ;
- Affiche de lecture partagée (*ou transparent 14*) : **Tommy Douglas, la plus grande personnalité canadienne.**

Inviter les élèves à noter leurs observations et leurs prédictions sur la fiche d'activité **3 : Fais des observations et des prédictions.** Leur suggérer de discuter de leurs découvertes avec les autres membres du groupe.

Conseil

Rappeler aux élèves que toutes les stratégies sont interdépendantes et que les lecteurs efficaces appliquent, au besoin, plus d'une stratégie à la fois. Par exemple, lorsqu'ils font des prédictions, ils font aussi des liens et posent des questions.

Niveau de lecture S-T, DRA 48-50

Survoler le texte

Faire des observations et des prédictions

PENDANT

Vérifier les prédictions

Demander aux élèves de vérifier leurs prédictions au fur et à mesure de leur lecture. Par exemple, après la première section, « La lutte pour l'équité », à la page 10 du manuel, aider les élèves en leur posant les questions suivantes :

- Qu'avez-vous appris jusqu'ici ?
- Vos prédictions étaient-elles justes ? Expliquez votre réponse.

Avant de lire la prochaine section, « La lutte continue », à la page 11 du manuel, leur demander de faire de nouvelles prédictions, à l'aide des questions suivantes :

- À votre avis, que va-t-il se passer ? Pourquoi ?
- Qu'a fait Gisèle Lalonde pour rendre le monde plus équitable ?
- Comment vos prédictions vous aident-elles à lire et à comprendre le texte ?

APRÈS

Après la lecture du texte, poser de nouveau les questions :
- Lesquelles de vos prédictions se sont réalisées ?
- Qu'avez-vous appris à la suite de vos prédictions ?

Demander aux élèves de parler des stratégies de lecture utilisées pour faire leurs prédictions et comprendre le texte. En inviter quelques-uns à modéliser leur façon de lire en réfléchissant à voix haute. Donner des explications pour les guider, au besoin.

Faire des liens

Inviter les élèves à remplir individuellement la fiche d'activité **4 : Fais des liens**. Mettre en commun les réponses en les notant dans l'organisateur graphique **9 : Faire des liens** (*voir aussi fiche d'activité modèle 9*, Guide d'enseignement de la littératie). Inciter les élèves à dire comment les liens les aident à comprendre le texte et à retenir l'information. Vérifier qu'ils comprennent bien, et que les liens sont logiques et justifiés. S'assurer que les élèves font des liens entre des textes déjà lus, le monde et leurs expériences. Poser la question : Pour quelle raison la vie de Gisèle Lalonde te fait-elle penser à la vie d'autres personnes ?

Observations continues

Observer si les élèves font des liens et si ces liens sont :
• **logiques ;**
• **justifiés.**

OBSERVATION GRAMMATICALE EN CONTEXTE

Saisir l'occasion de faire l'activité langagière : **Le passé composé et l'accord du participe passé avec l'auxiliaire *être*** (*voir page XIX du présent document*). Modéliser la façon de remplir la fiche d'activité **13 : Le sujet de la phrase et l'accord du verbe**, ainsi que la fiche d'activité **14 : L'accord du participe passé avec *être***.

RÉFLEXION

Demander aux élèves de construire un tableau, dans leur journal de bord ou sur une feuille, énumérant les stratégies ciblées dans ce module et d'autres stratégies utilisées pour comprendre le texte (p. ex. : *Faire des prédictions*, *Faire des liens*, etc.). Leur demander de juger de l'efficacité de ces stratégies en utilisant un code de couleurs (p. ex. : vert pour indiquer une stratégie très utile ; jaune pour une stratégie utile ; rouge pour une stratégie peu utile). Par exemple :

Réfléchir aux stratégies utilisées

Critères d'évaluation :
• survoler le texte afin de faire des prédictions ;
• faire des liens avec ses connaissances, ses expériences, d'autres textes et le monde ;
• comprendre le texte lu.

Stratégies utilisées	Efficacité des stratégies		
	Vert	Jaune	Rouge
Faire des prédictions	○	○	○
Vérifier ses prédictions et faire de nouvelles prédictions	○	○	○
Faire des liens	○	○	○

Inviter les élèves à trouver une façon d'utiliser ces stratégies dans une autre situation de lecture.

4.2 Louise Arbour, une femme de droit! *(manuel, pages 12 et 13)*

AVANT

Niveau de lecture T-U, DRA 50-54

Survoler le texte

Inviter les élèves qui liront le texte «Louise Arbour, une femme de droit!» à se regrouper. Leur demander de survoler le texte en lisant le titre et les intertitres, et en regardant les photos. Afin de modéliser le travail à faire en groupe de lecture guidée, utiliser les outils suivants :

- Fiche d'activité **3 : Fais des observations et des prédictions**;
- Fiche d'activité **4 : Fais des liens**;
- Transparent ou organisateur graphique **9 : Faire des liens**;
- Affiche de lecture partagée (*ou transparent 14*) : **Tommy Douglas, la plus grande personnalité canadienne.**

Conseil

Rappeler aux élèves que toutes les stratégies sont interdépendantes et que les lecteurs efficaces appliquent, au besoin, plus d'une stratégie à la fois. Par exemple, lorsqu'ils font des prédictions, ils font aussi des liens et posent des questions.

Faire des observations et des prédictions

Demander aux élèves de noter leurs observations et leurs prédictions sur la fiche d'activité **3 : Fais des observations et des prédictions.** Leur suggérer de discuter de leurs découvertes avec les autres membres du groupe.

PENDANT

Vérifier les prédictions

Demander aux élèves de vérifier leurs prédictions au fur et à mesure de leur lecture. Par exemple, après la première section, «La lutte pour la justice», à la page 12 du manuel, aider les élèves en leur posant les questions suivantes :

- Qu'avez-vous appris jusqu'ici?
- Vos prédictions étaient-elles justes? Expliquez votre réponse.

Avant de lire la prochaine section, «La magistrate exceptionnelle», à la page 13 du manuel, leur demander de faire de nouvelles prédictions, à l'aide des questions suivantes :

- À votre avis, que va-t-il se passer? Pourquoi?
- Qu'a fait Louise Arbour pour rendre le monde plus équitable?
- Comment vos prédictions vous aident-elles à lire et à comprendre le texte?

APRÈS

Après la lecture du texte, poser de nouveau les questions :

- Lesquelles de vos prédictions se sont réalisées?
- Qu'avez-vous appris à la suite de vos prédictions?

Faire des liens

Demander aux élèves de parler des stratégies de lecture utilisées pour faire leurs prédictions et comprendre le texte. En inviter quelques-uns à modéliser leur façon de lire en réfléchissant à voix haute. Donner des explications pour les guider, au besoin.

Inviter les élèves à remplir individuellement la fiche d'activité **4 : Fais des liens**. Mettre en commun les réponses en les notant dans l'organisateur graphique **9 : Faire des liens** (*voir aussi fiche d'activité modèle 9*, Guide d'enseignement de la littératie). Inciter les élèves à dire comment les liens les aident à comprendre le texte et à retenir l'information. Vérifier qu'ils comprennent bien, et que les liens sont logiques et justifiés. S'assurer que les élèves font des liens entre des textes déjà lus, le monde et leurs expériences. Poser la question : Pour quelle raison la vie de Louise Arbour te fait-elle penser à la vie d'autres personnes ?

Observations continues

Observer si les élèves font des liens et si ces liens sont :
• **logiques ;**
• **justifiés.**

OBSERVATION GRAMMATICALE EN CONTEXTE

Saisir l'occasion de faire l'activité langagière : **Le passé composé et l'accord du participe passé avec l'auxiliaire *être*** (*voir page XIX du présent document*). Modéliser la façon de remplir la fiche d'activité **13 : Le sujet de la phrase et l'accord du verbe**, ainsi que la fiche d'activité **14 : L'accord du participe passé avec *être*.**

RÉFLEXION

Demander aux élèves de construire un tableau, dans leur journal de bord ou sur une feuille, énumérant les stratégies ciblées dans ce module et d'autres stratégies utilisées pour comprendre le texte (p. ex. : *Faire des prédictions*, *Faire des liens*, etc.). Leur demander de juger de l'efficacité de ces stratégies en utilisant un code de couleurs (p. ex. : vert pour indiquer une stratégie très utile ; jaune pour une stratégie utile ; rouge pour une stratégie peu utile). Par exemple :

Réfléchir aux stratégies utilisées

Critères d'évaluation :
• survoler le texte afin de faire des prédictions ;
• faire des liens avec ses connaissances, ses expériences, d'autres textes et le monde ;
• comprendre le texte lu.

Stratégies utilisées	Efficacité des stratégies		
	Vert	Jaune	Rouge
Faire des prédictions	◯	◯	◯
Vérifier ses prédictions et faire de nouvelles prédictions	◯	◯	◯
Faire des liens	◯	◯	◯

Inviter les élèves à trouver une façon d'utiliser ces stratégies dans une autre situation de lecture.

Niveau de lecture U-V, DRA 54-58

4.3 Muhammad Yunus, un homme exemplaire ! *(manuel, pages 14 et 15)*

AVANT

Survoler le texte

Inviter les élèves qui liront le texte « Muhammad Yunus, un homme exemplaire ! » à se regrouper. Leur demander de survoler le texte en lisant le titre et les intertitres, et en regardant les photos. Afin de modéliser le travail à faire en groupe de lecture guidée, utiliser les outils suivants :

- Fiche d'activité **3 : Fais des observations et des prédictions** ;
- Fiche d'activité **4 : Fais des liens** ;
- Transparent ou organisateur graphique **9 : Faire des liens** ;
- Affiche de lecture partagée (*ou transparent 14*) : **Tommy Douglas, la plus grande personnalité canadienne**.

Conseil

Rappeler aux élèves que toutes les stratégies sont interdépendantes et que les lecteurs efficaces appliquent au besoin plus d'une stratégie à la fois. Par exemple, lorsqu'ils font des prédictions, ils font aussi des liens et posent des questions.

Faire des observations et des prédictions

Demander aux élèves de noter leurs observations et leurs prédictions sur la fiche d'activité **3 : Fais des observations et des prédictions**. Leur suggérer de discuter de leurs découvertes avec les autres membres du groupe.

PENDANT

Vérifier les prédictions

Demander aux élèves de vérifier leurs prédictions au fur et à mesure de leur lecture. Par exemple, après la première section, « La lutte contre la pauvreté », à la page 14, aider les élèves en leur posant les questions suivantes :

- Qu'avez-vous appris jusqu'ici ?
- Vos prédictions étaient-elles justes ? Expliquez votre réponse.

Avant de lire la prochaine section, « La reconnaissance d'un citoyen exceptionnel », à la page 15 du manuel, leur demander :

- À votre avis, que va-t-il se passer ? Pourquoi ?
- Qu'a fait Muhammad Yunus pour rendre le monde plus équitable ?
- Comment vos prédictions vous aident-elles à lire et à comprendre le texte ?

APRÈS

Après la lecture du texte, poser de nouveau les questions :

- Lesquelles de vos prédictions se sont réalisées ?
- Qu'avez-vous appris à la suite de vos prédictions ?

Faire des liens

Demander aux élèves de parler des stratégies de lecture utilisées pour faire leurs prédictions et comprendre le texte. En inviter quelques-uns à modéliser leur façon de lire en réfléchissant à voix haute. Donner des explications pour les guider, au besoin.

Inviter les élèves à remplir individuellement la fiche d'activité **4 : Fais des liens.** Mettre en commun les réponses en les notant dans l'organisateur graphique **9 : Faire des liens** (*voir aussi fiche d'activité modèle 9*, Guide d'enseignement de la littératie). Inciter les élèves à dire comment les liens les aident à comprendre le texte et à retenir l'information. Vérifier qu'ils comprennent bien, et que leurs liens sont logiques et justifiés. S'assurer que les élèves font des liens entre des textes déjà lus, le monde et leurs expériences. Poser la question : Pour quelle raison la vie de Muhammad Yunus te fait-elle penser à la vie d'autres personnes ?

Observations continues

Observer si les élèves font des liens et si ces liens sont :
• logiques ;
• justifiés.

OBSERVATION GRAMMATICALE EN CONTEXTE

Saisir l'occasion de faire l'activité langagière : **Le passé composé et l'accord du participe passé avec l'auxiliaire** *être* (*voir page XIX du présent document*). Modéliser la façon de remplir la fiche d'activité **13 : Le sujet de la phrase et l'accord du verbe**, ainsi que la fiche d'activité **14 : L'accord du participe passé avec** *être*.

RÉFLEXION

Demander aux élèves de construire un tableau, dans leur journal de bord ou sur une feuille, énumérant les stratégies ciblées dans ce module et d'autres stratégies utilisées pour comprendre le texte (p. ex. : *Faire des prédictions*, *Faire des liens*, etc.). Leur demander de juger de l'efficacité de ces stratégies en utilisant un code de couleurs (p. ex. : vert pour indiquer une stratégie très utile ; jaune pour une stratégie utile ; rouge pour une stratégie peu utile). Par exemple :

Réfléchir aux stratégies utilisées

Stratégies utilisées	Efficacité des stratégies		
	Vert	Jaune	Rouge
Faire des prédictions	◯	◯	◯
Vérifier ses prédictions et faire de nouvelles prédictions	◯	◯	◯
Faire des liens	◯	◯	◯

Critères d'évaluation :
• survoler le texte afin de faire des prédictions ;
• faire des liens avec ses connaissances, ses expériences, d'autres textes et le monde ;
• comprendre le texte lu.

Inviter les élèves à trouver la façon d'utiliser ces stratégies dans une autre situation de lecture.

4.4 Affiche du scénarimage du module 1

Remarque : Pour les élèves ayant besoin de plus de soutien, utiliser le scénarimage avant les textes de la pratique guidée. Cette activité les aidera à développer le vocabulaire correspondant au module.

AVANT

Revoir le vocabulaire et les notions

Revoir les deux pages d'introduction du module sur l'équité (*voir leçon 1*). Demander aux élèves de repérer les mots qu'ils connaissent ou ceux qu'ils ont appris depuis le début du module. Distribuer la fiche d'activité **5 : Le vocabulaire de l'équité**. Demander aux élèves d'écrire le mot *équité* au centre de l'organisateur graphique, puis d'écrire des mots ou des expressions en lien avec ce terme. Enfin, les inviter à se regrouper en équipes et à discuter des mots et des expressions relevés.

Survoler le scénarimage et faire des prédictions

Expliquer aux élèves que leur tâche consiste à inventer une histoire sur l'équité, puis à en faire la lecture à voix haute. Leur montrer l'**affiche du scénarimage du module 1** (*voir aussi transparent 20*). Pendant qu'ils observent les images, leur poser les questions suivantes :

- Que voit-on sur cette affiche ?
- Où pourrait avoir lieu cette histoire ?
- Pourquoi des gens souhaiteraient-ils collecter des fonds pour une banque alimentaire ? En quoi cela contribuerait-il à rétablir l'équité dans une communauté ?
- Que feriez-vous pour corriger une situation inéquitable ?

Demander aux élèves d'écrire une phrase ou une légende pour chaque image, sur des bandes en papier et de les placer dans l'ordre chronologique sous les images de l'affiche. Regrouper les élèves en dyades et les inviter à créer une case supplémentaire en dessinant une image et en écrivant une phrase pour accompagner leur dessin. Laisser l'affiche bien en vue pour permettre aux élèves de lire les légendes et pour s'exercer à en rédiger de nouvelles. Inviter les élèves à faire un jeu de rôle pour présenter leur histoire à la classe.

Faire des liens avec ses connaissances

Rappeler aux élèves que les lecteurs et les auteurs efficaces font des liens avec leurs connaissances et leurs expériences personnelles, car cela favorise l'apprentissage. Inviter les élèves à faire des liens avec ce qu'ils connaissent déjà, ou avec des textes semblables déjà lus ou entendus. Leur poser les questions suivantes :

- À quoi ces images vous font-elles penser ?
- Quels liens pouvez-vous faire avec cette situation ? Connaissez-vous des situations semblables ?
- Avez-vous déjà fait une collecte de fonds pour une cause ? Quelle était la cause ? Quel était votre rôle ? L'activité a-t-elle été une réussite ?

PENDANT

Demander aux élèves de créer une histoire d'après les images de l'affiche. Leur donner d'abord le temps d'en discuter, en groupes de deux ou plus. Guider leur réflexion en posant les questions suivantes :

- Quel événement les images montrent-elles ?
- Qu'arrive-t-il en premier ? Qu'arrive-t-il en second ?
- Pouvez-vous en dire davantage ?
- Qu'écririez-vous pour raconter l'action de chaque image ?

Reformuler et clarifier les idées des élèves. Leur suggérer d'utiliser les mots énumérés au début de la leçon. Lorsque tous les élèves se sont exprimés, rédiger avec eux une phrase ou un petit paragraphe pour accompagner chaque image. En travaillant sur une case à la fois, leur demander de vous décrire le sujet de l'image.

Modéliser l'écriture et la lecture du texte : inscrire les phrases sur l'affiche et les lire à voix haute, au fur et à mesure. Inviter les élèves à lire ensemble. Après avoir complété le paragraphe, relire l'histoire depuis le début avec les élèves. Leur demander ensuite :

- Devriez-vous changer quelque chose à l'histoire ?
- Voulez-vous y ajouter d'autres idées ?

Enfin, proposer aux élèves de trouver un titre à l'histoire et de l'inscrire sur l'affiche.

Soutien (étayage)

Pour aider les élèves ayant plus de difficulté à comprendre, utiliser un langage simple et concret, de même que des gestes et des objets. Leur donner plus de temps de réflexion avant de répondre à une question.

Écrire une histoire

APRÈS

Modéliser la façon de faire des liens avec l'histoire en réfléchissant à voix haute. Par exemple :

Notre histoire me rappelle le programme « Des écoles pour l'Afrique », qui aide des millions d'enfants africains privés d'école. Les élèves canadiens collectent des fonds pour aider à construire des écoles, former des enseignants et des enseignantes, et fournir de l'eau potable aux gens. Et vous, à quoi cette histoire vous fait-elle penser ?

S'exercer à faire des liens

RÉFLEXION

Demander aux élèves de discuter de ce qu'ils ont appris. Leur poser les questions suivantes :

- Qu'avez-vous appris en écrivant cette histoire ?
- Comment pourriez-vous améliorer votre histoire ?

Proposer aux élèves de répondre à ces questions dans leur journal de bord. Certains préféreront peut-être dessiner leurs réponses. Les inviter à communiquer leur réflexion aux autres membres de leur groupe.

5 Fais un retour sur tes apprentissages

(manuel, page 16)

Apprentissages ciblés
- Discuter en groupe de ses opinions.
- Revoir le genre de texte.
- Comprendre et évaluer les stratégies de lecture.
- Structurer l'information.

AVANT

Faire un retour sur les stratégies utilisées

Former des groupes une fois que les élèves ont appliqué les stratégies ciblées en lisant l'un des textes de la section «Des gens qui luttent pour l'équité» du manuel («Gisèle Lalonde, une femme d'action!», «Louise Arbour, une femme de droit!» et «Muhammad Yunus, un homme exemplaire!»). Donner aux élèves l'occasion d'échanger leurs réflexions sur ce qu'ils ont appris pendant leur lecture. Afin d'encourager la discussion, former des groupes avec des élèves ayant lu des textes différents. Animer les discussions et poser les questions suivantes :

- Comment la stratégie *Faire des prédictions* vous aide-t-elle à utiliser vos connaissances et à mieux comprendre le texte ?
- Comment la stratégie *Vérifier ses prédictions* vous aide-t-elle à mieux comprendre le texte ?
- En quoi l'organisateur graphique **9 : Faire des liens** est-il utile pour comprendre l'information présentée dans le texte ?

Lire la bulle de la page 16 du manuel avec les élèves. Leur demander de travailler en dyades pour répondre à la question du garçon. Les inviter à discuter des réponses possibles avec la classe.

PENDANT

Échanger l'information trouvée dans un texte

Demander à chaque membre des groupes hétérogènes (groupes d'élèves ayant lu des textes différents) de résumer pour les autres le texte lu en utilisant l'organisateur graphique **9 : Faire des liens**. Inviter chaque groupe à résumer les textes de la section «Des gens qui luttent pour l'équité» du manuel à l'aide de la fiche d'activité **6 : Lis une courte biographie**. Modéliser le travail à effectuer à l'aide du texte de l'affiche **Tommy Douglas, la plus grande personnalité canadienne**. Encourager les élèves à relire les textes, au besoin.

Des gens qui luttent pour l'équité			
Le nom de la personne	Un fait important ou intéressant à son sujet	Les actions de cette personne pour promouvoir l'équité	Ce que tu as appris à propos de cette personne

Demander aux élèves de présenter et de comparer leur tableau avec celui d'un autre groupe. Préparer un tableau pour la classe.

    Leur proposer de choisir une des personnes présentées dans le tableau et de faire un lien avec leurs expériences personnelles. Par exemple, un élève pourrait dire : *Tommy Douglas voulait que tous les Canadiens et Canadiennes aient accès à un régime de santé. Moi aussi, je voudrais que les élèves de cette école aient accès à une éducation équitable. Le lien est que nous voulons tous les deux donner accès à un service important à nos yeux.* Encourager les élèves à écrire un paragraphe expliquant le lien.

Échanger des idées

OBSERVATION GRAMMATICALE EN CONTEXTE

Faire remarquer aux élèves qu'ils devront utiliser le conditionnel pour décrire une situation souhaitée.

APRÈS

Ajouter des mots ou des expressions liés au thème de l'équité sur le mur de mots et d'expressions. Demander aux élèves de lire la rubrique **Réfléchis à ta démarche de lecture**, au bas de la page 16 du manuel, puis de discuter de ce qu'ils ont noté à propos de leurs stratégies de lecture avec un ou une camarade, ou avec la classe.

RÉFLEXION

Inviter les élèves à trouver des situations de la vie courante où les gens luttent pour l'équité. À l'aide de mots ou de dessins, leur proposer de noter leurs réflexions dans leur journal de bord.

ÉVALUATION AU SERVICE DE L'APPRENTISSAGE *(voir fiche d'évaluation 1 : Observations continues)*

Observations	Interventions pédagogiques
Noter si les élèves peuvent : • discuter en groupe de leurs opinions sur l'équité ; • revoir le genre de texte ; • comprendre et évaluer les stratégies de lecture utilisées ; • structurer l'information.	Pour les élèves ayant besoin de soutien, modéliser le travail de groupe et la manière d'exprimer son opinion de façon respectueuse. Poser des questions à quelques élèves, sous forme de conversation naturelle, pour les encourager à rapporter les paroles de membres de leur équipe. Élargir graduellement le questionnement et approfondir les réponses. Modéliser la réflexion à voix haute et rendre ainsi explicite le dialogue intérieur essentiel au processus de lecture. La réflexion à voix haute permet aux élèves de voir comment les lecteurs efficaces explorent un texte et y réagissent afin d'approfondir leur compréhension.

6 Écris avec habileté

(manuel, page 17)

Apprentissages ciblés
- Comprendre la structure d'une courte biographie.
- Planifier la rédaction d'une courte biographie.
- Écrire une courte biographie.

AVANT

Étudier la structure d'une courte biographie

Avec les élèves, faire un retour sur les biographies lues jusqu'à présent. Mentionner que l'information contenue dans une biographie est organisée de façon unique. Leur poser les questions de la rubrique **Exprime-toi!**, à la page 17 du manuel. Revoir la structure d'une biographie en lisant l'information présentée au bas de cette page.

Analyser la structure d'une courte biographie

Analyser, pour les élèves, le texte de l'affiche de lecture partagée (*ou transparent 14*): **Tommy Douglas, la plus grande personnalité canadienne** et leur faire remplir la fiche d'activité **7: La structure d'une courte biographie**. Montrer comment est organisée l'information dans une biographie. Par exemple:

La structure d'une courte biographie	Une biographie de **Tommy Douglas**
Une introduction intéressante	
Des événements présentés dans l'ordre chronologique	
Des notes biographiques	
Des éléments visuels pour accompagner le texte	

Afficher le tableau pour permettre aux élèves de s'y référer au besoin.

PENDANT

Demander aux élèves de remplir le tableau de la fiche d'activité **7: La structure d'une courte biographie**, pour le texte lu durant la séance de lecture guidée. Les encourager à comparer leur tableau avec celui d'un ou d'une camarade.

Expliquer aux élèves que, dans la rédaction d'une biographie, il est important de classer les événements dans l'ordre chronologique. Choisir une personne connue des élèves. Présenter la fiche d'activité modèle **13: Organiser l'information sur une ligne du temps** du *Guide d'enseignement de la littératie* (*voir aussi l'organisateur graphique et le transparent 13*). Modéliser à voix haute la manière de remplir cette fiche. Par exemple:
- *Pour faire une ligne du temps, je dois choisir les événements les plus importants et les placer dans l'ordre chronologique.*
- *Je vais penser à Tommy Douglas. Dans la première case, j'écris sa date de naissance: le 20 octobre 1904.*
- *Dans la deuxième case, j'écris de l'information importante à son sujet. Par exemple: sa famille a émigré au Canada en 1910 pour s'installer à Winnipeg.*

Encourager les élèves à intégrer d'autres événements importants à la ligne du temps. Poser des questions pour les aider à développer leurs idées.

APRÈS

Demander aux élèves de choisir une personne qui a lutté pour l'équité dans le monde, puis de placer sur une ligne du temps les principaux événements de sa vie. Après avoir fait un remue-méninges, distribuer la fiche d'activité modèle **13 : Organiser l'information sur une ligne du temps** du *Guide d'enseignement de la littératie* (*voir aussi l'organisateur graphique et le transparent 13*). Inviter les élèves, individuellement ou en dyades, à remplir l'organisateur graphique et à ajouter les actions de cette personne pour promouvoir l'équité dans le monde ou la communauté.

Demander aux élèves de présenter leur ligne du temps à un ou une camarade. Ensuite, leur faire utiliser les renseignements de leur organisateur graphique pour rédiger une courte biographie de la personne choisie. Pour leur rédaction, les encourager à prendre comme modèle le texte lu en lecture guidée. Conseiller et aider les élèves durant ce processus d'écriture à l'aide du transparent **33 : Écrire une biographie** (*ou affiche de modélisation en écriture 1*).

Demander aux élèves de remplir la fiche d'activité **8 : Compare la structure de différents textes**, pour distinguer les similitudes et les différences entre la biographie et l'autobiographie. Les inviter à faire cette activité en dyades avant de l'effectuer en groupe-classe.

Analyser la structure d'une courte biographie

OBSERVATION GRAMMATICALE EN CONTEXTE

Demander aux élèves de porter une attention particulière à l'accord du verbe avec le sujet ainsi qu'à l'accord du passé composé conjugué avec *être* en rédigeant leur ligne du temps et leur courte biographie.

RÉFLEXION

Inviter les élèves à discuter avec un ou une camarade des stratégies utilisées pour planifier leur biographie et à se demander comment celles-ci les ont aidés. Leur proposer de commenter la biographie de leur camarade et de lui faire des suggestions.

Conseil

Pour amener les élèves à faire des commentaires constructifs, leur apprendre à suivre la démarche suivante :
- complimenter ;
- questionner ;
- suggérer.

Réfléchir aux stratégies de planification utilisées

ÉVALUATION AU SERVICE DE L'APPRENTISSAGE *(voir fiche d'évaluation 1 : Observations continues)*

Observations	Interventions pédagogiques
Noter si les élèves peuvent : • comprendre la structure d'une courte biographie ;	Faire travailler les élèves sur de courts textes qu'ils ont déjà lus. Former des groupes et leur demander de déterminer, parmi les textes, lesquels sont des biographies et lesquels n'en sont pas. Afin de les aider dans leur réflexion, modéliser les réponses avec les énoncés suivants : • *Je peux dire que ce texte est une biographie, car…* • *Je peux dire que ce texte n'est pas une biographie, car…*
• planifier la rédaction d'une courte biographie ;	Choisir un texte connu des élèves. À l'aide d'un organisateur graphique, diviser ce texte en différentes parties, tout en expliquant pourquoi à voix haute. Attirer l'attention des élèves sur les choix de l'auteur ou l'auteure.
• écrire une courte biographie.	Proposer aux élèves éprouvant des difficultés à planifier une biographie de travailler avec un ou une camarade, ou en petit groupe.

Niveau de lecture W-X, DRA 60-64

7 L'eau pour tous

(manuel, pages 18 à 21)

Apprentissages ciblés

- Faire des liens avec ses expériences personnelles, son entourage, des événements dans le monde ou d'autres textes.
- Appliquer des stratégies de lecture.
- Analyser la structure d'une chronique journalistique.
- Réagir à un texte lu.
- Poser des questions ouvertes.

Demander aux élèves de lire la rubrique **Observe le texte** à la page 19. Relever avec eux les moyens utilisés par l'auteur pour appuyer les faits présentés dans sa chronique. Par exemple, il cite des sources crédibles et appuie son propos avec des éléments visuels tels que des photos.

Remarque : Le niveau de lecture du texte « L'eau pour tous » devrait convenir à la plupart des élèves. Selon leurs besoins, proposer d'autres textes pour leur permettre d'appliquer l'une ou l'autre des stratégies de lecture. Le tableau suivant suggère des lectures supplémentaires.

Lectures supplémentaires

Stratégies	Livrets de la collection *Petits curieux*	Niveaux de lecture
Faire des prédictions Vérifier ses prédictions et faire de nouvelles prédictions	*Les sources d'eau au Canada* *Des prix canadiens!* *Écris ton journal!*	O-P, DRA 34-38 T-U, DRA 50-54 U, DRA 54
Faire des liens	*Préservons la Terre* *Passer à l'action*	R, DRA 44 Q-R, DRA 40-44

AVANT

Faire appel à son expérience

Poser la question de départ (*voir page 18 du manuel*) : Pourquoi est-ce important d'avoir accès à l'eau potable ?

Animer une discussion ou un débat sur l'importance d'avoir accès à l'eau potable. Par exemple, leur poser les questions suivantes :

- À quoi sert l'eau ?
- D'après vous, quels pays ont davantage besoin d'eau ? Pourquoi ?
- Y a-t-il beaucoup d'eau potable au Canada ? Dans quelle province trouve-t-on la plus grande étendue d'eau douce ?
- Le Canada devrait-il donner accès à ses ressources en eau potable aux autres pays ? Pourquoi ?

Survoler le texte et faire des prédictions

Lire le titre du texte avec les élèves. Leur expliquer qu'ils vont lire ou écouter (*voir coffret audio*) une chronique journalistique. Leur demander de survoler le texte, de faire deux prédictions à son sujet et de les noter dans leur journal de bord.

PENDANT

Lire en dyades ou de façon autonome

Rappeler aux élèves les stratégies appliquées au cours de la séance de lecture guidée. Leur suggérer de faire des liens avec leurs expériences personnelles, de trouver des indices dans le texte pour faire des prédictions et de noter ce qui semble important à retenir. Leur demander de prêter une attention particulière aux images qui donnent des renseignements supplémentaires.

Soutien (étayage)

Encourager les élèves à faire une pause à la fin de chaque section pour vérifier leurs prédictions et parler des liens qu'ils ont faits.

APRÈS

Poser la question suivante : Qu'avez-vous remarqué sur la façon dont les renseignements sont organisés dans ce texte ?

VA PLUS LOIN

1. *Participer à une discussion.* Pour alimenter la discussion, rappeler aux élèves de poser des questions ouvertes à leurs camarades. Modéliser au besoin. Suggérer aux élèves de vérifier si leurs idées ont été comprises en posant des questions à leurs partenaires.

Participer à une discussion

2. *Préparer une affiche.* Montrer des modèles d'affiches aux élèves. Expliquer l'importance de choisir des mots qui captent l'attention des lecteurs. Parler des éléments qui rehaussent un message (éléments visuels, photos, schémas, etc.).

Préparer une affiche

ENRICHISSEMENT

Demander aux élèves de travailler en dyades ou de façon autonome pour établir des liens entre l'information trouvée dans le texte « L'eau pour tous » et d'autres textes. Leur faire utiliser la fiche d'activité **4 : Fais des liens**, et l'organisateur graphique **9 : Faire des liens** (*voir aussi transparent 9*) pour modéliser le travail.

Travailler en dyades ou de façon autonome

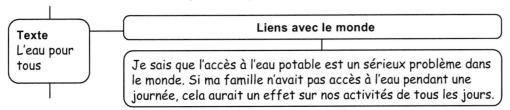

> **Texte**
> L'eau pour tous
>
> **Liens avec le monde**
>
> Je sais que l'accès à l'eau potable est un sérieux problème dans le monde. Si ma famille n'avait pas accès à l'eau pendant une journée, cela aurait un effet sur nos activités de tous les jours.

Après le temps alloué, inviter les élèves à présenter leur organisateur à un autre groupe.

OBSERVATION GRAMMATICALE EN CONTEXTE

Faire observer les phrases à la forme impersonnelle. Amener les élèves à se rendre compte que, dans une phrase impersonnelle, le sujet ne remplace ni une personne ni une chose. Par exemple, dans le texte « L'eau pour tous », à la page 19 du manuel :
- « Il est donc urgent de prendre des mesures. »
- « Il faut savoir qu'entre 1990 et 1995 […] »

Faire remplir la fiche d'activité **15 : L'accord du verbe avec le sujet**.

RÉFLEXION

Demander aux élèves en quoi faire des liens les aide à mieux comprendre le texte. En discuter.

Réfléchir aux stratégies utilisées

ÉVALUATION AU SERVICE DE L'APPRENTISSAGE *(voir fiche d'évaluation 1 : Observations continues)*

Observations	Interventions pédagogiques
Noter si les élèves peuvent : • faire des liens avec leurs expériences personnelles, leur entourage, des événements dans le monde ou d'autres textes ; • appliquer des stratégies de lecture ; • analyser la structure d'une chronique journalistique ; • réagir à un texte lu ; • poser des questions ouvertes.	Noter que certains élèves auront avantage à représenter leurs liens de manière visuelle et concrète et à utiliser : • des modèles et des organisateurs graphiques avec un message visuel ; • des symboles, comme une flèche. Pour aider les élèves à poser des questions ouvertes, dresser avec le groupe-classe une liste de modèles. Par exemple : • *Pourquoi faut-il que… ?* • *Pourquoi penses-tu que… ?* • *Que serait-il arrivé si… ?*

Niveau de lecture V-W, DRA 58-60

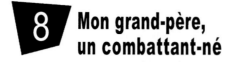

8 Mon grand-père, un combattant-né

(manuel, pages 22 à 25)

Apprentissages ciblés
- Appliquer des stratégies de lecture.
- Réagir à un texte lu.
- Revoir la structure d'une courte biographie.

Remarque : Le niveau de lecture du texte « Mon grand-père, un combattant-né » devrait convenir à la plupart des élèves. Selon leurs besoins, proposer d'autres textes pour leur permettre d'appliquer l'une ou l'autre des stratégies de lecture. Le tableau suivant suggère des lectures supplémentaires.

Survoler le texte, faire des prédictions et des liens

Après avoir lu le texte, poser aux élèves la question de la rubrique **Observe le texte** à la page 22 du manuel. Les inciter à relever comment l'auteure met en valeur les principaux événements du récit à l'aide du titre et des intertitres. Sensibiliser les élèves à l'importance qu'accorde l'auteure à soutenir l'attention de ses lecteurs tout au long du texte.

Lectures supplémentaires

Stratégies	Livrets de la collection *Petits curieux*	Niveaux de lecture
Faire des prédictions Vérifier ses prédictions et faire de nouvelles prédictions	*Les sources d'eau au Canada*	O-P, DRA 34-38
	Des prix canadiens!	T-U, DRA 50-54
	Écris ton journal!	U, DRA 54
Faire des liens	*Préservons la Terre*	R, DRA 44
	Passer à l'action	Q-R, DRA 40-44

AVANT

Inviter les élèves à survoler le texte, à observer les images et à lire les légendes sous les photos. Leur demander s'ils ont déjà entendu parler des travailleurs chinois venus au Canada pour participer à la construction du premier chemin de fer canadien. Distribuer la fiche d'activité **9 : Les travailleurs chinois au Canada**. Lire cette fiche avec les élèves afin de les aider à mettre leur lecture en contexte. Poser la question de départ : As-tu déjà fait quelque chose pour corriger une injustice ?

PENDANT

Lire le texte aux élèves

Étant donné la complexité du concept présenté dans ce texte, lire ou faire écouter (*voir coffret audio*) le texte aux élèves. Faire des pauses pour vérifier leur compréhension et clarifier le sens au besoin. Rappeler aux élèves les stratégies appliquées lors de la séance de lecture guidée. Faire une pause après chaque section afin d'évaluer leurs prédictions et d'en formuler d'autres au besoin.

Faire des liens

Demander aux élèves d'établir des liens entre l'information trouvée dans le texte et d'autres textes lus. Leur faire utiliser la fiche d'activité **4 : Fais des liens** et l'organisateur graphique **9 : Faire des liens** (*voir aussi transparent 9*) pour modéliser le travail.

Rappeler aux élèves que faire des liens permet de mieux comprendre un texte et de retenir l'information lue.

APRÈS

Poser la question suivante : D'après vous, pourquoi est-ce important de corriger une injustice comme celle vécue par Shack Jang Mack ?

VA PLUS LOIN

1. *Concevoir un tableau.* Inviter les élèves à travailler en dyades pour concevoir un tableau décrivant les principaux événements du récit de Sharon Lem, ainsi que les sentiments et les émotions de Shack Jang Mack dans chaque situation. Leur demander de présenter leur tableau à une autre dyade.

2. *Écrire une biographie.* Demander aux élèves de travailler en petits groupes pour rédiger une courte biographie d'une personne qui s'est battue pour la justice ou l'équité. Leur faire penser de consulter l'affiche de modélisation en écriture **1 : Écrire une biographie** (*voir aussi transparent 33*). Inviter chaque groupe à présenter sa biographie à la classe. Proposer de créer une ligne du temps montrant les principaux événements de la vie de cette personne.

ENRICHISSEMENT

Demander aux élèves d'utiliser les renseignements contenus dans les textes lus jusqu'à présent dans ce module pour écrire un reportage biographique. Au besoin, faire une minileçon pour modéliser la façon d'écrire un tel reportage.

OBSERVATION GRAMMATICALE EN CONTEXTE

Faire remarquer l'utilisation des guillemets pour rapporter les paroles d'une personne (*voir page 25 du manuel*).

Attirer leur attention sur les verbes conjugués à l'imparfait de l'indicatif. Faire remplir la fiche d'activité **16 : L'imparfait**. Discuter de la conjugaison des verbes irréguliers en *-ir, -re* et du verbe *aller*.

Attirer leur attention sur la valeur et l'emploi de l'imparfait et du passé composé pour situer un événement dans le passé.

RÉFLEXION

Demander aux élèves de décrire dans leur journal de bord les stratégies utilisées pour mieux comprendre le texte. Écrire les énoncés suivants au tableau et demander de les compléter :
• *Pour m'aider à lire ce texte, j'ai utilisé les stratégies suivantes...*
• *Ces stratégies m'ont permis de...*

Média action

Demander aux élèves de regarder des bulletins de nouvelles à la télévision ou dans Internet. Les inviter ensuite à discuter des groupes ethniques qui y sont représentés. Parler de l'importance de la représentation de la diversité canadienne dans les médias.

Réagir à un texte lu

Concevoir un tableau

Écrire une biographie

Écrire un reportage biographique

Réfléchir aux stratégies utilisées

ÉVALUATION AU SERVICE DE L'APPRENTISSAGE *(voir fiche d'évaluation 1 : Observations continues)*

Observations	Interventions pédagogiques
Noter si les élèves peuvent : • appliquer des stratégies de lecture ;	Encourager les élèves à travailler en dyades pour échanger leurs connaissances sur le sujet présenté. Noter que certains élèves trouvent plus facile de commencer par les éléments visuels pour faire des prédictions.
• réagir à un texte lu ;	Aider les élèves à faire des liens en posant la question suivante : Comment vous sentiriez-vous si vous ne pouviez plus vivre avec les gens que vous aimez ?
• revoir la structure d'une courte biographie.	Modéliser la façon de dégager la structure d'une courte biographie à l'aide de la fiche d'activité **7 : La structure d'une courte biographie**.

Un monde équitable !

(manuel, pages 26 et 27)

Apprentissages ciblés

- Survoler des photos.
- Analyser et comprendre les messages véhiculés par les photos.
- Écrire au sujet d'une photo.
- Représenter des idées à l'aide de photos.

> Tout au long de cette leçon, demander aux élèves de revoir la fiche d'activité **5 : Le vocabulaire de l'équité**, et d'y ajouter des mots et des expressions.

AVANT

Utiliser ses connaissances

Demander aux élèves de réfléchir à ce qu'ils ont appris sur l'équité. Leur demander en quoi leur vision de l'équité a changé depuis la leçon 1. Poser la question de départ : Comment une photo peut-elle transmettre un message sur l'équité ?

Demander aux élèves d'observer brièvement les photos des pages 26 et 27 du manuel. Leur poser la question suivante : Comment une photographie peut-elle représenter l'équité ?

Analyser des photos

Avec les élèves, dresser une liste de questions (trois ou quatre) à se poser en regardant chaque photo. Par exemple :

- *Quel est le sujet de la photo ? (Qu'est-ce qui est le plus important ? Par quoi mon œil est-il attiré en premier ?)*
- *Quels éléments ressortent ? (Lorsque je ferme les yeux et que j'imagine la photo, que vois-je ?)*
- *Quelle sensation ou impression se dégage de l'image ?*

Formuler d'autres questions en fonction de l'expérience des élèves.

PENDANT

Comparer les photos

Après avoir examiné quelques photos avec les élèves, leur demander d'observer, en dyades, toutes les autres photos et de se poser les questions de la liste. Ensuite, faire un retour en groupe-classe pour en discuter.

Proposer aux élèves de choisir une photo et d'écrire l'histoire qu'elle raconte, en se mettant à la place de la personne photographiée. Inviter les élèves à communiquer leur histoire à un ou une camarade.

Soutien (étayage)

Modéliser à voix haute votre propre réflexion à propos de la première photo afin d'aider les élèves à exprimer leurs points de vue.

APRÈS

Réagir aux photos

Analyser des photos

Demander aux élèves de choisir, avec un ou une camarade, la photo qui illustre le mieux l'équité et de justifier leur choix.

VA PLUS LOIN

1. *Discuter des photos présentées.* Demander aux élèves de décrire les liens entre les photos, leurs expériences et leur conception de l'équité.

2. *Créer une affiche ou une représentation visuelle.* Proposer aux élèves de trouver des coupures de journaux et de magazines et de les utiliser dans une affiche ou une autre représentation visuelle pour expliquer l'importance de l'équité dans le monde. Modéliser la façon d'écrire une légende ou un slogan pour leur affiche. Inviter les élèves à présenter leur travail à la classe.

Discuter des photos présentées

Créer une affiche ou une représentation visuelle

RÉFLEXION

Demander aux élèves de réfléchir au rôle de l'écriture en complétant, par exemple, la phrase suivante :

Créer une affiche ou une représentation visuelle sur l'importance de l'équité dans le monde m'a été utile pour comprendre…

Réfléchir sur son apprentissage

ÉVALUATION AU SERVICE DE L'APPRENTISSAGE *(voir fiche d'évaluation 1 : Observations continues)*

Observations	Interventions pédagogiques
Noter si les élèves peuvent : • survoler des photos ; • analyser et comprendre les messages véhiculés par les photos ; • écrire au sujet d'une photo ; • représenter des idées à l'aide de photos.	Demander aux élèves de penser à trois ou quatre mots clés pour décrire chaque photo, puis d'écrire chaque mot sur une fiche séparée. Les inviter, en dyades, à échanger leurs fiches et à tenter de faire correspondre les mots aux photos. Modéliser la façon d'écrire une histoire à partir d'une photo.

10 Le savais-tu ?

(manuel, pages 28 et 29)

Apprentissages ciblés
- Analyser et comprendre un message.
- Produire un document médiatique.

AVANT

Utiliser ses connaissances et ses expériences

Poser la question de départ : Quels groupes sont victimes des plus graves manques d'équité ? Discuter de la réponse avec les élèves.

Demander aux élèves d'observer la mappemonde et de lire les données sur chaque pays. Leur poser la question suivante : Ces endroits sont-ils les seuls au monde où les enfants et les femmes sont victimes de manque d'équité ?

PENDANT

Analyser le message

Demander aux élèves d'imaginer le dessin qu'ils feraient pour représenter l'équité. Les inviter, en dyades, à décrire ce dessin ou à l'esquisser pour le montrer à leur camarade. Ensuite, leur faire mettre les dessins en commun.

Proposer aux élèves d'échanger leurs idées sur ce sujet. Leur poser les questions suivantes :

- Que pouvez-vous faire pour rétablir l'équité dans le monde ?
- Pourquoi est-ce important de porter une attention particulière aux enfants et aux femmes ?
- Existe-t-il au Canada un manque d'équité dans certaines situations ?

Avec les élèves, dresser une liste de ces situations et en discuter.

APRÈS

Réagir à un message

Proposer aux élèves de trouver, dans Internet ou d'autres médias, des dessins ou œuvres d'art qui représenteraient l'équité dans le monde. Amener les élèves à montrer leurs découvertes en répondant à la question suivante : Quels messages sur l'équité ce dessin ou cette œuvre d'art transmettent-ils ?

Effectuer avec les élèves un collage d'images illustrant le manque d'équité dans le monde et les solutions susceptibles de rétablir l'équité. Leur faire utiliser la fiche d'activité modèle **52 : La création d'un document médiatique** (*voir* Guide d'enseignement de la littératie) pour planifier leur travail. Afficher les collages dans la classe ou dans l'école.

VA PLUS LOIN

Participer à une discussion

1. *Participer à une discussion.* Amener les élèves à discuter, en dyades ou en petits groupes, des renseignements fournis par les encadrés au sujet de l'équité dans les pays présentés.

Faire une recherche

2. *Faire une recherche.* Demander aux élèves de faire une recherche sur des situations inéquitables dans le monde. Les inciter à trouver des organismes œuvrant pour rétablir l'équité sur la planète. Inviter les élèves à présenter les résultats de leur recherche à la classe.

OBSERVATION GRAMMATICALE EN CONTEXTE

Faire remarquer la valeur et l'emploi du présent de l'indicatif pour situer un événement dans le présent.

RÉFLEXION

Amener les élèves à réfléchir à leur collage. Leur proposer de répondre aux questions suivantes dans leur journal de bord:

Réfléchir sur son apprentissage

- Qu'ai-je appris en faisant ce collage?
- Comment pourrais-je utiliser ces nouvelles connaissances dans d'autres travaux?

ÉVALUATION AU SERVICE DE L'APPRENTISSAGE *(voir fiche d'évaluation 1: Observations continues)*

Observations	Interventions pédagogiques
Noter si les élèves peuvent: • analyser et comprendre un message; • produire un document médiatique.	Modéliser la façon d'interpréter un message véhiculé par un texte. Trouver des photos montrant des situations inéquitables, et d'autres des solutions possibles.

11 À l'œuvre !

(manuel, pages 30 et 31)

Apprentissages ciblés
- Présenter une entrevue.
- Travailler en groupe pour accomplir une tâche.
- Mettre en pratique l'écoute active lorsque les camarades communiquent leurs idées.

Remarque : Cette leçon est une tâche d'évaluation comportant une production dans laquelle les élèves appliquent les connaissances acquises et les habiletés développées dans ce module. Noter qu'elle fait appel à des contenus d'apprentissage liés à l'écriture et à la littératie médiatique. Proposer cette tâche d'évaluation à tout moment après la pratique coopérative ou autonome.

AVANT

Faire des liens avec ses connaissances

Lire les consignes de la page 30 du manuel avec les élèves. Leur demander de travailler en équipes pour planifier leur entrevue. Poser les questions suivantes pour les amener à choisir la personne interviewée, l'intention et les destinataires :

- Quelle personne a lutté pour l'équité ou la justice dans votre communauté ?
- À qui une entrevue télévisée avec cette personne pourrait-elle s'adresser ?

Lire la rubrique **Quelques conseils** de la page 31 pour s'assurer de la compréhension de la tâche par les élèves. Présenter les critères d'évaluation.

Faire un remue-méninges

Revoir avec les élèves les étapes à suivre pour effectuer cette tâche. Lire les consignes de la page 31 du manuel. Poser des questions aux élèves afin de vérifier leur compréhension de la tâche.

PENDANT

Préparer l'entrevue

Modéliser la façon de préparer les questions d'une entrevue. Rappeler aux élèves l'importance de choisir des questions intéressantes capables de capter l'attention de téléspectateurs et de téléspectatrices. Montrer aux élèves la structure d'une phrase interrogative. Leur expliquer l'importance de faire des recherches sur la personne interviewée et de bien préparer les questions afin de réussir l'entrevue. Leur poser les questions suivantes :

- Selon vous, pourquoi est-ce important de préparer les questions d'une entrevue ?
- Quels types de questions poserez-vous ? (Questions variées)
- Pourquoi faut-il limiter le nombre de questions ? (Généralement, la durée de l'entrevue est limitée.)

Modéliser la façon d'écrire le texte de l'animateur ou l'animatrice. Faire écouter des entrevues aux élèves afin de leur fournir des exemples de structure d'entrevue avant de leur demander d'écrire. Leur laisser le temps de s'exercer avant la présentation devant la classe.

Demander aux élèves de respecter les critères établis pendant leur présentation. À cet effet, revoir avec eux la fiche d'évaluation **2 : Grille d'évaluation de la section «À l'œuvre !»**. Pour s'autoévaluer, certains groupes voudront enregistrer leur présentation. Afin de l'enrichir, les autoriser à utiliser de l'équipement ou des éléments visuels.

APRÈS

Relire avec les élèves la section «Présentez votre entrevue» à la page 31 du manuel. Après leur avoir accordé du temps pour s'exercer, les inviter à présenter leur entrevue à la classe ou à un autre groupe d'élèves de l'école. Rappeler aux spectateurs et aux spectatrices de se comporter de façon appropriée pendant la présentation. Proposer aux animateurs ou aux animatrices de l'entrevue de préparer quelques questions à poser à leur auditoire après la présentation afin de connaître leur appréciation. Demander aux spectateurs et aux spectatrices d'écrire leurs commentaires et de vous les remettre. Utiliser éventuellement ces remarques pour évaluer le travail des élèves.

**Présenter
l'entrevue**

RÉFLEXION

Demander aux élèves de remplir une feuille de réflexion pour s'autoévaluer. Par exemple, utiliser la fiche d'activité modèle **26 : Retour sur ta présentation**, ou la fiche d'activité modèle **27 : Travailler en groupe** (*voir* Guide d'enseignement de la littératie). Utiliser la fiche d'évaluation **2 : Grille d'évaluation de la section «À l'œuvre !»** pour évaluer le travail des élèves et fournir une rétroaction. Discuter de l'efficacité de leurs questions. Leur poser la question suivante : Vos questions vous ont-elles permis d'obtenir les renseignements recherchés ?

ÉVALUATION AU SERVICE DE L'APPRENTISSAGE *(voir fiche d'évaluation 1 : Observations continues)*

Observations	Interventions pédagogiques
Noter si les élèves peuvent : • présenter une entrevue ; • travailler en groupe pour accomplir une tâche ; • mettre en pratique l'écoute active lorsque leurs camarades communiquent leurs idées.	Modéliser le travail en groupe pour les élèves. Leur demander de travailler en dyades pour s'exercer à écouter de manière active les idées des autres. Décrire les comportements attendus.

Niveau de lecture Y-Z, DRA 70-80

12 Juste et équitable

(manuel, pages 32 à 37)

Apprentissages ciblés
- Développer le vocabulaire.
- Relever les idées importantes.
- Interpréter un message publicitaire.

AVANT

Faire des prédictions

Poser la question de départ (*voir page 32 du manuel*): Comment tes décisions d'achat peuvent-elles toucher la vie des gens?

Lire le titre du texte avec les élèves, les inviter à observer les images et à faire des prédictions. Leur poser les questions suivantes:
- Que voyez-vous dans la photo de la page 32?
- Lisez la légende de la photo de la page 33. Que pouvez-vous prédire en lisant cette légende?
- Quelles prédictions pouvez-vous faire en observant les photos des pages 34 et 35?

Expliquer aux élèves qu'ils vont lire un texte sur le commerce équitable. Définir le mot commerce avec les élèves et présenter quelques exemples. Noter au tableau, comme ci-dessous, les mots tirés du texte. Les ajouter ensuite au mur de mots.

acheteur	école	pesticide
bas prix	grande société	profit
cultivateur / cultivatrice	juste prix	récolté par des enfants
dangereuse	masque	salaire

Lire les mots et les groupes de mots, et en préciser le sens. Demander aux élèves, répartis en dyades, de lier logiquement deux ou trois des mots ou groupes de mots afin de composer une phrase. Leur donner un exemple avant de commencer, en choisissant les liens les moins faciles:

acheteur, bas prix, juste prix: Les acheteurs devraient se soucier davantage de payer un juste prix pour un produit, au lieu de chercher le plus bas prix.

Inviter les dyades à lire leurs phrases à la classe, en faisant remarquer à quel point les phrases sont différentes malgré l'utilisation de mots identiques. Demander ensuite aux élèves de rédiger une brève **prédiction** sur le texte à partir des mots clés.

> Inviter les élèves à lire la rubrique **Observe le texte** à la page 33 du manuel. Leur demander de relever, en petits groupes, les mots et les expressions indiquant des quantités. Mettre en commun ces mots et expressions afin de créer un tableau de référence.

PENDANT

Commencer par préciser l'intention de lecture. Poser les questions suivantes:
- Pourquoi lit-on des textes informatifs?
- Comment les lecteurs efficaces notent-ils les faits importants pendant la lecture?

Relever les idées importantes

Lire les deux premiers paragraphes de la page 33. Utiliser des feuillets adhésifs pour modéliser la façon de noter les faits importants pendant la lecture, puis expliquer la raison de leur importance. Demander aux élèves de lire de façon autonome les deux paragraphes suivants et la légende en signalant les faits clés. Les inviter à faire part de leur réflexion à un ou une camarade, puis résumer les réflexions de la classe. Leur proposer de poursuivre leur lecture en marquant une pause après chaque page pour discuter des faits importants.

APRÈS

Demander aux élèves de réagir au texte dans leur journal de bord ou leur cahier de lecture. Les inviter à noter trois choses qu'ils ont apprises à propos du commerce équitable, deux liens qu'ils ont faits et une action qu'ils mèneront.

Réagir au texte

VA PLUS LOIN

1. *Discuter avec un ou une camarade.* Comment le commerce équitable change-t-il la vie des gens pauvres ? Que pourriez-vous faire pour encourager un commerce plus équitable ?

Discuter avec un ou une camarade

2. *Créer une annonce publicitaire.* Faire un remue-méninges sur les annonces radiophoniques et l'art de la persuasion. Inviter les élèves à réfléchir aux façons de capter l'attention d'un auditoire, d'énoncer un message, de citer des faits et de choisir des mots percutants dans le but d'obtenir la réponse attendue du public ciblé. Avec les élèves, déterminer les critères de l'aspect oral d'une annonce. Les convier à planifier, à rédiger et à s'exercer à livrer leur annonce, puis à la présenter à la classe. Inviter l'auditoire à relever un élément efficace et suggérer une amélioration. Demander aux élèves de s'autoévaluer oralement en fonction des critères précédemment établis et à se fixer un objectif sur lequel travailler.

Créer une annonce publicitaire

ENRICHISSEMENT

Inviter les élèves à trouver des produits équitables dans une épicerie ou un magasin spécialisé. Leur demander de noter le nom et le prix de ces articles, et de les comparer avec ceux de produits similaires non équitables. Proposer aux élèves de consulter des sites Web sur le commerce équitable.

OBSERVATION GRAMMATICALE EN CONTEXTE

Faire remarquer les préfixes et les suffixes dans les mots et lancer une discussion sur leur signification. Discuter du sens des suffixes dans les noms, les adjectifs, les verbes et les adverbes.

Faire observer les types et les formes de phrases, dont la phrase passive. Proposer aux élèves de remplir la fiche d'activité **17 : La construction de la phrase passive**.

RÉFLEXION

Demander aux élèves de réfléchir aux stratégies utilisées (p. ex. : travailler avec le vocabulaire avant de commencer la lecture, signaler les idées importantes, préciser sa pensée). Leur demander en quoi ces stratégies les ont aidés à lire et à comprendre le texte.

Réfléchir aux stratégies de lecture

ÉVALUATION AU SERVICE DE L'APPRENTISSAGE *(voir fiche d'évaluation 1 : Observations continues)*

Observations	Interventions pédagogiques
Noter si les élèves peuvent : • développer le vocabulaire ;	Regrouper les élèves nécessitant plus de soutien et les inviter à s'exercer à faire l'activité sur le vocabulaire afin d'améliorer leurs habiletés avant de travailler en dyades.
• relever les idées importantes ;	Modéliser la façon de diviser le texte en sections en vue de relever les idées importantes.
• interpréter un message publicitaire.	Modéliser la façon d'interpréter un message publicitaire.

Niveau de lecture U-V, DRA 54-58

13 Le racisme expliqué à ma fille

(manuel, pages 38 à 41)

Apprentissages ciblés
- Lire avec précision et fluidité.
- Relire pour mieux gérer sa compréhension.
- Mettre en pratique les stratégies enseignées et recourir à d'autres stratégies.

AVANT

Faire appel à ses connaissances antérieures

Poser la question de départ (*voir page 38 du manuel*): Que ressens-tu lorsqu'on t'accepte dans un groupe?

Demander aux élèves de décrire des situations où une personne s'est sentie rejetée par un groupe. Pour encourager la discussion, poser les questions suivantes:
- Pourquoi certaines personnes refusent-elles d'accepter quelqu'un dans un groupe?
- Qu'est-ce que le racisme?
- En quoi le racisme peut-il rendre inéquitables certaines situations?

Faire des prédictions

Lire le titre du texte avec les élèves, puis les inviter à observer les illustrations et à faire des prédictions. Leur poser les questions suivantes:
- Que voyez-vous dans l'illustration de la page 38?
- Comment sont les personnages? (p. ex.: *Un homme assis sur un canapé lit un livre. Une jeune fille assise par terre semble se poser des questions.*)
- Quelles prédictions pouvez-vous faire en observant cette illustration?
- Quelles prédictions pouvez-vous faire en lisant le titre?

Continuer à observer et à faire des prédictions avec les élèves au sujet de cette pièce de théâtre. Noter les prédictions des élèves au tableau pour vous y référer pendant la lecture.

Vérifier ses prédictions

Lire de manière autonome

Inviter les élèves à lire la rubrique **Observe le texte** à la page 39 du manuel. Poser les questions dans le manuel et discuter de la façon d'écrire une pièce de théâtre. Parler des didascalies. Mentionner qu'une histoire peut être transformée en pièce de théâtre.

PENDANT

Lire ou faire écouter (*voir coffret audio*) une première fois la pièce. Ensuite, vérifier les prédictions des élèves.

Faire lire à voix haute une deuxième fois des parties de la pièce par des élèves en dyades. Leur rappeler l'importance d'utiliser différentes intonations pour faire ressentir les émotions des personnages. Leur dire de se référer aux didascalies, c'est-à-dire les indications de jeu dans le scénario (les élèves verront ce mot dans le module 2, mais on pourrait le présenter ici). Demander à deux dyades de lire une même partie de la pièce et de comparer leur façon de jouer leur partie. Discuter des similitudes et des différences. Déterminer ce qui rend une lecture intéressante et efficace. Amener les élèves à parler de l'expression et de la fluidité.

APRÈS

Poser les questions suivantes aux élèves:
- Selon vous, pourquoi cette histoire a-t-elle été écrite sous la forme d'une pièce de théâtre?
- Quelle partie de la pièce avez-vous préférée?

Faire des liens
- Quels sentiments avez-vous éprouvés en lisant cette pièce? Comment vos sentiments ont-ils évolué du début à la fin de la pièce?

Réagir au texte
- Quels liens pouvez-vous faire entre cette pièce et la question de départ: Comment te sens-tu lorsqu'on t'accepte dans un groupe?

VA PLUS LOIN

1. *Discuter.* Poser la question 1 de la page 41 du manuel. Discuter des facteurs susceptibles de rendre une personne raciste (p. ex.: expérience vécue, manque d'éducation, insécurité, croyances).

Discuter

2. *Préparer un théâtre de lecteurs.* Demander aux élèves de préparer un théâtre de lecteurs à partir de cette petite scène. Au besoin, modéliser le fonctionnement d'un théâtre de lecteurs. Exploiter différentes façons d'utiliser la voix pour créer une ambiance. Allouer du temps aux élèves pour s'exercer avant la présentation. Discuter des accessoires à ajouter afin de rendre la présentation plus intéressante.

Préparer un théâtre de lecteurs

ENRICHISSEMENT

Demander aux élèves de transformer une histoire en pièce de théâtre. Lorsqu'ils auront terminé, les inviter à présenter leur travail à une autre équipe sous la forme d'un théâtre de lecteurs.

OBSERVATION GRAMMATICALE EN CONTEXTE

Faire remarquer aux élèves les phrases à la forme impersonnelle. Par exemple:
- «il arrive qu'on ne s'en rende pas compte» (p. 39)
- «il n'y a pas de raison» (p. 39)
- «il vaut mieux le savoir» (p. 40)

Faire remarquer les phrases à la forme négative. Par exemple:
- «Un enfant ne naît pas raciste» (p. 39)
- «on ne veut pas de lui comme voisin» (p. 40)

Faire remarquer la substitution du sujet au moyen d'un pronom. Par exemple, à la page 41: «Le raciste est celui qui pense que tout ce qui est trop différent de lui le menace dans sa tranquillité.»

RÉFLEXION

Demander aux élèves de répondre aux questions suivantes dans leur journal de bord:
- Quel est le point le plus important à retenir de ce texte?
- Quels liens peux-tu faire entre ce texte et tes expériences?
- As-tu eu de la difficulté à comprendre certaines parties du texte?
- Qu'as-tu fait pour t'assurer de bien comprendre?

Réfléchir aux stratégies de lecture

ÉVALUATION AU SERVICE DE L'APPRENTISSAGE *(voir fiche d'évaluation 1: Observations continues)*

Observations	Interventions pédagogiques
Noter si les élèves peuvent: • lire avec précision et fluidité; • relire pour mieux gérer leur compréhension; • mettre en pratique les stratégies enseignées et recourir à d'autres stratégies.	Modéliser pour les élèves la façon de lire un texte avec expression. Expliquer qu'il faut souvent s'exercer plusieurs fois avant de lire un texte en public. Modéliser la manière d'utiliser ces stratégies au profit des élèves ayant encore besoin de soutien pour faire des prédictions. Rappeler aux élèves qu'établir des liens avec leurs propres expériences les aide à comprendre les sentiments des personnages et les événements de l'histoire.

Niveau de lecture R-S, DRA 44-48

14 Le géant chevelu

(manuel, pages 42 à 47)

Apprentissages ciblés
- Lire avec précision et fluidité.
- Relire pour mieux gérer sa compréhension.
- Mettre en pratique les stratégies enseignées et recourir à d'autres stratégies.
- Présenter un jeu de rôle.

AVANT

Faire appel à ses connaissances antérieures

Question de départ (*voir page 42 du manuel*) : Comment peux-tu t'assurer qu'une entente soit équitable ?

Lire le titre du texte avec les élèves, les inviter à observer les images et à faire des prédictions. Leur poser les questions suivantes :

- Que voyez-vous dans l'illustration de la page 42 ? Qui sont et que font les personnages ? Comment sont-ils ? (p. ex. : *Il y a un homme et une femme. Ils regardent leurs champs. Ils semblent heureux.*)
- Quelles prédictions pouvez-vous faire en observant cette illustration ?
- Que voyez-vous dans l'illustration de la page 43 ? (par ex. : *Un homme poilu aux oreilles pointues et aux dents comme une scie. D'après le titre, il s'agit probablement du géant chevelu.*)
- Quelles prédictions pouvez-vous faire en observant cette illustration ?

Faire des prédictions

Vérifier ses prédictions

Lire de manière autonome

Continuer à observer et à faire des prédictions avec les élèves. Noter les prédictions au tableau ou utiliser un tableau à deux colonnes pour organiser les observations et les prédictions : dans la première, décrire brièvement l'illustration, dans la deuxième, écrire les prédictions de l'enseignant ou l'enseignante.

> Inviter les élèves à lire la rubrique **Observe le texte** à la page 43 du manuel. Leur demander de relever, en petits groupes, les figures de style de ce conte. Mettre en commun des figures de style et créer un tableau de référence.

PENDANT

Faire lire l'histoire une première fois par les élèves. Leur demander ensuite d'écouter l'histoire (*voir coffret audio*), de vérifier leurs prédictions et de valider leur compréhension.

APRÈS

Revenir à la question de départ : Comment peux-tu t'assurer qu'une entente soit équitable ? Poser ensuite les questions suivantes :

- En quoi l'entente entre le fermier et le géant chevelu était-elle inéquitable ? En quoi était-elle équitable ?
- Qu'auraient pu faire les deux parties pour rendre l'entente plus équitable ?
- Selon vous, pourquoi l'auteur a-t-il écrit cette histoire ?
- Quelle partie du texte avez-vous préférée ?

Faire des liens

- Quels sentiments avez-vous éprouvés en lisant cette histoire ? Comment vos sentiments ont-ils évolué du début à la fin de l'histoire ?

Réagir au texte

- Observez les illustrations. Que vous ont-elles fait ressentir au sujet de l'histoire ? Comment vous ont-elles aidés à mieux comprendre et à apprécier l'histoire ?

VA PLUS LOIN

1. *Écrire une page d'un journal personnel.* Discuter de ce que les personnages pourraient écrire dans leur journal personnel à la suite de cette expérience. En quoi ce point de vue pourrait-il être différent? Se servir du transparent **37: Écrire un journal personnel** (*voir aussi affiche de modélisation en écriture 5*), pour modéliser les étapes à suivre pour accomplir cette tâche. Encourager les élèves à lire leur page de journal à un ou une camarade afin de s'assurer de la clarté et de la précision de leur message.

Écrire une page d'un journal personnel

2. *Écrire un scénario.* Demander aux élèves d'écrire le conte «Le géant chevelu» sous la forme d'une petite scène et de présenter leur travail à la classe. Au besoin, modéliser la façon d'écrire le scénario d'une pièce de théâtre à l'aide d'un autre conte.

Écrire un scénario

ENRICHISSEMENT

Proposer aux élèves d'écrire un conte mettant en scène un personnage en quête d'une vie meilleure. Inviter les élèves à enregistrer leur conte sur un fichier balado.

OBSERVATION GRAMMATICALE EN CONTEXTE

Faire remplir la fiche d'activité **18: La construction des types de phrases.**

Expliquer le rôle des comparaisons, des métaphores et des expressions figurées dans les textes.

Faire relever des comparaisons, des métaphores et des expressions figurées. Encourager les élèves à utiliser des comparaisons, des métaphores et des expressions figurées dans leurs textes pour aider les lecteurs à visualiser l'histoire.

Inviter les élèves à enrichir leurs textes en utilisant des synonymes et des antonymes.

Expliquer l'emploi et le sens des préfixes et des suffixes.

RÉFLEXION

Demander aux élèves de décrire, dans leur journal de bord, les stratégies utilisées afin de mieux comprendre le texte. Écrire les énoncés suivants au tableau et demander aux élèves de les compléter:

Réfléchir aux stratégies de lecture

• *Pour m'aider à lire le texte, j'ai utilisé les stratégies suivantes...*

• *Ces stratégies m'ont permis de...*

ÉVALUATION AU SERVICE DE L'APPRENTISSAGE (*voir fiche d'évaluation 1: Observations continues*)

Observations	Interventions pédagogiques
Noter si les élèves peuvent: • lire avec précision et fluidité; • relire pour mieux gérer leur compréhension; • mettre en pratique les stratégies enseignées et recourir à d'autres stratégies; • présenter un jeu de rôle.	Modéliser la façon de lire un texte avec expression. Expliquer qu'il faut souvent s'exercer plusieurs fois avant de lire un texte en public. Pour les élèves ayant encore besoin de soutien pour faire des prédictions et des liens, modéliser la manière d'utiliser ces stratégies. Modéliser la façon de déduire l'information implicite dans le texte. Aux élèves ayant des besoins particuliers, proposer de présenter leur jeu de rôle à un petit groupe afin de s'exercer avant la présentation à la classe.

15 À ton tour!

(manuel, page 48)

Apprentissages ciblés
- Concevoir un prix ou un trophée.
- Faire une présentation orale.
- Mettre en pratique l'écoute active.
- Réfléchir sur ses apprentissages et se fixer des objectifs.

AVANT

Présenter et modéliser la tâche finale

Lire les consignes de la page 48 du manuel avec les élèves et dresser une liste de personnes, mentionnées ou non dans ce module, qui ont lutté pour l'équité et la justice dans le monde. Rappeler aux élèves qu'ils sont libres de leur choix, mais que, pour rendre leur travail plus intéressant, la personne choisie doit être importante à leurs yeux. Expliquer qu'ils devront faire une recherche sur elle afin de concevoir leur prix ou leur trophée. Au besoin, modéliser le travail à partir de l'affiche de lecture partagée (*ou transparent 14*): **Tommy Douglas, la plus grande personnalité canadienne**. Noter que l'enseignant ou l'enseignante doit lire chaque étape à voix haute en modélisant la tâche avec ses propres mots.

PENDANT

Préparer et présenter le prix ou le trophée

Leur choix de la personne étant fait, demander aux élèves de dresser la liste de ses accomplissements importants. Revoir avec eux les étapes de la page 48 avant de les laisser commencer leur travail. Regrouper les élèves en dyades ou en petits groupes pour obtenir une rétroaction avant de continuer.

Inviter les élèves à présenter leur prix ou leur trophée et le motif de son attribution.

APRÈS

Former des équipes de trois ou quatre et inviter les élèves à s'exprimer sur ce qu'ils ont pensé de cette activité. Leur poser les questions suivantes:
- Qu'avez-vous aimé de cette activité?
- Qu'avez-vous appris en concevant ce prix ou ce trophée?

Noter les observations sur certains élèves en utilisant la fiche d'évaluation **3: À ton tour!** Au cours d'entrevues individuelles, amener les élèves à parler de leur expérience, à déterminer leurs forces et leurs points à améliorer.

RÉFLEXION

Mise en contexte des habiletés: écoute active

Demander aux élèves de répondre aux questions suivantes par écrit ou en faisant des croquis:
- Quelle stratégie pouvez-vous appliquer pour bien écouter?
- Lorsque vous parlez, comment les gens qui écoutent peuvent-ils vous aider?

Proposer aux élèves de travailler en petits groupes pour échanger leurs idées et pour noter leurs réponses dans un tableau. Par exemple :

Pour réussir une activité d'écoute, il faut :	
Aider ceux et celles qui écoutent	Aider ceux et celles qui parlent
• Expliquer ce qu'on savait déjà. • Faire des prédictions à voix haute. • Se poser des questions. • Noter les idées importantes au tableau. • Faire un résumé de son exposé oral à la fin.	• Regarder la personne qui parle. • Garder le silence et ne pas bouger. • Applaudir à la fin pour montrer son appréciation. • Dire quelque chose de gentil à la personne qui parle.

Demander aux élèves de comparer leurs tableaux avec ceux des autres équipes pour en dégager les différences et les ressemblances. Préparer un tableau de référence pour la classe.

Réfléchir aux stratégies utilisées

Demander à chaque élève de choisir une stratégie mentionnée dans le tableau et de la mettre en pratique pendant que l'enseignant ou l'enseignante fait une courte présentation sur l'équité et la justice. Ensuite, inviter les élèves à faire un croquis ou à décrire, dans leur journal de bord, la façon dont la stratégie les a aidés à mieux écouter.

ÉVALUATION AU SERVICE DE L'APPRENTISSAGE *(voir fiche d'évaluation 1 : Observations continues)*

Observations	Interventions pédagogiques
Noter si les élèves peuvent : • concevoir un prix ou un trophée ; • faire une présentation orale ;	Montrer des exemples de prix ou de trophées.
• mettre en pratique l'écoute active ;	Demander à certains élèves de noter des mots clés pendant leur écoute.
• réfléchir sur leurs apprentissages et se fixer des objectifs.	Modéliser ses réflexions à voix haute ou proposer aux élèves de s'inspirer des réflexions de leurs camarades.

16 Ton portfolio : Gros plan sur tes apprentissages

(manuel, page 49)

Apprentissages ciblés
- Sélectionner les éléments destinés au portfolio.
- Réfléchir à ses apprentissages et en discuter.

AVANT

Revoir les apprentissages

Former de petits groupes et demander à chacun d'inscrire les apprentissages importants réalisés au cours du module, par exemple dans un tableau, une liste, un diagramme, une toile d'araignée. Suggérer de regrouper les éléments en différentes catégories : des situations d'équité ; des moyens d'expression (communication orale, lecture, écriture, littératie médiatique) ; de l'information ; des habiletés et des stratégies ; des productions.

Une fois ce travail terminé, demander à chaque groupe de déterminer les deux ou trois apprentissages les plus importants parmi tous ceux qu'il a notés. Au cours d'une mise en commun, discuter de ces choix. Afficher les tableaux (listes, toiles d'araignée, etc.) pour permettre aux élèves de les consulter en faisant le retour sur leur travail dans ce module.

Rassembler les travaux

Demander aux élèves de rassembler tous les travaux réalisés au cours du module.

PENDANT

Revoir les objectifs d'apprentissage

Lire les consignes de la page 49 du manuel avec les élèves. Ils pourront noter leurs observations dans leur journal de bord ou sur la fiche d'évaluation **4 : Gros plan sur tes apprentissages**.

Revoir avec les élèves les objectifs d'apprentissage présentés à la page 2 du présent module, et ceux qu'ils ont écrits, avec leurs mots, en les mettant en parallèle avec les tableaux (listes, toiles d'araignée, etc.) réalisés au début de cette leçon. Réunir ensuite les élèves en dyades pour leur permettre d'effectuer leurs choix parmi les travaux qu'ils ont rassemblés.

Choisir les travaux et parler de ses choix

Aider les élèves à faire leurs choix, à en discuter et à écrire leurs réflexions. Leur rappeler de faire ces choix de manière réfléchie et de donner des exemples précis lorsqu'ils les justifient.

APRÈS

Former des groupes de quatre en réunissant deux dyades. À tour de rôle, chaque élève présente ses choix et les justifie. Pendant ce temps, observer un ou deux groupes plus attentivement ou mener des entrevues individuelles avec quelques élèves.

RÉFLEXION

Répondre individuellement

Lorsque les élèves ont terminé la présentation de leurs choix à leur équipe, leur demander de répondre individuellement aux deux questions de la rubrique **Réfléchis** à la page 49, soit dans le cadre d'une entrevue individuelle, soit en remettant à l'enseignant ou l'enseignante la fiche d'évaluation **4 : Gros plan sur tes apprentissages**, soit dans le journal de bord dans lequel ils auront noté leurs choix de travaux et justifications.

TÂCHE D'ÉVALUATION DE LA COMPRÉHENSION EN LECTURE

Une tâche d'évaluation de la compréhension en lecture est proposée pour ce module (*voir fascicule* Évaluation de la compréhension en lecture). Elle est constituée d'un texte et d'un questionnaire qui visent à vérifier le niveau de compréhension des élèves et à évaluer leurs progrès en lecture. Deux versions du texte sont proposées, chacune correspondant à un niveau de difficulté.

Cette tâche d'évaluation peut être donnée à n'importe quel moment après l'exploitation des textes de lecture guidée.

BILAN DES APPRENTISSAGES

Revoir la page VI du présent document pour faire le point sur les apprentissages des élèves. Recueillir des données reliées à la communication orale, à la lecture, à l'écriture et à la littératie médiatique.

Prendre en considération les différents domaines de la littératie

Les données pour l'évaluation peuvent être recueillies parmi les éléments suivants :

- le journal de bord des élèves et les autres traces de leurs réflexions ;
- les réponses aux questions des rubriques du manuel (p. ex. : **Va plus loin**) ;
- les productions écrites ;
- les productions médiatiques ou technologiques ;
- les observations notées en cours d'apprentissage (p. ex. : avec la fiche d'évaluation **1 : Observations continues**) ;
- les tâches des différentes sections du manuel (p. ex. : « À l'œuvre ! ») ;
- la tâche d'évaluation de la compréhension en lecture en fin de module.

Les outils d'évaluation tels que la fiche d'évaluation **1 : Observations continues** et la fiche d'évaluation **5 : Grille d'évaluation du module** garantissent une évaluation qui repose sur des observations liées directement aux objectifs d'apprentissage du module. Joindre aux dossiers des élèves divers éléments probants, ainsi que des notes anecdotiques afin de mieux planifier les entrevues avec eux, individuellement ou en groupes. S'assurer que tous les travaux portent la date de réalisation.

Faire le bilan des apprentissages

Utiliser la fiche d'évaluation **6 : Bilan des apprentissages** pour préparer les communications aux parents ou aux tuteurs ou tutrices, et fournir des rétroactions précises et utiles aux élèves.

FICHE D'ACTIVITÉ

1

MODULE 1

Lettre à l'intention des parents

Chers parents,
Cher tuteur, chère tutrice,

Dans le présent module, intitulé Une question d'équité !*, les élèves exploreront*
la question suivante : Comment pouvons-nous rendre le monde plus équitable ?
Ils liront des biographies de gens ayant lutté pour l'équité dans le monde.
Ils liront également une variété de textes sur l'équité, dont une chronique journalistique,
un récit personnel, un reportage, une pièce de théâtre et un conte.

Vous êtes invités à accompagner votre enfant dans son apprentissage de différentes
manières. Par exemple, vous pouvez :

- *lui demander de vous raconter certaines histoires que nous avons lues en classe ;*
- *lui proposer une discussion à propos de gens ayant lutté pour l'équité et la justice*
  dans le monde ;
- *chercher en sa compagnie, dans des journaux ou des magazines, des images ou*
  des textes qui illustrent l'équité et la justice ;
- *l'inviter à discuter sur des personnages de livres, de films ou de la télévision*
  qui luttent pour l'équité et la justice ;
- *échanger des propos sur la façon dont le concept d'équité et de justice peut évoluer*
  avec le temps.

À la fin du module, les élèves montreront ce qu'ils ont appris en concevant un prix
ou un trophée pour honorer une personne ayant lutté pour l'équité et la justice
dans le monde. Ils appliqueront ainsi les stratégies apprises en lecture, en écriture,
en communication orale et en littératie médiatique.

Vous pouvez soutenir votre enfant dans son apprentissage en discutant du sujet
du module ou en l'amenant à vous parler des habiletés et des stratégies mises en
application en classe.

C'est avec plaisir que nous entreprenons ce module.

L'enseignant ou l'enseignante

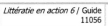
Littératie en action 6 / Guide
11056
Cette fiche accompagne la leçon 1 du guide d'enseignement.
45

Nom : _____   Date : _____

Dear Parents and Caregivers:

We are starting a new unit called Une question d'équité! In this unit, students will explore the question "How can we make things more equitable in the world?" They will read short biography about people who have fought for equity in the world. Furthermore, they will read a variety of texts on equity, among other, a new paper chronicle, a personal recount, a new article, a script of a play and a tale.

You are invited to be part of our unit in a variety of ways. For example:

- Invite your child to retell some of the stories we read at school.
- Talk about people who have fought for equity and fairness in the world.
- Look through newspapers and magazines together for stories that deal with equity and justice.
- Talk about characters in books, in movies, or on TV that are good examples of people who fight for equity and justice.
- Discuss how the concept of equity and justice can change over time.

At the end of the unit, students will show what they have learned by creating a prize or a trophy to honor someone who has fought for justice and equity in the world. They will use reading, writing, oral, and media skills and strategies to complete the task.

You can support the learning goals for this unit at home by discussing the unit topic, as well as the unit skills and strategies presented in this unit.

Sincerely,

Teacher

FICHE D'ACTIVITÉ

2

MODULE 1

Un survol du module

Survole le module *Une question d'équité!* Note les éléments suivants et réponds aux questions posées.

1. Trouve une photo qui t'intéresse. Pourquoi cette photo capte-t-elle ton attention?

_____

_____

_____

2. Trouve un sujet ou une personne que tu connais ou que tu as l'impression de connaître. Que sais-tu sur ce sujet ou cette personne?

_____

_____

_____

3. Donne le nom d'un auteur ou d'une auteure que tu connais. Que sais-tu à son sujet?

_____

_____

_____

4. Trouve un texte qui te semble intéressant à lire ou une activité qui te paraît intéressante à faire. Explique ton choix.

_____

_____

_____

5. Trouve quatre à six nouveaux mots ou des phrases qui te semblent importants dans ce module.

_____

_____

_____

Fais des observations et des prédictions

Survole le texte et indique tes observations et tes prédictions dans le tableau suivant.
Ensuite, lis attentivement le texte pour vérifier tes prédictions et note ce que tu as découvert.

Tes observations	Tes prédictions	Tes découvertes au fil du texte

Nom : _____   Date : _____

Fais des liens

Résume le texte dans l'organisateur graphique suivant. Ensuite, fais des liens avec tes connaissances et tes expériences, avec d'autres textes et avec le monde.

b) Liens avec tes connaissances et tes expériences

a) Résumé du texte

c) Liens avec d'autres textes

d) Liens avec le monde

Littératie en action 6 / Guide
11056
Cette fiche accompagne les leçons 3, 4 et 7 du guide d'enseignement.
49

Nom : _____ Date : _____

Le vocabulaire de l'équité

Survole les textes du module 1 de ton manuel.

a) Note le mot *équité* dans le cercle au centre de l'organisateur graphique ci-dessous.

b) Note sur les filets des mots ou des expressions en lien avec le mot *équité*.

c) Dans les rectangles, écris ce que tu crois être la définition de ces mots ou le sens de ces expressions. Ensuite, vérifie tes réponses dans un dictionnaire.

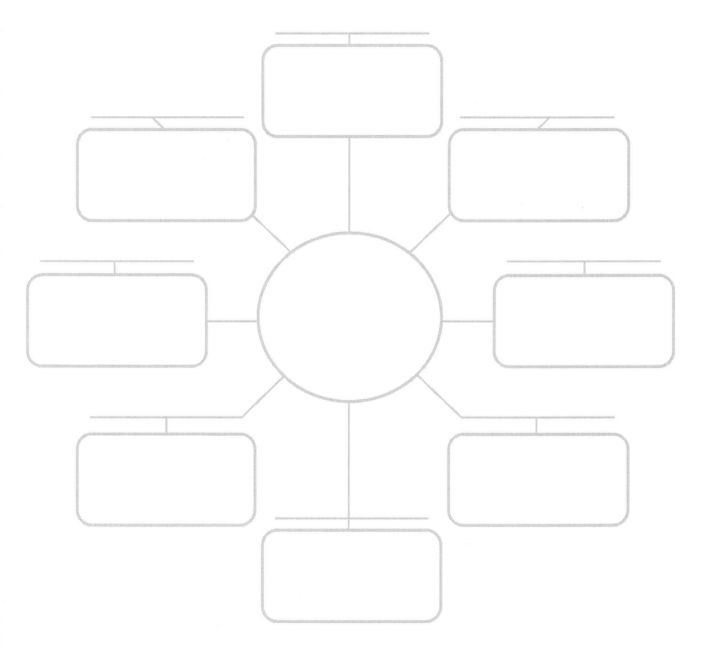

Nom : _____   Date : _____

Lis une courte biographie

Avec un ou une camarade, présente l'information au sujet de « gens qui luttent pour l'équité »
à l'aide du tableau suivant.

Des gens qui luttent pour l'équité			
Le nom de la personne	**Le lieu et la date de sa naissance**	**Qu'a fait cette personne pour lutter pour l'équité ?**	**En quoi cette personne est-elle semblable aux gens de ton entourage ? En quoi est-elle différente ?**

Littératie en action 6 / Guide
11056
Cette fiche accompagne la leçon 5 du guide d'enseignement.
51

FICHE D'ACTIVITÉ

7

MODULE 1

La structure d'une courte biographie

Planifie ta biographie à l'aide de la fiche suivante.

Structure	Une courte biographie de : _____
Une introduction intéressante	
Des événements présentés dans l'ordre chronologique	
Des notes biographiques	
Des éléments visuels pour accompagner mon texte	

Compare la structure de différents textes

À l'aide de l'organisateur graphique suivant, compare la structure de la biographie avec celle de l'autobiographie. En quoi sont-elles semblables ? En quoi sont-elles différentes ?

La biographie

L'autobiographie

Ce qui est semblable

_____
_____
_____
_____
_____

Ce qui est différent

_____	_____
_____	_____
_____	_____
_____	_____
_____	_____
_____	_____
_____	_____
_____	_____
_____	_____

Les travailleurs chinois au Canada

L'information générale aide le lecteur ou la lectrice à mettre un écrit en contexte. L'information ci-dessous offre des renseignements supplémentaires afin de faciliter la lecture du texte « Mon grand-père, un combattant-né ».

Que désirons-nous savoir d'autre ?

La construction du chemin de fer national au Canada

Au Canada, dans les années 1880, le nombre de travailleurs était insuffisant pour construire le chemin de fer. À cette époque, la main-d'œuvre étant bon marché en Chine, on a encouragé les hommes de ce pays à venir travailler au Canada. Le père de M. Mack figurait parmi les premiers pionniers déjà arrivés au pays en 1865 pour participer à la construction du chemin de fer du Canadien Pacifique. Par la suite, il a fait venir quatre de ses six fils, dont Shack Jang Mack, chacun devant payer la taxe d'entrée de 500 $.

Détenus à Vancouver

Au cours d'une entrevue, M. Mack a mentionné avoir voyagé dans la cale à marchandises d'un navire pendant trois semaines, jusqu'à son arrivée à Vancouver, le 20 juin 1922. Il a passé les six semaines suivantes dans une cellule sombre d'un bâtiment de détention de quatre étages des douanes canadiennes.

Plus tard au cours de sa vie, M. Mack a décrit ainsi les conditions de détention à sa petite-fille : « L'endroit était très sale. Chaque jour, nous avions de l'eau et une tranche de pain saupoudrée d'un peu de sucre. Nous frappions violemment sur les barreaux pour demander de la nourriture. Certains partageaient des matelas, tandis que d'autres n'en avaient même pas. »

Les travailleurs chinois au Canada (*suite*)

Seulement les Chinois (principaux faits)

- La taxe d'entrée ne s'appliquait à aucun autre groupe d'immigrants que les Chinois. Cette taxe, qui leur a été imposée, a rapporté une somme importante (23 millions de dollars) au gouvernement du Canada.

- Les immigrants chinois n'étaient pas considérés comme des citoyens canadiens et n'avaient pas le droit de vote, même s'ils devaient payer un impôt sur le revenu.

- Les Chinois se voyaient souvent refuser l'accès à divers métiers et professions. De plus, ils étaient moins bien payés que les autres travailleurs, ne gagnant souvent que la moitié du salaire des Blancs.

- Les travailleurs chinois ne pouvaient faire venir ni leur femme ni leurs enfants au Canada.

La réunification d'une famille brisée

La Loi d'exclusion des Chinois de 1923 a brisé les familles. Les immigrants qui retournaient en Chine ne pouvaient y rester plus de deux ans sans perdre leur droit de revenir au Canada. De nombreuses femmes ont souffert de la pauvreté et de la faim, élevant seules leurs enfants en Chine avec le peu d'argent que leur mari pouvait leur envoyer du Canada. Certaines familles n'ont jamais été réunifiées. D'autres l'ont été après de nombreuses années.

Heureusement pour Shack Jang Mack, la vie de « célibataire marié » a pris fin en octobre 1949, lorsque sa femme et sa famille ont été autorisées à venir le rejoindre au Canada.

Les pronoms compléments **lui** *et* **leur**

Réfléchis

- Que connais-tu à propos du groupe verbal ?

- Que connais-tu à propos des compléments du verbe ?

- Comment utilises-tu les pronoms *lui* et *leur* dans une phrase ? Donne des exemples.

Observe

> - *Nicholas téléphone à un membre de son équipe.*
> - *Nicholas lui téléphone.*
>
> - *Ces ordinateurs appartiennent aux enfants.*
> - *Ces ordinateurs leur appartiennent.*
>
> - *Nicholas parle aux dirigeants de plusieurs pays.*
> - *Nicholas leur parle.*

a) Dans les phrases ci-dessus, quels mots font partie du groupe verbal ?

b) Trois phrases contiennent un complément qui commence par une préposition. Lesquelles ? Par quel pronom a-t-on remplacé ces compléments dans les autres phrases ? Où est placé ce pronom : avant ou après le verbe ?

c) D'après toi, lequel des pronoms *lui* ou *leur* est au singulier ? au pluriel ?

d) Dans tes mots, explique la façon de remplacer un complément du verbe par les pronoms *lui* ou *leur*.

Les pronoms compléments **lui** *et* **leur** *(suite)*

Consulte la règle

On utilise **les pronoms compléments** *lui* et *leur* pour remplacer un **complément indirect du verbe**. Les pronoms compléments *lui* et *leur* sont toujours placés devant le verbe.

- On utilise le pronom *lui* pour remplacer un mot ou un groupe de mots **au singulier**.

Exemples :   Nicholas [montre] son ordinateur <u>à son ami</u>.

             à son ami est le complément indirect du verbe *montre*

          Nicholas *lui* [montre] son ordinateur.

          lui remplace **à son ami**, il est placé devant le verbe

- On utilise le pronom *leur* pour remplacer un mot ou un groupe de mots **au pluriel**.

Exemples :   Nicholas [parle] <u>aux élèves</u>.

             aux élèves est le complément indirect du verbe *parle*

        Nicholas *leur* [parle].

          leur remplace **aux élèves**, il est placé devant le verbe

Attention ! Le mot *leur* n'est pas toujours un pronom complément.

Dans une phrase, si le mot *leur* précède un nom, il s'agit alors d'un déterminant.

                Dét.   Nom
Exemple : J'ai aimé <u>leur</u> cadeau.

Exerce-toi

Encercle le verbe et souligne le complément indirect du verbe. Récris ensuite la phrase en remplaçant le complément que tu as souligné par le pronom *lui* ou *leur*, selon le cas.

a) Justin demande de l'aide à ses amis.

_____

b) Isabelle montre son projet à l'enseignant.

_____

c) Nous parlons en ce moment à Nicholas.

_____

d) Alex prête son ordinateur à ses petites sœurs.

_____

e) Karine explique le problème à Stéphanie.

_____

f) Nariman présente ses excuses à ses parents.

_____

g) Aurélie offre des bonbons aux enfants.

_____

h) Alice écrit une lettre à sa correspondante.

_____

FICHE D'ACTIVITÉ

11

MODULE 1

Les pronoms relatifs **qui, que, dont** *et* **lequel**

Réfléchis

- Quelles sortes de pronoms connais-tu ? À quoi servent-ils ? Donne des exemples.

- À l'aide du pronom *qui*, comment construirais-tu une seule phrase à partir des deux phrases suivantes ?

   A. *Nicholas est un chercheur.*

   B. *Nicholas veut un monde meilleur.*

Observe

> - *Nicholas a présenté un ordinateur* **qui** *était vert et blanc.*
> - *L'ordinateur* **que** *Nicholas a présenté était vert et blanc.*
> - *L'ordinateur* **dont** *je t'ai parlé hier était vert et blanc.*
> - *Il m'a montré* **lequel** *de ces ordinateurs était vert et blanc.*

a) Dans les phrases ci-dessus, quel mot remplace le pronom en gras ?

b) D'après toi, lesquels de ces pronoms sont variables ? Lesquels sont invariables ? Explique ta réponse.

c) Dans tes mots, explique comment ces pronoms en gras permettent d'insérer une phrase dans une autre phrase.

Consulte la règle

Les **pronoms relatifs** remplacent un mot ou un groupe de mots dans une phrase. Le mot ou le groupe de mots remplacé par le pronom relatif s'appelle un **antécédent**.

Exemples :

Antécédent
<u>L'ordinateur</u> **que** *Nicholas a présenté était vert et blanc.*
le pronom relatif **que** remplace *l'ordinateur*

Antécédent
Nicholas a présenté <u>un ordinateur</u> **qui** *était vert et blanc.*
le pronom relatif **qui** remplace *un ordinateur*

Nom : _____   Date : _____

Consulte la règle (*suite*)

Les pronoms relatifs ***qui***, ***que*** et ***dont*** sont invariables. On les utilise dans les situations suivantes.

- Lorsque le pronom relatif est le **sujet** de la phrase insérée, on utilise ***qui***.

Exemple :   Nicholas a présenté <u>un ordinateur</u> **qui** était vert et blanc.
qui est le sujet de était (<u>l'ordinateur</u> était…)

- Lorsque le pronom relatif est le **complément direct (CD)** de la phrase insérée, on utilise ***que***.

Exemple :   <u>L'ordinateur</u> **que** Nicholas a présenté était vert et blanc.
que est le CD de a présenté (a présenté <u>l'ordinateur</u>)

- Lorsque le pronom relatif est le **complément indirect (CI)** de la phrase insérée ou un **complément du nom**, on peut utiliser ***dont***.

Exemples :   <u>L'ordinateur</u> **dont** je t'ai parlé hier a un très grand écran.
dont est le CI de ai parlé (ai parlé <u>de l'ordinateur</u>)

   <u>L'ordinateur</u> **dont** la couleur est verte est celui de Nicholas.
dont est le complément du nom couleur (la couleur <u>de l'ordinateur</u>)

- Certains pronoms relatifs, comme ***lequel***, sont variables. Ils prennent le genre (masculin ou féminin) et le nombre (singulier ou pluriel) de leur antécédent.

masc. plur.

Exemples :   <u>Les ordinateurs</u> vers **lesquels** tu te diriges sont tous réservés.
Antécédent

fém. plur.

<u>Les tables</u> sur **lesquelles** les ordinateurs sont installés sont petites.
Antécédent

Littératie en action 6 | Guide
11056
Cette fiche accompagne les activités langagières du guide d'enseignement.
59

Les pronoms relatifs **qui, que, dont** *et* **lequel** *(suite)*

Exerce-toi

1. Encercle chaque pronom relatif et souligne son antécédent, comme dans l'exemple.

Exemple : Il a construit <u>un ordinateur</u> [qui] coûte seulement 100 $.

a) Les entreprises qui fabriquaient les ordinateurs avaient d'autres plans.

b) L'énergie dont l'ordinateur XO a besoin pour fonctionner est très faible.

c) Des gouvernements qui s'étaient engagés à acheter le XO ont annulé leur entente.

d) Nicholas a présenté un projet que l'ONU a trouvé très intéressant.

e) Le milieu dans lequel les enfants pauvres vivent intéresse Nicholas.

f) *One Laptop per Child* est une idée dont Nicholas est fier.

2. Écris le pronom relatif qui convient et souligne son antécédent, comme dans l'exemple.

Exemple : <u>L'ordinateur</u> __qui__ a été produit coûtait 188 $.
                        qui, que, dont

a) L'ordinateur _____ il est question s'appelle le XO.
                        qui, que, dont

b) Le prototype _____ a été montré s'appelle le XO.
                        qui, dont, lequel

c) L'équité technologique _____ souhaite Nicholas est importante pour
                        qui, que, dont
l'avenir des enfants.

d) Les personnes avec _____ Nicholas a discuté voulaient acheter
                        que, lequel, lesquelles
des ordinateurs.

Nom : _____ Date : _____

Le complément direct et le complément indirect

Réfléchis

- Que connais-tu à propos du groupe verbal ?
- Quel est le mot le plus important du groupe verbal ?
- Que connais-tu à propos des compléments du verbe ?
- D'après toi, quelle est la différence entre un complément direct et un complément indirect ?

Observe

- *Nicholas a parlé à Kofi Annan.*
- *Nicholas rencontrera les dirigeants de plusieurs pays.*
- *Il travaille au Massachusetts Institute of Technology.*
- *Nicholas rêve d'un monde équitable.*

a) Dans les phrases ci-dessus, quels mots font partie du groupe verbal ?

b) Parmi ces phrases, laquelle ou lesquelles contiennent :
- un complément qui commence par une préposition ?
- un complément qui ne commence pas par une préposition ?

c) Dans chaque phrase, par quel pronom pourrais-tu remplacer le complément qui suit le verbe conjugué ? Où devrais-tu placer ce pronom : avant ou après le verbe ?

d) Dans tes mots, explique la façon de reconnaître un complément du verbe en le remplaçant par un pronom.

Littératie en action 6 | Guide
11056
Cette fiche accompagne les activités langagières du guide d'enseignement.
61

FICHE D'ACTIVITÉ
12
MODULE 1

Le complément direct et le complément indirect (suite)

Consulte la règle

Dans le **groupe verbal**, le verbe peut être accompagné par un mot ou un groupe de mots qui se nomme le **complément du verbe**. Il existe deux sortes de compléments du verbe : le complément direct (CD) et le complément indirect (CI).

Le **complément direct (CD)**

- Le complément direct (CD) est généralement placé après le verbe, sans préposition.

CD du verbe *rencontrera*

Exemple :   Nicholas / | *rencontrera* | *les dirigeants de plusieurs pays.*

Le **complément indirect (CI)**

- Le complément indirect (CI) est généralement placé après le verbe. Il commence toujours par une **préposition** (*à*, *au*, *de*, *vers*, *dans*, etc.).

CI du verbe *a parlé*

Exemples :   Nicholas / | *a parlé* | *à Kofi Annan.*

CI du verbe *travaille*

Il / | *travaille* | *au Massachusetts Institute of Technology.*

CI du verbe *a parlé*

Nicholas / | *a parlé* | *de l'importance de l'équité technologique.*

Pour déterminer ou vérifier la position du verbe et des compléments directs et indirects dans une phrase, on peut utiliser les **manipulations linguistiques** suivantes.

Moyens pour trouver le verbe	Exemples
• On encadre le verbe conjugué par l'expression *ne* ou *n'… pas*.	*Nicholas* <u>*rencontrera*</u> *les dirigeants de plusieurs pays.* → *Nicholas* **<u>ne</u> rencontrera <u>pas</u>** *les dirigeants de plusieurs pays.*
• On remplace le verbe conjugué par un autre verbe.	→ *Nicholas* **<u>verra</u>** *les dirigeants de plusieurs pays.*

Le complément direct et le complément indirect (suite)

Consulte la règle (suite)

Moyen pour trouver le complément direct (CD)	Exemples
• On remplace le CD par un pronom (*le, la, l', les, cela* ou *en*) qu'on place généralement devant le verbe.	*Nicholas a rencontré <u>les dirigeants de plusieurs pays</u>.* → *Nicholas **les** a rencontrés.* *Les dirigeants ont accepté d'écouter <u>Nicholas</u>.* → *Les dirigeants ont accepté de **l'**écouter.*
Moyen pour trouver le complément indirect (CI)	**Exemples**
• On remplace le CI par un pronom (*lui, leur, en* ou *y*) qu'on place devant le verbe.	*Nicholas a parlé <u>à Kofi Annan</u>.* → *Nicholas **lui** a parlé.* *Il travaille <u>au Massachusetts Institute of Technology</u>.* → *Il **y** travaille.* *Nicholas a parlé <u>de l'importance de l'équité technologique</u>.* → *Nicholas **en** a parlé.*

Exerce-toi

1. Encercle le verbe et souligne le complément direct (CD) du verbe. Récris ensuite la phrase en remplaçant le CD par un pronom.

a) Les gens aiment son projet.

_____

b) Nicholas réalisera peut-être son rêve.

_____

c) Son projet intéresse les dirigeants.

_____

d) Nicholas distribue les premiers ordinateurs.

_____

e) Ils ont montré leur prototype d'ordinateur.

_____

f) Nicholas a beaucoup d'idées.

_____

FICHE D'ACTIVITÉ
12
MODULE 1

Le complément direct et le complément indirect (*suite*)

Exerce-toi (*suite*)

2. Encercle le verbe et souligne le complément indirect (CI) du verbe. Récris ensuite la phrase en remplaçant le CI par un pronom.

a) Nicholas pense aux enfants.

_____

b) Ils discutent du projet de Nicholas.

_____

c) Des entreprises participeront à sa réalisation.

_____

d) L'ordinateur XO est destiné aux enfants.

_____

e) Cet ordinateur appartient à Nicholas.

_____

f) Nicholas parle aux dirigeants.

_____

3. Encercle le verbe et souligne son complément (CD ou CI). Récris ensuite la phrase en remplaçant le CD ou le CI par un pronom.

a) L'idée de Nicholas plaît aux gens.

_____

b) Les ordinateurs consomment de l'énergie.

_____

c) Le projet aide les enfants des pays pauvres.

_____

d) Des pays ont annulé l'entente.

_____

e) Les enfants adorent les ordinateurs.

_____

f) Nicholas rêve d'un monde équitable.

_____

Le sujet de la phrase et l'accord du verbe

Réfléchis

- Quel est le rôle du sujet dans une phrase?

- Quelles classes de mots ou quels groupes de mots peuvent être le sujet d'une phrase? Donne des exemples.

- Comment fais-tu pour accorder un verbe avec son sujet?

Observe

> - *Nous devons économiser l'eau potable.*
> - *Dans son article, l'auteur montre l'importance de l'eau.*
> - *Les lacs et les rivières du Canada contiennent beaucoup d'eau douce.*
> - *De nombreuses personnes dans le monde manquent d'eau potable.*

a) Quel mot ou quel groupe de mots est le sujet des phrases ci-dessus?

b) Quel est le verbe conjugué de chaque phrase?

c) Habituellement, le sujet d'une phrase est-il situé avant ou après le verbe?

d) Quelles lettres situées à la fin de chaque verbe conjugué indiquent la personne et le nombre du sujet?

e) Dans tes mots, explique comment tu peux trouver le sujet et le verbe d'une phrase.

FICHE D'ACTIVITÉ
13
MODULE 1

Le sujet de la phrase et l'accord du verbe (*suite*)

Consulte la règle

Dans une phrase, le **sujet** indique habituellement la personne ou la chose qui fait l'action.
Il est souvent placé avant le verbe. Le sujet d'une phrase peut être, par exemple, un groupe nominal,
un pronom ou un nom propre.

Exemples :	**Groupe nominal**	*Notre consommation d'eau* / *est trop grande.*
	Pronom	*Vous* / *économisez l'eau potable.*
	Nom propre	*Albert* / *a écrit cet article.*

On accorde le verbe avec le sujet. Le verbe reçoit **la personne** (1re, 2e ou 3e personne) et
le nombre (singulier ou pluriel) du sujet.

- Si le sujet est un **pronom**, le verbe reçoit la personne et le nombre de ce pronom.

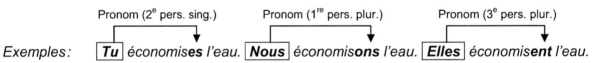

Exemples :

- Si le sujet est un **groupe nominal**, le verbe reçoit la 3e personne et le nombre (singulier ou
  pluriel) du nom noyau du groupe nominal.

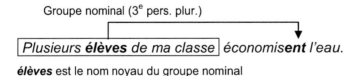

Exemples :

élève est le nom noyau du groupe nominal

Groupe nominal (3e pers. plur.)

Plusieurs **élèves** *de ma classe* *économis***ent** *l'eau.*

élèves est le nom noyau du groupe nominal

- Si le sujet est formé de **plusieurs groupes nominaux**, le verbe reçoit la 3e personne du pluriel.

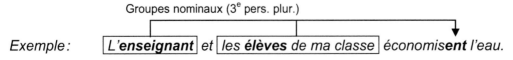

Exemple :

FICHE D'ACTIVITÉ
13
MODULE 1

Le sujet de la phrase et l'accord du verbe *(suite)*

Consulte la règle *(suite)*

Pour trouver le sujet et le verbe dans une phrase, on peut utiliser les manipulations linguistiques suivantes.

Moyens pour trouver le sujet	Exemples
• On encadre le sujet par l'expression *C'est… qui* ou *Ce sont… qui*.	*De nombreux pays pourraient manquer d'eau.* → **Ce sont** <u>de nombreux pays</u> **qui** *pourraient manquer d'eau.*
• On remplace le sujet par les pronoms *il, elle, ils, elles* ou *cela* (lorsque le sujet n'est pas déjà un pronom).	→ <u>*Ils*</u> *pourraient manquer d'eau.*
Moyen pour trouver le verbe	Exemples
• On encadre le verbe conjugué par l'expression *ne / n'… pas*, ou on le remplace par un autre verbe.	→ *De nombreux pays* **ne** <u>pourraient</u> **pas** *manquer d'eau.* → *De nombreux pays* **vont** *manquer d'eau.*

Exerce-toi

1. Souligne le sujet de chaque phrase, puis indique l'accord du verbe, comme dans l'exemple. Vérifie tes réponses en utilisant les manipulations linguistiques.

3ᵉ pers. plur.

Exemple : <u>*Des personnes*</u> *doiv**ent** parfois faire la queue pour avoir de l'eau potable.*

a) Demain, vous apprend**rez** comment économiser l'eau potable.

b) De nombreux pays **ont** des problèmes d'eau potable.

c) Tu prépar**es** une affiche sur l'importance de l'eau potable.

d) Cette femme et son enfant parcour**ent** de longues distances pour avoir de l'eau.

Nom : _____   Date : _____

Le sujet de la phrase et l'accord du verbe (*suite*)

Exerce-toi (*suite*)

2. Dans chaque phrase ci-dessous :

- souligne le sujet ;
- encercle le ou les noms noyaux du groupe nominal sujet ;
- indique l'accord du verbe, comme dans l'exemple.

Vérifie ta réponse en utilisant les manipulations linguistiques.

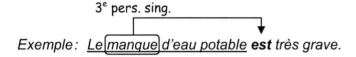

3ᵉ pers. sing.

Exemple : Le manque d'eau potable **est** *très grave.*

a) Des pays de plusieurs régions du monde manqu**ent** d'eau potable.

b) La situation de ces pays inquiè**te** l'ONU.

c) De plus en plus de pays riches risqu**ent** aussi de manquer d'eau potable.

d) La consommation d'eau de la Chine et de l'Inde augment**e** rapidement.

e) La Chine et l'Inde **sont** deux pays où la consommation de l'eau augment**e** rapidement.

68
Cette fiche accompagne les activités langagières du guide d'enseignement.
Littératie en action 6 / Guide
11056

FICHE D'ACTIVITÉ
14

MODULE 1

L'accord du participe passé avec **être**

Réfléchis

- Qu'est-ce qu'un participe passé ? À quoi sert-il ?
- Que connais-tu à propos des temps composés de conjugaison ?
- Quels sont les deux auxiliaires qui permettent de conjuguer les verbes ?
- Quels types de verbes (actifs, passifs ou pronominaux) sont toujours conjugués avec l'auxiliaire *être* ?

Observe

> - *Ce garçon et cette jeune fille sont allés au puits.*
> - *Les populations locales se sont réunies hier soir.*
> - *L'eau est considérée comme le pétrole du 21ᵉ siècle.*
> - *Des personnes sont obligées de faire la queue pour avoir de l'eau potable.*
> - *Les problèmes liés à l'eau se sont aggravés en Chine.*

a) Dans les phrases ci-dessus, quels sont les verbes conjugués ? Sont-ils conjugués à un temps simple ou à un temps composé ?

b) Quel est l'auxiliaire de conjugaison employé dans ces verbes conjugués ?

c) Quel est le genre et quel est le nombre des participes passés ?

d) Dans tes mots, explique la façon d'accorder les participes passés employés avec l'auxiliaire *être*.

*L'accord du participe passé avec **être*** *(suite)*

Consulte la règle

Aux temps composés, le **participe passé employé avec *être*** permet de conjuguer quelques verbes actifs (*aller*, *monter*, *entrer*, *sortir*, *tomber*, *descendre*, *partir*, *venir*, etc.), les verbes passifs et les verbes pronominaux. On accorde le participe passé employé avec *être* en **genre** (masculin ou féminin) et en **nombre** (singulier ou pluriel) avec le sujet.

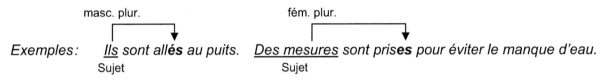

Exemples : <u>Ils</u> sont all**és** au puits. <u>Des mesures</u> sont pris**es** pour éviter le manque d'eau.
Sujet Sujet

Les exemples suivants montrent la règle générale et les cas particuliers de l'accord du participe passé employé avec *être*.

Règle générale de l'accord du participe passé employé avec *être*	Exemples
Si le sujet est un **groupe nominal**, le participe passé avec *être* reçoit le genre et le nombre du **nom noyau** du groupe nominal.	fém. plur. <u>Des **mesures**</u> sont pris**es** pour éviter le manque d'eau.
Si le sujet est le pronom *je*, *tu*, *moi*, *toi*, *nous* ou *vous*, on doit connaître le genre (masculin ou féminin) de la personne ou des personnes que le pronom représente. Le participe passé avec *être* reçoit le genre et le nombre de ce pronom.	masc. sing. Je m'appelle Mathieu. **Je** suis ven**u** te voir. fém. sing. Je m'appelle Sophie. **Je** suis ven**ue** te voir.
Cas particuliers de l'accord du participe passé employé avec *être*	Exemples
Si le sujet contient **plusieurs groupes nominaux** ou s'il a **plusieurs pronoms sujets**, on doit trouver le genre (masculin ou féminin) de chaque nom noyau et de chaque pronom.	masc. sing. fém. sing. masc. plur. <u>Ce **garçon**</u> et <u>cette jeune **fille**</u> sont all**és** au puits. fém. sing. fém. sing. fém. plur. <u>Cette **mère**</u> et <u>sa **fille**</u> sont all**ées** au puits.

Nom : _____   Date : _____

L'accord du participe passé avec **être** *(suite)*

Consulte la règle *(suite)*

Cas particuliers de l'accord du participe passé employé avec *être* *(suite)*	Exemples
Quand les noms noyaux ou les pronoms qui composent le sujet sont de genres différents, on accorde le participe passé au masculin pluriel.	fém. masc. sing. sing. masc. plur. **_Elle_** et **_lui_** sont all**és** au puits.
Si le sujet est le **vous de politesse**, le participe passé s'accorde au féminin singulier si la personne est une femme ou au masculin singulier si la personne est un homme.	fém. sing. Madame, **_vous_** êtes all**ée** au puits ce matin. masc. sing. Monsieur, **_vous_** êtes all**é** au puits ce matin.
Si le sujet est le pronom **on synonyme de nous**, le participe passé s'accorde au pluriel.	masc. plur. Mes amis et moi, **_on_** est all**és** au puits ce matin.

Attention ! Employé avec **avoir**, le participe passé ne s'accorde pas avec le sujet.
Exemple : **elle** a mang**é** ; **ils** ont jou**é** ; **elles** auront termin**é**.

Exerce-toi

Dans les phrases ci-dessous, accorde chaque participe passé en laissant des traces de ton accord, comme dans l'exemple. Pour t'aider, consulte des tableaux de conjugaison.

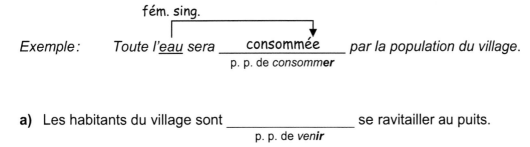

fém. sing.

Exemple :   Toute l'<u>eau</u> sera _____ consommée _____ par la population du village.
                   p. p. de consomm**er**

a) Les habitants du village sont _____ se ravitailler au puits.
                      p. p. de *venir*

FICHE D'ACTIVITÉ
MODULE 1

L'accord du participe passé avec **être** *(suite)*

Exerce-toi *(suite)*

b) Les ressources en eau potable sont surtout _____ pour l'agriculture.
p. p. de utiliser

c) Ce projet est _____ à aider les populations des pays pauvres.
p. p. de destiner

d) Yasmina et sa mère sont _____ à la rivière pour chercher de l'eau.
p. p. de aller

e) Les élèves et moi, on s'est _____ pour trouver des façons d'économiser
p. p. de réunir
l'eau à l'école.

f) Plusieurs maladies sont _____ par l'eau dans les pays en développement.
p. p. de transmettre

g) Monsieur, vous êtes bien _____ sur l'importance d'économiser l'eau
p. p. de informer
à la maison.

h) La situation de l'accès à l'eau potable s'est _____ dans le monde.
p. p. de aggraver

i) Ces deux puits ont été _____ grâce à un projet humanitaire.
p. p. de creuser

Nom : _____   Date : _____

L'accord du verbe avec le sujet

Réfléchis

- Que connais-tu à propos de l'accord du verbe ?
- Comment peux-tu repérer le sujet et le verbe conjugué dans une phrase ?
- Quelles classes de mots ou quels groupes de mots peux-tu trouver dans un sujet ?

Observe

> - *La plupart des pays d'Afrique manqueront d'eau potable.*
> - *Tes parents et toi consommez environ 1200 litres d'eau par jour.*
> - *Beaucoup d'eau est nécessaire pour produire de la viande.*
> - *Consommer l'eau sans la gaspiller est important.*
> - *Les industries et l'agriculture consomment une grande quantité d'eau potable.*

a) Où le verbe conjugué est-il placé dans les phrases ci-dessus ?

b) Où chaque sujet est-il situé ? Devant ou après le verbe conjugué ?

c) Comment as-tu trouvé le sujet et le verbe conjugué de chaque phrase ? As-tu utilisé des manipulations linguistiques ? Lesquelles ?

d) Quelles lettres situées à la fin de chaque verbe conjugué indiquent la personne et le nombre du sujet ? Comment nomme-t-on ces lettres ?

e) Dans tes mots, explique comment le verbe d'une phrase s'accorde avec le sujet.

L'accord du verbe avec le sujet (suite)

Consulte la règle

On accorde le **verbe** avec le sujet. La **terminaison du verbe** varie selon **la personne** (1re, 2e ou 3e personne) et **le nombre** (singulier ou pluriel) du sujet.

- Si le sujet est un **pronom**, le verbe reçoit la personne et le nombre de ce pronom.

  Pronom sujet (2e pers. plur.)

  Exemple :   **Vous** *utilis***ez** *beaucoup d'eau potable.*

- Si le sujet est un **groupe nominal**, le verbe reçoit la 3e personne et le nombre (singulier ou pluriel) du **nom noyau** du groupe nominal.

  Groupe nominal (3e pers. plur.)

  Exemple :   **Les *industries* de ma région** *utilis***ent** *beaucoup d'eau potable.*
  industries *est le nom noyau du groupe nominal*

Voici comment accorder le verbe dans les cas particuliers suivants.

- Si le sujet est formé de **plusieurs groupes nominaux**, le verbe reçoit la 3e personne du pluriel.

  Groupes nominaux (3e pers. plur.)

  Exemple :   **L'*industrie*** *et* **l'*agriculture*** *utilis***ent** *beaucoup d'eau potable.*

- Si le sujet est un **groupe verbal infinitif**, le verbe reçoit la 3e personne du singulier.

  Groupe verbal infinitif (3e pers. sing.)

  Exemple :   **Économiser *l'eau potable*** *est important.*

- Si le sujet est *chacun*, *chacune*, *aucun / aucune*, *personne*, *rien*, *tout* ou *tout le monde*, le verbe reçoit la 3e personne du singulier.

  3e pers. sing.

  Exemple :   **Tout le monde** *utilis***e** *beaucoup d'eau potable.*

Nom : _____   Date : _____

L'accord du verbe avec le sujet (*suite*)

Consulte la règle (*suite*)

- Si le sujet est ***plusieurs***, ***la plupart***, ***beaucoup***, ***certains*** ou ***quelques-uns***, le verbe reçoit la 3ᵉ personne du pluriel.

Exemples :

> 3ᵉ pers. plur.
>
> ┌──────────┐
> | **Plusieurs** | *appréci**ent** l'eau potable.*

> 3ᵉ pers. plur.
>
> | **La plupart** | *utilis**ent** beaucoup d'eau potable.*

- Si le sujet est ***peu de***, ***beaucoup de***, ***la moitié de*** + *un nom*, le verbe reçoit la 3ᵉ personne du singulier ou du pluriel. Pour faire l'accord au singulier ou au pluriel, il faut vérifier si le nom est dénombrable (comptable) ou non.

Exemples :

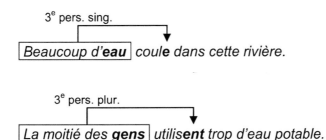

> 3ᵉ pers. plur.
>
> | *Beaucoup de **personnes*** | *utilis**ent** trop d'eau potable.*

> 3ᵉ pers. sing.
>
> | *Beaucoup d'**eau*** | *coul**e** dans cette rivière.*

> 3ᵉ pers. plur.
>
> | *La moitié des **gens*** | *utilis**ent** trop d'eau potable.*

- Si le sujet est formé de **plusieurs pronoms sujets** ou encore d'un **groupe nominal et d'un pronom sujet**, on doit trouver le pronom qui convient pour désigner l'ensemble de ces personnes. On accorde le verbe avec ce pronom.

Exemples :

> Nous
>
> | ***Vous** et **moi*** | *utilis**ons** beaucoup d'eau potable.*

> Vous
>
> | *Ton **frère** et **toi*** | *utilis**ez** beaucoup d'eau potable.*

Littératie en action 6 / Guide
11056
Cette fiche accompagne les activités langagières du guide d'enseignement.

75

L'accord du verbe avec le sujet (suite)

Consulte la règle (suite)

Les manipulations linguistiques suivantes permettent de trouver le sujet et le verbe dans une phrase.

Moyens pour trouver le sujet	Exemples
• On encadre le sujet par l'expression *C'est… qui* ou *Ce sont… qui.*	*Ton frère et toi utilisez beaucoup d'eau potable.* → **Ce sont** <u>ton frère et toi</u> **qui** *utilisez beaucoup d'eau potable.*
• On remplace le sujet par un pronom.	→ ***Vous*** *utilisez beaucoup d'eau potable.*
• On remplace le groupe sujet par *Qui est-ce qui* ou *Qu'est-ce qui* devant le verbe.	→ ***Qui est-ce qui*** *utilisez beaucoup d'eau potable ? Ton frère et toi.*
Moyens pour trouver le verbe	**Exemples**
• On encadre le verbe conjugué par l'expression *ne / n'… pas.*	*Ton frère et toi* <u>utilisez</u> *beaucoup d'eau potable.* → *Ton frère et toi* **n'**<u>utilisez</u> **pas** *beaucoup d'eau potable.*
• On remplace le verbe conjugué par un autre verbe.	→ *Ton frère et toi* **consommez** *beaucoup d'eau potable.*

Exerce-toi

1. Souligne le sujet de chaque phrase, puis indique l'accord du verbe, comme dans l'exemple. Vérifie tes réponses en utilisant les manipulations linguistiques.

3ᵉ pers. plur.

Exemple : <u>Plusieurs habitants</u> *n'***ont** *pas accès à l'eau potable.*

a) Le manque d'eau potable dans certains pays **est** un problème important.

b) La répartition de l'eau douce de la Terre **est** inégale.

c) Toi et moi av**ons** fait un projet sur l'eau potable dans le monde.

d) Le Canada doi**t** montrer l'exemple.

Cette fiche accompagne les activités langagières du guide d'enseignement.

Nom : _____ Date : _____

L'accord du verbe avec le sujet (*suite*)

Exerce-toi (*suite*)

2. Dans les phrases ci-dessous, souligne les sujets et encercle les pronoms ou les noms noyaux qui permettent d'accorder le verbe.

Accorde ensuite le verbe avec le ou les sujets en le conjuguant au présent de l'indicatif. Laisse des traces de ton accord, comme dans l'exemple.

Exemple : (Elles) 3ᵉ pers. plur.

Les [industries] et l'[agriculture] _____consomment_____ beaucoup d'eau.
consommer

a) La réduction de sa consommation de viande rouge _____ d'économiser l'eau.
permettre

b) Des milliers de tonnes d'eau _____ nécessaires pour produire une tonne de viande.
être

c) Les élèves et toi _____ un projet pour économiser l'eau à l'école.
présenter

d) Beaucoup de personnes _____ que l'eau est une ressource précieuse.
savoir

e) Des projets dans des pays en voie de développement _____ à améliorer l'accès à l'eau potable.
viser

f) Tout le monde _____ protéger l'eau.
devoir

g) Ce jeune garçon et sa sœur _____ plusieurs kilomètres pour avoir de l'eau potable.
parcourir

h) En Afrique et en Asie, des millions de personnes _____ d'eau potable.
manquer

Littératie en action 6 / Guide
11056
Cette fiche accompagne les activités langagières du guide d'enseignement.
77

L'imparfait

Réfléchis

- Quels temps de conjugaison connais-tu ?

- Les temps de conjugaison que tu connais expriment-ils une action dans le présent, dans le passé ou dans le futur ?

- Dans un verbe, quelle est la différence entre un radical et une terminaison ?

Observe

- *J'aime, nous aim**ons***   *J'aim**ais**, nous aim**ions***
- *Je dor**s**, nous dorm**ons***   *Je dorm**ais**, nous dorm**ions***
- *Je cour**s**, nous cour**ons***   *Je cour**ais**, nous cour**ions***
- *Je fin**is**, nous fin**issons***   *Je fin**issais**, nous fin**issions***
- *Je prend**s**, nous pren**ons***   *Je pren**ais**, nous pren**ions***
- *Je li**s**, nous lis**ons***   *Je lis**ais**, nous lis**ions***
- *Je croi**s**, nous croy**ons***   *Je croy**ais**, nous croy**ions***

a) Dans les verbes ci-dessus, comment peux-tu distinguer les radicaux et les terminaisons ?

b) Quels sont les verbes conjugués au présent de l'indicatif et ceux conjugués à l'imparfait ? Ceux de gauche ou ceux de droite ?

c) Dans les verbes de gauche, quel radical est utilisé pour conjuguer les verbes de droite ? Celui du verbe à la 1re personne du singulier (*Je*) ou celui du verbe à la 1re personne du pluriel (*Nous*) ?

d) Dans tes mots, explique comment conjuguer un verbe à l'imparfait.

L'imparfait (*suite*)

Consulte la règle

L'**imparfait** sert à exprimer une action qui se déroule dans le passé. Il sert aussi à exprimer une supposition après un *si*.

Exemples: Mon grand-père **vivait** en Chine et au Canada.

Si je le **voulais**, je pourrais aller voir ma famille en Chine.

On forme l'imparfait comme suit:

Radical du présent avec *nous*	+	*-ais, -ais, -ait* *-ions, -iez, -aient*	=	Imparfait de l'indicatif

Nous **finiss**ons Radical: **finiss**	+	**-ais**	=	Je **finissais**

Les terminaisons de l'imparfait sont les mêmes pour tous les verbes.

L'imparfait	
Personne et nombre	**Terminaisons**
1re pers. sing.	*-ais*
2e pers. sing.	*-ais*
3e pers. sing.	*-ait*
1re pers. plur.	*-ions*
2e pers. plur.	*-iez*
3e pers. plur.	*-aient*

Attention! À l'imparfait, il y a bien deux *i* de suite aux 1re et 2e personnes du pluriel dans les verbes comme *crier: nous criions, vous criiez*. Le **y** est suivi d'un *i* dans les verbes comme *envoyer, essayer: nous envoyions, vous essayiez*.

L'imparfait (*suite*)

Exerce-toi

Conjugue les verbes ci-dessous à l'imparfait. Pour t'aider, tu peux consulter des tableaux de conjugaison.

a) Connaître

Je _____

Tu _____

Il ou elle _____

Nous _____

Vous _____

Ils ou elles _____

d) Réussir

Je _____

Tu _____

Il ou elle _____

Nous _____

Vous _____

Ils ou elles _____

b) Sourire

Je _____

Tu _____

Il ou elle _____

Nous _____

Vous _____

Ils ou elles _____

e) Lire

Je _____

Tu _____

Il ou elle _____

Nous _____

Vous _____

Ils ou elles _____

c) Résoudre

Je _____

Tu _____

Il ou elle _____

Nous _____

Vous _____

Ils ou elles _____

f) Voir

Je _____

Tu _____

Il ou elle _____

Nous _____

Vous _____

Ils ou elles _____

Cette fiche accompagne les activités langagières du guide d'enseignement.

FICHE D'ACTIVITÉ
17
MODULE 1

La construction de la phrase passive

Réfléchis

- Quelles formes de phrases connais-tu ?

- Comment peux-tu reconnaître les différentes formes de phrases ?

- Pourquoi les verbes *aimer* et *être aimé* n'ont-ils pas le même sens ?
  D'après toi, lequel de ces deux verbes est un verbe actif ? Un verbe passif ?

Observe

- *Des enfants récoltaient le cacao.* → *Le cacao était récolté par des enfants.*

- *Mon grand-père mange tout le chocolat.* → *Tout le chocolat est mangé par mon grand-père.*

- *Les ouvriers mélangent les ingrédients.* → *Les ingrédients sont mélangés par les ouvriers.*

- *On trie les fèves de cacao.* → *Les fèves de cacao sont triées.*

a) Lorsque tu compares ci-dessus les phrases de gauche avec celles de droite, quels groupes de mots ont été déplacés ?

b) Qui fait l'action dans chacune de ces phrases ? Qui subit l'action ?

c) Dans les phrases de gauche, les groupes de mots *le cacao*, *tout le chocolat*, *les ingrédients* et *les fèves de cacao* sont-ils des sujets ou des compléments directs du verbe ?

d) Dans les phrases de droite, quelle est la fonction de ces mêmes groupes de mots ?

e) Toutes les phrases de droite, sauf la dernière, ont un complément qui commence avec le mot *par*. D'après toi, pourquoi la dernière phrase n'en a-t-elle pas ?

f) Dans tes mots, explique comment les phrases de gauche ont été transformées pour obtenir les phrases de droite.

La construction de la phrase passive (*suite*)

Consulte la règle

La **phrase passive** se construit à partir d'une phrase active. Le sujet de la phrase passive est la personne, l'animal ou la chose **qui subit l'action**.

Exemple :   **Phrase active**   *Mon petit frère* $\boxed{mange}$ **un morceau de chocolat.**

→ **Phrase passive**   **Un morceau de chocolat** $\boxed{est\ mangé}$ *par mon petit frère.*

Pour transformer une phrase active en une phrase passive :

- on déplace le complément direct devant le verbe ; ce complément direct devient alors le **sujet de la phrase passive** ;

- on déplace le sujet après le verbe et on ajoute la préposition *par* ; le sujet devient alors le **complément du verbe passif** ;

- on remplace la forme active du verbe (*manger, préparer, récolter, donner,* etc.) par sa forme passive (*être mangé, être préparé, être récolté, être donné,* etc.).

	Sujet	Complément direct

Exemple :   **Phrase active**   *Juliette* $\boxed{prépare}$ *un bol de chocolat chaud.*

Sujet de la phrase passive   Complément du verbe passif

→ **Phrase passive**   *Un bol de chocolat chaud* $\boxed{est\ préparé}$ *par Juliette.*

Pour remplacer la forme active du verbe par sa forme passive :

- on utilise l'**auxiliaire *être*** suivi du **participe passé** du verbe ;

- on conjugue l'auxiliaire *être* au même temps et au même mode que le verbe actif ;

- l'auxiliaire *être* reçoit la personne et le nombre du sujet de la phrase passive, et le participe passé s'accorde en genre et en nombre avec ce sujet.

Exemples :   *Juliette* $\boxed{\textbf{prépare}}$ *un bol de chocolat chaud.*   (présent de l'indicatif)
   → *Un bol de chocolat chaud* $\boxed{\textbf{est}\ préparé}$ *par Juliette.*
                     (*être* au présent de l'indicatif)

   Juliette $\boxed{\textbf{préparait}}$ *des bols de chocolat chaud.*   (imparfait)
   → ***Des bols*** *de chocolat chaud* $\boxed{\textbf{étaient}\ préparés}$ *par Juliette.*
            (*être* à l'imparfait et participe passé au masculin pluriel)

FICHE D'ACTIVITÉ

17

La construction de la phrase passive (*suite*)

MODULE 1

Consulte la règle (*suite*)

On peut également transformer une phrase passive en une phrase active. Lorsque la phrase passive n'a pas de complément du verbe, on utilise alors le pronom sujet *on* pour former la phrase active.

Exemple :   **Phrase passive**   *Les fèves de cacao* sont triées .

   → **Phrase active**   *On* trie *les fèves de cacao.*

Exerce-toi

1. Complète les phrases ci-dessous en indiquant la forme passive de chaque verbe et en accordant ce verbe et son participe passé avec le sujet, comme dans l'exemple. Pour t'aider, consulte des tableaux de conjugaison.

Exemple : Au présent de l'indicatif

   Diego prépare *le chocolat.*   *Le chocolat* ___***est préparé***___ *par Diego.*

   Diego trie *les fèves.*   *Les fèves* ___***sont triées***___ *par Diego.*

a) Au futur simple

   Diego préparera le chocolat.   Le chocolat _____ par Diego.

   Diego cassera la cabosse.   La cabosse _____ par Diego.

   Diego mélangera les ingrédients.   Les ingrédients _____ par Diego.

   Diego triera les fèves.   Les fèves _____ par Diego.

b) À l'imparfait

   Diego préparait le chocolat.   Le chocolat _____ par Diego.

   Diego cassait la cabosse.   La cabosse _____ par Diego.

   Diego mélangeait les ingrédients.   Les ingrédients _____ par Diego.

   Diego triait les fèves.   Les fèves _____ par Diego.

FICHE D'ACTIVITÉ
17
MODULE 1

La construction de la phrase passive (*suite*)

Exerce-toi (*suite*)

c) Au passé composé

Diego | a préparé | le chocolat.   Le chocolat _____ par Diego.

Diego | a cassé | une cabosse.   Une cabosse _____ par Diego.

Diego | a mélangé | les ingrédients.   Les ingrédients _____ par Diego.

Diego | a trié | les fèves.   Les fèves _____ par Diego.

2. Dans les phrases actives ci-dessous, encadre le verbe et souligne le complément direct. Transforme ensuite ces phrases actives en phrases passives, en accordant le verbe et son participe passé avec le sujet, comme dans l'exemple.

Exemple :   *Des entreprises* | *distribuent* | *le chocolat.*

     Le chocolat est distribué par des entreprises. _____

a) Une ouvrière récolte les cabosses.

_____

b) Les cultivateurs vendent les fèves de cacao.

_____

c) Le chocolatier prépare les plaques de chocolat.

_____

d) Une machine mélange les différents ingrédients.

_____

e) Une ouvrière a trié les fèves de cacao.

_____

FICHE D'ACTIVITÉ
17
MODULE 1

La construction de la phrase passive (*suite*)

Exerce-toi (*suite*)

f) Des enfants récoltaient le cacao.

_____

g) Diego coupera les cabosses.

_____

h) Mes parents ont acheté du chocolat équitable.

_____

i) Le commerce équitable améliorera la vie des cultivateurs.

_____

3. Dans les phrases passives ci-dessous, encadre le verbe et souligne le complément du verbe passif. Transforme ensuite ces phrases passives en phrases actives, en accordant le verbe avec le sujet, comme dans l'exemple.

Exemple :   *Ce chocolat équitable* | *a été récolté* | *par un producteur*.

   Un producteur a récolté ce chocolat équitable.

a) Ces fèves seront vendues par une ferme équitable.

_____

b) Cette école est soutenue par le commerce équitable.

_____

c) Le cacao était récolté par des cultivateurs très pauvres.

_____

d) Les plaques de chocolat seront emballées par des entreprises spécialisées.

_____

La construction de la phrase passive *(suite)*

Exerce-toi *(suite)*

4. Les phrases passives suivantes n'ont pas de complément du verbe passif. Transforme-les en phrases actives en utilisant le pronom sujet *On*.

Exemple : Ce cacao a été séché au soleil.

On a séché ce cacao au soleil.

a) Un logo de commerce équitable a été imprimé sur l'emballage.

_____

b) Une partie des profits est redonnée à la communauté.

_____

c) Ces cabosses seront bientôt récoltées.

_____

FICHE D'ACTIVITÉ
18
MODULE 1

La construction des types de phrases

Réfléchis

- Quels types de phrases connais-tu?

- Comment peux-tu transformer la phrase suivante en phrase interrogative?

  Amélie aime les géants.

- Quels mots peux-tu utiliser au début d'une phrase interrogative? Au début d'une phrase exclamative?

Observe

- *Tu joues le personnage du géant.* → *Joues-tu le personnage du géant?*

  → *Quel personnage joues-tu?*

  → *Joue le personnage du géant.*

  → *Comme tu joues bien le personnage du géant!*

a) Lorsque tu compares ci-dessus la phrase de gauche avec celles de droite, quels signes de ponctuation sont différents?

b) Quels mots a-t-on ajoutés, effacés ou remplacés dans les phrases de droite?

c) À quel type de phrase les constructions suivantes correspondent-elles?

1. Mot exclamatif + groupe nominal + groupe verbal + (**!**)

2. Mot interrogatif + groupe nominal + groupe verbal + (**?**)

3. Groupe verbal (avec pronom) + groupe nominal + (**?**)

4. Groupe verbal (avec un verbe à l'impératif) + (**.**)

5. Groupe nominal + groupe verbal + (**.**)

d) Explique dans tes mots comment la phrase de gauche a été transformée pour obtenir chacune des phrases de droite.

Nom : _____   Date : _____

La construction des types de phrases (suite)

Consulte la règle

Il existe **quatre types de phrases** : la phrase déclarative, la phrase exclamative, la phrase interrogative et la phrase impérative.

La **phrase déclarative** sert à affirmer quelque chose.

- Elle se construit sur le modèle de la **phrase de base** et se termine par un point (**.**).

> **Modèle de la phrase de base** (phrase déclarative de formes positive, active et personnelle)
>
> <u>Groupe nominal sujet (GNs)</u> / Groupe verbal prédicat (GVp) / Complément de phrase (Compl. de P)

GNs	GVp	Compl. de P
Exemple : *Ils*	*ont conclu un bon marché*	*avec le géant.*

- La phrase déclarative sert à construire les trois autres types de phrases.

La **phrase exclamative** sert à exprimer une émotion ou un jugement. Elle commence par un **mot exclamatif** et se termine par un point d'exclamation (**!**).

Voici deux façons de construire la phrase exclamative.

1) On ajoute un mot exclamatif au début de la phrase et on remplace le point (**.**) par un point d'exclamation (**!**).

Exemple :   **Phrase déclarative**   *Ils ont conclu un bon marché avec le géant.*

   → **Phrase exclamative**   ***Comme** ils ont conclu un bon marché avec le géant !*

2) On déplace le complément du verbe en début de phrase et on remplace le déterminant du complément du verbe par un mot exclamatif. On remplace ensuite le point (**.**) par un point d'exclamation (**!**).

Exemple :   **Phrase déclarative**   *Ils ont conclu <u>un bon marché</u> avec le géant.*

   → **Phrase exclamative**   *<u>**Quel** bon marché</u> ils ont conclu avec le géant !*

> **Quelques mots exclamatifs :** *combien, comme, que, que de, quel, quels, quelle, quelles.*

La construction des types de phrases (*suite*)

Consulte la règle (*suite*)

La **phrase interrogative** sert à poser une question. Elle se termine par un point d'interrogation (**?**).

Voici quatre façons de construire la phrase exclamative.

1) On ajoute l'expression **Est-ce que** (ou **Est-ce qu'**) au début de la phrase et on remplace le point (**.**) par un point d'interrogation (**?**).

   Exemple :   **Phrase déclarative**   *Ils ont conclu un bon marché avec le géant.*

   → **Phrase interrogative**   **Est-ce qu'***ils ont conclu un bon marché avec le géant* **?**

2) Lorsque le sujet de la phrase est un pronom, **on déplace le pronom sujet** après le verbe ou après le verbe auxiliaire (*avoir* ou *être*), puis on remplace le point (**.**) par un point d'interrogation (**?**).

   Exemple :   **Phrase déclarative**   *Ils ont conclu un bon marché avec le géant.*

   → **Phrase interrogative**   **Ont-ils** *conclu un bon marché avec le géant* **?**

3) Lorsque le sujet de la phrase est un groupe nominal, **on ajoute un pronom de reprise** après le verbe ou le verbe auxiliaire (*avoir* ou *être*), puis on remplace le point (**.**) par un point d'interrogation (**?**).

   Exemple :   **Phrase déclarative**   *Lucan et Ailisa ont conclu un bon marché avec le géant.*

   → **Phrase interrogative**   *Lucan et Ailisa ont-***ils** *conclu un bon marché avec le géant* **?**

Attention ! Lorsqu'un verbe, ou un verbe auxiliaire, se termine par les voyelles *a* ou *e*, ou la lettre *c*, on ajoute un *t* entre traits d'union si le pronom sujet est *il, elle* ou *on*.

Exemples :   *Ailisa aur***a-t-elle** *une bonne idée ?*
        Lucan **a-t-il** *fait un bon marché ?*
        *Le géant trouv***e-t-il** *ce marché équitable ?*
        *Comment convain***c-t-on** *le géant de partir ?*

La construction des types de phrases (*suite*)

Consulte la règle (*suite*)

4) On ajoute un **mot interrogatif** au début de la phrase. Ensuite, on déplace le pronom sujet ou on ajoute un pronom de reprise. Puis, on remplace le point (**.**) par un point d'interrogation (**?**).

Exemples: **Phrase déclarative**   *Ils ont conclu un bon marché avec le géant.*

    → **Phrases interrogatives**   ***Qui** a conclu un bon marché avec le géant ?*

                                        ***Avec qui** ont-**ils** conclu un bon marché ?*

                                        ***Qu'**ont-**ils** conclu avec le géant ?*

> **Quelques mots interrogatifs :** *qui, que, quoi, qu', qu'est-ce que, quel, quelle, lequel, combien, comment, où, pourquoi, quand,* etc. Les mots interrogatifs peuvent être précédés d'une préposition (*à, de, pour, avec, par*).

La **phrase impérative** sert à donner un conseil, un ordre ou une consigne. Son **verbe est à l'impératif**, et elle se termine par un point (**.**) ou, parfois, par un point d'exclamation (**!**).

- On efface le pronom sujet et on remplace le verbe conjugué par un verbe à l'impératif.

Exemple: **Phrase déclarative**   ~~*Tu*~~ *conclus un bon marché avec le géant.*

    → **Phrase impérative**   ***Conclus** un bon marché avec le géant.*

- Pour transformer une phrase déclarative ayant un ou plusieurs pronoms compléments (*me, te, se, moi, toi, nous, vous, le, la, les, lui, leur, en* ou *y*) en phrase impérative, on déplace le ou les pronoms compléments après le verbe à l'impératif et on utilise le trait d'union, comme dans les exemples suivants.

Phrase déclarative	Phrase impérative
*Tu **te** méfies du géant.*	*Méfie-**toi** du géant.*
*Nous **lui** donnons sa part.*	*Donnons-**lui** sa part.*
*Tu **la lui** donnes.*	*Donne-**la-lui**.*
*Vous **me la** rendez.*	*Rendez-**la-moi**.*

> **Attention !** Lorsque le verbe de la phrase impérative est un verbe en *-er* à la 2e personne du singulier, et que la phrase contient le pronom complément *en* ou *y*, il faut ajouter un *s* à la fin du verbe.
> *Exemples : Vas-y, Trouves-en, Ajoutes-en.*

FICHE D'ACTIVITÉ
18
MODULE 1

La construction des types de phrases (*suite*)

Exerce-toi

1. Indique le type de phrase (déclaratif, exclamatif, impératif ou interrogatif) de chacune des phrases suivantes.

Type de phrase

a) Comme le géant est en colère ! _____

b) Prenez tout ce qui vous appartient. _____

c) Quelle moitié de la récolte voulez-vous l'an prochain ? _____

d) Partez d'ici ! _____

e) Pourquoi cette ferme est-elle si bon marché ? _____

f) Le géant revient réclamer sa part. _____

2. Transforme chacune des phrases suivantes en phrase exclamative à l'aide du mot exclamatif entre parenthèses.

a) Ils sont surpris de voir un géant. (Comme)

_____

b) Le géant a une voix grave. (Que)

_____

c) Il les regarde d'un air furieux. (Comme)

_____

d) Cette ferme est belle. (Que)

_____

e) Lucan et Ailisa lui ont joué un bon tour. (Quel)

_____

La construction des types de phrases (*suite*)

Exerce-toi (*suite*)

3. Transforme chacune des phrases suivantes en phrase impérative. Pour t'aider, consulte des tableaux de conjugaison.

a) Tu trouves une solution.

_____

b) Vous prenez ce qui pousse dans la terre.

_____

c) Tu imagines que le géant n'est pas très malin.

_____

d) Vous lui donnez les racines.

_____

e) Vous vous en allez d'ici.

_____

4. Transforme chacune des phrases suivantes en phrase interrogative à l'aide de l'expression *Est-ce que*.

a) La ferme appartient à Lucan et Ailisa.

_____

b) Le géant était là avant eux.

_____

c) Ailisa propose une solution brillante.

_____

d) Le nez rond du géant devient rouge.

_____

FICHE D'ACTIVITÉ
18
MODULE 1

La construction des types de phrases (*suite*)

Exerce-toi (*suite*)

5. Transforme chacune des phrases suivantes en phrase interrogative en déplaçant le pronom sujet après le verbe.

a) Il veut une partie de la récolte.

_____

b) Nous allons planter des pommes de terre.

_____

c) Il pense que Lucan veut le tromper.

_____

d) Il interrompt le géant d'un ton sec.

_____

e) Il réclame sa part de la récolte.

_____

f) Ils lui proposent un marché.

_____

6. Transforme chacune des phrases suivantes en phrase interrogative en ajoutant un pronom de reprise après le verbe ou après le verbe auxiliaire.

a) Ce marché sera équitable.

_____

b) Le géant a arrêté de récolter l'orge.

_____

c) Les pommes de terre seront bientôt prêtes.

_____

FICHE D'ACTIVITÉ
18
MODULE 1

La construction des types de phrases (*suite*)

Exerce-toi (*suite*)

d) Lucan raconte à Ailisa sa rencontre avec le géant.

_____

e) Lucan et Ailisa se partagent le travail.

_____

7. Transforme chacune des phrases suivantes en phrase interrogative en effaçant les mots soulignés et en commençant la phrase par le mot interrogatif entre parenthèses.

a) Il veut une partie de la récolte. (Que)

_____

b) Lucan travaille dans le champ. (Où)

_____

c) Le géant doit s'arrêter pour aiguiser sa faux. (Pourquoi)

_____

d) Lucan et le géant coupent les plants d'orge le lendemain matin. (Quand)

_____

e) Lucan et Ailisa se disputent avec le géant. (Avec qui)

_____

Nom : _____ Date : _____

Observations continues

Nom de l'élève	Communication orale	Lecture	Écriture	Littératie médiatique
	L'élève : • exprime clairement ses idées • écoute activement • tient compte de son auditoire et adapte ses propos au besoin • vérifie sa compréhension des propos des autres • applique les stratégies apprises en communication orale	L'élève : • précise son intention de lecture • fait des prédictions • vérifie ses prédictions et en fait de nouvelles • fait des liens • réfléchit aux stratégies et à leur efficacité • applique les stratégies apprises en lecture	L'élève : • détermine l'intention et le public cible • planifie et organise les idées • choisit bien ses mots et ses expressions • utilise les commentaires et les critères pour réviser • applique les règles et les conventions apprises dans ses textes	L'élève : • reconnaît le sujet • reconnaît l'intention • reconnaît le public cible • crée des messages visuels • applique les techniques médiatiques apprises • analyse les personnes représentées dans les médias

Note : Les comportements décrits sont donnés à titre d'exemples et ne constituent pas une liste exhaustive. Les ajuster en fonction de ce qu'on veut observer. Utiliser le symbole de notation en usage dans chaque région ou province : notes, codes, symboles.

Littératie en action 6 | Guide
11056
Cette fiche accompagne toutes les leçons du guide d'enseignement.
95

Nom : _____ Date : _____

Grille d'évaluation de la section « À l'œuvre ! »

	Niveau 1	Niveau 2	Niveau 3	Niveau 4
Connaissance et compréhension	limitées	partielles	bonnes	approfondies
• Comprend la façon de concevoir une entrevue télévisée	☐ connaît les éléments et les techniques utilisés dans la création d'une entrevue télévisée	☐ connaît les éléments et les techniques utilisés dans la création d'une entrevue télévisée	☐ connaît les éléments et les techniques utilisés dans la création d'une entrevue télévisée	☐ connaît les éléments et les techniques utilisés dans la création d'une entrevue télévisée
Habiletés de la pensée	efficacité limitée	certaine efficacité	efficacité	grande efficacité
• Détermine l'intention et le public cible	☐ détermine l'intention et le public cible	☐ détermine l'intention et le public cible	☐ détermine l'intention et le public cible	☐ détermine l'intention et le public cible
• Utilise des critères pour réviser et évaluer son travail	☐ utilise des critères pour réviser et évaluer son travail	☐ utilise des critères pour réviser et évaluer son travail	☐ utilise des critères pour réviser et évaluer son travail	☐ utilise des critères pour réviser et évaluer son travail
Communication	efficacité limitée	certaine efficacité	efficacité	grande efficacité
• Joue efficacement son rôle dans la présentation	☐ participe à la présentation, à la rédaction et à la répétition de l'entrevue télévisée	☐ participe à la présentation, à la rédaction et à la répétition de l'entrevue télévisée	☐ participe à la présentation, à la rédaction et à la répétition de l'entrevue télévisée	☐ participe à la présentation, à la rédaction et à la répétition de l'entrevue télévisée
• Utilise des stratégies appropriées pour plaire au public cible	☐ capte l'attention du public cible	☐ capte l'attention du public cible	☐ capte l'attention du public cible	☐ capte l'attention du public cible
• Travaille bien en groupe	☐ travaille en groupe	☐ travaille en groupe	☐ travaille en groupe	☐ travaille en groupe
• Fait preuve de créativité en utilisant des effets améliorant la présentation (p. ex. : musique)	☐ utilise des effets améliorant la présentation	☐ utilise des effets améliorant la présentation	☐ utilise des effets améliorant la présentation	☐ utilise des effets améliorant la présentation
Mise en application	efficacité limitée	certaine efficacité	efficacité	grande efficacité
• Applique les connaissances et les stratégies apprises pour créer une entrevue télévisée	☐ applique les connaissances et les stratégies apprises	☐ applique les connaissances et les stratégies apprises	☐ applique les connaissances et les stratégies apprises	☐ applique les connaissances et les stratégies apprises

Voir aussi les grilles en lien avec les programmes dans le Compagnon Web de *Littératie en action 6*, à l'adresse suivante : [www.erpi.com/litteratie.cw].

Nom : _____ Date : _____

À ton tour !

Nom de l'élève	Présentation			Écoute	
	Présente le prix ou le trophée et explique la raison de son attribution	Parle clairement et présente la biographie de la personne recevant ce prix ou ce trophée	Présente les critères requis pour gagner ce prix ou ce trophée	Utilise des stratégies d'écoute active	Montre de l'intérêt envers les présentations des autres élèves

Note : Utiliser cet aide-mémoire pour évaluer le travail des élèves. Les élèves peuvent se servir de ces critères pour l'autoévaluation.
Utiliser le symbole de notation en usage dans chaque région ou province : notes, codes, symboles.

FICHE D'ÉVALUATION

4

MODULE 1

Gros plan sur tes apprentissages

1. Fais un retour sur les objectifs d'apprentissage de ce module, à l'aide du tableau suivant.
   - Choisis deux travaux montrant que tu as atteint ces objectifs.
   - Décris ce que chaque travail indique au sujet de tes apprentissages.
   - Écris les raisons pour lesquelles tu ajoutes ces travaux à ton portfolio.

Tes choix de travaux et ce qu'ils indiquent sur tes apprentissages	Tes raisons d'ajouter ces travaux à ton portfolio

2. Écris une ou deux choses importantes que tu as apprises sur la façon de présenter une courte biographie.

_____

_____

_____

_____

3. Écris une découverte importante que tu as faite au sujet de l'importance de l'équité dans le monde.

_____

_____

_____

Nom : _____ Date : _____

Grille d'évaluation du module

	Niveau 1	Niveau 2	Niveau 3	Niveau 4
Connaissance et compréhension	limitées	partielles	bonnes	approfondies
• Connaît les caractéristiques et la structure d'une courte biographie	☐ utilise ses connaissances sur les caractéristiques et la structure d'une courte biographie	☐ utilise ses connaissances sur les caractéristiques et la structure d'une courte biographie	☐ utilise ses connaissances sur les caractéristiques et la structure d'une courte biographie	☐ utilise ses connaissances sur les caractéristiques et la structure d'une courte biographie
• Connaît les stratégies de compréhension (faire des prédictions, vérifier ses prédictions et faire des liens)	☐ connaît les stratégies de compréhension visées	☐ connaît les stratégies de compréhension visées	☐ connaît les stratégies de compréhension visées	☐ connaît les stratégies de compréhension visées
• Connaît et comprend le vocabulaire des textes étudiés	☐ démontre sa compréhension	☐ démontre sa compréhension	☐ démontre sa compréhension	☐ démontre sa compréhension
Habiletés de la pensée	efficacité limitée	certaine efficacité	efficacité	grande efficacité
• Utilise les stratégies de planification et les organisateurs graphiques pour rédiger ses textes	☐ utilise les stratégies de planification et les organisateurs graphiques	☐ utilise les stratégies de planification et les organisateurs graphiques	☐ utilise les stratégies de planification et les organisateurs graphiques	☐ utilise les stratégies de planification et les organisateurs graphiques
• Fait un raisonnement critique pour analyser l'efficacité d'un texte	☐ analyse des biographies ☐ évalue l'efficacité de ses textes	☐ analyse des biographies ☐ évalue l'efficacité de ses textes	☐ analyse des biographies ☐ évalue l'efficacité de ses textes	☐ analyse des biographies ☐ évalue l'efficacité de ses textes
Communication	efficacité limitée	certaine efficacité	efficacité	grande efficacité
• Exprime et organise des idées et l'information présentée	☐ exprime et organise des idées et de l'information dans les contextes suivants : – les textes informatifs à l'écrit et à l'oral – les discussions – les jeux de rôles – la présentation orale	☐ exprime et organise des idées et de l'information dans les contextes suivants : – les textes informatifs à l'écrit et à l'oral – les discussions – les jeux de rôles – la présentation orale	☐ exprime et organise des idées et de l'information dans les contextes suivants : – les textes informatifs à l'écrit et à l'oral – les discussions – les jeux de rôles – la présentation orale	☐ exprime et organise des idées et de l'information dans les contextes suivants : – les textes informatifs à l'écrit et à l'oral – les discussions – les jeux de rôles – la présentation orale

Littératie en action 6 / Guide
11056
Cette fiche accompagne la leçon 16 du guide d'enseignement.
99

Nom : _____ Date : _____

	Niveau 1	Niveau 2	Niveau 3	Niveau 4
Communication	**efficacité limitée**	**certaine efficacité**	**efficacité**	**grande efficacité**
• Prend en considération les destinataires visés et l'intention de communication	☐ prend en considération les destinataires visés et l'intention pour : – mener une entrevue – participer à une discussion – présenter un prix ou un trophée pour honorer une personne ayant lutté pour l'équité dans le monde	☐ prend en considération les destinataires visés et l'intention pour : – mener une entrevue – participer à une discussion – présenter un prix ou un trophée pour honorer une personne ayant lutté pour l'équité dans le monde	☐ prend en considération les destinataires visés et l'intention pour : – mener une entrevue – participer à une discussion – présenter un prix ou un trophée pour honorer une personne ayant lutté pour l'équité dans le monde	☐ prend en considération les destinataires visés et l'intention pour : – mener une entrevue – participer à une discussion – présenter un prix ou un trophée pour honorer une personne ayant lutté pour l'équité dans le monde
• Utilise les codes et les conventions de communication orale (expression, volume) et écrite (ponctuation, orthographe)	☐ utilise les codes et les conventions de communication orale et écrite	☐ utilise les codes et les conventions de communication orale et écrite	☐ utilise les codes et les conventions de communication orale et écrite	☐ utilise les codes et les conventions de communication orale et écrite
Mise en application	**efficacité limitée**	**certaine efficacité**	**efficacité**	**grande efficacité**
• Applique ses connaissances et ses habiletés pour lire une variété de textes	☐ lit une variété de textes de manière autonome	☐ lit une variété de textes de manière autonome	☐ lit une variété de textes de manière autonome	☐ lit une variété de textes de manière autonome
• Applique ses connaissances et ses habiletés pour rédiger une variété de textes	☐ rédige une variété de textes	☐ rédige une variété de textes	☐ rédige une variété de textes	☐ rédige une variété de textes
• Fait des liens avec ses expériences personnelles et les textes lus et écrits	☐ fait des liens	☐ fait des liens	☐ fait des liens	☐ fait des liens

Nom : _____   Date : _____

Bilan des apprentissages

Données sur le rendement et les progrès de l'élève :

☐ Entrevue individuelle

(date : _____)

☐ Journal de bord (réponses, réflexions)

☐ Productions technologiques ou médiatiques

☐ Productions écrites (p. ex. : « À l'œuvre ! »)

☐ Communication orale

☐ Révision du portfolio (« Gros plan sur tes apprentissages »)

☐ Autoévaluation

☐ Évaluation continue (p. ex. : fiche d'évaluation 2 ; notes anecdotiques)

☐ Tâche d'évaluation de la compréhension en lecture

☐ Autre :

_____

Domaine	Commentaire	Niveau
Communication orale		
Lecture		
Écriture		
Littératie médiatique		

Remarque : Pour formuler des commentaires et déterminer le niveau de rendement de l'élève, consulter la fiche d'évaluation **5 : Grille d'évaluation du module** et la grille d'évaluation du rendement publiée par le ministère de l'Éducation de la province.

Forces
Besoins
Prochaines étapes

Littératie en action 6 / Guide
11056
Cette fiche accompagne la leçon 16 du guide d'enseignement.
101

Corrélations avec les autres disciplines

LI = Liens interdisciplinaires ALL = Activités en lien avec les leçons AL = Activités langagières

					LEÇONS													
	LI	ALL	AL	1	2	3	4	5	6	7	8	9	10	11	12	13	14	15	16
ÉTUDES SOCIALES (SCIENCES HUMAINES)																			
LE MULTICULTURALISME CANADIEN																			
Connaissance et compréhension																			
Comprendre ses origines et préciser son identité.					•	•	•	•	•	•	•			•	•	•			•	
Reconnaître les traits de l'identité canadienne.				•	•	•	•	•	•	•	•			•	•	•			•	
Reconnaître la présence de francophones dans différentes régions du Canada.				•		•			•					•						
Répertorier des francophones du Canada qui se sont distingués dans divers domaines et tracer le portrait de certains d'entre eux.				•		•	•	•	•											
Démontrer, à l'aide d'exemples ou par d'autres moyens, l'influence naturelle entre la société canadienne et d'autres pays et cultures.					•			•		•	•			•	•	•				
Comprendre la portée des événements qui se produisent dans l'actualité ainsi que les changements qui s'opèrent dans la société.				•		•		•	•	•	•			•	•	•				
Connaître et comprendre les concepts de base sur les secteurs de la production, de la distribution et de la consommation des biens.				•			•				•				•		•			
Comprendre les institutions, les composantes des cultures et le fonctionnement des groupes.				•				•	•	•	•				•	•		•		
Connaître et comprendre les facteurs de continuité ou de changement.				•	•				•	•	•				•			•		
Connaître et comprendre les structures et les systèmes mis en place par les humains pour gérer l'organisation naturelle ou sociale.				•	•	•		•	•	•	•			•	•	•				
Questionnement, recherche et communication																			
Formuler des questions qui orientent son enquête.				•	•															
S'appuyer sur des documents de sources primaires et secondaires pour effectuer une enquête.				•	•														•	

LEÇONS

	LI	ALL	AL	1	2	3	4	5	6	7	8	9	10	11	12	13	14	15	16
Questionnement, recherche et communication (*suite*)																			
Se servir d'organisateurs graphiques pour transmettre l'information.	•		•	•	•		•	•											
Communiquer les résultats de son enquête en utilisant différents supports visuels.					•													•	
Transmettre des idées et de l'information selon différentes formes et divers moyens.					•									•					
Utiliser le vocabulaire approprié pour communiquer les résultats de son enquête.				•	•									•				•	
Utilisation des cartes géographiques et des éléments graphiques																			
Représenter l'information à l'aide de cartes, de tableaux, de diagrammes et de graphiques.			•										•						
Application																			
Mettre en application, dans des contextes familiers, les concepts, les connaissances et les habiletés qui lui ont été présentés et de les transférer à des contextes nouveaux.				•	•									•					
Mettre en application le vocabulaire approprié au sujet à l'étude (p. ex. populations francophones, différences culturelles, ressemblances culturelles, francophonie, multiculturalisme, équité, racisme).				•	•	•				•	•	•							
SCIENCES ET TECHNOLOGIE																			
L'ESPACE																			
Compréhension des concepts																			
Identifier des composantes du système solaire incluant le Soleil, la Terre, les autres planètes, les satellites naturels, les comètes, les astéroïdes, les météoroïdes et décrire leurs caractéristiques physiques.																			
Expliquer comment les humains répondent à leurs besoins de base dans l'espace.																			
Identifier l'équipement et les outils technologiques utilisés pour l'exploration spatiale.																			
Décrire des effets du mouvement et de la position de la Terre, de la Lune et du Soleil.																			
Décrire qualitativement la relation entre la masse et le poids.																			

CORRÉLATIONS AVEC LES AUTRES DISCIPLINES (*suite*)

LI = Liens interdisciplinaires ALL = Activités en lien avec les leçons AL = Activités langagières

	LI	ALL	AL	1	2	3	4	5	6	7	8	9	10	11	12	13	14	15	16
Acquisition d'habiletés en recherche scientifique, en conception et en communication																			
Utiliser le processus de résolution de problèmes technologiques pour concevoir, construire et tester un objet qui utilise ou simule le mouvement des corps dans le système solaire.																			
Utiliser la démarche de recherche pour explorer les percées scientifiques et technologiques qui permettent aux humains de vivre et de s'adapter dans l'espace.																			
Utiliser les termes justes pour décrire ses activités de recherche, d'expérimentation, d'exploration et d'observation (p. ex. planète, Lune, étoile, comète, éclipse, phase, astéroïde, météoroïde).																			
Communiquer oralement et par écrit en se servant d'aides visuelles dans le but d'expliquer les méthodes utilisées et les résultats obtenus lors de ses recherches, ses expérimentations, ses explorations ou ses observations.			•																
Rapprochement entre les sciences, la technologie, la société et l'environnement																			
Évaluer la contribution des Canadiens et des Canadiennes dans l'exploration spatiale et le progrès scientifique.																			
Évaluer les avantages et les inconvénients de l'exploration spatiale pour la société et l'environnement.																			
MATHÉMATIQUES																			
Traitement des données et probabilités																			
Démontrer comment la grandeur de l'échantillon peut influencer la nature des résultats d'une enquête.																			
Prédire, à partir de ses connaissances générales ou de diverses sources d'informations, les résultats possibles d'un sondage avant de recueillir les données.																			
Concevoir et effectuer un sondage, recueillir les données et les enregistrer selon des catégories et des intervalles appropriés.																			
Construire, à la main ou à l'ordinateur, divers diagrammes (p. ex. diagramme à bandes horizontales, verticales ou doubles et diagramme à ligne brisée).																			

Traitement des données et probabilités (*suite*)

	LI	ALL	AL	1	2	3	4	5	6	7	8	9	10	11	12	13	14	15	16
Formuler, oralement ou par écrit, des inférences ou des arguments à la suite de l'analyse et de la comparaison de données présentées dans un tableau ou dans un diagramme.																			
Comparer et choisir, à l'aide d'un logiciel de graphiques, le genre de diagramme qui représente le mieux un ensemble de données.																			

ÉDUCATION ARTISTIQUE

ART DRAMATIQUE

	LI	ALL	AL	1	2	3	4	5	6	7	8	9	10	11	12	13	14	15	16
Produire plusieurs formes de représentation (p. ex. monologue, improvisation, création collective) pour communiquer un message à partir d'une situation dramatique donnée.						•										•	•		
Créer plusieurs courtes productions pour un auditoire spécifique en utilisant un appui technique.						•								•		•	•		
Décrire comment l'art dramatique contribue à son propre développement et à celui de la communauté.						•										•	•		

ARTS VISUELS

	LI	ALL	AL	1	2	3	4	5	6	7	8	9	10	11	12	13	14	15	16
Recourir au processus de création artistique pour réaliser diverses œuvres d'art.	•																		

MUSIQUE

	LI	ALL	AL	1	2	3	4	5	6	7	8	9	10	11	12	13	14	15	16
Recourir au processus d'analyse critique pour analyser et apprécier diverses œuvres musicales.	•																		
Composer un message publicitaire et le mettre en musique.															•		•		
Exprimer son appréciation d'une composition musicale dans diverses formes de représentation (p. ex. : danse, dessin).	•																		

CORRÉLATIONS AVEC LES AUTRES DISCIPLINES (*suite*)

LI = Liens interdisciplinaires ALL = Activités en lien avec les leçons AL = Activités langagières

ÉDUCATION PHYSIQUE ET SANTÉ

HABILETÉS PERSONNELLES ET SOCIALES

								LEÇONS										
	LI	ALL	AL	1	2	3	4	5	6	7	8	9	10	11	12	13	14	15	16
Communiquer oralement et par écrit en français pour s'affirmer sur le plan culturel et linguistique.	•			•	•	•				•	•	•	•						
Utiliser des habiletés personnelles pour développer son autonomie et un concept de soi positif.	•					•								•		•		•	•
Utiliser des habiletés interpersonnelles pour communiquer et interagir avec les autres de manière positive et constructive.	•			•						•	•	•	•	•	•	•	•	•	
Utiliser la pensée critique et créative pour développer la capacité d'analyse et de discernement nécessaires pour se fixer des objectifs personnels, prendre des décisions éclairées et résoudre des problèmes.	•			•						•	•	•	•					•	•

Littératie en action

Guide d'enseignement

MODULE **2**
L'art de l'image

11056

POUR L'ÉDITION FRANÇAISE

Directrice à l'édition
Monique Daigle

Traductrice
Monique Lanouette

Rédacteurs (fiches d'activités 11 à 18)
Virginie Krysztofiak
Paul Ste-Marie

Chargée de projet
Lina Binet

Réviseure linguistique
Annick Loupias

Correctrices d'épreuves
Lina Binet
Sabine Cerboni

Coordonnatrice à l'édition Web
Jeannette Lafontaine

Couverture (reliure à anneaux)
Édiflex inc.

Édition électronique
La Plume Virtu-Elle enr.

POUR L'ÉDITION ORIGINALE

Chef d'équipe
Anita Borovilos

Consultantes nationales en littératie
Beth Ecclestone
Norma MacFarlane

Éditrices
Susan Green
Elynor Kagan

Chef de produit
Paula Smith

Directrice de rédaction
Monica Schwalbe

Directrices de la recherche et du développement
Carol Wells
Mariangela Gentile
Rena Sutton

Coordonnatrice de la production
Alison Dale

Directrice artistique
Zena Denchik

Graphiste
David Cheung

Vice-président, édition et marketing
Mark Cobham

Littératie en action 6, Guide d'enseignement,
édition française publiée par ERPI (ÉDITIONS
DU RENOUVEAU PÉDAGOGIQUE INC.)
© 2008 Pearson Canada Inc.
© 2010 ERPI pour l'édition française.

Traduction et adaptation autorisées de *Literacy in Action 6,
Teacher's Guide,* par Jeroski et autres, publié par Pearson
Canada Inc.
© 2008 Pearson Education Canada, une division de Pearson
Canada Inc.

Tous droits réservés.
On ne peut reproduire aucun extrait de ce livre
sous quelque forme ou par quelque procédé que
ce soit – sur une machine électronique, mécanique, à photocopier ou à enregistrer, ou
autrement – sans avoir obtenu, au préalable, la permission écrite de Pearson Canada Inc. Pour toute demande
à ce sujet, veuillez vous adresser à Pearson Canada Inc.,
Rights and Permissions Department, 26 Prince Andrew Place,
Don Mills, Ontario M3C 2T8 Canada.

Pearson® est une marque déposée de Pearson plc.

Dépôt légal – Bibliothèque et Archives nationales du Québec,
2010
Dépôt légal – Bibliothèque et Archives Canada, 2010

Imprimé au Canada   1234567890 TRN 13 12 11 10
ISBN 978-2-7613-2595-0   11056   OF10

Littératie en action 6, Guide d'enseignement,
French language edition, published by ERPI
(ÉDITIONS DU RENOUVEAU PÉDAGOGIQUE INC.)
© 2008 Pearson Canada Inc.

Authorized translation and adaptation from the English
language edition, entitled *Literacy in Action 6, Teacher's
Guide,* by Jeroski *et al.,* published by Pearson Education
Canada, a division of Pearson Canada Inc.

All rights reserved. This publication is protected by copyright.
No part of this book may be reproduced or transmitted in any
form or by any means, electronic or mechanical, including
photocopying, recording, or by any information storage
retrieval system, without permission from Pearson Canada
Inc. For information regarding permission(s), please submit
your request to: Pearson Canada Inc., Rights and Permissions
Department, 26 Prince Andrew Place, Don Mills, Ontario
M3C 2T8 Canada.

Pearson® is a registered trademark of Pearson plc.

POUR L'ÉDITION FRANÇAISE

Directeurs de collection
Léo-James Lévesque
Johanne Proulx

REMERCIEMENTS

L'éditeur remercie les personnes suivantes pour leurs commentaires judicieux au cours de l'élaboration de la collection *Littératie en action 6* :

Johanne Austin, N.-B.
Joanne Cameron, N.-É.
Alicia Logie, C.-B.
Karen Olsen, Sask.
Brian Svenningsen, Ont.
Diane Tijman, C.-B.
Nathalie Wall, Ont.

POUR L'ÉDITION ORIGINALE

Auteurs et consultants
Dr Sharon Jeroski

Andrea Bishop
Jean Bowman
Anne Boyd
Lynn Bryan
Linda Charko
Marla Ciccotelli
Susan Clarke
Alisa Dewald
Maureen Dockendorf
Ken Ealey
Susan Elliott
Christine Finochio
Patricia Gough
Jo Ann Grime
Doug Herridge
Patricia Horstead
Don Jones
Joanne Leblanc-Haley
Marg Lysecki
Jill Maar
Deidre McConnell
Carol Munro
Cathie Peters
Sue Pleli
Lorraine Prokopchuk
Joanne Rowlandson
Carole Stickley
Arnold Toutant
Kim Webber
Iris Zammit
Beth Zimmerman

Table des matières

---

* Ces fiches ont été conçues pour répondre aux attentes en ce qui concerne les connaissances et habiletés grammaticales du programme-cadre de français (6e année) du curriculum de l'Ontario. À titre d'enrichissement, toutefois, elles peuvent être aussi proposées aux élèves en immersion.

Module 2 : L'art de l'image

Dans ce module, les élèves écouteront, liront et transcriront des entrevues réalisées avec des gens qui produisent les images qui nous entourent. Les élèves seront amenés à utiliser leurs connaissances et à déterminer les idées importantes dans une variété de textes sur le thème de l'image, dont des reportages, des entrevues, une marche à suivre, des calligrammes, un plan de montage et un récit fantastique. Ils concevront le scénario d'un documentaire sur une profession de leur choix. Finalement, ils présenteront un récit, un poème ou une chanson à l'aide d'un roman-photo.

LES OBJECTIFS DE L'ENSEIGNEMENT

Stratégies	Utiliser ses connaissances ; déterminer ce qui est important ; évaluer le message
Littératie critique	Analyser l'intention d'un message
Forme de texte	Entrevues
Éléments d'écriture	Comprendre la structure d'une entrevue ; distinguer l'entrevue du reportage ; reconnaître l'importance de la ponctuation dans une entrevue
Communication orale	Discuter, échanger des idées, réagir et présenter un roman-photo ; effectuer une entrevue et présenter un documentaire sur une profession
Littératie médiatique	Ressentir et exprimer le pouvoir de l'image

L'ÉVALUATION AU SERVICE DE L'APPRENTISSAGE

Évaluation diagnostique	Évaluation formative	Évaluation sommative
• Présentation du module (L : 1)	• Observations, interventions pédagogiques (L : 1 à 3, 5 à 14) • Évaluation par les élèves (L : 2, 4, 10, 11, 14) • Création de tableaux de référence (L : 1 à 3, 6, 8, 10, 11) • Réflexion des élèves (toutes les leçons) • Tâche d'évaluation « À l'œuvre ! » (L : 10) • À ton tour ! (L : 14)	• Ton portfolio (L : 15) • Entrevues individuelles (L : 15) • Réflexion des élèves (L : 15) • Tâche d'évaluation de la compréhension en lecture (L : 15)

LE CADRE D'ENSEIGNEMENT

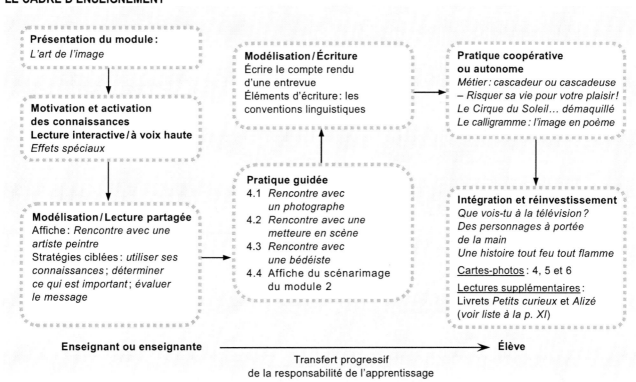

Présentation du module :
L'art de l'image

Motivation et activation des connaissances
Lecture interactive / à voix haute
Effets spéciaux

Modélisation / Lecture partagée
Affiche : *Rencontre avec une artiste peintre*
Stratégies ciblées : *utiliser ses connaissances ; déterminer ce qui est important ; évaluer le message*

Modélisation / Écriture
Écrire le compte rendu d'une entrevue
Éléments d'écriture : les conventions linguistiques

Pratique guidée
4.1 *Rencontre avec un photographe*
4.2 *Rencontre avec une metteure en scène*
4.3 *Rencontre avec une bédéiste*
4.4 Affiche du scénarimage du module 2

Pratique coopérative ou autonome
Métier : cascadeur ou cascadeuse – Risquer sa vie pour votre plaisir !
Le Cirque du Soleil… démaquillé
Le calligramme : l'image en poème

Intégration et réinvestissement
Que vois-tu à la télévision ?
Des personnages à portée de la main
Une histoire tout feu tout flamme
Cartes-photos : 4, 5 et 6
Lectures supplémentaires :
Livrets *Petits curieux* et *Alizé* (*voir liste à la p. XI*)

Enseignant ou enseignante ⟶ Élève
Transfert progressif
de la responsabilité de l'apprentissage

CONTENUS D'APPRENTISSAGE

Littératie en action est un outil d'enseignement qui vise à répondre aux attentes des programmes d'études[1] de l'ensemble des provinces et régions du Canada en matière de littératie. L'apprentissage des habiletés reliées à la littératie amène les élèves à utiliser l'écoute, l'expression orale, la lecture et l'écriture pour communiquer en français.

Le tableau intitulé «Corrélations avec les autres disciplines», aux pages 92 à 96 du présent fascicule, donne un aperçu des liens possibles avec les autres disciplines.

COMMUNICATION ORALE (écoute et expression)

	LEÇONS
Écoute	
• Déterminer l'intention de la situation d'écoute.	1, 2, 3, 7, 8, 9, 11, 12, 13, 14, 15
• Mettre en pratique l'écoute active.	1, 2, 3, 4, 5, 7, 8, 9, 11, 12, 13, 14, 15
• Faire des inférences.	1, 2, 3, 12, 14
• Reconnaître les indices non verbaux et les interpréter.	1, 2, 3, 11, 12, 14
• Se concentrer et retenir les éléments importants.	1, 2, 3, 4, 5, 7, 8, 9, 12, 13, 14
• Faire la synthèse des renseignements.	1, 2, 3, 4, 9, 10, 12
Expression	
• Participer à une discussion en posant des questions, en répondant à des questions et en exprimant son point de vue.	1, 2, 3, 4, 5, 7, 8, 9, 10, 12, 13, 14
• S'exprimer oralement de façon efficace en tenant compte du contexte.	1, 2, 3, 4, 5, 7, 8, 9, 10, 11, 12, 13, 15
• Communiquer clairement ses idées.	1, 2, 3, 4, 5, 7, 8, 9, 10, 11, 12, 13, 15
• Recourir à divers supports visuels pour appuyer son message.	1, 3, 4, 7, 12, 13, 14
Réflexion	
• Reconnaître l'aide des habiletés en lecture et en écriture dans la communication orale.	1, 2, 3, 4

LECTURE (et observation)

	LEÇONS
Préparation à la lecture	
• Déterminer l'intention de lecture.	2, 3, 4, 7, 8, 9, 11, 12, 13, 14
• Choisir ses textes selon diverses intentions.	2, 3, 4, 7, 8, 9, 11, 12, 13, 14
Lecture	
• Lire différents types de textes.	2, 3, 4, 7, 8, 9, 11, 12, 13, 14
• Connaître et utiliser diverses stratégies de compréhension.	2, 3, 4, 7, 8, 9, 11, 12, 13, 14
• Ajuster ses stratégies et son rythme de lecture selon le genre de texte et l'intention de lecture.	2, 3, 4, 7, 8, 9, 11, 12, 13, 14
• Faire appel à un répertoire de mots connus.	2, 3, 4, 7, 8, 9, 11, 12, 13, 14
• Connaître et utiliser des stratégies de résolution de problèmes.	2, 3, 4, 5, 7, 8, 9, 11, 12, 13, 14
• Connaître et utiliser les conventions linguistiques pour mieux comprendre le texte.	2, 3, 4, 7, 8, 9, 11, 12, 13, 14
• Utiliser les éléments visuels pour soutenir sa compréhension.	2, 3, 4, 7, 8, 9, 11, 12, 13, 14
• Connaître et utiliser les caractéristiques des divers genres de textes pour mieux comprendre le texte.	2, 3, 4, 7, 8, 9, 11, 12, 13, 14
• Analyser les idées, les renseignements et les points de vue contenus dans le texte.	2, 3, 4, 7, 8, 9, 11, 12, 13, 14
• Réagir de diverses manières aux textes lus.	2, 3, 4, 7, 8, 9, 11, 12, 13, 14
Réflexion	
• Démontrer une réflexion métacognitive face à son processus et à ses stratégies de lecture.	2, 3, 4, 5, 7, 8, 11, 12, 13, 15
• Reconnaître l'aide des habiletés en communication orale et en écriture dans la lecture.	2, 3, 4, 5, 7, 8, 11, 12, 13, 15

---

1. Pour les corrélations précises avec les programmes d'études, consulter les tableaux contenus dans le Compagnon Web de *Littératie en action 6* à l'adresse suivante : [www.erpi.com/litteratie.cw]. Le nom d'utilisateur et le mot de passe pour y accéder figurent sur le carton de présentation inséré au début du classeur à anneaux.

ÉCRITURE (et représentation)

Préparation à l'écriture	
• Déterminer l'intention d'écriture et le public ciblé.	6, 7, 8, 9, 13, 14
• Déterminer la forme du texte ou de la production.	6, 7, 8, 9, 13, 14
Écriture	
• Planifier et organiser ses idées.	6, 7, 8, 9, 13, 14
• Tenir compte de son intention (p. ex.: pour informer, persuader, raconter, rendre compte).	6, 7, 8, 9, 13, 14
• Rédiger dans un style personnel.	6, 7, 8, 9, 13, 14
• Appliquer les règles et les conventions d'écriture enseignées.	6, 7, 8, 9, 13, 14
• Relire son texte pour réviser le choix des mots, la clarté du message et le style.	6, 7, 8, 9, 13, 14
• Relire son texte pour corriger l'orthographe, la syntaxe et la ponctuation.	6, 7, 8, 9, 13, 14
• Consulter ses pairs, l'enseignant ou l'enseignante.	6, 7, 8, 9, 13, 14
• Consulter des ouvrages de référence.	6, 7, 8, 9, 13, 14
• Prêter attention à la présentation (p. ex.: calligraphie, polices, mise en pages, graphiques).	6, 7, 8, 9, 13, 14
• Examiner son choix et son application des techniques de révision et de correction pour améliorer ses écrits.	6, 7, 8, 9, 13, 14
• Analyser des textes d'auteurs pour mieux comprendre les techniques et les procédures, et pour les appliquer dans ses écrits.	2, 5, 6, 8, 9, 13, 14
Réflexion	
• Reconnaître l'aide des habiletés en communication orale et en lecture dans l'écriture.	2, 5, 6, 7, 8, 9, 13, 14, 15

LITTÉRATIE MÉDIATIQUE

Compréhension	
• Reconnaître le sujet, l'intention et le public ciblé dans un document médiatique.	1, 2, 3, 4, 7, 9, 10, 11
• Faire des inférences et dégager le sens d'un document médiatique.	1, 3, 4, 9, 10
• Exprimer des opinions sur des sujets traités dans des documents médiatiques.	1, 3, 4, 9, 10
• Reconnaître les auteurs d'un document médiatique et leur intention.	1, 2, 3, 4, 9, 10
• Reconnaître les formes médiatiques ainsi que les techniques et les codes propres aux divers documents médiatiques.	1, 2, 3, 4, 7, 9, 10
Production	
• Déterminer la forme du document médiatique à produire et utiliser les techniques et les codes appropriés.	1, 2, 3, 4, 7, 9, 10, 11
• Produire des documents médiatiques en tenant compte du sujet à traiter, de son intention et du public ciblé.	1, 2, 3, 4, 7, 9, 10, 11
Réflexion	
• Reconnaître l'aide des habiletés en communication orale, en lecture et en écriture dans la compréhension et la production de documents médiatiques.	1, 2, 3, 4, 7, 9, 10, 15

LITTÉRATIE CRITIQUE

Compréhension	
• Réfléchir sur le message de l'auteur ou de l'auteure.	2, 3, 4, 5, 6, 7, 9, 10, 11
• Envisager d'autres points de vue, confirmer ou changer sa vision et se faire une opinion personnelle.	2, 4, 5, 6, 7, 9, 10, 11
• Prendre position, imaginer des actions possibles et agir de façon responsable.	2, 4, 6, 7, 9, 10, 11

CULTURE

Compréhension	
• Démontrer un respect pour les diversités culturelles.	1, 3, 4, 8, 10, 13
• Reconnaître des éléments de la culture francophone sur le plan local, régional ou national.	1, 3, 4, 7, 8, 9, 11, 13
• Démontrer une attitude positive envers la langue française et les communautés francophones au Canada et dans le monde.	1, 3, 4, 7, 8, 9, 13

Planificateur : En un coup d'œil

A = fiches d'activités du présent fascicule
É = fiches d'évaluation du présent fascicule

AM = fiches d'activités modèles du fascicule *Guide d'enseignement de la littératie*[1]
ÉM = fiches d'évaluation modèles du fascicule *Guide d'enseignement de la littératie*

RESSOURCES DE L'ÉLÈVE	APPRENTISSAGES CIBLÉS	DURÉE PRÉVUE	GUIDE D'ENSEIGNEMENT	RESSOURCES SUPPLÉMENTAIRES	DIFFÉRENCIATION / INTERVENTIONS PÉDAGOGIQUES
Motivation et activation des connaissances					
1. Présentation du module (manuel, pages 50 et 51)	Communiquer des idées et des renseignements sur le pouvoir de l'image ; faire des liens avec ses connaissances et ses expériences ; exprimer ses opinions et ses idées en tenant compte du contexte ; participer et s'exprimer en français lors du travail en groupes.	De 40 à 60 min	Leçon 1	**A 1 :** Lettre à l'intention des parents / Home Connection Letter **A 2 :** Un survol du module **É 1 :** Observations continues **Coffret audio**	Modéliser la façon de relever des renseignements à partir d'une image. Faire appel aux connaissances antérieures des élèves. Expliquer l'importance de tenir compte du contexte, des destinataires et des habiletés sociales au cours de communications orales.
Lecture interactive / à voix haute					
2. Effets spéciaux (manuel, pages 52 à 55)	Mettre en pratique l'écoute active ; faire une courte présentation orale.	De 40 à 60 min	Leçon 2	**A 11 :** Les accords dans le groupe nominal **É 1 :** Observations continues **Coffret audio**	Modéliser la façon d'écouter attentivement.

1. Ce fascicule présente des stratégies d'enseignement fondées sur les plus récentes recherches en littératie. S'y trouvent également des fiches d'activités modèles à adapter ou à utiliser telles quelles.

RESSOURCES DE L'ÉLÈVE	APPRENTISSAGES CIBLÉS	DURÉE PRÉVUE	GUIDE D'ENSEIGNEMENT	RESSOURCES SUPPLÉMENTAIRES	DIFFÉRENCIATION / INTERVENTIONS PÉDAGOGIQUES
Modélisation / lecture partagée					
3. Lire une entrevue (manuel, pages 56 et 57) 3.1 Lis avec habileté : Précise ton intention 3.2 Lis avec habileté : Décode le texte 3.3 Lis avec habileté : Construis le sens du texte – Utilise tes connaissances, détermine ce qui est important et évalue le message 3.4 Lis avec habileté : Analyse le texte	Préciser son intention de lecture ; reconnaître les variétés de langue ; comprendre et évaluer les stratégies de lecture utilisées ; utiliser ses connaissances ; déterminer ce qui est important dans un message ; évaluer le message ; analyser une entrevue.	De 90 à 120 min (2 ou 3 séances)	Leçons 3.1, 3.2, 3.3 et 3.4	**Affiche de lecture partagée :** *Rencontre avec une artiste peintre* **A 3 :** Utilise tes connaissances, détermine ce qui est important et évalue le message **É 1 :** Observations continues	Donner des exemples de variétés de langue aux élèves ayant besoin d'aide. Inviter les élèves à créer un tableau de mots ou d'expressions illustrant les variétés de langue. Modéliser la façon de déterminer les renseignements importants dans un texte. Inviter les élèves à travailler en dyades pour relever les idées importantes, comparer et justifier leur choix. Les encourager à illustrer l'idée principale et les idées complémentaires dans une toile d'araignée.
Pratique guidée					
4.1 Rencontre avec un photographe (manuel, pages 58 et 59) 4.2 Rencontre avec une metteure en scène (manuel, pages 60 et 61) 4.3 Rencontre avec une bédéiste (manuel, pages 62 et 63) 4.4 Affiche du scénarimage du module 2	Mettre en application les stratégies : utiliser ses connaissances, déterminer ce qui est important et évaluer le message.	De 40 à 60 min	Leçons 4.1, 4.2, 4.3 et 4.4	**Affiche de lecture partagée :** *Rencontre avec une artiste peintre* **Affiche du scénarimage du module 2** **A 3 :** Utilise tes connaissances, détermine ce qui est important et évalue le message **A 12 :** L'accord de l'attribut du sujet **Coffret audio**	Chaque texte présente un niveau de difficulté différent[1]. Attribuer un texte à chaque élève selon ses habitudes et ses préférences. Pour les élèves ayant des habiletés de lecture limitées, utiliser l'affiche du scénarimage afin de les aider à développer leur maîtrise de la langue et des concepts.

1. Niveau de lecture des textes : texte 4.1 : T-U, DRA 50-54 ; texte 4.2 : U-V, DRA 54-58 ; texte 4.3 : R-S, DRA 44-48.

PLANIFICATEUR : EN UN COUP D'ŒIL (*SUITE*)

A = fiches d'activités du présent fascicule
É = fiches d'évaluation du présent fascicule

AM = fiches d'activités modèles du fascicule *Guide d'enseignement de la littératie*
ÉM = fiches d'évaluation modèles du fascicule *Guide d'enseignement de la littératie*

RESSOURCES DE L'ÉLÈVE	APPRENTISSAGES CIBLÉS	DURÉE PRÉVUE	GUIDE D'ENSEIGNEMENT	RESSOURCES SUPPLÉMENTAIRES	DIFFÉRENCIATION / INTERVENTIONS PÉDAGOGIQUES
Pratique guidée (*suite*)					
5. Fais un retour sur tes apprentissages (manuel, page 64)	Comprendre le pouvoir de l'image; comprendre le rôle des gens qui produisent les images; utiliser des stratégies d'écoute et de prise de parole; comprendre et évaluer les stratégies utilisées.	De 40 à 60 min	Leçon 5	**AM 33 à 38** sur les stratégies de lecture **A 3 :** Utilise tes connaissances, détermine ce qui est important et évalue le message **É 1 :** Observations continues	Modéliser pour certains élèves la façon de déterminer le pouvoir de l'image. Demander à quelques élèves de modéliser la réflexion à voix haute quand ils déterminent le pouvoir de l'image. Discuter du rôle des gens qui produisent des images pour la télévision et le cinéma. Revoir les stratégies d'écoute active avec les élèves.
6. Écris avec habileté (manuel, page 65)	Comprendre la façon d'écrire le compte rendu d'une entrevue; mener une entrevue et la transcrire.	De 40 à 60 min	Leçon 6	**Affiche de lecture partagée :** *Rencontre avec une artiste peintre* **Affiche de modélisation en écriture 2 (transparent 34) :** *Écrire le compte rendu d'une entrevue* **A 4 :** Compare la structure de différents textes **É 1 :** Observations continues	Modéliser la façon de formuler des questions. Présenter des modèles de comptes rendus d'entrevues. Inviter les élèves à jouer un jeu de rôle pour s'exercer à mener une entrevue.

RESSOURCES DE L'ÉLÈVE	APPRENTISSAGES CIBLÉS	DURÉE PRÉVUE	GUIDE D'ENSEIGNEMENT	RESSOURCES SUPPLÉMENTAIRES	DIFFÉRENCIATION / INTERVENTIONS PÉDAGOGIQUES
Pratique coopérative ou autonome					
7. Métier : cascadeur ou cascadeuse – Risquer sa vie pour votre plaisir ! (manuel, pages 66 à 69)	Faire des liens avec ses connaissances et ses expériences ; appliquer des stratégies de lecture ; réagir à un texte lu.	De 80 à 120 min (2 ou 3 séances)	Leçon 7	**A 3 :** Utilise tes connaissances, détermine ce qui est important et évalue le message **A 5 :** Planifie ta lettre de demande de renseignements **A 13 :** Les préfixes et les suffixes **É 1 :** Observations continues **Coffret audio**	Suggérer aux élèves ayant besoin de plus de soutien d'écouter le texte sur le cédérom du coffret audio. Aider les élèves à faire des liens avec leurs expériences personnelles et à activer leurs connaissances au sujet des métiers présentés. Assigner les textes de la pratique coopérative ou autonome en fonction des préférences et du niveau de lecture des élèves. Il se peut que certains élèves aient besoin de travailler avec les cartes-photos, l'affiche du scénarimage ou les textes supplémentaires.
8. Le Cirque du Soleil... démaquillé (manuel, pages 70 à 73)	Faire des liens avec ses connaissances et ses expériences ; appliquer des stratégies de lecture ; écrire une marche à suivre.	De 60 à 90 min (2 séances)	Leçon 8	**Affiche de modélisation en écriture 9 (transparent 41) :** *Écrire un reportage* **A 14 :** Les manipulations linguistiques **É 1 :** Observations continues **Coffret audio**	Répartir les élèves en dyades pour favoriser leur collaboration. Livrets *Petits curieux* [1] suggérés : • *L'ombre et la lumière* • *Photographe de la faune* • *Jeunes cartographes* • *La démolition des bâtiments* • *Réalité ou illusion ?* • *Découvrons les montagnes*
Option : Choisir parmi les livrets des collections *Petits curieux* et *Alizé* (*voir les titres suggérés dans la dernière colonne*)	Appliquer les stratégies de lecture.	Variable	Prendre pour modèle les leçons 7 et 8	Choisir parmi les fiches d'activités modèles se rapportant au journal de bord. **É 1 :** Observations continues	Livrets *Alizé* suggérés : • *Interview avec la femme aux oiseaux* • *Interview avec l'homme aux abeilles* • *Le journal de miaou* • *Le soleil de la jungle* • *Nouvelles sportives*

1. Pour plus d'information, consulter le site [www.erpi.com].

PLANIFICATEUR : EN UN COUP D'ŒIL (SUITE)

A = fiches d'activités du présent fascicule
É = fiches d'évaluation du présent fascicule

AM = fiches d'activités modèles du fascicule *Guide d'enseignement de la littératie*
ÉM = fiches d'évaluation modèles du fascicule *Guide d'enseignement de la littératie*

RESSOURCES DE L'ÉLÈVE	APPRENTISSAGES CIBLÉS	DURÉE PRÉVUE	GUIDE D'ENSEIGNEMENT	RESSOURCES SUPPLÉMENTAIRES	DIFFÉRENCIATION / INTERVENTIONS PÉDAGOGIQUES
Pratique coopérative ou autonome (*suite*)					
9. Le calligramme : l'image en poème (manuel, pages 74 et 75)	Utiliser ses connaissances ; interpréter un calligramme ; reconnaître des images dans un poème.	De 60 à 90 min (2 séances)	Leçon 9	**A 6 :** Des images et des mots **A 7 :** Écris un calligramme **A 15 :** Les comparaisons et les métaphores **É 1 :** Observations continues	Lors d'une séance de lecture partagée, modéliser la façon d'utiliser ses connaissances pour interpréter et comprendre un poème. Expliquer en quoi la forme et la disposition visuelle d'un calligramme correspondent à l'idée principale du poème. Lire les calligrammes à voix haute pendant que les élèves en observent la disposition.
Intégration et réinvestissement					
10. À l'œuvre ! (manuel, pages 76 et 77) **Remarque :** Cette leçon est une tâche d'évaluation. Elle peut être faite à tout moment après la pratique coopérative ou autonome.	Effectuer une recherche et présenter un documentaire ; travailler en groupe pour réaliser une tâche.	De 80 à 120 min (2 ou 3 séances)	Leçon 10	**AM 26 :** Retour sur ta présentation **AM 27 :** Travailler en groupe **AM 52 :** La création d'un document médiatique **Affiche Aide-mémoire 5 (transparent 30) :** *Les médias* **É 1 :** Observations continues **É 2 :** Grille d'évaluation de la section « À l'œuvre ! »	Modéliser les comportements attendus pendant le travail en groupe. Expliquer l'importance de diviser équitablement les tâches à accomplir. Rappeler aux élèves de montrer du respect envers tous les membres de l'équipe.

XII *Littératie en action 6*, Guide d'enseignement

Intégration et réinvestissement (suite)

RESSOURCES DE L'ÉLÈVE	APPRENTISSAGES CIBLÉS	GUIDE D'ENSEIGNEMENT	DURÉE PRÉVUE	RESSOURCES SUPPLÉMENTAIRES	DIFFÉRENCIATION / INTERVENTIONS PÉDAGOGIQUES
11. Que vois-tu à la télévision ? (manuel, pages 78 à 83)	Analyser les angles de prise de vue ; utiliser ses connaissances ; déterminer les idées importantes ; lire avec expression et fluidité.	Leçon 11	De 40 à 60 min	**A 8 :** Examine les angles de prise de vue **A 16 :** La position du sujet dans la phrase **A 17 :** Le groupe adjectival et le groupe participial **Coffret audio**	Expliquer aux élèves que connaître un sujet aide à mieux comprendre un texte. Leur faire part de vos connaissances sur la photographie et les angles de prise de vue. Faire ressortir les idées importantes du texte. Écouter les élèves lire à voix haute et modéliser la façon de lire avec expression et fluidité.
12. Des personnages à portée de la main (manuel, pages 84 à 86)	Reconnaître l'utilité d'un plan de montage ; respecter une marche à suivre pour réaliser une tâche ; créer un dialogue.	Leçon 12	De 40 à 60 min		En petits groupes, modéliser la façon de réaliser une tâche en respectant une marche à suivre. Préciser aux élèves que les dialogues se rapprochent de la langue parlée.
13. Une histoire tout feu tout flamme (manuel, pages 87 à 93)	Lire avec fluidité et précision ; mettre en pratique des stratégies de compréhension en lecture ; écrire une page d'un journal personnel ; créer une affiche.	Leçon 13	De 40 à 60 min	**Affiche de modélisation en écriture 5 (transparent 37) :** *Écrire un journal personnel* **A 18 :** Les expressions figurées **É 1 :** Observations continues **Coffret audio**	Modéliser la façon de lire un texte avec expression et demander à certains élèves de s'exercer. En inviter d'autres à enregistrer un texte pour des élèves plus jeunes. Modéliser la façon d'appliquer les stratégies de compréhension en lecture à l'aide de divers textes. Mettre à la disposition des élèves des journaux personnels susceptibles de leur servir de modèle pour rédiger une page de journal personnel. Discuter des composantes d'une affiche. Analyser, au besoin, l'efficacité de certaines affiches.

PLANIFICATEUR: EN UN COUP D'ŒIL (*SUITE*)

A = fiches d'activités du présent fascicule
É = fiches d'évaluation du présent fascicule

AM = fiches d'activités modèles du fascicule *Guide d'enseignement de la littératie*
ÉM = fiches d'évaluation modèles du fascicule *Guide d'enseignement de la littératie*

RESSOURCES DE L'ÉLÈVE	APPRENTISSAGES CIBLÉS	DURÉE PRÉVUE	GUIDE D'ENSEIGNEMENT	RESSOURCES SUPPLÉMENTAIRES	DIFFÉRENCIATION / INTERVENTIONS PÉDAGOGIQUES
Intégration et réinvestissement (suite)					
14. À ton tour! (manuel, page 94)	Participer au travail de groupe; réfléchir sur ses apprentissages et se fixer des objectifs; créer un roman-photo.	De 40 à 80 min (2 séances)	Leçon 14	**AM 27 :** Travailler en groupe **A 9 :** Planifie ton roman-photo **É 1 :** Observations continues **É 3 :** À ton tour!	Pour les élèves qui ont de la difficulté à travailler en groupe, les aider à se concentrer et diviser leur travail en petites tâches à accomplir. Leur présenter une seule tâche à la fois.
Réflexion et bilan					
15. Ton portfolio : Gros plan sur tes apprentissages (manuel, page 95)	Sélectionner les éléments destinés au portfolio; réfléchir à ses apprentissages et en discuter.	De 40 à 60 min	Leçon 15	Ensemble des travaux **É 4 :** Gros plan sur tes apprentissages	Les élèves qui ont de la difficulté à commenter leurs choix par écrit pourraient vous les présenter oralement. Il est aussi possible de leur proposer des modèles pour les aider à le faire (p. ex. voir les fiches AM du *Guide d'enseignement de la littératie*).
Tâche d'évaluation de la compréhension en lecture		De 60 à 90 min	Leçon 15	Fascicule *Évaluation de la compréhension en lecture*	Deux niveaux de difficulté sont proposés pour le texte.
Bilan des apprentissages		Variable	Leçon 15	**É 1 :** Observations continues **É 5 :** Grille d'évaluation du module **É 6 :** Bilan des apprentissages	Tenir compte des données d'évaluation sous différentes formes : participation de l'élève, expression orale, tâche d'évaluation de la compréhension en lecture, travaux divers.

Planificateur : Liens interdisciplinaires

Remarque : Les idées présentées dans cette section peuvent servir de minileçon au cours du module.

Sciences et technologie

Demander aux élèves de faire une recherche sur la façon dont l'électricité est produite dans leur communauté et sur les effets de cette production sur l'environnement. Expliquer l'importance d'économiser l'électricité et de trouver des sources d'énergie renouvelables. Inviter les élèves à examiner des publicités visant à promouvoir les économies d'énergie et les sources d'énergie de remplacement (p. ex. : énergie éolienne ou solaire) et à répondre aux questions suivantes :
- Quel est le public ciblé ?
- Quel est le but de la publicité ? Quels changements de mentalité ou de comportement essaie-t-elle de provoquer ?

Inviter les élèves à utiliser leurs connaissances pour concevoir une publicité sur l'utilisation de l'énergie destinée à un public précis.

Études sociales (sciences humaines)

Rappeler aux élèves que les États-Unis sont un des plus importants partenaires commerciaux du Canada. En outre, ces deux pays s'influencent mutuellement en matière de culture et de mode de vie.

Demander aux élèves de trouver dans les médias des exemples de l'influence exercée par les États-Unis sur la culture canadienne, et vice versa. Les encourager à examiner des vidéoclips, des émissions de radio et de télévision, des films, des magazines, des événements sportifs et des journaux.

Inviter les élèves à consulter le site du Conseil de la radiodiffusion et des télécommunications canadiennes (CRTC) [www.crtc.gc.ca] pour savoir comment cet organisme réglemente et supervise la radiodiffusion. Leur demander de discuter de l'utilité du CRTC.

Santé, développement personnel et social

Mode de vie sain
Exposer les inquiétudes soulevées par l'augmentation rapide de l'obésité chez les enfants. Mentionner les critiques sur la publicité et les médias, accusés de promouvoir des choix alimentaires nuisibles pour la santé. Demander aux élèves de regarder attentivement les publicités diffusées pendant une émission pour enfants durant une heure et de noter les réponses aux questions suivantes :
- Quels produits alimentaires annonce-t-on ?
- Ces produits sont-ils bons ou mauvais pour la santé ?
- En quoi les mots et les images sont-ils conçus pour plaire aux enfants ?

Regrouper les élèves pour discuter de l'information et tirer des conclusions sur l'influence de la publicité et des médias sur les choix alimentaires.

Éducation artistique

Art dramatique
Apprendre aux élèves les étapes du maquillage artistique. Enseigner les notions de base en matière de couleur, de dextérité, d'ombre, de luminosité et de dessin (croquis, esquisse). Modéliser la façon de décortiquer un maquillage pour ensuite déterminer les étapes de sa réalisation. Montrer des articles dans des revues spécialisées ou faire écouter des émissions ou des reportages sur l'application de maquillage dans les films de science-fiction ou d'horreur.

Musique
Demander aux élèves de créer des effets sonores en utilisant différents objets présents dans la classe et des instruments à percussion. Ils peuvent écrire leur propre poème ou choisir un texte du module pour exprimer les sentiments évoqués par les mots.

Planificateur: Activités en lien avec les leçons

Remarque: Les idées présentées dans cette section peuvent servir de minileçon au cours du module.

Utilisation des ressources

Ressources médiatiques
Fournir des photos de panneaux d'affichage, des vidéo-clips de publicités, des journaux, une grande variété de magazines (p. ex.: adolescents, divertissements, sports, mode, jeux) et des adresses de sites Web. Proposer des publicités s'adressant à différents marchés cibles.

Internet
Consulter le site de Réseau Éducation-Médias [www.media-awareness.ca/francais/index.cfm] qui propose aux parents, aux enseignants et enseignantes de développer l'esprit critique des jeunes à l'égard des médias, au moyen de diverses activités.

Ouvrages de référence
Rassembler quelques ouvrages, par exemple:
- CHILDS, Caro et Chris CAUDRON. *Maquillages,* Londres, Éditions Usborne, 2008.
- GREENAWAY, Frank. *Photographe de la faune,* coll. Petits curieux, Saint-Laurent, ERPI, 2006.
- JACQUIER, Marie-Hélène et Aude PICAULT. *Les boulotins: le boulot en 27 poèmes malins,* Paris, Éditions Le Baron perché, 2005.
- HAMUS-VALLÉE, Réjane. *Les effets spéciaux,* Paris, Cahiers du cinéma, 2005.
- MELANÇON, Benoît. *Réaliser un film en animation 3D,* Montréal, Les 400 coups, 2006.

Journal
Discuter des sections d'un quotidien avec les élèves et leur demander où se trouvent:
- les nouvelles locales ou internationales, les petites annonces, les sports, les divertissements, etc.;
- les grands titres, les photos, les organisateurs graphiques, les critiques, l'éditorial, le courrier des lecteurs.

Les inviter à comparer la mise en pages de deux journaux en utilisant un tableau comme l'organisateur graphique 6: **Comparer** (*voir aussi transparent 6 ou fiche d'activité modèle 6,* Guide d'enseignement de la littératie). Quand les élèves ont terminé leur tableau, leur demander de rédiger un court texte expliquant les similarités et les différences entre ces journaux.

Journal de bord

Demander aux élèves de tenir un journal de bord afin de prolonger leur réflexion, de clarifier certaines idées et de réfléchir aux connaissances acquises au cours des activités. Par exemple:

Prendre des notes:
- sur des exemples de questions posées dans une entrevue publiée dans une revue ou un journal (*voir page 56 du manuel, «Lire une entrevue»*);
- sur les techniques utilisées pour rendre une entrevue intéressante;
- sur la façon d'utiliser l'information fournie dans une entrevue (*voir la section «Lis avec habileté» à la page 57 du manuel*).

Noter leurs réactions:
- au sujet des entrevues entendues ou vues;
- sur la façon dont une entrevue leur révèle la personnalité des gens interviewés;
- à propos des questions qu'ils se posent au sujet des entrevues présentées.

Noter leurs réflexions:
- au sujet des stratégies utiles pour lire et comprendre des comptes rendus d'entrevues et sur leur façon de faire réfléchir au message transmis;
- sur les différentes méthodes utilisées (discussion et questions) pour déterminer ce qui est important.

Au besoin, utiliser certaines fiches d'activités modèles fournies dans le *Guide d'enseignement de la littératie.*

Utilisation des technologies

Se servir d'un appareil photo numérique
Proposer aux élèves de prendre de multiples photos numériques d'une image pour une des tâches de ce module. Tenir des réunions de rédaction pour passer les photos en revue, discuter des prises de vue, modifier des photos à l'aide d'un logiciel simple de traitement d'images. Utiliser de vieux magazines pour ajouter des effets à un exemplaire en papier, et scanner la version définitive pour l'intégrer au portfolio de la classe.

Analyser des documents visuels
Visionner et discuter de messages publicitaires trouvés dans Internet. Inviter les élèves à analyser les messages contenus dans différents types de publicités.

Planificateur : Activités langagières

Remarque : Les idées présentées dans cette section peuvent servir de minileçon au cours du module.

Esprit créatif

Proposer aux élèves de réaliser un album de bandes dessinées. Les inviter à : créer un scénario ; inventer des personnages ; faire le découpage de leur histoire ; composer des dialogues ; illustrer des cases ; relier les pages en album ; et présenter leur bande dessinée aux autres élèves de l'école. Expliquer l'importance de répartir également les tâches afin d'assurer la contribution de chaque élève à la réalisation de l'album.

Étude de mots

Les homophones

Rappeler aux élèves que les homophones sont des mots ou des expressions dont la prononciation est identique, mais dont le sens et la graphie diffèrent. Leur expliquer qu'il y a trois moyens pour différencier les homophones.

Moyens	Homophones	Exemples
1. Tenir compte du sens	*plutôt* : quand le sens est «de préférence».	*J'irai plutôt demain.*
	plus tôt : quand le sens est «moins tard».	*J'arriverai plus tôt au spectacle.*
2. Utiliser une manipulation	*a* : verbe *avoir*, quand on peut remplacer *a* par *avait*.	*Il a 15 ans.*
	à : préposition, quand on ne peut pas remplacer *à* par *avait*.	*À 15 ans, on ne connaît pas toutes les réponses.*
3. Faire un lien avec la famille du mot	*dégoûter* : dans la famille du mot *goût*.	*Cette situation dégoûte le voisinage.*
	dégoutter : dans la famille du mot *goutte*.	*La pluie dégoutte du toit de la maison.*

Citation d'idées

Expliquer aux élèves que la citation d'idées est l'emprunt d'idées formulées par d'autres. Elle sert à présenter et à résumer les points importants de la pensée d'une personne. Modéliser la façon de rapporter, après une entrevue, les idées des gens interviewés. Rappeler aux élèves qu'ils doivent reformuler les idées sans trahir la pensée de celui ou de celle qui les a émises.

Jeux de mots

Modéliser la façon de chercher un synonyme dans un dictionnaire. Expliquer aux élèves de ne pas prendre un mot au hasard dans la liste des synonymes, mais de bien tenir compte de son sens. Le synonyme doit avoir un sens proche du mot à remplacer. Dire aux élèves qu'une fois le synonyme choisi, ils devraient vérifier sa signification dans le dictionnaire pour s'assurer qu'il convient dans le contexte. De plus, expliquer l'importance de choisir un synonyme du même niveau de langue que le mot à remplacer. En effet, un mot du langage familier ne peut remplacer un mot du langage littéraire. Encourager les élèves à s'exercer à remplacer des mots par des synonymes.

Écriture

Écrire le compte rendu d'une entrevue

Revoir, à l'aide du transparent **34 : Écrire le compte rendu d'une entrevue**, les étapes à suivre pour transcrire une entrevue. Mettre un tableau de référence à la disposition des élèves pour les aider à se rappeler les caractéristiques d'une entrevue.

Éléments d'écriture

Parmi les *conventions linguistiques*, la ponctuation est le moyen de rendre les textes plus faciles à lire et à comprendre. Amener les élèves à discuter de l'importance de la ponctuation dans un texte en leur posant les questions suivantes :
- Qu'apporte la ponctuation dans un texte ?
- Quels signes de ponctuation connaissez-vous ?

Parler de l'emploi des signes de ponctuation.

Signes de ponctuation		Emploi de ces signes
Le point	.	Marque la fin d'une phrase déclarative.
Le point d'interrogation	?	Marque la fin d'une phrase interrogative.
Le point d'exclamation	!	Marque la fin d'une phrase exprimant une émotion ou une réaction.
Les points de suspension	...	Marque un silence, une hésitation, une interruption de la parole ou une réflexion sous-entendue.
La virgule	,	1. Sépare le complément de phrase placé au début ou au milieu de la phrase. 2. Dans un dialogue, sert à détacher la phrase incise précisant qui parle. 3. Sépare les éléments d'une énumération.
Les deux-points	:	1. Annonce une énumération. 2. Annonce une explication. 3. Sert à introduire des paroles rapportées ou une réplique dans un dialogue.
Le tiret	—	Précède une réplique dans un dialogue.
Les guillemets	« »	Servent à citer des paroles dans un texte.

Grammaire

Imparfait de l'indicatif des verbes en -ir, en -re et du verbe aller

Faire remarquer aux élèves qu'ils peuvent facilement conjuguer les verbes à l'imparfait s'ils connaissent le présent. Expliquer que la terminaison de **tous les verbes** à l'imparfait de l'indicatif est la suivante :

Imparfait de l'indicatif	
1re pers. sing.	-ais
2e pers. sing.	-ais
3e pers. sing.	-ait
1re pers. plur.	-ions
2e pers. plur.	-iez
3e pers. plur.	-aient

Pour former l'imparfait de l'indicatif, il faut :
- conjuguer le verbe au présent, à la première personne du pluriel ;
- remplacer la terminaison du présent (-ons) par celle de l'imparfait à la bonne personne (-ions).

Il n'y a qu'une exception : être.

Faire remarquer que l'imparfait est un temps de verbe souvent utilisé dans les récits.

Accord de l'adjectif attribut du sujet

Modéliser la façon de vérifier l'accord de l'adjectif attribut du sujet et du participe passé employé avec l'auxiliaire être ou avec un autre verbe attributif.

1. Vérifier si le verbe est bien attributif en le remplaçant par le verbe être.

Par exemple :
Elle semble très heureuse → Elle est très heureuse.

2. Déterminer le donneur d'accord en repérant le noyau du groupe nominal sujet (GNs) ou le pronom sujet, ensuite :
- trouver le genre et le nombre du donneur d'accord ;
- vérifier si l'adjectif attribut ou le participe passé a le même genre et le même nombre que le donneur d'accord.

Présent de l'impératif des verbes en -er et en -ir

Demander aux élèves de relever le verbe dans chacune des phrases suivantes, tirées du texte « Des personnages à portée de la main » (voir page 85 du manuel) :
- « Plie le papier… »
- « Replie les deux moitiés »
- « Retourne le pliage et répète… »
- « Ouvre le pliage… »
- etc.

Leur poser la question suivante : Qu'avez-vous remarqué ? (Il n'y a pas de sujet.)

Faire remarquer aux élèves que ces verbes sont conjugués au présent de l'impératif. L'impératif est employé pour exprimer un ordre, un conseil ou un souhait. Faire remarquer aussi que les verbes à l'impératif s'emploient sans pronom de conjugaison et qu'ils se conjuguent seulement à trois personnes : la 2e pers. sing. et les 1re et 2e pers. plur., dont les terminaisons sont respectivement -e (ou -s pour les verbes en -ir), -ons et -ez.

Demander aux élèves de trouver des verbes conjugués à l'impératif, par exemple dans le texte « Une histoire tout feu tout flamme » (voir pages 87 à 93 du manuel).

Enrichissement du vocabulaire

Distribuer la fiche d'activité **10 : Un bouquet de mots**. Amener les élèves à former des mots à l'aide de préfixes et de suffixes. Puis, les inviter à comparer les divers bouquets de mots créés dans ce module et à en discuter. Revoir avec les élèves les régularités observables dans les mots. Montrer les similitudes entre certains mots. Faire remarquer la possibilité de former plusieurs mots à partir de la même racine.

1 Présentation du module

(manuel, pages 50 et 51)

Apprentissages ciblés
- Communiquer des idées et des renseignements sur le pouvoir de l'image.
- Faire des liens avec ses connaissances et ses expériences.
- Exprimer ses opinions et ses idées en tenant compte du contexte.
- Participer et s'exprimer en français lors du travail en groupes.

AVANT

Activer ses connaissances

Inviter les élèves à observer la photo des pages 50 et 51 du manuel. Leur poser les questions suivantes :
- Dans quel contexte avez-vous vu une photo semblable ?
- Comment cette photo illustre-t-elle bien le thème de ce module ? Pourquoi ?
- En quoi cette photo est-elle intéressante ?

Explorer le langage et les idées se rapportant à l'art de l'image

Informer les élèves que le présent module les familiarisera avec le pouvoir de l'image et les techniques utilisées pour capter des images impressionnantes. Leur montrer des photos provenant de sources variées (p. ex. : des magazines, des revues, des brochures publicitaires, Internet). Discuter des messages transmis par ces photos. Pour les aider à faire des liens avec leurs connaissances, poser les questions suivantes :
- Quel message veut-on transmettre par cette photo ?
- Où trouve-t-on des images intéressantes et captivantes (p. ex. : Internet, journaux, magazines, revues, télévision, film) ?

PENDANT

Faire des liens avec ses connaissances et ses expériences

Faire lire aux élèves les mots ou les expressions de la page 51 du manuel. Ensuite, leur demander de faire des liens en leur posant la question suivante : Quels liens ces mots ou ces expressions ont-ils avec les gens qui produisent les images qui nous entourent ?

Lire avec les élèves les objectifs d'apprentissage de la page 50. Créer un tableau en reformulant ces objectifs avec leurs mots. Les inviter à parler des activités qui les aideraient à atteindre ces objectifs.

Survoler le module et faire des prédictions

Survoler le module avec les élèves. Leur suggérer de lire le titre des textes présentés et d'en noter deux ou trois qui les intéressent. Ensuite, leur demander d'expliquer leur choix à un ou une camarade. Remettre la fiche d'activité **2 : Un survol du module** et proposer aux élèves d'inscrire leur réponse. Les inviter à noter leurs prédictions sur les sujets abordés.

APRÈS

Demander aux élèves de faire un remue-méninges en groupes de trois ou quatre et de dresser une liste de mots ou d'expressions correspondant au thème du module. Ces mots ou ces expressions peuvent être classés dans des catégories à déterminer par les élèves (p. ex. : photographie, cinéma, animation). Afficher les listes dans la classe pour permettre aux élèves de s'y référer au besoin. Les encourager à inscrire de nouveaux mots dans chaque catégorie tout au long du module.

Au besoin, demander de remplir la fiche d'évaluation modèle **1 : Profil de l'élève – page couverture** (*voir* Guide d'enseignement de la littératie).

Réfléchir au vocabulaire correspondant au thème

Remettre aux élèves la fiche d'activité **1 : Lettre à l'intention des parents / Home Connection Letter**. Cette lettre a pour but de faire connaître aux parents ou tuteurs le contenu du présent module et d'encourager leur participation aux apprentissages des élèves.

RÉFLEXION

Inviter les élèves à noter une courte réflexion dans leur journal de bord au sujet de l'activité présentée. Pour guider leur réflexion, poser les questions suivantes :

- Que voudriez-vous apprendre au sujet du pouvoir des images qui nous entourent ?
- Pourquoi est-ce important d'avoir conscience du pouvoir de ces images ?
- Des sections du module ont-elles attiré votre attention ? Pourquoi ?

ÉVALUATION AU SERVICE DE L'APPRENTISSAGE (*voir fiche d'évaluation* **1 : Observations continues**)

Observations	Interventions pédagogiques
Noter si les élèves peuvent : • communiquer des idées et des renseignements sur le pouvoir de l'image ;	Modéliser la façon de relever des renseignements à partir d'une image.
• faire des liens avec leurs connaissances et leurs expériences ;	Modéliser la façon de faire des liens avec ses connaissances et ses expériences. Par exemple : *Cette photo me rappelle…*
• exprimer leurs opinions et leurs idées en tenant compte du contexte ;	Expliquer l'importance de tenir compte : • du contexte pour exprimer ses opinions et ses idées ; • des destinataires (p. ex. : des personnes familières ou inconnues) ; • des habiletés sociales au cours de communications orales.
• participer et s'exprimer en français lors du travail en groupes.	Encourager les élèves à participer et à communiquer en français lors du travail en groupes. Leur proposer des stratégies de dépannage, par exemple en posant la question suivante : Que feriez-vous si vous ne connaissiez pas le mot en français ? Au besoin, aider certains élèves en modélisant le travail en groupes.

2 **Effets spéciaux**

(manuel, pages 52 à 55)

Apprentissages ciblés
- Mettre en pratique l'écoute active.
- Faire une courte présentation orale.

AVANT

Faire des liens avec ses connaissances

Inviter les élèves à résumer les idées émises en classe à propos des images observées. Leur indiquer d'utiliser le panneau d'affichage et les tableaux. Leur demander de noter la nouvelle information ou les questions auxquelles ils ont pensé depuis la dernière leçon.

Lire un article sur les effets spéciaux et sur la façon de les utiliser pour créer des images. Demander aux élèves de répondre aux questions suivantes en dyades :

- Pouvez-vous nommer quelques films utilisant des effets spéciaux ?
- Quels effets spéciaux sont utilisés ?
- À votre avis, comment ont-ils été créés ?

Survoler le texte

Attirer l'attention des élèves sur la question centrale de la page 52 du manuel : «Comment les images qu'on voit à l'écran sont-elles créées ?». Les inviter à survoler les pages 52 à 55 pour trouver des réponses et se faire une idée du contexte. Leur demander : Quelle information les images donnent-elles ?

Le survol du texte terminé, dresser avec eux une liste d'effets spéciaux dont il est question à leur avis. Dans un tableau à deux colonnes, noter dans la première ce que les élèves voudraient apprendre à ce sujet.

Susciter des questions

Les effets spéciaux	
Questions avant la lecture du texte	Réponses après la lecture du texte
• Comment fabrique-t-on de la neige à l'intérieur ? • Comment crée-t-on des éclairs et des tornades qui semblent aussi réels ?	

PENDANT

Lire ou faire écouter (*voir coffret audio*) aux élèves le texte «Effets spéciaux», aux pages 52 et 53 du manuel. Ce faisant, attirer leur attention sur les éléments visuels accompagnant le texte. Faire des pauses fréquentes pendant la lecture pour les interroger ou pour répondre à leurs questions. Les encourager à noter ce qui capte leur attention pendant la lecture.

Poser des questions aux élèves sur les éléments visuels et le texte (p. ex. : la photo et la légende de la page 53), par exemple :

- Avez-vous obtenu des réponses à vos questions sur les effets spéciaux ?
- Qu'avez-vous appris concernant les effets spéciaux ?
- Avez-vous déjà vu ces effets spéciaux dans un film ou ailleurs ?
- En quoi les photos et autres éléments visuels vous aident-ils à comprendre le texte ?
- Avez-vous d'autres questions à propos du texte ?

Répondre aux questions

À la fin de la lecture, inviter les élèves à noter leurs réponses dans le tableau «Les effets spéciaux».

APRÈS

Inviter les élèves à former des équipes et à sélectionner un des effets spéciaux. Demander aux groupes de relire le texte et de créer une courte scène afin d'illustrer la façon d'utiliser les effets spéciaux pour recréer des conditions météorologiques. Leur demander de présenter cette courte scène devant la classe.

Demander aux élèves de former de petits groupes pour faire l'activité de l'encadré «Parlons-en!», à la page 55 du manuel.

- Demander aux équipes de répondre à la première question. Les encourager à choisir un film récent, à dresser une liste de ses effets spéciaux et à décrire en quoi ces effets spéciaux ont modifié leur réaction au film. Inviter les équipes à désigner une personne pour prendre des notes et une autre pour communiquer le fruit de leur travail au reste de la classe.
- Pour la deuxième question, donner le temps aux élèves de déterminer leur point de vue et les arguments en sa faveur. Avec la classe, discuter de chaque point de vue.

Revoir et présenter oralement l'information

Discuter des effets spéciaux et des trucages

OBSERVATION GRAMMATICALE EN CONTEXTE

Modéliser la façon de remplir la fiche d'activité **11 : Les accords dans le groupe nominal**. Enseigner la façon d'accorder en genre et en nombre le noyau dans le groupe nominal ainsi que ses expansions.

RÉFLEXION

Après l'échange d'idées, demander aux élèves de discuter avec un ou une camarade pour déterminer si leur point de vue au sujet des effets spéciaux et des trucages a changé et pourquoi. Les encourager à cerner les éléments remarquables de la discussion.

Réfléchir à la discussion comme moyen d'apprentissage

ÉVALUATION AU SERVICE DE L'APPRENTISSAGE *(voir fiche d'évaluation 1 : Observations continues)*

Observations	Interventions pédagogiques
Noter si les élèves peuvent : • mettre en pratique l'écoute active ;	Aider les élèves ayant des besoins particuliers et modéliser la façon d'écouter attentivement. Les aider à prendre des notes afin de retenir les paroles d'une personne.
• faire une courte présentation orale.	Expliquer l'importance de s'exercer pour communiquer efficacement pendant une présentation orale. Faire ressortir que les communicateurs efficaces répètent plusieurs fois leur présentation pour avoir l'air spontané devant leur auditoire. Inciter les élèves à répéter en solo ou devant des camarades afin de bien maîtriser le contenu d'une présentation.

3 Lire une entrevue

(manuel, pages 56 et 57)

Apprentissages ciblés
- Préciser son intention de lecture.
- Reconnaître les variétés de langue.
- Comprendre et évaluer les stratégies de lecture utilisées.
- Utiliser ses connaissances.
- Déterminer ce qui est important dans un message.
- Évaluer le message.
- Analyser une entrevue.

Affiche : **Rencontre avec une artiste peintre**
(voir aussi transparent de lecture partagée 15).

Note : Cette leçon de **lecture partagée** pourrait être enseignée sur une période de deux à quatre séances, selon les besoins des élèves.

3.1 Lis avec habileté : Précise ton intention *(manuel, page 57)*

AVANT

Se familiariser avec le genre de texte

Expliquer aux élèves qu'une entrevue est une rencontre au cours de laquelle on pose des questions à une personne. Leur préciser qu'une entrevue est souvent enregistrée, puis transcrite et publiée sous forme de compte rendu dans une revue ou un journal.

Lire avec les élèves les questions de la rubrique **Exprime-toi !**, à la page 56 du manuel.

PENDANT

Trouver des comptes rendus d'entrevues

Demander aux élèves où ils pensent trouver des comptes rendus d'entrevues. Leur poser les questions suivantes :
- Dans quel but ou dans quelles situations fait-on une entrevue ?
- Pourquoi voudrait-on interviewer une personne ?
- Qu'est-ce qui rend une entrevue intéressante ?
- Où peut-on trouver des entrevues ?

Créer un tableau

Encourager les élèves à regarder les photos de la page 56 du manuel afin de découvrir où l'on peut trouver des entrevues. Leur demander de travailler en dyades pour remplir un tableau comme celui de la page 56 du manuel.

APRÈS

Préciser son intention

Inviter les élèves à afficher leur tableau pour que la classe puisse s'y référer tout au long du module. Les encourager à noter les différences et les ressemblances entre les tableaux.

RÉFLEXION

Réfléchir à son intention de lecture

Inviter les élèves à réfléchir aux raisons qui incitent les gens à lire, à regarder ou à écouter des entrevues (p. ex. : les entrevues nous renseignent parfois sur la vie d'une personne ou sur un événement). Discuter de ce qu'on peut apprendre en lisant ou en écoutant une entrevue. Rappeler aux élèves que certaines entrevues sont divertissantes. Leur demander lesquelles. D'autres entrevues peuvent être intenses. Leur demander lesquelles. Discuter des situations provoquant l'intensité des entrevues.

Modéliser la réflexion à voix haute pour les élèves. Par exemple : *Je lis des entrevues pour…*

3.2 Lis avec habileté : Décode le texte *(manuel, page 57)*

Note : Cette leçon pourrait facilement s'intégrer à la leçon 3.3.

AVANT

Expliquer aux élèves qu'il existe une différence entre la langue écrite et la langue parlée. Lire avec les élèves la rubrique **Décode le texte**, à la page 57 du manuel.

Discuter de la langue écrite et de la langue parlée

PENDANT

Revoir l'affiche **Rencontre avec une artiste peintre** (*voir aussi transparent de lecture partagée 15*). Demander aux élèves de trouver dans une entrevue des exemples d'éléments de la langue parlée. Modéliser la façon de relever ces éléments.

Expliquer aux élèves qu'on s'exprime différemment selon le caractère officiel ou non de la situation, selon qu'on s'adresse à des gens inconnus ou familiers et selon qu'on est à l'oral ou à l'écrit. Souligner qu'on distingue quatre variétés de langue : la langue soutenue (ou littéraire), la langue standard (ou soignée), la langue familière et la langue populaire. Expliquer que : la langue soutenue s'emploie dans des discours officiels ; la langue standard s'emploie à l'oral comme à l'écrit et convient à la majorité des situations ; la langue familière sert surtout à l'oral, dans des situations moins formelles (p. ex. : lors d'une conversation avec des amis ou des proches) ; la langue populaire s'utilise seulement à l'oral. Montrer la façon de se servir des dictionnaires pour connaître la variété de langue d'un mot ou d'une expression : ils indiquent les emplois littéraires (litt.), familiers (fam.) ou populaire (pop.). Préciser que les mots sans indications particulières appartiennent à la langue standard.

Rappeler aux élèves le fait que certains mots peuvent avoir plusieurs significations et l'importance de penser au contexte en lisant une entrevue.

Reconnaître la différence entre la langue écrite et la langue parlée

APRÈS

Encourager les élèves à trouver dans un dictionnaire les indications des différentes variétés de langue. Demander à chaque groupe de présenter ses résultats à la classe. Expliquer que la connaissance des variétés de langue permet de choisir celle convenant à la situation de communication.

Partager des exemples

RÉFLEXION

Demander aux élèves de noter dans leur journal de bord certaines caractéristiques des variétés de langue. Les inviter à inscrire ce qu'ils trouvent intéressant au sujet du vocabulaire familier (p. ex. : *ça*, au lieu de *cela* ; *filer*, au lieu de *s'enfuir*), des anglicismes (p. ex. : *batterie*, au lieu de *pile* ; *chum*, au lieu de *copain* ou *ami*), des québécismes (p. ex. : *niaiser*, au lieu de *perdre son temps*) et des déformations dans la construction des phrases (p. ex. : l'absence du mot *ne* dans la phrase négative : *je serai pas là*).

Réfléchir aux variétés de langue

ÉVALUATION AU SERVICE DE L'APPRENTISSAGE *(voir fiche d'évaluation 1 : Observations continues)*

Observations	Interventions pédagogiques
Noter si les élèves peuvent : • préciser leur intention de lecture ; • reconnaître les variétés de langue.	Donner des exemples des variétés de langue aux élèves ayant besoin d'aide. Inviter les élèves à créer un tableau de mots ou d'expressions illustrant les variétés de langue.

3.3 Lis avec habileté : Construis le sens du texte — Utilise tes connaissances, détermine ce qui est important et évalue le message *(manuel, page 57)*

AVANT

Survoler les stratégies

Rappeler aux élèves que la lecture efficace impose de choisir et d'appliquer des stratégies (p. ex. : *utiliser ses connaissances* et *déterminer ce qui est important* permettent de mieux comprendre le texte). Installer l'affiche **Rencontre avec une artiste peintre** (*voir aussi transparent de lecture partagée 15*) et poser les questions suivantes aux élèves :

- Que savez-vous au sujet de la profession présentée dans cette entrevue ?
- Que connaissez-vous du sujet et de la personne présentés ?
- Quelles stratégies vous aideraient à comprendre ce texte ?

Modéliser les stratégies ciblées :

Utiliser ses connaissances

Demander aux élèves de faire des liens avec leurs connaissances et leurs expériences pour comprendre ce qu'ils voient et ce qu'ils lisent. Leur poser la question suivante : Cette entrevue vous fait-elle penser à quelque chose de connu ?

Déterminer ce qui est important

Poser aux élèves les questions suivantes :

- Quelle est l'intention de cette entrevue ?
- Qu'a appris cette entrevue aux lecteurs ou aux lectrices ?
- Quelle information pourrait être utile à un ou une camarade qui voudrait en apprendre davantage sur le sujet ?

Évaluer le message

Inviter les élèves à se demander en quoi l'entrevue les a aidés à comprendre le message. Leur poser les questions suivantes :

- L'information est-elle intéressante ?
- En quoi cette information pourrait-elle vous servir ?

PENDANT

Commencer la lecture partagée

Lire ou demander de lire à voix haute l'affiche **Rencontre avec une artiste peintre** (*voir aussi transparent de lecture partagée 15 et coffret audio*). Marquer des pauses fréquentes afin de vérifier la compréhension des élèves, de les laisser faire des liens avec leurs connaissances et déterminer ce qui est important. Modéliser la façon de faire appel à ses connaissances et à son expérience pour interpréter le message. Relever les renseignements importants de l'entrevue. Par exemple :

- *Je regarde l'affiche pour me faire une idée du message et de l'intention.*
- *Je me demande si je connais quelque chose qui m'aidera à interpréter ce message.*
- *Je cherche ce qui capte mon attention en premier.*

Soutien (étayage)

La plupart des élèves peuvent utiliser plus d'une stratégie de lecture à la fois, cependant, continuer à modéliser le choix et l'intégration des stratégies permettant de rendre les lecteurs efficaces. Ajuster la leçon pour les élèves ayant davantage besoin de soutien.

APRÈS

Placer les élèves en dyades. Après avoir lu une question et une réponse de l'entrevue sur l'affiche **Rencontre avec une artiste peintre** (*voir aussi transparent de lecture partagée 15*), les inviter à discuter de ce qu'ils ont appris et de ce qui est important de retenir. Leur demander de préciser la façon dont l'information leur serait utile.

Modéliser la façon de remplir la fiche d'activité **3 : Utilise tes connaissances, détermine ce qui est important et évalue le message.**

Utiliser les stratégies avec un ou une camarade

RÉFLEXION

En dyades, inviter les élèves à revoir les stratégies utilisées et à en discuter. Leur poser la question suivante : Comment ces stratégies peuvent-elles vous aider dans vos lectures ?

Réfléchir aux stratégies utilisées

ÉVALUATION AU SERVICE DE L'APPRENTISSAGE (voir fiche d'évaluation *1 : Observations continues*)

Observations	Interventions pédagogiques
Noter si les élèves peuvent : • utiliser leurs connaissances ;	Modéliser la façon d'utiliser ses connaissances en lisant un texte.
• déterminer ce qui est important dans un message ;	Modéliser la façon de déterminer les renseignements importants dans un texte. Inviter les élèves à travailler en dyades pour relever les idées importantes, comparer et justifier leur choix. Les encourager à illustrer l'idée principale et les idées complémentaires dans une toile d'araignée.
• évaluer le message.	Expliquer la façon d'utiliser l'information fournie dans un texte dans d'autres situations (p. ex. : se demander si l'entrevue avec une artiste peintre amènerait à réfléchir à un choix de carrière).

3.4 Lis avec habileté : Analyse le texte *(manuel, page 57)*

AVANT

Revoir l'importance d'analyser les messages

Montrer l'importance de lire de façon critique

Expliquer aux élèves que s'interroger pour déterminer le point de vue présenté et pour analyser un message favorise une lecture efficace. Poser les questions suivantes pour les inciter à analyser le texte lu :

- En quoi les questions posées dans une entrevue sont-elles importantes ?
- Pourquoi la personne qui fait l'entrevue a-t-elle choisi de nous présenter les réponses à ces questions ?
- Qu'est-ce qui rend l'entrevue intéressante ?
- Les renseignements présentés dans une entrevue sont-ils toujours exacts ? Pourquoi ?
- Comment une entrevue peut-elle révéler la personnalité de la personne interviewée ? Dans l'entrevue **Rencontre avec une artiste peintre** (*voir aussi transparent de lecture partagée 15*), qu'avez-vous appris sur la personnalité de cette artiste ?
- Pourquoi est-ce important de lire de façon critique ?

Laisser quelques minutes aux élèves pour discuter de leurs réponses en dyades. En discuter ensuite en groupe-classe.

PENDANT

Revoir l'affiche de lecture partagée

Revoir avec les élèves l'affiche **Rencontre avec une artiste peintre** (*voir aussi transparent de lecture partagée 15*) et leur poser les questions suivantes :

- Quelles autres questions auriez-vous aimé poser à l'artiste peintre ?
- Pourquoi serait-il important de connaître la réponse à ces questions ?

Discuter des réponses en groupe-classe. Mentionner aux élèves que, à l'intérieur d'une entrevue, des choix sont faits et que bien d'autres questions auraient pu être posées.

APRÈS

Discuter des types d'entrevues

Souligner qu'il existe divers contextes pour mener une entrevue. Présenter différents types d'entrevues. Rappeler les diverses intentions de mener une entrevue. Demander aux élèves de relever les points qui rendent une entrevue efficace. Les encourager à appuyer leurs idées à l'aide d'exemples.

RÉFLEXION

Inviter les élèves à réfléchir aux stratégies utilisées pour lire une entrevue. Leur demander de noter dans leur journal de bord la stratégie la plus utile et de justifier leur choix à un ou une camarade.

Réfléchir aux stratégies utilisées

ÉVALUATION AU SERVICE DE L'APPRENTISSAGE *(voir fiche d'évaluation 1 : Observations continues)*

Observations	Interventions pédagogiques
Noter si les élèves peuvent : • analyser une entrevue.	Inciter les élèves ayant de la difficulté à analyser une entrevue pour découvrir la personnalité des gens interviewés à travailler en dyades pour discuter de leur point de vue respectif. Proposer un jeu de rôle pour aider les élèves à considérer d'autres points de vue.

4 La pratique guidée

(manuel, pages 58 à 63)

Apprentissages ciblés

Mettre en application les stratégies : *Utiliser ses connaissances, Déterminer ce qui est important* et *Évaluer le message.*

4.1 Rencontre avec un photographe (niveau de lecture T-U, DRA 50-54)

4.2 Rencontre avec une metteure en scène (niveau de lecture U-V, DRA 54-58)

4.3 Rencontre avec une bédéiste (niveau de lecture R-S, DRA 44-48)

4.4 Affiche du scénarimage du module 2

4.1 Rencontre avec un photographe (manuel, pages 58 et 59)

AVANT

> **Enseignement différencié**
>
> Assigner aux élèves un des trois textes proposés selon leur niveau de lecture. Avec de l'aide, les élèves lisent un des trois textes en groupes de quatre à six. Pendant ce temps, certains élèves peuvent travailler de façon autonome (p. ex. : à l'aide des cartes-photos) ou avec l'enseignant ou l'enseignante.

Niveau de lecture T-U, DRA 50-54

Revoir les stratégies

Revoir les stratégies modélisées et expérimentées lors des leçons précédentes : *Utiliser ses connaissances, Déterminer ce qui est important* et *Évaluer le message.* Inviter les élèves qui liront le texte « Rencontre avec un photographe » à se regrouper. Leur demander de survoler le texte (lire le titre, observer la mise en pages et les photos) et d'échanger leurs observations. Leur faire remarquer que le premier paragraphe présente la personne interviewée et le sujet de l'entrevue. Il oriente les lecteurs. Afin de modéliser le travail de lecture guidée à faire en groupe, utiliser les outils suivants :

Conseil

Rappeler aux élèves que toutes les stratégies sont interdépendantes et que les lecteurs efficaces appliquent, au besoin, plus d'une stratégie à la fois, par exemple, lorsqu'ils déterminent ce qui est important, ils font aussi des inférences et se posent des questions.

- fiche d'activité **3 : Utilise tes connaissances, détermine ce qui est important et évalue le message** ;
- affiche de lecture partagée **Rencontre avec une artiste peintre** (*voir aussi transparent de lecture partagée 15*).

Utiliser ses connaissances

Rappeler aux élèves qu'ils peuvent s'appuyer sur leurs connaissances ou leurs expériences pour comprendre le texte. Leur demander de remplir la première partie de la fiche d'activité **3 : Utilise tes connaissances, détermine ce qui est important et évalue le message.**

PENDANT

Déterminer ce qui est important

Expliquer aux élèves qu'ils doivent déterminer ce qui est important. Leur poser les questions suivantes :

- Qu'avez-vous appris en lisant cette entrevue ?
- Quelles qualités sont utiles pour exercer cette profession ?
- Quelles émotions ressentez-vous quand vous lisez ce texte ?
- Aimeriez-vous exercer cette profession ? Pourquoi ?

Inviter les élèves à remplir la deuxième partie de la fiche d'activité **3 : Utilise tes connaissances, détermine ce qui est important et évalue le message.**

APRÈS

Poser les questions suivantes aux élèves :

- Quel est le sujet de cette entrevue ?
- À qui pourrait s'adresser l'entrevue ?
- Qui participe à cette entrevue ?
- L'information présentée est-elle pertinente ?
- Comment pouvez-vous vérifier l'information présentée ?
- Comment l'information présentée dans cette entrevue pourrait-elle vous servir ?

Inviter les élèves à remplir la troisième partie de la fiche d'activité **3 : Utilise tes connaissances, détermine ce qui est important et évalue le message**.

OBSERVATION GRAMMATICALE EN CONTEXTE

Saisir l'occasion de revoir le passé composé et l'accord du participe passé avec l'auxiliaire *être*. Faire l'activité langagière traitant de l'accord de l'adjectif attribut du sujet et du participe passé employé avec l'auxiliaire *être* ou un autre verbe attributif (*voir page XIX du présent document*). Aussi, modéliser la façon de remplir la fiche d'activité **12 : L'accord de l'attribut du sujet**. De plus, faire l'activité langagière de grammaire **Imparfait de l'indicatif des verbes en -*ir*, en -*re* et du verbe *aller*** (*voir page XIX du présent document*).

RÉFLEXION

Inviter les élèves à discuter avec un ou une camarade des stratégies ciblées dans cette leçon. Leur demander comment ils utiliseraient ces stratégies dans une autre situation de lecture.

Encourager les élèves à écrire dans leur journal de bord ce qu'ils ont appris sur les stratégies présentées dans cette leçon.

**Évaluer
le message**

**Critères
d'évaluation :**
- utiliser ses connaissances ;
- déterminer ce qui est important ;
- évaluer le message ;
- comprendre le texte.

**Réfléchir
aux stratégies
utilisées**

4.2 Rencontre avec une metteure en scène *(manuel, pages 60 et 61)*

AVANT

Niveau de lecture U-V, DRA 54-58

Revoir les stratégies

Revoir les stratégies modélisées et expérimentées lors des leçons précédentes : *Utiliser ses connaissances*, *Déterminer ce qui est important* et *Évaluer le message*. Inviter les élèves qui liront le texte « Rencontre avec une metteure en scène » à se regrouper. Leur demander de survoler le texte (lire le titre, observer la mise en pages et les photos) et d'échanger leurs observations. Leur faire remarquer que le premier paragraphe présente la personne interviewée et le sujet de l'entrevue. Il oriente les lecteurs. Afin de modéliser le travail à faire en groupe de lecture guidée, utiliser les outils suivants :

Conseil

Rappeler aux élèves que toutes les stratégies sont interdépendantes et que les lecteurs efficaces appliquent, au besoin, plus d'une stratégie à la fois, par exemple, lorsqu'ils déterminent ce qui est important, ils font aussi des inférences et se posent des questions.

- fiche d'activité 3 : **Utilise tes connaissances, détermine ce qui est important et évalue le message** ;
- affiche de lecture partagée **Rencontre avec une artiste peintre** (*voir aussi transparent de lecture partagée 15*).

Utiliser ses connaissances

Rappeler aux élèves qu'ils peuvent s'appuyer sur leurs connaissances ou leurs expériences pour comprendre le texte. Leur demander de remplir la première partie de la fiche d'activité 3 : **Utilise tes connaissances, détermine ce qui est important et évalue le message**.

PENDANT

Détermine ce qui est important

Expliquer aux élèves qu'ils doivent déterminer ce qui est important. Leur poser les questions suivantes :

- Qu'avez-vous appris en lisant cette entrevue ?
- Quelles qualités sont utiles pour exercer cette profession ?
- Quelles émotions ressentez-vous quand vous lisez ce texte ?
- Aimeriez-vous exercer cette profession ? Pourquoi ?

Inviter les élèves à remplir la deuxième partie de la fiche d'activité 3 : **Utilise tes connaissances, détermine ce qui est important et évalue le message**.

APRÈS

Évaluer le message

Poser les questions suivantes aux élèves :

- Quel est le sujet de cette entrevue ?
- À qui pourrait s'adresser l'entrevue ?
- Qui participe à cette entrevue ?
- L'information présentée est-elle pertinente ?
- Comment pouvez-vous vérifier l'information présentée ?
- Comment l'information présentée dans cette entrevue pourrait-elle vous servir ?

Inviter les élèves à remplir la troisième partie de la fiche d'activité **3 : Utilise tes connaissances, détermine ce qui est important et évalue le message.**

OBSERVATION GRAMMATICALE EN CONTEXTE

Saisir l'occasion de revoir le passé composé et l'accord du participe passé avec l'auxiliaire *être*. Faire l'activité langagière traitant de l'accord de l'adjectif attribut du sujet et du participe passé employé avec l'auxiliaire *être* ou un autre verbe attributif (*voir page XIX du présent document*). Aussi, modéliser la façon de remplir la fiche d'activité **12 : L'accord de l'attribut du sujet.** De plus, faire l'activité langagière de grammaire **Imparfait de l'indicatif des verbes en *-ir*, en *-re* et du verbe *aller*** (*voir page XIX du présent document*).

RÉFLEXION

Inviter les élèves à discuter avec un ou une camarade des stratégies ciblées dans cette leçon. Leur demander comment ils ou elles utiliseraient ces stratégies dans une autre situation de lecture.

Encourager les élèves à écrire dans leur journal de bord ce qu'ils ont appris sur les stratégies présentées dans cette leçon.

Critères d'évaluation :
- utiliser ses connaissances ;
- déterminer ce qui est important ;
- évaluer le message ;
- comprendre le texte.

Réfléchir aux stratégies utilisées

Niveau de lecture R-S, DRA 44-48

4.3 Rencontre avec une bédéiste *(manuel, pages 62 et 63)*

AVANT

Revoir les stratégies

Revoir les stratégies modélisées et expérimentées lors des leçons précédentes : *Utiliser ses connaissances*, *Déterminer ce qui est important* et *Évaluer le message*. Inviter les élèves qui liront le texte « Rencontre avec une bédéiste » à se regrouper. Leur demander de survoler le texte (lire le titre, observer la mise en pages et les photos) et d'échanger leurs observations. Leur faire remarquer que le premier paragraphe présente la personne interviewée et le sujet de l'entrevue. Il oriente les lecteurs. Afin de modéliser le travail à faire en groupe de lecture guidée, utiliser les outils suivants :

- fiche d'activité **3 : Utilise tes connaissances, détermine ce qui est important et évalue le message** ;
- affiche de lecture partagée **Rencontre avec une artiste peintre** (*voir aussi transparent de lecture partagée **15***).

> **Conseil**
>
> Rappeler aux élèves que toutes les stratégies sont interdépendantes et que les lecteurs efficaces appliquent, au besoin, plus d'une stratégie à la fois, par exemple, lorsqu'ils déterminent ce qui est important, ils font aussi des inférences et se posent des questions.

Utiliser ses connaissances

Rappeler aux élèves qu'ils peuvent s'appuyer sur leurs connaissances ou leurs expériences pour comprendre le texte. Leur demander de remplir la première partie de la fiche d'activité **3 : Utilise tes connaissances, détermine ce qui est important et évalue le message**.

PENDANT

Détermine ce qui est important

Expliquer aux élèves qu'ils doivent déterminer ce qui est important. Leur poser les questions suivantes :

- Qu'avez-vous appris en lisant cette entrevue ?
- Quelles qualités sont utiles pour exercer cette profession ?
- Quelles émotions ressentez-vous quand vous lisez ce texte ?
- Aimeriez-vous exercer cette profession ? Pourquoi ?

Inviter les élèves à remplir la deuxième partie de la fiche d'activité **3 : Utilise tes connaissances, détermine ce qui est important et évalue le message**.

APRÈS

Évaluer le message

Poser les questions suivantes aux élèves :
- Quel est le sujet de cette entrevue ?
- À qui pourrait s'adresser l'entrevue ?
- Qui participe à cette entrevue ?
- L'information présentée est-elle pertinente ?
- Comment pouvez-vous vérifier l'information présentée ?
- Comment l'information présentée dans cette entrevue pourrait-elle vous servir ?

Inviter les élèves à remplir la troisième partie de la fiche d'activité **3 : Utilise tes connaissances, détermine ce qui est important et évalue le message.**

OBSERVATION GRAMMATICALE EN CONTEXTE

Saisir l'occasion de revoir le passé composé et l'accord du participe passé avec l'auxiliaire *être*. Faire l'activité langagière traitant de l'accord de l'adjectif attribut du sujet et du participe passé employé avec l'auxiliaire *être* ou un autre verbe attributif (*voir page XIX du présent document*). Aussi, modéliser la façon de remplir la fiche d'activité **12 : L'accord de l'attribut du sujet.** De plus, faire l'activité langagière de grammaire **Imparfait de l'indicatif des verbes en *-ir,* en *-re* et du verbe *aller*** (*voir page XIX du présent document*).

RÉFLEXION

Inviter les élèves à discuter avec un ou une camarade des stratégies ciblées dans cette leçon. Leur demander comment ils utiliseraient ces stratégies dans une autre situation de lecture.

Encourager les élèves à écrire dans leur journal de bord ce qu'ils ont appris sur les stratégies présentées dans cette leçon.

Critères d'évaluation :

- utiliser ses connaissances ;
- déterminer ce qui est important ;
- évaluer le message ;
- comprendre le texte.

Réfléchir aux stratégies utilisées

4.4 Affiche du scénarimage du module 2

Remarque : Pour les élèves ayant besoin de plus de soutien, utiliser le scénarimage avant les textes de la pratique guidée. Cette activité les aidera à développer le vocabulaire correspondant au module.

AVANT

Revoir le vocabulaire et les notions

Survoler le scénarimage

Revoir les deux pages d'introduction du module sur l'art de l'image ainsi que les listes de mots créées lors des leçons précédentes.

Installer l'affiche du **scénarimage du module 2** (*voir aussi transparent 21*). Expliquer aux élèves que, pour comprendre et décrire les images de l'affiche, ils devront :

- utiliser leurs connaissances ;
- déterminer ce qui est important ;
- décoder le sens du message ;
- évaluer le message.

Encourager les élèves à regarder attentivement les photos dans chaque case. Pendant qu'ils observent le scénarimage, leur poser les questions suivantes :

- Que voit-on sur cette affiche ?
- Où pourrait avoir lieu cette histoire ?
- Y a-t-il un problème ? Lequel ?
- En quoi la dernière case est-elle différente de la première ?
- À quoi ces images vous font-elles penser ?
- Avez-vous déjà participé à une activité semblable ?

Rappeler aux élèves que, pour bien comprendre un message, les lecteurs efficaces utilisent leurs connaissances. Modéliser en réfléchissant à voix haute ce qui se passe dans les deux premières cases. Par exemple :

- *Je vois beaucoup de monde sur la plage. Je sais que là où il y a beaucoup de gens, il y aura beaucoup de déchets. Je peux alors présumer que certaines personnes laisseront des déchets sur la plage lorsqu'elles s'en iront.*
- *Je vois la plage. Il y a beaucoup de déchets. Cela me fait penser à un dépotoir. Certaines personnes ne font pas attention à l'environnement.*

Faire des liens avec ses connaissances

Former des dyades. Demander aux élèves d'observer les cases une à une et de continuer la discussion en établissant des liens avec leurs connaissances et leurs expériences. Modéliser au besoin la bonne formulation. Leur poser les questions suivantes :

- À quoi ces images font-elles penser ?
- Connaissez-vous une histoire semblable à celle-ci ?
- Que connaissez-vous sur la Journée des océans ?

PENDANT

Demander aux élèves d'échanger leurs idées au sujet du contenu visuel de chaque case en relevant des idées principales, des phrases ou des mots clés. Poser les questions suivantes :

- Quel message l'image veut-elle transmettre ?
- Comment décririez-vous ce qui se passe ?

Créer des légendes

Inviter à tour de rôle les élèves à utiliser leurs propres mots pour raconter l'histoire à un ou une camarade. Cela fait, poser la question suivante : Quel message ce scénarimage présente-t-il ? (*Un problème de pollution. Il faut s'impliquer.*)

Raconter l'histoire à un ou une camarade

> ### Soutien (étayage)
> Utiliser un langage simple et concret. Lire chaque phrase à voix haute au fur et à mesure que vous écrivez. Relire ensuite l'histoire avec l'aide des élèves. Leur donner plus de temps de réflexion avant de répondre à une question.

APRÈS

Expliquer aux élèves que voir, parler et écrire au sujet des illustrations du scénarimage les aident à mieux comprendre le message. Leur annoncer qu'ils vont écrire ensemble le texte du scénarimage. Leur rappeler le but de cette activité d'écriture : communiquer le message saisi en observant les éléments visuels. Aider les élèves à clarifier leurs idées en reformulant leurs phrases. Les noter en légendes au-dessous des cases ou sur des bandes de papier séparées. Lorsque toutes les cases sont complétées, lire le texte entier avec les élèves. Leur poser les questions suivantes :

Participer à une session d'écriture partagée

- Le texte a-t-il du sens ?
- Est-ce bien ce que vous voulez dire ?
- Votre texte est-il clair ?
- Devriez-vous changer quelque chose à votre histoire ?
- Voulez-vous y ajouter d'autres idées ?
- Quel titre donnerez-vous à l'histoire ?

Inscrire sur l'affiche le titre choisi par les élèves.

Une fois la révision du texte terminée, relire l'histoire avec les élèves.

Faire une lecture partagée

RÉFLEXION

Demander aux élèves de discuter de ce qu'ils ont appris. Leur poser la question suivante : Comment les discussions sur les illustrations vous ont-elles aidés à mieux comprendre le message visuel ?

Proposer aux élèves d'écrire ou de dessiner dans leur journal de bord ce qu'ils ont appris en travaillant avec le scénarimage. Les inviter à communiquer leur réflexion à un ou une camarade.

Réfléchir à la communication orale

5 Fais un retour sur tes apprentissages

(manuel, page 64)

Apprentissages ciblés
- Comprendre le pouvoir de l'image.
- Comprendre le rôle des gens qui produisent les images.
- Utiliser des stratégies d'écoute et de prise de parole.
- Comprendre et évaluer les stratégies utilisées.

AVANT

Revoir le vocabulaire et les stratégies

Demander aux élèves de lire la section «Tu as…», à la page 64 du manuel. Les inciter à échanger leurs commentaires avec leurs camarades sur ce qu'ils ont appris en donnant des exemples concrets. Leur poser les questions suivantes :

- Qu'avez-vous appris au sujet du pouvoir de l'image ?
- Comment la stratégie *Déterminer ce qui est important* vous a-t-elle aidés à utiliser vos connaissances et à mieux comprendre le contenu d'un message ?
- En quoi analyser une entrevue vous a-t-il aidés à mieux comprendre l'information présentée ?

Discuter des mots nouveaux et des expressions au sujet de professions intéressantes liées à l'image (*voir page 64 du manuel*). Demander aux élèves de proposer une phrase pour chaque mot ou expression et les noter. S'assurer que la phrase proposée démontre bien la compréhension du mot ou de l'expression.

Lire la bulle de la page 64 avec les élèves. Leur demander de travailler en dyades pour répondre à la question du garçon, puis discuter des réponses possibles avec la classe.

Inviter les élèves à lire les stratégies utilisées (voir section «Tu as aussi…»). Leur rappeler que ces stratégies les ont aidés à lire, à comprendre et à évaluer le message dans une entrevue.

> **Conseil**
>
> Revoir les stratégies d'écoute active avec les élèves. Leur demander de modéliser les comportements à adopter quand ils écoutent une personne ou quand ils réagissent aux propos d'une personne. Dresser une liste d'expressions à utiliser.

PENDANT

Présenter son travail

Former des équipes de quatre ou cinq élèves. Afin d'encourager la discussion, composer les groupes avec des élèves n'ayant pas lu les mêmes textes (groupes hétérogènes) de la section «Des gens derrière l'image», aux pages 58 à 63 du manuel. Demander aux élèves de résumer, pour les autres membres du groupe, le texte lu durant la lecture guidée, en utilisant l'information notée sur la fiche d'activité **3 : Utilise tes connaissances, détermine ce qui est important et évalue le message**. Demander de relire ou de réécouter le texte (*voir coffret audio*) au besoin.

APRÈS

Demander aux élèves de dresser une liste des qualités nécessaires pour exercer les métiers présentés dans les lectures guidées et sur l'affiche. Leur poser les questions suivantes :

**Échanger
des idées**

- En quoi ces qualités seraient-elles utiles dans d'autres professions ?
- Que pourrait faire un employeur pour vérifier si ses employés possèdent ces qualités ?
- D'après vous, ces qualités sont-elles les plus importantes chez un employé ou une employée ?

RÉFLEXION

Inviter les élèves à lire la rubrique **Réfléchis à ta démarche de lecture**, à la page 64 du manuel, puis à discuter de l'efficacité des stratégies utilisées. Amener les élèves à déterminer des situations où ces stratégies pourraient être appliquées. Leur demander d'expliquer l'utilité de déterminer ce qui est important dans un texte. Discuter des situations où cela serait très utile (p. ex. : préparation pour un test), puis les inviter à noter leur réflexion dans leur journal de bord.

**Réfléchir
aux stratégies
utilisées**

ÉVALUATION AU SERVICE DE L'APPRENTISSAGE *(voir fiche d'évaluation 1 : Observations continues)*

Observations	Interventions pédagogiques
Noter si les élèves peuvent : • comprendre le pouvoir de l'image ;	Modéliser pour certains élèves la façon de déterminer le pouvoir de l'image. Demander à quelques élèves de modéliser la réflexion à voix haute quand ils déterminent le pouvoir de l'image.
• comprendre le rôle des gens qui produisent les images ;	Discuter du rôle des gens qui produisent des images pour la télévision ou le cinéma.
• utiliser des stratégies d'écoute et de prise de parole ;	Revoir les stratégies d'écoute active avec les élèves.
• comprendre et évaluer les stratégies utilisées.	Certains élèves pourraient tirer profit des réflexions de leurs camarades. Guider la discussion à l'aide des fiches d'activités modèles **33** à **38** sur les stratégies de lecture (*voir* Guide d'enseignement de la littératie).

6 Écris avec habileté

(manuel, page 65)

Apprentissages ciblés
- Comprendre la façon d'écrire le compte rendu d'une entrevue.
- Mener une entrevue et la transcrire sous forme de compte rendu.

AVANT

Étudier la structure de l'entrevue

Avec les élèves, faire un retour sur les entrevues entendues et lues jusqu'à présent. Mentionner que la transcription d'une entrevue est organisée de façon particulière. Amener les élèves à dégager la structure d'une entrevue. Leur poser les questions de la rubrique **Exprime-toi!**, à la page 65 du manuel. Noter leurs réponses au tableau ou sur une grande feuille. Revoir la structure d'une entrevue en lisant l'information présentée au bas de cette page.

Analyser la structure d'une entrevue

Analyser le texte de l'affiche de lecture partagée **15 : Rencontre avec une artiste peintre** (*voir aussi le transparent 15*). Avec les élèves, examiner si l'affiche répond bien à la structure présentée à la page 65 du manuel. Ajouter des idées au besoin.

PENDANT

Mener une entrevue

Revoir la liste de référence créée dans la section « Avant », ci-dessus. Informer les élèves qu'ils vont mener une entrevue. À l'aide du transparent **34 : Écrire le compte rendu d'une entrevue**, leur expliquer les étapes à suivre pour mener une entrevue, puis la transcrire sous forme de compte rendu. Les encourager à préparer des questions intéressantes. Modéliser au besoin la façon de poser des questions exigeant une réponse plus développée qu'un simple « oui » ou « non ». Pour rédiger leur entrevue, inviter les élèves à prendre comme modèle le texte lu pendant la séance de lecture guidée. Les soutenir pendant tout le processus d'écriture.

Présenter les entrevues

Demander aux élèves de présenter le compte rendu de leur entrevue à un ou une camarade.

Encourager les élèves à remplir la fiche d'activité **4 : Compare la structure de différents textes** pour distinguer les similitudes et les différences entre l'entrevue et le reportage. Les inviter à effectuer cette activité en dyades avant de la faire en groupe-classe.

OBSERVATION GRAMMATICALE EN CONTEXTE

Revoir avec les élèves la façon de construire une phrase interrogative à partir d'une phrase déclarative. Expliquer que la phrase interrogative sert à poser une question. Créer avec les élèves un tableau de référence utilisable durant leur entrevue. Voici la liste des principaux mots interrogatifs :

- les adverbes interrogatifs : *où, combien, comment, pourquoi, quand* ;
- les déterminants interrogatifs : *quel, quelle, quels, quelles* ;
- les pronoms interrogatifs : *qui, que, lequel, laquelle, lesquels, lesquelles* ;
- d'autres mots interrogatifs : *est-ce qui* ou *est-ce que* ; *qui est-ce qui, qui est-ce que, qu'est-ce qui, qu'est-ce que*.

APRÈS

Inviter les élèves à discuter avec un ou une camarade des stratégies utilisées pour planifier et mener leur entrevue. Leur proposer de commenter l'entrevue de leur camarade et de lui fournir une rétroaction.

Fournir une rétroaction

Pour amener les élèves à faire des commentaires constructifs, leur apprendre à suivre la démarche suivante :

- complimenter ;
- questionner ;
- suggérer.

RÉFLEXION

Proposer aux élèves d'écrire une réflexion dans leur journal de bord sur les façons d'améliorer leur prochaine entrevue.

ÉVALUATION AU SERVICE DE L'APPRENTISSAGE *(voir fiche d'évaluation 1 : Observations continues)*

Observations	Interventions pédagogiques
Noter si les élèves peuvent : • comprendre la façon d'écrire le compte rendu d'une entrevue ;	Modéliser la façon de formuler des questions. Présenter des modèles d'entrevue.
• mener une entrevue et la transcrire sous forme de compte rendu.	Inviter les élèves à jouer un jeu de rôle pour s'exercer à mener une entrevue.

Niveau de lecture T-U, DRA 50-54

Demander aux élèves de lire la rubrique **Observe le texte** à la page 67 du manuel. Leur poser, par exemple, les questions suivantes :

- Comment peut-on capter l'attention des lecteurs et des lectrices ?

- Selon vous, les photos peuvent-elles aider à capter leur attention ?

- Quel est le pouvoir des photos dans ce reportage ?

Revoir les différences entre un reportage et une entrevue.

7 Métier : cascadeur ou cascadeuse — Risquer sa vie pour votre plaisir !

(manuel, pages 66 à 69)

Apprentissages ciblés
- Faire des liens avec ses connaissances et ses expériences.
- Appliquer des stratégies de lecture.
- Réagir à un texte lu.

Remarque : Le niveau de lecture du texte « Métier : cascadeur ou cascadeuse – Risquer sa vie pour votre plaisir ! » devrait convenir à la plupart des élèves. Selon leurs besoins, proposer d'autres textes pour leur permettre d'appliquer l'une ou l'autre des stratégies de lecture. Le tableau suivant suggère des lectures supplémentaires.

Lectures supplémentaires

Stratégies	Livrets de la collection *Petits curieux*	Niveaux de lecture
Utiliser ses connaissances	*L'ombre et la lumière* *Photographe de la faune*	T, DRA 50 U, DRA 54
Déterminer ce qui est important	*Jeunes cartographes* *La démolition des bâtiments*	O-P, DRA 34-38 T, DRA 50
Évaluer le message	*Réalité ou illusion ?* *Découvrons les montagnes*	P, DRA 38 Q-R, DRA 40-44

AVANT

Poser la question de départ (*voir page 66 du manuel*) et en discuter : En quoi les cascades rendent-elles les films plus intéressants ? Encourager les élèves à s'exprimer.

Lire le titre du texte avec les élèves et observer les photos. Leur poser les questions suivantes :

- Que connaissez-vous déjà sur le métier de cascadeur ou de cascadeuse ?
- En quoi ce métier est-il intéressant ? En quoi est-il dangereux ? À quoi vous fait-il penser ?
- Avez-vous déjà lu ou entendu des reportages à ce sujet ?

Utiliser ses connaissances

Expliquer en quoi utiliser ses connaissances aide à mieux comprendre un texte.

Distribuer aux élèves la fiche d'activité **3 : Utilise tes connaissances, détermine ce qui est important et évalue le message** et leur demander de travailler en dyades pour la remplir. Modéliser au besoin.

PENDANT

Lire en dyades ou de façon autonome

Inviter les élèves à lire le texte avec un ou une camarade, à relever ce qu'ils connaissent déjà sur le métier de cascadeur ou de cascadeuse, à déterminer ce qui est important et à évaluer le message de ce reportage. Leur rappeler d'appliquer les stratégies utilisées lors de la séance de lecture guidée. Leur suggérer de prêter une attention particulière aux illustrations susceptibles de fournir plusieurs renseignements intéressants.

Soutien (étayage)

Aux élèves ayant davantage besoin de soutien, suggérer d'écouter le texte du coffret audio. Les inviter à faire une pause à la fin de chaque section pour vérifier leur compréhension.

APRÈS

Demander aux élèves d'échanger leurs observations et leur analyse au sujet des cascades vues à la télévision. Indiquer aux élèves que les cascades améliorent parfois la cote d'écoute.

Participer à une discussion

Réagir au texte lu

VA PLUS LOIN

1. *Débattre une question.* Afin d'animer la discussion, suggérer aux élèves de faire des liens avec leurs connaissances et leurs expériences. Ainsi, ils s'exprimeront plus facilement et échangeront des idées intéressantes.

Débattre une question

2. *Rédiger une lettre de demande de renseignements.* À l'aide de la fiche d'activité **5 : Planifie ta lettre de demande de renseignements**, modéliser la façon de planifier et de rédiger une lettre de demande de renseignements.

Rédiger une lettre de demande de renseignements

ENRICHISSEMENT

Demander aux élèves de discuter en petits groupes sur les avantages ou non de supprimer les cascades dans les émissions de télévision ou dans les films. Ensuite, les inviter à communiquer les résultats de leur discussion à la classe.

Considérer d'autres points de vue

OBSERVATION GRAMMATICALE EN CONTEXTE

Demander aux élèves de relever les organisateurs textuels et les marqueurs de relation dans le texte à l'étude. Leur expliquer que les organisateurs textuels sont des mots ou des expressions contribuant à organiser un texte. Préciser qu'il existe :

- des organisateurs temporels (p. ex. : *actuellement, depuis, la prochaine fois*) ;
- des organisateurs spatiaux (p. ex. : *dans les scènes d'action, devant ses amis*) ;
- des organisateurs logiques (p. ex. : *d'abord, en plus, toutefois*).

Préciser également que :

- ces organisateurs sont des outils importants qui orientent les lecteurs et clarifient la construction des textes ;
- savoir reconnaître les organisateurs textuels aide à comprendre la construction d'un texte, donc le texte lui-même.

Demander aux élèves de remplir la fiche d'activité **13 : Les préfixes et les suffixes**.

RÉFLEXION

Inviter les élèves à réfléchir aux stratégies utilisées pour comprendre le texte à l'étude. Leur suggérer d'écrire une réflexion dans leur journal de bord sur une stratégie, à leur avis, particulièrement utile.

Réfléchir aux stratégies utilisées

ÉVALUATION AU SERVICE DE L'APPRENTISSAGE *(voir fiche d'évaluation 1 : Observations continues)*

Observations	Interventions pédagogiques
Noter si les élèves peuvent : • faire des liens avec leurs connaissances et leurs expériences ;	Aider les élèves à activer leurs connaissances sur le métier de cascadeur ou cascadeuse et à faire des liens avec leurs expériences. Leur demander où ils ont vu des cascades (p. ex. : au cinéma, dans Internet, à la télévision).
• appliquer des stratégies de lecture ;	Modéliser à voix haute la façon d'utiliser les stratégies ciblées pour comprendre un texte.
• réagir à un texte lu.	Encourager la participation de tous les élèves. Observer leurs réactions pour s'assurer de leur compréhension d'un texte lu ou entendu.

**Niveau de
lecture R-S,
DRA 44-48**

8 Le Cirque du Soleil... démaquillé

(manuel, pages 70 à 73)

Apprentissages ciblés

- Faire des liens avec ses connaissances et ses expériences.
- Appliquer des stratégies de lecture.
- Écrire une marche à suivre.

Remarque : Le niveau de lecture du texte « Le Cirque du Soleil... démaquillé » devrait convenir à la plupart des élèves. Selon leurs besoins, proposer d'autres textes pour leur permettre d'appliquer l'une ou l'autre des stratégies de lecture. Le tableau suivant suggère des lectures supplémentaires.

Lectures supplémentaires

Stratégies	Livrets de la collection *Petits curieux*	Niveaux de lecture
Utiliser ses connaissances	*L'ombre et la lumière* *Photographe de la faune*	T, DRA 50 U, DRA 54
Déterminer ce qui est important	*Jeunes cartographes* *La démolition des bâtiments*	O-P, DRA 34-38 T, DRA 50
Évaluer le message	*Réalité ou illusion ?* *Découvrons les montagnes*	P, DRA 38 Q-R, DRA 40-44

AVANT

**Survoler
le texte et
activer ses
connaissances**

Inviter les élèves à survoler le texte et à observer les photos et les illustrations. Leur demander s'ils ont déjà entendu parler du Cirque du Soleil et poser les questions suivantes :

- Que connaissez-vous sur le Cirque du Soleil ?
- Avez-vous déjà vu un de ses spectacles ?
- En quoi le Cirque du Soleil est-il différent d'un autre cirque ? En quoi est-il semblable ?
- En quoi le Cirque du Soleil représente-t-il bien le Canada ?
- Souhaiteriez-vous faire partie de l'équipe du Cirque du Soleil ? Si oui, quel métier aimeriez-vous exercer ?

Poser la question de départ (*voir page 70 du manuel*) : Comment le maquillage peut-il aider les artistes à transmettre un message ?

Annoncer aux élèves qu'ils liront une chronique journalistique sur Nathalie Gagné, conceptrice des maquillages au Cirque du Soleil. Au tableau, dresser une liste des connaissances actuelles des élèves sur le Cirque du Soleil.

PENDANT

**Lire en dyades
ou de façon
autonome**

Lire la présentation du reportage et discuter de son efficacité. Relever les techniques utilisées par l'auteur pour capter l'attention des lecteurs et les inciter à poursuivre leur lecture.

Inviter les élèves à lire le texte en dyades ou de façon autonome. Leur rappeler les stratégies appliquées lors de la séance de lecture guidée. Leur demander de faire une pause après chaque section pour vérifier leur compréhension et relever les idées importantes. Encourager les élèves à utiliser leurs connaissances pour mieux comprendre le texte.

APRÈS

Lire avec les élèves les pages 72 et 73 du manuel. Leur demander en quoi cette marche à suivre est intéressante et pourrait servir de modèle pour en rédiger d'autres.

Média action

Lire la rubrique **Média action**, à la page 71 du manuel, et en discuter avec les élèves. Parler de la façon d'utiliser le maquillage pour transmettre des messages dans les médias.

> La lecture terminée, poser aux élèves la question de la rubrique **Observe le texte** à la page 72 du manuel.

VA PLUS LOIN

1. *Déterminer les étapes importantes d'un maquillage.* Inviter les élèves à discuter, en dyades, des étapes menant à un maquillage réussi.

2. *Écrire une marche à suivre.* Diviser la classe en petites équipes et demander aux élèves d'écrire une marche à suivre pour réaliser un maquillage de leur choix. Au besoin, modéliser la façon d'en écrire une. Encourager les élèves à utiliser celle présentée aux pages 72 et 73 pour écrire la leur. Les inviter à présenter leur marche à suivre à la classe et, éventuellement, leur maquillage.

Déterminer les étapes importantes d'un maquillage

Écrire une marche à suivre

ENRICHISSEMENT

Proposer aux élèves de faire une recherche dans les journaux, les magazines ou Internet pour trouver un sujet d'intérêt provincial ou national concernant la communauté francophone. Leur demander de rédiger des reportages sur les sujets choisis en prenant modèle sur ceux qu'ils viennent de lire. À l'aide du transparent **41 : Écrire un reportage**, présenter les étapes à suivre pour leur rédaction. Inviter les élèves à présenter leur reportage à la classe.

Écrire un reportage

OBSERVATION GRAMMATICALE EN CONTEXTE

Demander aux élèves de faire l'activité langagière : **Présent de l'impératif des verbes en -er et en -ir** (*voir page XIX du présent module*).

Les inviter à remplir la fiche d'activité **14 : Les manipulations linguistiques**.

Inciter les élèves à réaliser des manipulations linguistiques au moment de la révision et de la correction de leur reportage.

RÉFLEXION

Demander aux élèves d'expliquer dans leur journal de bord en quoi faire une recherche augmente leurs connaissances sur un sujet.

Réfléchir à la stratégie utilisée

ÉVALUATION AU SERVICE DE L'APPRENTISSAGE *(voir fiche d'évaluation 1 : Observations continues)*

Observations	Interventions pédagogiques
Noter si les élèves peuvent : • faire des liens avec leurs connaissances et leurs expériences ;	Modéliser ou demander à certains élèves de modéliser la façon de faire des liens avec leurs expériences et leurs connaissances.
• appliquer des stratégies de lecture ;	Pendant une lecture partagée, modéliser la façon d'appliquer les stratégies ciblées.
• écrire une marche à suivre.	Donner aux élèves des exemples de marche à suivre. Discuter de leur efficacité.

9 Le calligramme : l'image en poème

(manuel, pages 74 et 75)

Apprentissages ciblés
- Utiliser ses connaissances.
- Interpréter un calligramme.
- Reconnaître des images dans un poème.

AVANT

Reconnaître des éléments de la culture francophone

Utiliser ses connaissances

Poser la question de départ (*voir page 74 du manuel*) : Que sais-tu à propos des calligrammes ? Expliquer qu'un calligramme est un poème où les mots composant les vers sont placés de manière à former une image. Lire le paragraphe d'introduction de cette page. Souligner que Guillaume Apollinaire est un poète français.

Proposer aux élèves de survoler les poèmes des pages 74 et 75 du manuel. Faire remarquer que leur forme est différente de celle des autres poèmes qu'ils ont lus.

PENDANT

Lire ensemble

Présenter les poèmes dans une séance de lecture à voix haute. Discuter avec les élèves de ce qu'ils aiment dans ces calligrammes.

APRÈS

Réagir aux poèmes

Demander aux élèves de discuter des calligrammes présentés. Leur poser les questions suivantes :
- Le titre et la forme du poème vous permettent-ils de comprendre le message ?
- Comment les poètes auraient-ils ou auraient-elles pu disposer différemment les mots ?
- Dans *Le sablier*, pourquoi, selon vous, a-t-on utilisé cet objet pour illustrer ce calligramme ? À la place, de quoi aurait pu se servir le poète ? Faites part de vos idées à un ou une camarade.
- Quel calligramme préférez-vous ? Pourquoi ?
- À votre avis, quel est le message du calligramme *La pluie qui tombe* ?

Inviter les élèves à comparer leurs réponses avec celles d'un ou d'une camarade.

Demander aux élèves de remplir, en dyades, la fiche d'activité **6 : Des images et des mots**. Les inviter à trouver des mots ou des groupes de mots suscitant des images mentales. Pour les aider, leur donner quelques exemples. Leur demander ensuite de communiquer leurs découvertes à leurs camarades.

> Inviter les élèves à lire la rubrique **Observe le texte** à la page 75 du manuel. Leur demander d'examiner les calligrammes attentivement. Discuter ensemble de la question : Pourquoi est-ce important de bien choisir les mots dans un calligramme ? (p. ex. : les mots aident à visualiser le poème, les mots doivent correspondre à l'illustration et à la forme du poème).

Soutien (étayage)

Modéliser à voix haute la façon d'interpréter un calligramme. Aider les élèves à exprimer leur interprétation en discutant d'abord avec un ou une camarade.

VA PLUS LOIN

1. *Discuter de sa préférence.* Demander aux élèves d'observer les calligrammes présentés. Pour susciter la discussion, leur proposer de convaincre un ou une camarade que leur choix de calligramme est le meilleur.

2. *Écrire un calligramme.* Modéliser la façon d'écrire des calligrammes à l'aide de la fiche d'activité **7 : Écris un calligramme**. Tracer des encadrés pour classer les images selon les sens : la vue, l'ouïe, le goût et l'odorat, et le toucher. Inviter les élèves à proposer des idées de couleurs et de formes. Décider ensemble de la disposition du calligramme. Proposer aux élèves d'écrire leur propre calligramme à l'aide de la même fiche d'activité.

Discuter de sa préférence

Écrire un calligramme

OBSERVATION GRAMMATICALE EN CONTEXTE

Expliquer aux élèves que les poètes utilisent souvent des expressions figurées dans leurs textes. À l'aide de la fiche d'activité **15 : Les comparaisons et les métaphores**, amener les élèves à relever des figures de style dans des poèmes et des chansons. Leur présenter les indices suivants :

• la comparaison : elle est construite à l'aide du mot *comme* ;

• la métaphore : elle utilise le sens figuré des mots ;

• la répétition : c'est un jeu de sonorité ou un mot, ou groupe de mots, repris plusieurs fois à l'intérieur d'une structure donnée.

RÉFLEXION

Demander aux élèves de réfléchir à la façon de faire naître des images dans leur tête en lisant un calligramme ou un autre poème. Les encourager à écrire leur réflexion dans leur journal de bord et à noter deux exemples d'images vues mentalement à la lecture des calligrammes de cette leçon.

Réfléchir à la façon d'interpréter un calligramme

ÉVALUATION AU SERVICE DE L'APPRENTISSAGE *(voir fiche d'évaluation 1 : Observations continues)*

Observations	Interventions pédagogiques
Noter si les élèves peuvent : • utiliser leurs connaissances ;	Lors d'une séance de lecture partagée, modéliser la façon d'utiliser ses connaissances pour interpréter et comprendre un poème.
• interpréter un calligramme ;	Expliquer en quoi la forme et la disposition visuelle d'un calligramme correspondent à l'idée principale du poème.
• reconnaître des images dans un poème.	Lire les calligrammes à voix haute pendant que les élèves en observent la disposition. Discuter de la façon de disposer les calligrammes différemment.

10 À l'œuvre !

(manuel, pages 76 et 77)

Apprentissages ciblés
- Effectuer une recherche et présenter un documentaire.
- Travailler en groupe pour réaliser une tâche.

Remarque : Cette leçon comporte une production dans laquelle les élèves appliquent les connaissances acquises et les habiletés développées dans le présent module. Noter qu'elle fait appel à des contenus d'apprentissage liés à l'écriture et à la littératie médiatique. Proposer cette tâche d'évaluation à tout moment après la pratique coopérative ou autonome.

AVANT

Effectuer une recherche

Lire les consignes de la page 76 du manuel avec les élèves et s'assurer de leur compréhension. Leur demander de travailler en groupes pour présenter un documentaire sur une profession ou un métier qui les intéresse.

Lire la rubrique **Quelques conseils**, à la page 76 du manuel, pour indiquer aux élèves où trouver des modèles qui les aideront à effectuer la tâche demandée. Pour présenter et discuter des critères d'évaluation, leur remettre la fiche d'évaluation **2 : Grille d'évaluation de la section « À l'œuvre ! »**. Noter sur une grande feuille les façons possibles de répondre à ces critères. Poser des questions afin de s'assurer que les élèves ont bien compris la tâche à réaliser.

Leur distribuer la fiche d'activité modèle **52 : La création d'un document médiatique** (*voir* Guide d'enseignement de la littératie) pour les aider à planifier leur travail. Afficher l'aide-mémoire **5 : Les médias** (*voir aussi transparent 30*) pour leur permettre de s'y référer au besoin.

PENDANT

Préparer un documentaire

Lire avec les élèves la section « Préparez votre documentaire », à la page 77 du manuel. Modéliser la façon de rédiger un court texte de présentation du documentaire en décrivant brièvement la profession présentée. Poser les questions suivantes aux élèves :

- Selon vous, pourquoi est-ce important de préparer votre documentaire ?
- Quels types de prises de vue seraient plus efficaces dans votre documentaire ?
- Pourquoi est-ce important de vous exercer avant de filmer ?
- Quels types de questions pourriez-vous poser aux personnes interviewées ?
- Pourquoi est-ce important de créer un scénario ?

Faire voir des documentaires aux élèves afin de leur fournir de bons modèles.

APRÈS

Présenter un documentaire

Lire avec les élèves la section « Présentez votre documentaire », à la page 77 du manuel. Après leur avoir accordé du temps pour terminer la tâche demandée, les inviter à présenter leur documentaire à la classe ou à un autre groupe d'élèves. Rappeler aux spectateurs de bien se comporter durant la présentation. Proposer aux élèves de préparer des questions pour le public afin de connaître son appréciation du documentaire. Fixer une intention d'écoute en demandant aux spectateurs d'écrire des commentaires et de vous les remettre. Utiliser éventuellement ces remarques comme rétroaction et évaluation du travail.

RÉFLEXION

Demander aux élèves de remplir une feuille de réflexion pour évaluer leur travail. Par exemple, utiliser la fiche d'activité modèle **26 : Retour sur ta présentation** ou la fiche d'activité modèle **27 : Travailler en groupe** (*voir* Guide d'enseignement de la littératie). Utiliser la fiche d'évaluation **2 : Grille d'évaluation de la section « À l'œuvre! »** pour évaluer le travail des élèves et fournir une rétroaction. Discuter de l'efficacité de leur présentation. Poser les questions de la section « Faites un retour sur votre travail », à la page 77 du manuel.

Faire un retour sur son travail

ÉVALUATION AU SERVICE DE L'APPRENTISSAGE *(voir fiche d'évaluation 1 : Observations continues)*

Observations	Interventions pédagogiques
Noter si les élèves peuvent : • effectuer une recherche et présenter un documentaire ;	Tout au long de cette tâche, guider les élèves ayant des difficultés. Leur expliquer davantage le travail à faire et leur accorder plus de temps. S'assurer qu'ils ont bien compris et qu'ils sont sur la bonne voie.
• travailler en groupe pour réaliser une tâche.	Modéliser les comportements attendus pendant le travail en groupe. Expliquer l'importance de diviser équitablement les tâches à accomplir. Rappeler aux élèves de montrer du respect envers tous les membres de l'équipe.

Niveau de lecture W-X, DRA 60-64

Que vois-tu à la télévision ?

(manuel, pages 78 à 83)

Apprentissages ciblés
- Analyser les angles de prise de vue.
- Utiliser ses connaissances.
- Déterminer les idées importantes.
- Lire avec expression et fluidité.

AVANT

Activer ses connaissances

Déterminer les idées importantes

> Demander aux élèves de lire la rubrique **Observe le texte** à la page 79 du manuel, puis en discuter ensemble.

Montrer aux élèves des photos prises sous des angles différents. Leur poser les questions suivantes :
- Qu'y a-t-il de similaire dans chaque photo ?
- Qu'y a-t-il de différent ?

Discuter de leurs réponses et les inviter à échanger leurs connaissances sur les angles de prise de vue (p. ex. : plan en plongée et en contre-plongée) et sur la distance (p. ex. : plan d'ensemble et gros plan). Enseigner aux élèves le vocabulaire concernant les différentes prises de vue. Mentionner qu'ils vont lire un texte expliquant les différentes prises de vue et préciser que les choix des réalisateurs modifient la signification des images.

Poser la question de départ (*voir page 78 du manuel*) : Comment les prises de vue influencent-elles ta façon de réagir ? Demander aux élèves d'écouter (*voir coffret audio*) ou de lire à voix haute le texte de cette page. Les inviter ensuite à survoler les photos et les légendes du texte.

Présenter la fiche d'activité **8 : Examine les angles de prise de vue**. Demander aux élèves, en dyades, de déterminer les idées importantes et de remplir la fiche pendant la lecture du texte. Par exemple :

Examine les angles de prise de vue		
Type de plan	**Description**	**Raison de son utilisation**
Plan en plongée	Sujet photographié de haut	Faire paraître le sujet petit ou triste

PENDANT

Réfléchir aux mots et aux expressions

Inviter les élèves à parcourir le texte à l'étude pour trouver d'autres exemples de position de caméra. Expliquer que le mot *plongée* sert de descripteur et qu'il prend un autre sens quand on lui accole le mot *contre*. Commencer un tableau de mots composés et proposer aux élèves d'y ajouter d'autres exemples de temps à autre.

APRÈS

Réagir au texte

Mentionner aux élèves qu'il se passe beaucoup de choses sur les plateaux de tournage de publicités et dans les coulisses des émissions de télévision. Leur demander de faire des liens entre le texte et d'autres techniques d'arrière-scène. Leur poser les questions suivantes :
- En quoi les différents types d'angles de prise de vue modifient-ils la signification des photos ? En quoi le choix de l'angle exprime-t-il une opinion ?

- Les différents angles de prise de vue peuvent modifier votre interprétation d'une image. Qu'avez-vous trouvé de plus surprenant ou d'intéressant à ce sujet?
- Quel est le plan d'ambiance dans votre émission de télévision préférée? Quels plans sont utilisés? Pourquoi?

Inviter les élèves à lire la section « Et maintenant, la partie difficile! » et l'encadré « La touche finale », à la page 83 du manuel, pour les sensibiliser aux étapes du montage et du mixage sonore à la suite du tournage des différents plans d'un scénario.

VA PLUS LOIN

1. *Choisir un angle de prise de vue.* Inviter les élèves à suggérer d'autres situations où les mêmes plans seraient utilisés efficacement. Leur demander comment ces plans donneraient un nouveau sens à la situation. Suggérer aux élèves de dessiner les plans pour comparer les résultats.

Choisir un angle de prise de vue

2. *Analyser des bandes dessinées.* Pendant que les dyades cherchent trois exemples d'angles de prise de vue, les inviter à choisir des images impressionnantes. Suggérer aux élèves d'afficher leurs images et leurs légendes dans la classe.

Analyser des bandes dessinées

ENRICHISSEMENT

Demander aux élèves d'effectuer une recherche pour trouver qui est Chantal Hébert. Inviter les élèves à présenter le résultat de leur recherche à l'ensemble de la classe.

OBSERVATION GRAMMATICALE EN CONTEXTE

Présenter en contexte les pronoms *qui*, *que*, *dont* et *lequel*. Inviter les élèves à remplir la fiche d'activité **16 : La position du sujet dans la phrase**. Modéliser la façon de repérer le sujet dans une phrase au moyen de la substitution par un pronom ou par l'encadrement avec *c'est... qui*.

Proposer aux élèves de remplir la fiche d'activité **17 : Le groupe adjectival et le groupe participial**.

RÉFLEXION

Demander aux élèves de compléter la phrase suivante dans leur journal de bord : *Pour mieux comprendre ce texte, j'ai...*

Réfléchir aux stratégies de lecture

ÉVALUATION AU SERVICE DE L'APPRENTISSAGE *(voir fiche d'évaluation 1 : Observations continues)*

Observations	Interventions pédagogiques
Noter si les élèves peuvent : • analyser les angles de prise de vue ;	Modéliser la façon d'analyser des photos pour déterminer les angles de prise de vue.
• utiliser leurs connaissances ;	Faire part aux élèves de vos connaissances sur la photographie et les angles de prise de vue. Expliquer que connaître un sujet aide à mieux comprendre un texte.
• déterminer les idées importantes ;	À l'aide de feuillets adhésifs, faire ressortir les idées importantes d'un texte. Mentionner que les idées principales sont souvent au début d'un paragraphe.
• lire avec expression et fluidité.	Écouter les élèves lire à voix haute. Modéliser la façon de lire avec expression et fluidité. Leur demander d'écouter des textes *(voir coffret audio)*.

12 Des personnages à portée de la main

(manuel, pages 84 à 86)

Apprentissages ciblés
- Reconnaître l'utilité d'un plan de montage.
- Respecter une marche à suivre pour réaliser une tâche.
- Créer un dialogue.

AVANT

Activer ses connaissances

Inviter les élèves à lire la rubrique **Observe le texte** à la page 85 du manuel. Discuter ensemble de la question posée. Rappeler qu'un plan de montage indique les étapes à suivre pour construire un meuble ou fabriquer un objet.

Faire remarquer l'aide apportée par les illustrations pour comprendre une marche à suivre.

Poser la question de départ (*voir page 84 du manuel*): Comment transmet-on un message à l'aide de marionnettes?

Inviter les élèves à en discuter. Leur poser les questions suivantes:
- Que connaissez-vous sur l'origami et d'autres créations en papier?
- Avez-vous déjà fabriqué un objet en origami?
- Avez-vous déjà participé à un spectacle de marionnettes?
- Avez-vous déjà fabriqué des marionnettes?
- En quoi un spectacle de marionnettes peut-il être intéressant?
- Pourquoi est-ce important de bien choisir les personnages dans un spectacle de marionnettes?
- Comment les marionnettes sont-elles fabriquées? Quels matériaux utiliseriez-vous?

PENDANT

Reconnaître l'utilité d'un plan de montage

Fabriquer une marionnette à l'aide d'une marche à suivre

Demander aux élèves de lire les pages 84 à 86 du manuel afin d'apprendre la marche à suivre pour créer une marionnette.

Les inviter à faire ressortir les éléments aidant à comprendre les différentes étapes. Poser les questions suivantes aux élèves:
- Quels autres personnages pourriez-vous concevoir grâce à la marche à suivre présentée?
- En quoi l'origami est-il amusant? En quoi est-il différent des autres créations en papier?

APRÈS

Préciser aux élèves l'importance de comprendre la marche à suivre pour réussir leur tâche. Les inviter à trouver d'autres marches à suivre et à les présenter à la classe.

Fabriquer des personnages en origami

Créer un dialogue

VA PLUS LOIN

1. *Fabriquer des personnages en origami.* Inviter les élèves à fabriquer deux personnages nouveaux en respectant la marche à suivre ou en s'en inspirant.

2. *Créer un dialogue.* Inviter les élèves à écrire un dialogue pour un spectacle de marionnettes.

ENRICHISSEMENT

Demander aux élèves d'utiliser les marionnettes qu'ils ont fabriquées pour présenter un spectacle à des élèves plus jeunes.

OBSERVATION GRAMMATICALE EN CONTEXTE

Demander aux élèves de faire l'activité langagière : **Présent de l'impératif des verbes en -er et en -ir** (*voir page XIX du présent module*) afin de remarquer l'utilisation de ce mode dans une marche à suivre.

RÉFLEXION

Demander aux élèves de compléter la phrase suivante dans leur journal de bord : *Pour mieux comprendre une marche à suivre, il est important de…*

Réfléchir aux stratégies de lecture

ÉVALUATION AU SERVICE DE L'APPRENTISSAGE (*voir fiche d'évaluation 1 : Observations continues*)

Observations	Interventions pédagogiques
Noter si les élèves peuvent : • reconnaître l'utilité d'un plan de montage ;	Présenter aux élèves divers plans de montage en spécifiant qu'un plan de montage peut servir à plusieurs fins.
• respecter une marche à suivre pour réaliser une tâche ;	En petits groupes, modéliser la façon de réaliser une tâche en respectant une marche à suivre.
• créer un dialogue.	Préciser aux élèves que les dialogues se rapprochent de la langue parlée. Revoir la ponctuation utilisée dans un dialogue. Demander aux élèves de trouver des dialogues dans des textes (p. ex. : bandes dessinées, pièces de théâtre, romans, etc.)

Niveau de lecture S-T, DRA 48-50

Une histoire tout feu tout flamme

(manuel, pages 87 à 93)

Apprentissages ciblés
- Lire avec fluidité et précision.
- Mettre en pratique des stratégies de compréhension en lecture.
- Écrire une page d'un journal personnel.
- Créer une affiche.

Inviter les élèves à lire la rubrique **Observe le texte** à la page 89 du manuel. Leur demander de relever, en petits groupes, des descriptions utilisées par l'auteure pour aider les lecteurs et les lectrices à visualiser le texte. Faire une mise en commun et discuter de l'importance du choix de mots et des expressions pour rédiger une description efficace.

AVANT

Poser la question de départ (*voir page 87 du manuel*): Quel personnage de film aimerais-tu être? Pourquoi?

Lire le titre du texte avec les élèves, puis les inviter à observer les illustrations et à faire des prédictions.

Leur poser les questions suivantes:
- Avez-vous déjà lu un roman d'Élaine Turgeon?
- En quoi connaître un auteur ou une auteure peut-il vous aider à faire des prédictions sur le texte que vous allez lire?
- Que voyez-vous dans l'illustration de la page 87?
- Quelles sont les caractéristiques des personnages?
- Comment interprétez-vous la situation à partir de leurs expressions, des émotions qu'ils dégagent?
- Quelles prédictions pouvez-vous faire en observant les illustrations?
- Que pourrait-il arriver aux gens s'ils prenaient les caractéristiques des personnages de leurs films préférés?

Noter les réponses des élèves au tableau ou sur une grande feuille en papier. Se servir de ces réponses pour formuler des prédictions et déterminer une intention de lecture.

PENDANT

Lire de façon autonome

Demander aux élèves de lire l'histoire une première fois, en silence. Ensuite, les inviter à écouter l'histoire sur le cédérom (*voir coffret audio*), puis à vérifier leurs prédictions et leur compréhension.

APRÈS

Réagir au texte

Poser les questions suivantes pour vérifier la compréhension des élèves et les amener à réagir au texte:
- D'après le texte, Flavie ferait-elle une bonne amie? Pourquoi?
- Selon vous, en quoi la phrase «Il a toujours eu un faible pour la boxe à mains nues avec les pantoufles» vous aide-t-elle à imaginer le chat de Flavie? (*Les pattes des chats ressemblent à des gants de boxe lorsqu'ils griffent une pantoufle.*)
- Pourquoi monsieur Vacherin est-il arrivé, les bras chargés de journaux plutôt que de livres? (*L'actualité se trouve dans un journal.*)
- D'après le texte, quel genre de film monsieur Caron a-t-il loué? (*Un film de science-fiction.*)
- Pourquoi est-ce important de retourner la vidéocassette avant minuit? (*Pour recréer une situation normale.*)

VA PLUS LOIN

1. *Écrire une page d'un journal personnel.* Suggérer aux élèves d'écrire une page d'un journal personnel sur un personnage de film qu'ils aimeraient être. Revoir avec les élèves les étapes à suivre pour écrire un journal personnel (*voir transparent 37*). Au besoin, lire quelques pages d'un journal personnel pouvant servir de modèle.

Écrire une page d'un journal personnel

2. *Préparer une affiche.* Inviter les élèves à préparer une affiche sur le thème de leur film préféré tout en tenant compte de leurs destinataires. Parler de l'importance de la couleur, de la police de caractère, de la disposition de l'information, etc.

Préparer une affiche

ENRICHISSEMENT

Demander aux élèves d'inventer un nouveau personnage inspiré de cette histoire et de lui faire prendre les caractéristiques du personnage principal de leur film préféré.

OBSERVATION GRAMMATICALE EN CONTEXTE

Modéliser la façon de remplir la fiche d'activité **18 : Les expressions figurées**. Demander aux élèves de relever dans ce texte des expressions telles que : *avoir raison, avoir un faible pour, avoir besoin, avoir l'air, être en train de...*

Parler du rôle des synonymes et des antonymes dans un texte (p. ex. : pour assurer la fluidité d'un texte, éviter la répétition, nuancer le verbe ou apporter des précisions).

Revoir avec les élèves l'accord dans le groupe nominal (l'accord en genre et en nombre du noyau et de ses expansions). Par exemple :

- *Une femme masquée [...] aurait attaqué des gens [...]* (*p. 89 du manuel*) ;
- *Avez-vous essayé les autres touches de la télécommande ?* (*p. 91 du manuel*).

Discuter avec les élèves de l'emploi du conditionnel dans un texte.

RÉFLEXION

Demander aux élèves de répondre aux questions suivantes dans leur journal de bord :

- Quels liens pouvez-vous faire entre ce texte et vos expériences ?
- En quoi ce texte est-il un récit fantastique ?
- Quelle est la structure du récit fantastique ?
- En quoi ce texte est-il semblable à d'autres récits (p. ex. : récit d'aventures, d'intrigue policière, de science-fiction) ?

Réfléchir aux stratégies de lecture

ÉVALUATION AU SERVICE DE L'APPRENTISSAGE *(voir fiche d'évaluation 1 : Observations continues)*

Observations	Interventions pédagogiques
Noter si les élèves peuvent : • lire avec fluidité et précision ;	Modéliser la façon de lire un texte avec expression. Demander à certains élèves de s'exercer et de lire un texte avec expression. En inviter d'autres à enregistrer un texte pour des élèves plus jeunes.
• mettre en pratique des stratégies de compréhension en lecture ;	Modéliser la façon d'appliquer les stratégies de compréhension en lecture à l'aide de divers textes.
• écrire une page d'un journal personnel ;	Mettre à la disposition des élèves des journaux personnels susceptibles de leur servir de modèle pour rédiger une page de journal personnel.
• créer une affiche.	Discuter des composantes d'une affiche. Au besoin, analyser l'efficacité de certaines affiches avec les élèves.

14 À ton tour!

(manuel, page 94)

Apprentissages ciblés
- Participer au travail de groupe.
- Réfléchir sur ses apprentissages et se fixer des objectifs.
- Créer un roman-photo.

AVANT

Présenter et modéliser la tâche finale

Revoir avec les élèves ce qu'ils ont appris dans ce module au sujet du pouvoir de l'image. Lire ensemble les consignes de la page 94 du manuel. Leur expliquer leur tâche, qui consiste à concevoir un roman-photo grâce aux connaissances acquises sur le pouvoir de l'image. Leur rappeler que ce genre de production nécessite collaboration et travail en équipe. Faire avec les élèves un remue-méninges des différentes tâches à accomplir :
- planifier et préparer un roman-photo ;
- présenter un roman-photo.

PENDANT

Faire un scénario du roman-photo

Aider les élèves à concevoir un scénario du roman-photo à créer. Distribuer la fiche d'activité **9 : Planifie ton roman-photo** et inviter les élèves à l'utiliser pour planifier leur travail. Mettre à leur disposition des romans-photos comme modèles.

APRÈS

Présenter le roman-photo

Demander aux élèves de présenter leur roman-photo. Noter des observations sur la présentation et l'écoute des élèves (*voir la fiche d'évaluation 3 : À ton tour !*). Au cours d'entrevues individuelles, amener les élèves à déterminer leurs forces dans la création et la présentation de leur travail ainsi que les améliorations à apporter.

Mise en contexte des compétences : Stratégies pour effectuer un travail en groupe

Rappeler aux élèves que, pour travailler en groupe, il est important de coopérer afin d'atteindre l'objectif visé. Leur poser la question suivante : Quelles stratégies vous permettront de faire un bon travail d'équipe ?

Les élèves peuvent travailler en petits groupes pour échanger leurs idées. Ils les notent ensuite dans un tableau à deux colonnes comme le suivant.

Pour réussir une présentation orale, il faut :

Pendant la préparation

- Planifier votre travail.
- Déterminer les tâches de chaque membre de l'équipe.
- Partager les tâches et les responsabilités équitablement entre les membres de l'équipe.
- Participer en donnant votre opinion.
- Partager vos méthodes de travail et vos stratégies.
- Tenir compte des opinions des autres.
- Trouver des moyens de résoudre des difficultés.
- Encourager et féliciter vos coéquipiers et coéquipières.

Pendant la présentation

- Partager les tâches et les responsabilités équitablement entre les membres de l'équipe.
- Se servir d'un langage clair et d'un vocabulaire précis.
- Parler clairement et prêter attention à l'auditoire.
- Encourager et féliciter vos coéquipiers et coéquipières.

Demander aux élèves de comparer leur tableau avec celui des autres pour en dégager les différences et les similarités. Faire un tableau de référence pour la classe.

RÉFLEXION

Inviter les élèves à réfléchir à leur expérience de travail en tant que membre d'une équipe. Au besoin, distribuer la fiche d'activité modèle **27 : Travailler en groupe** (*voir* Guide d'enseignement de la littératie).

ÉVALUATION AU SERVICE DE L'APPRENTISSAGE (*voir fiche d'évaluation 1 : Observations continues*)

Observations	Interventions pédagogiques
Noter si les élèves peuvent : • participer au travail de groupe ;	Diviser le travail en petites tâches pour favoriser la concentration des élèves ayant de la difficulté à travailler en groupe. À ces élèves, présenter une seule tâche à la fois.
• réfléchir sur leurs apprentissages et se fixer des objectifs ;	Aider les élèves à choisir un exemple de travail correspondant aux objectifs. Les guider dans leur choix.
• créer un roman-photo.	Demander aux élèves de montrer leur travail à l'enseignant ou l'enseignante à certaines étapes de la production et les conseiller. Inviter les membres de l'équipe à faire un retour mutuel sur leur travail.

15 Ton portfolio : Gros plan sur tes apprentissages

(manuel, page 95)

Apprentissages ciblés
- Sélectionner les éléments destinés au portfolio.
- Réfléchir à ses apprentissages et en discuter.

AVANT

Revoir les apprentissages

Former de petits groupes et demander à chacun d'inscrire les apprentissages importants réalisés au cours du module, par exemple dans un tableau, une liste, un diagramme, une toile d'araignée. Suggérer de regrouper les éléments en différentes catégories : des situations d'équité ; des domaines d'expression liés à la littératie (communication orale, lecture, écriture, littératie médiatique) ; de l'information ; des habiletés et des stratégies ; des productions.

Une fois ce travail terminé, demander à chaque groupe de déterminer les deux ou trois apprentissages les plus importants parmi tous ceux qu'il a notés. Au cours d'une mise en commun, discuter de ces choix. Afficher les listes pour permettre aux élèves de les consulter pendant qu'ils feront le retour sur leur travail dans ce module.

Rassembler les travaux

Demander aux élèves de rassembler tous les travaux qu'ils ont réalisés au cours du module.

PENDANT

Revoir les objectifs d'apprentissage

Lire les consignes de la page 95 du manuel avec les élèves, puis les inviter à noter leurs observations dans leur journal de bord ou sur la fiche d'évaluation **4 : Gros plan sur tes apprentissages**.

Revoir avec les élèves les objectifs d'apprentissage présentés au début du module, à la page 50 du manuel, et ceux qu'ils ont écrits avec leurs mots, en les mettant en parallèle avec les tableaux (listes, toile d'araignée, etc.) réalisés au début de la présente leçon. Réunir ensuite les élèves en dyades afin de leur permettre d'effectuer leurs choix parmi les travaux qu'ils ont rassemblés.

Choisir les travaux et parler de ses choix

Aider les élèves à faire leurs choix, à en discuter et à écrire leurs réflexions. Leur rappeler de faire ces choix de manière réfléchie et de donner des exemples précis lorsqu'ils les justifient.

APRÈS

Former des groupes de quatre en réunissant deux dyades. À tour de rôle, chaque élève présente ses choix et les justifie. Pendant ce temps, observer un ou deux groupes plus attentivement ou mener des entrevues individuelles avec quelques élèves.

RÉFLEXION

Répondre individuellement

Lorsque les élèves ont terminé la présentation de leurs choix à leur équipe, leur demander de répondre individuellement aux trois questions de la rubrique **Réfléchis**, au bas de la page 95 du manuel, soit :
- dans le cadre d'une entrevue individuelle ;
- à l'aide de la fiche d'évaluation **4 : Gros plan sur tes apprentissages** ;
- dans le journal de bord dans lequel ils auront noté leurs choix de travaux et justifications.

TÂCHE D'ÉVALUATION DE LA COMPRÉHENSION EN LECTURE

Une tâche d'évaluation de la compréhension en lecture est proposée pour clore le module (*voir fascicule* Évaluation de la compréhension en lecture). Elle est constituée d'un texte et d'un questionnaire qui visent à vérifier le niveau de compréhension des élèves et à évaluer leurs progrès en lecture. Deux versions du texte sont proposées, chacune correspondant à un niveau de difficulté.

Cette tâche d'évaluation peut être donnée à n'importe quel moment après l'exploitation des textes de lecture guidée.

BILAN DES APPRENTISSAGES

Revoir la page V du présent document pour faire le point sur les apprentissages des élèves. Recueillir des données reliées à la communication orale, à la lecture, à l'écriture et à la littératie médiatique.

Prendre en considération les différents domaines de la littératie

Les données pour l'évaluation peuvent être recueillies parmi les éléments suivants :

- le journal de bord des élèves et les autres traces de leurs réflexions ;
- les réponses aux questions des rubriques du manuel (p. ex. : **Va plus loin**) ;
- les productions écrites ;
- les productions médiatiques ou technologiques ;
- les observations notées en cours d'apprentissage (p. ex. : avec la fiche d'évaluation **1 : Observations continues**) ;
- les tâches des différentes sections du manuel (p. ex. : « À l'œuvre ! ») ;
- la tâche d'évaluation de la compréhension en lecture en fin de module.

Les outils d'évaluation tels que la fiche d'évaluation **1 : Observations continues** et la fiche d'évaluation **5 : Grille d'évaluation du module** garantissent une évaluation qui repose sur des observations liées directement aux objectifs d'apprentissage du module. Joindre aux dossiers des élèves divers éléments probants, ainsi que des notes anecdotiques afin de mieux planifier les futures entrevues avec eux, individuellement ou en groupes. S'assurer que tous les travaux portent la date de réalisation.

Faire le bilan des apprentissages

Utiliser la fiche d'évaluation **6 : Bilan des apprentissages**, pour préparer les communications aux parents, ou tuteurs ou tutrices, et fournir des rétroactions précises et utiles aux élèves.

FICHE D'ACTIVITÉ

1

MODULE 2

Lettre à l'intention des parents

Chers parents,
Cher tuteur, chère tutrice,

Dans le présent module, intitulé L'art de l'image, *les élèves écouteront, liront et transcriront des entrevues de gens qui produisent les images de notre environnement quotidien.*

Vous êtes invités à accompagner votre enfant dans son apprentissage de différentes manières. Par exemple, vous pouvez :

- *lui demander de parler des entrevues lues en classe de gens exerçant une profession ou un métier lié à l'art de l'image ;*
- *lui proposer une discussion sur d'autres professions ou métiers qui consistent à créer des images ;*
- *chercher, en sa compagnie, des images dans des journaux ou des magazines, et parler de leur efficacité ;*
- *l'inviter à discuter sur des personnages de livres, de films ou de la télévision traitant du pouvoir de l'image ;*
- *démontrer un intérêt pour le sujet du module en l'encourageant à réaliser les activités proposées.*

À la fin du module, les élèves montreront ce qu'ils ont appris en concevant un roman-photo d'un récit, d'un poème ou d'une chanson. Ils appliqueront ainsi les stratégies apprises en lecture, en écriture, en communication orale et en littératie médiatique.

Vous pouvez soutenir votre enfant dans son apprentissage en discutant du sujet du module ou en l'amenant à vous parler des habiletés et des stratégies mises en application en classe.

C'est avec plaisir que nous entreprenons ce module.

L'enseignant ou l'enseignante

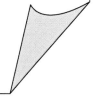

Littératie en action 6 | Guide
11056
Cette fiche accompagne la leçon 1 du guide d'enseignement.
43

Home Connection Letter

Dear Parents and Caregivers:

We are starting a new unit called L'art de l'image. *In this unit, students read interviews about people that work in creating visual images that we see in our environment.*

You are invited to be part of our unit in a variety of ways. For example:

- *Invite your child to talk about the interviews we read at school;*
- *Talk about other professions that are related to creating visual images;*
- *Look through newspapers and magazines together to find images, and discuss their effectiveness;*
- *Talk about characters in books, in movies, or on TV that are good examples of how images can have an impact;*
- *Show an interest in encouraging your child to complete all activities assigned.*

At the end of the unit, students will show what they have learned by creating a photo story of a short story, a song or a poem. They will use reading, writing, oral, and media skills and strategies to complete the task.

You can support the learning goals for this unit at home by discussing the unit topic, as well as the unit skills and strategies presented in this unit.

We are looking forward to an exciting unit!

Sincerely,

Teacher

Nom : _____   Date : _____

Un survol du module

Survole le module *L'art de l'image*. Note les éléments suivants et réponds aux questions posées.

1. Trouve une photo qui t'intéresse. Pourquoi cette photo capte-t-elle ton attention ?

_____

_____

_____

2. Trouve un sujet ou une personne que tu connais ou que tu as l'impression de connaître. Que sais-tu sur ce sujet ou cette personne ?

_____

_____

_____

3. Trouve le nom d'un auteur ou d'une auteure que tu connais. Que sais-tu à son sujet ?

_____

_____

_____

4. Trouve un texte qui te semble intéressant à lire ou une activité qui te paraît intéressante à faire. Explique ton choix.

_____

_____

_____

5. Trouve quatre à six nouveaux mots ou des phrases qui te semblent importants dans ce module.

_____

_____

_____

Littératie en action 6 | Guide
11056
Cette fiche accompagne la leçon 1 du guide d'enseignement.
45

FICHE D'ACTIVITÉ
3
MODULE 2

Utilise tes connaissances, détermine
ce qui est important et évalue le message

Dans le tableau ci-dessous, écris ce que tu connais dans la première colonne. Ensuite, lis le texte pour déterminer ce qui est important et note-le dans la deuxième colonne. Enfin, réfléchis au message transmis et explique, dans la colonne de droite, comment cette information pourrait te servir.

Utilise tes connaissances	Détermine ce qui est important	Évalue le message
a) Survole le texte et note ce que tu connais déjà de la personne ou du sujet présenté.	b) Lis le texte et note des informations qui seraient importantes à communiquer à quelqu'un d'autre.	c) Comment ces informations pourraient-elles te servir ?

d) Formule une question que tu aimerais poser à la personne présentée dans cette entrevue.

Question : _____

Nom : _____ Date : _____

Compare la structure de différents textes

À l'aide de l'organisateur graphique ci-dessous, compare la structure de l'entrevue avec celle du reportage. En quoi sont-elles semblables ? En quoi sont-elles différentes ?

L'entrevue

Le reportage

Ce qui est semblable

_____
_____
_____
_____
_____

Ce qui est différent

_____	_____
_____	_____
_____	_____
_____	_____
_____	_____
_____	_____
_____	_____
_____	_____
_____	_____

FICHE D'ACTIVITÉ

5

MODULE 2

Planifie ta lettre de demande de renseignements

1. Quelle cause as-tu choisie ? Indique ton sujet.

_____

2. Pourquoi veux-tu obtenir des renseignements sur cette cause ? Précise ton intention.

_____

_____

3. À qui ta lettre de demande de renseignements s'adressera-t-elle ? Détermine ton ou ta destinataire.

_____

4. Prépare ta lettre à partir de la structure de la lettre de demande de renseignements suivante.

Le lieu et la date
- le nom de la ville suivi d'une virgule ;
- le nom du mois en minuscules ;
- pas de virgule avant l'année.

_____

Le nom et l'adresse du ou de la destinataire, ou des destinataires
- *Monsieur*, *Madame*, *Messieurs*, *Mesdames* (ne pas abréger) ;
- l'adresse ;
- pas de ponctuation en fin de ligne.

_____

_____

_____

L'objet
- le but de la lettre précédé du mot *Objet* suivi d'un deux-points.

_____

_____

Cette fiche accompagne la leçon 7 du guide d'enseignement.   *Littératie en action 6* / Guide 11056

Planifie ta lettre de demande de renseignements (suite)

L'appel

- une formule de salutation suivie d'une virgule (ne pas faire suivre *Monsieur* ou *Madame* du nom de famille).

_____

Les paragraphes

- une présentation de la personne qui écrit la lettre ;
- les demandes de renseignements avec des verbes au conditionnel (une marque de politesse).

_____
_____
_____
_____
_____
_____
_____
_____
_____
_____
_____
_____
_____
_____
_____
_____

La salutation

- une formulation pour terminer la lettre.

_____
_____

La signature

- une signature écrite à la main, alignée avec la date et, en dessous, le nom tapé à l'ordinateur.

_____
_____

Littératie en action 6 / Guide
11056
Cette fiche accompagne la leçon 7 du guide d'enseignement.
49

Des images et des mots

Les poètes utilisent les deux méthodes suivantes pour créer des images.

> **A.** Dans les calligrammes, les poètes disposent les mots sur la page de façon à former une image. Ces mots dessinent *une forme que tu peux reconnaître.*
>
> **B.** Les poètes utilisent des mots ou des groupes de mots qui t'aident à *voir des images dans ta tête.*

1. Travaille avec un ou une camarade.
   - Relis « Le calligramme : l'image en poème » (*pages 74 et 75*).
   - Trouve des mots ou des groupes de mots qui t'aident à voir des images dans ta tête.
   - Écris ces mots ou ces groupes de mots dans le tableau ci-dessous.

Le paon	Le sablier

La pluie qui tombe	Un bateau sur la mer

2. Choisis un calligramme et explique comment sa forme a réussi à mieux te faire comprendre le message.

_____

_____

FICHE D'ACTIVITÉ

7

MODULE 2

Écris un calligramme

1. Choisis un objet ou un animal de forme simple. Voici des exemples :
- un serpent (les mots sont écrits en un long zigzag ou en spirale).
- une araignée (les lignes du texte partent du corps : tu as besoin de huit lignes, une pour chaque patte).
- une sucette (les lignes du texte forment un cercle, et le titre est le bâton. Pense aux saveurs que tu pourrais évoquer avec des couleurs).

2. Dans les encadrés ci-dessous, écris des mots ou des groupes de mots descriptifs et des actions pour rédiger ton calligramme.
Il n'est pas obligatoire de remplir chaque encadré.

La vue (À quoi l'objet ou l'animal ressemble-t-il ?)	**L'ouïe** (Quel bruit fait-il ?)

Le goût et l'odorat (Quel est son goût ou son odeur ?)	**Le toucher** (Que ressens-tu quand tu le touches ?)

FICHE D'ACTIVITÉ
7

MODULE 2

Écris un calligramme (suite)

3. Écris une première version de ton calligramme en plaçant les mots et les groupes de mots dans l'ordre qui te plaît.

_____

_____

_____

_____

_____

_____

_____

_____

_____

4. Sur une feuille blanche, trace une esquisse de la forme que tu veux donner à ton calligramme.

5. Écris le calligramme à l'intérieur de ton dessin en utilisant, au besoin, des crayons de couleur.

6. Efface ton esquisse en gardant seulement les mots, puis donne un titre à ton calligramme.

7. Tes camarades et toi faites une exposition de vos calligrammes.

Examine les angles de prise de vue

Type de plan	Description	Raison de son utilisation

Littératie en action 6 / Guide
11056
Cette fiche accompagne la leçon 11 du guide d'enseignement.
53

Nom : _____   Date : _____

Planifie ton roman-photo

Fais le découpage de ton roman-photo en indiquant dans chaque case le numéro de la séquence, la photo (le lieu, les personnages présents et l'action), le plan de la prise de vue, le dialogue (bulles) ou la narration (cartouche), les indications (temps, durée, etc.).

Séquence	Photo	Plan de la prise de vue	Dialogue ou narration	Indications (temps, durée, etc.)

Cette fiche accompagne la leçon 14 du guide d'enseignement.

Nom : _____ . Date : _____

Un bouquet de mots

1. Forme le plus de mots possible à partir des termes inscrits au centre des cercles.
Tu peux te servir de préfixes et de suffixes, ou faire d'autres modifications.
Tes nouveaux mots doivent avoir du sens.

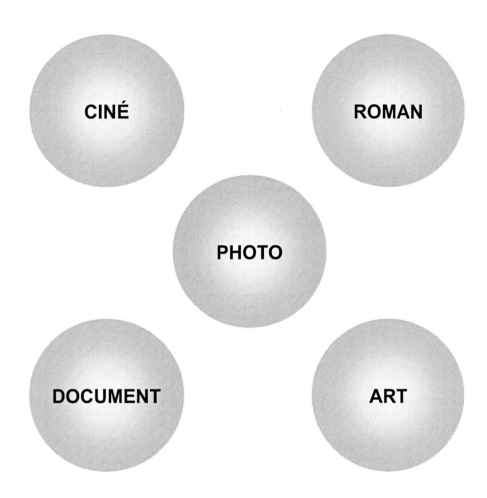

2. Avec un ou une camarade, discute de la manière dont tu as créé tes mots.
Sur une feuille, décris les similitudes et les différences dans vos façons de procéder.

3. Comment l'ajout d'un préfixe ou d'un suffixe peut-il changer le sens d'un mot ?
Note tes observations sur la même feuille que tu as utilisée au numéro précédent.

Nom : _____   Date : _____

Les accords dans le groupe nominal

Réfléchis

- Quelles classes de mots peux-tu trouver dans un groupe nominal ?
- Comment repères-tu le nom noyau dans un groupe nominal ?
- Avec quoi s'accordent les mots d'un groupe nominal ?

Observe

- *L'actrice est au beau milieu d'un vilain blizzard.*
- *Ces impressionnantes tornades ont été créées par ordinateur.*
- *Une personne fait fonctionner la petite machine à brouillard.*
- *Cette scène tournée à l'extérieur se passe dans un décor naturel.*
- *Dans cette scène, l'équipe technique a créé des vents forts et des tourbillons de pluie.*

a) Dans les phrases ci-dessus, quels noms sont accompagnés d'un déterminant ?
Quel est le genre et le nombre de ces noms et de ces déterminants ?

b) Quels noms sont accompagnés d'un adjectif ? Quel est le genre et quel est le nombre de ces noms et de ces adjectifs ?

c) Avec tes mots, explique la façon d'accorder le déterminant, l'adjectif et le nom dans un groupe nominal.

Nom : _____ Date : _____

Consulte la règle

Le **groupe nominal (GN)** est un groupe de mots dont le noyau est un **nom** ou un **pronom**. Le nom noyau peut être précédé d'un **déterminant** et accompagné d'un ou de plusieurs **adjectifs**.

Exemples :

Déterminant   Adjectif   Adjectif
Des* <u>conditions</u> *climatiques extrêmes
         Nom noyau

Déterminant   Adjectif   Adjectif
La* <u>scène</u> *tournée   <u>*Celle*</u> *tournée*
    Nom noyau   Pronom noyau

L'ACCORD DU DÉTERMINANT ET DE L'ADJECTIF

Dans le **groupe nominal (GN)**, le déterminant et l'adjectif reçoivent le **genre** (masculin ou féminin) et le **nombre** (singulier ou pluriel) du nom noyau (ou du pronom noyau).

L'accord du déterminant dans le GN	Exemples
Le **déterminant** s'accorde en genre et en nombre avec le nom noyau qu'il précède.	***La* <u>tornade</u>** est créée en ***quelques* <u>clics</u>** de souris. fém. sing. masc. plur.
Les déterminants ***tout***, ***tous***, ***toute*** et ***toutes*** s'accordent en genre et en nombre avec le nom noyau (ou le pronom noyau), même s'ils sont placés devant un autre déterminant.	***Tout* <u>effet</u>** spécial demande des heures de travail. masc. sing. ***Toutes*** ces <u>images</u> sont numériques. fém. plur.
Certains déterminants comme ***quatre***, ***cinq***, ***sept***, ***huit***, ***neuf***, ***beaucoup de***, ***peu de***, ***trop de***, etc., sont invariables. On ne les accorde pas.	***Neuf* <u>cascadeurs</u>** ont travaillé dans ce film. masc. plur. ***Beaucoup de* <u>scènes</u>** sont faites par des cascadeurs. fém. plur.
L'accord de l'adjectif dans le GN	**Exemples**
L'**adjectif** s'accorde en genre et en nombre avec le nom noyau (ou le pronom noyau) qu'il accompagne.	Ces machines produisent des <u>éclairs</u> **impressionnants**. masc. plur.

Littératie en action 6 | Guide
11056
    Cette fiche accompagne les activités langagières du guide d'enseignement.   57

FICHE D'ACTIVITÉ
11
MODULE 2

Les accords dans le groupe nominal (suite)

Consulte la règle (suite)

L'accord de l'adjectif dans le GN (suite)	Exemples
Lorsqu'un adjectif accompagne **plusieurs noms**, il s'accorde au **masculin pluriel**.	La *tornade* et l'*éclair* **artificiels** sont spectaculaires. fém. sing. masc. sing. masc. plur.
Cependant, lorsque tous les noms sont de genre féminin, on accorde l'adjectif au **féminin pluriel**.	La *tornade* et l'*explosion* **produites** sont très réussies. fém. sing. fém. sing. fém. plur.

Attention ! La plupart des participes passés utilisés seuls sont considérés comme des adjectifs. Par exemple, dans l'expression « la tornade et l'explosion **produites** », le mot *produites* est un participe passé employé comme adjectif.

LA FORMATION DU FÉMININ ET DU PLURIEL DES NOMS

La formation du féminin des noms	
Règle générale	**Exemples**
On forme habituellement le **féminin** des noms en ajoutant un -**e** au nom au masculin.	*un ami* → *une ami***e** *un cousin* → *une cousin***e**

QUELQUES CAS PARTICULIERS			
Masc.	**Fém.**	**Exemples**	**Exceptions**
-**e**	-**e**	*un élève* → *une élève*	*un maître* → *une maît***resse**, etc.
-**el**	-**elle**	*un criminel* → *une criminel***le**	Pour certains noms, on ne double pas la dernière consonne. *Exemples : un avocat* → *une avoca***te** *un démon* → *une dém***one**
-**et**	-**ette**	*un cadet* → *une cadet***te**	
-**at**	-**atte**	*un chat* → *une chat***te**	
-**en**	-**enne**	*un Canadien* → *une Canadi***enne**	
-**on**	-**onne**	*un lion* → *une li***onne**	
-**if**	-**ive**	*un sportif* → *une sport***ive**	
-**er**	-**ère**	*un ouvrier* → *une ouvri***ère**	
-**x**	-**se**	*un paresseux* → *une paresseu***se**	
-**eur**	-**euse**	*un nageur* → *une nag***euse**	Certains noms en -**eur** font leur féminin en -**eure**. *Exemple : un professeur* → *une profess***eure**
-**teur**	-**teuse**	*un conteur* → *une con***teuse**	
-**teur**	-**trice**	*un acteur* → *une ac***trice**	

Plusieurs noms au masculin ont des formes particulières au féminin.
Exemples : un homme → *une femme ; un héros* → *une héroïne ;*
un loup → *une louve ; un jumeau* → *une jumelle*

FICHE D'ACTIVITÉ
11
MODULE 2

Les accords dans le groupe nominal (*suite*)

Consulte la règle (*suite*)

La formation du pluriel des noms			
Règle générale		**Exemples**	
On forme généralement le **pluriel** des noms en ajoutant un **-s** au nom au singulier.		*un ami → des amis* *une cousine → des cousines*	
QUELQUES CAS PARTICULIERS			
Sing.	**Plur.**	**Exemples**	**Exceptions**
-ail	*-ails*	*un chandail → des chandails*	*travail / travaux, bail / baux, corail / coraux, émail / émaux, soupirail / soupiraux, vitrail / vitraux*
-ou	*-ous*	*un bambou → des bambous*	*bijou / bijoux, caillou / cailloux, chou / choux, pou / poux, genou / genoux, hibou / hiboux, joujou / joujoux*
-au	*-aux*	*un noyau → des noyaux*	
-eau	*-eaux*	*un chapeau → des chapeaux*	
-eu	*-eux*	*un cheveu → des cheveux*	*pneu / pneus, émeu / émeus, bleu / bleus*
-al	*-aux*	*un métal → des métaux*	Certains noms en *-al* font *-als* au pluriel. *Exemple : un festival → des festivals*
Plusieurs noms ont la même forme au singulier et au pluriel, alors que d'autres ont des formes plurielles particulières. *Exemples : un prix → des prix ; une souris → des souris ; un œil → des yeux ; un monsieur → des messieurs*			

LA FORMATION DU FÉMININ ET DU PLURIEL DES ADJECTIFS

La formation du féminin des adjectifs			
Règle générale		**Exemples**	
On forme généralement le **féminin** des adjectifs en ajoutant un **-e** à l'adjectif au masculin.		*grand → grande* *amical → amicale*	
QUELQUES CAS PARTICULIERS			
Masc.	**Fém.**	**Exemples**	**Exceptions**
-e	*-e*	*jeune → jeune*	
-el	*-elle*	*cruel → cruelle*	
-et *-ot*	*-ette* *-otte*	*coquet → coquette* *sot → sotte*	*complet / complète, concret / concrète, désuet / désuète, discret / discrète, inquiet / inquiète, secret / secrète, idiot / idiote*
-en *-on*	*-enne* *-onne*	*ancien → ancienne* *bon → bonne*	

Nom : _____   Date : _____

Consulte la règle *(suite)*

Masc.	Fém.	Exemples	Exceptions
QUELQUES CAS PARTICULIERS *(suite)*			
-as	*-asse*	*bas → basse*	Certains adjectifs en *-is* font *-ise* au féminin.
-is	*-isse*	*épais → épaisse*	*Exemples : gris → grise*
-os	*-osse*	*gros → grosse*	*pris → prise*
-if	*-ive*	*attentif → attentive*	
-er	*-ère*	*dernier → dernière*	
-x	*-se*	*heureux → heureuse*	
-eur	*-euse*	*moqueur → moqueuse*	Certains adjectifs en *-eur* font *-eure* au féminin.
-teur	*-teuse*	*menteur → menteuse*	*Exemple : meilleur → meilleure*
-teur	*-trice*	*protecteur → protectrice*	
Plusieurs adjectifs au masculin ont des formes particulières au féminin. *Exemples : frais → fraîche ; fou → folle ; vieux → vieille ; favori → favorite*			

La formation du pluriel des adjectifs		
Règle générale		**Exemple**
On forme généralement le **pluriel** des adjectifs en ajoutant un *-s* à l'adjectif au singulier.		*un bon ami → de bons amis*
QUELQUES CAS PARTICULIERS		

Sing.	Plur.	Exemples	Exceptions
-s	*-s*	*gris → gris*	
-x	*-x*	*doux → doux*	
-eau	*-eaux*	*beau → beaux*	
-al	*-aux*	*spécial → spéciaux*	Certains adjectifs en *-al* font *-als* au pluriel : *banal / banals, bancal / bancals, fatal / fatals, natal / natals, naval / navals.*
			Les adjectifs *idéal, final, glacial, causal, pascal, austral* et *boréal* font *-als* ou *-aux* au pluriel.

FICHE D'ACTIVITÉ
11
MODULE 2

Les accords dans le groupe nominal (*suite*)

Exerce-toi

1. Dans les phrases ci-dessous :

- souligne le nom noyau de chaque groupe nominal ;
- indique l'accord des déterminants et des adjectifs des groupes nominaux, comme dans l'exemple.

Exemple :   Ces <u>effets</u> spéciaux sont vraiment bien faits.
                 masc. plur.

a) La scène tournée par ces acteurs est très difficile.

b) Trois studios ont été nécessaires pour tourner ce film.

c) Avec ces ordinateurs très puissants, on peut créer l'image d'une tornade.

d) Cette nouvelle équipe de tournage travaille même la nuit.

e) Une jeune actrice tourne une scène dans le blizzard.

f) La technicienne a créé un épais brouillard avec de la glycérine.

g) Dans ce film, quatre personnages pourchassent des tornades terrifiantes.

Les accords dans le groupe nominal (suite)

Exerce-toi (suite)

2. Les groupes nominaux ci-dessous sont au masculin. Récris-les au féminin. Pour t'aider, utilise les tableaux de *Consulte la règle*.

Exemple : Des acteurs géniaux   Des actrices géniales _____

a) Plusieurs nouveaux techniciens   _____

b) Le comédien filmé dans cette scène   _____

c) Le jeune héros de cette série   _____

d) Un réalisateur talentueux   _____

e) Cinq très bons spécialistes   _____

f) Un gros tigre dressé   _____

g) Un directeur très nerveux   _____

h) Des assistants inquiets   _____

i) Un nouveau collaborateur   _____

3. Récris au pluriel les groupes nominaux ci-dessous. Pour t'aider, utilise les tableaux de *Consulte la règle*.

Exemple : Un très bon travail   De très bons travaux _____

a) Un vaisseau spatial   _____

b) Un effet spécial banal   _____

c) Le bel hibou   _____

d) Un écran bleu   _____

e) Un festival génial   _____

f) Un blizzard glacial   _____

g) Une réalisatrice attentive   _____

FICHE D'ACTIVITÉ

12

MODULE 2

L'accord de l'attribut du sujet

Réfléchis

- Que connais-tu à propos de l'attribut du sujet?
- D'après toi, l'attribut du sujet fait-il partie du groupe nominal ou du groupe verbal?
- Avec quels verbes utilise-t-on des attributs?

Observe

- *Fabien est un excellent photographe.*
- *Béa est passionnée de bandes dessinées.*
- *Le super héros Point d'exclamation devient invincible comme Spiderman.*
- *Les albums de Maryse et de Marc sont formidables.*
- *Nataniya paraît heureuse de faire son métier de metteure en scène.*

a) Quels sont les verbes des phrases ci-dessus? S'agit-il de verbes d'action ou de verbes d'état?

b) Dans ces phrases, quel est le genre et quel est le nombre des noms ou des adjectifs placés après le verbe?

c) Ces noms et ces adjectifs font-ils partie du sujet ou du groupe verbal?

d) Avec tes mots, explique la façon d'accorder les noms et les adjectifs dans les phrases ci-dessus.

Littératie en action 6 / Guide
11056

Cette fiche accompagne les activités langagières du guide d'enseignement.

63

Nom : _____ Date : _____

Consulte la règle

L'**attribut du sujet** fait partie du groupe verbal. L'attribut est placé après le verbe *être* ou un **verbe attributif** comme *sembler, demeurer, rester, devenir, paraître,* etc. Il s'accorde en **genre** (masculin ou féminin) et en **nombre** (singulier ou pluriel) avec le sujet.

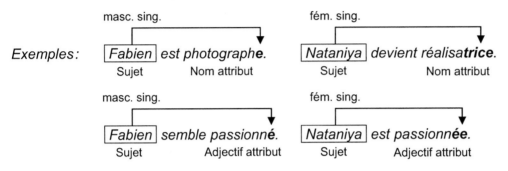

Exemples :

masc. sing.
$\boxed{\text{Fabien}}$ *est photographe.*
Sujet   Nom attribut

fém. sing.
$\boxed{\text{Nataniya}}$ *devient réalisatrice.*
Sujet   Nom attribut

masc. sing.
$\boxed{\text{Fabien}}$ *semble passionné.*
Sujet   Adjectif attribut

fém. sing.
$\boxed{\text{Nataniya}}$ *est passionnée.*
Sujet   Adjectif attribut

LA RÈGLE GÉNÉRALE DE L'ACCORD DE L'ATTRIBUT DU SUJET

- Si le sujet est un **groupe nominal**, l'attribut reçoit le genre et le nombre du **nom noyau** du groupe nominal.

Groupe nominal (masc. plur.)

Exemple : $\boxed{\text{Les } \textbf{albums} \text{ de Maryse et de Marc}}$ *sont formidable**s**.*
albums est le nom noyau du groupe nominal

- Si le sujet est le pronom *je, tu, moi, toi, nous* ou *vous*, on doit connaître le genre (masculin ou féminin) de la personne ou des personnes que le pronom représente. L'attribut reçoit le genre et le nombre de ce pronom.

Pronom sujet (masc. sing.)

Exemples :   *Je m'appelle Fabien.* $\boxed{\text{Je}}$ *suis passionn**é** de photographie.*

Pronom sujet (fém. sing.)

Je m'appelle Béa. $\boxed{\text{Je}}$ *suis passionn**ée** de bandes dessinées.*

L'accord de l'attribut du sujet (suite)

Consulte la règle (suite)

LES CAS PARTICULIERS DE L'ACCORD DE L'ATTRIBUT DU SUJET

- Si le sujet contient **plusieurs groupes nominaux** ou qu'il a **plusieurs pronoms sujets**, on doit trouver le genre (masculin ou féminin) de chaque nom noyau et de chaque pronom. Quand les noms noyaux ou les pronoms qui composent le sujet sont de genres différents, on accorde l'attribut au masculin pluriel.

Exemples :

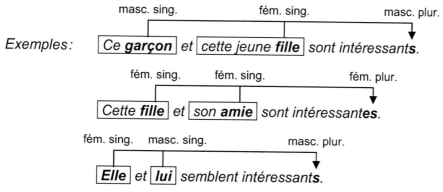

- Si le sujet est un **groupe verbal infinitif**, l'attribut s'accorde au masculin singulier.

Exemple :

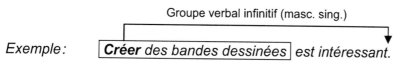

- Si le sujet est le **vous de politesse**, l'attribut s'accorde au féminin singulier si la personne est une femme ou au masculin singulier si la personne est un homme.

Exemples :

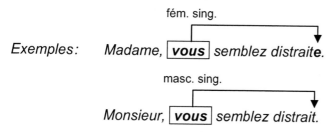

- Si le sujet est le pronom **on** synonyme de **nous**, l'attribut s'accorde au pluriel.

Exemple :

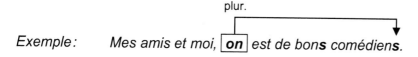

Nom : _____   Date : _____

L'accord de l'attribut du sujet (*suite*)

Exerce-toi

Dans les phrases ci-dessous, accorde l'attribut du sujet en laissant des traces de ton accord, comme dans l'exemple.

Exemple :   Les ┌ *photographies* ┐ de Fabien sont très _____ *belles* _____.

fém. plur.

beau

a) Cette photographie semble un peu _____.

flou

b) Les personnages de Béa sont _____.

drôle

c) Les bandes dessinées de Tristan Demers semblent très _____.

connu

d) La première bande dessinée de Béa paraissait très _____.

réussi

e) Aimer le théâtre et le cinéma est _____ pour devenir metteur en scène.

important

f) Nataniya, vous semblez très _____ d'être metteure en scène.

heureux

g) Les photographies et les dessins de cet artiste sont vraiment _____.

impressionnant

h) Mes amis et moi, on est _____ pour construire des décors de théâtre.

excellent

Les préfixes et les suffixes

Réfléchis

- Que connais-tu à propos des familles de mots ? Donne un exemple d'une famille de mots.
- Qu'est-ce qu'un mot de base ?
- Quelle est la différence entre un préfixe et un suffixe ?
- À quoi servent les préfixes et les suffixes ?

Observe

transformer	*doubler*	*héros*	*personnage*
dédoubler	*antihéros*	*personne*	*forme*
personnellement	*double*	*formation*	*héroïque*
doublure	*impersonnel*	*superhéros*	*déformer*

a) Dans la liste de mots ci-dessus, lesquels appartiennent à la même famille ?

b) Quel est le mot de base de chaque famille ?

c) Tous les mots d'une même famille ont-ils exactement le même sens ? Pourquoi ?

d) Les mots de même famille appartiennent-ils à la même classe de mots ? Explique ta réponse.

e) Quelles lettres peux-tu ajouter au début (préfixe) ou à la fin (suffixe) d'un mot de base pour former des mots de même famille ? Donne des exemples à partir de la liste de l'encadré ci-dessus.

f) Dans tes mots, explique la façon de former des mots de même famille à partir d'un mot de base.

Les préfixes et les suffixes (suite)

Consulte la règle

Un **préfixe** est une ou plusieurs lettres qu'on ajoute au début d'un mot de base pour former un autre mot.

	Mot de base	→	Ajout d'un préfixe
Exemple :	*parfait*		***im**parfait*

Il existe de nombreux préfixes. Le tableau suivant présente les plus courants.

Préfixes	Exemples	Préfixes	Exemples	Préfixes	Exemples
a-	*anormal*	**co-, con-**	*co**équipière, con**tenir*	**mal-**	*mal**heureux*
en-, em-	*en**cadrer, em**mener*	**il-, in-, im-, ir-**	*il**limité, in**active, im**possible, ir**réel*	**re-, ré-**	*re**venir, ré**écriture*
dé-, dés-, dis-	*dé**placer, dés**habiller, dis**paraître*	**para-**	*para**chute*	**sur-**	*sur**prendre*
inter-	*inter**venir*	**pré-**	*pré**venir*	**trans-**	*trans**porter*

Un **suffixe** est une ou plusieurs lettres qu'on ajoute à la fin d'un mot de base pour former un autre mot.

	Mot de base	→	Ajout d'un suffixe
Exemple :	*précis*		*préci**sion***

Il existe de nombreux suffixes. Le tableau suivant présente les plus courants.

Suffixes	Exemple	Suffixes	Exemple	Suffixes	Exemple
-able	*port**able***	**-erie**	*boulang**erie***	**-ise**	*friand**ise***
-age	*lang**age***	**-esse**	*tendr**esse***	**-iste**	*fleur**iste***
-al, -ale	*fin**al***	**-ette**	*roul**ette***	**-isme**	*journal**isme***
-ant, -ante	*amus**ant***	**-eur, -euse**	*cascad**eur***	**-ité**	*personnal**ité***
-ation	*imagin**ation***	**-ien, -ienne**	*canad**ienne***	**-ment**	*final**ement***
-eron	*forg**eron***	**-if, -ive**	*invent**if***	**-u, -ue**	*poil**u***
-el, -elle	*accident**el***	**-ion**	*permiss**ion***	**-ure**	*couvert**ure***

Un mot formé avec un préfixe ou un suffixe, ou les deux, se nomme un **mot dérivé**.

Les mots *imprécis*, *précision*, *préciser*, *imprécision* et *précisément* sont dérivés du mot de base *précis*.

FICHE D'ACTIVITÉ
13
MODULE 2

Les préfixes et les suffixes (suite)

Consulte la règle (suite)

L'ajout d'un **préfixe** ou d'un **suffixe** modifie le sens du mot de base.

Exemples: **im**possible: le préfixe **im-** signifie «qui n'est pas» possible

tourn**age**: le suffixe **-age** signifie «l'action de» tourner

Les **suffixes** sont très utiles pour former des noms, des adjectifs et des adverbes.

Attention! On doit parfois modifier la fin du mot de base pour pouvoir ajouter un suffixe.
Exemples: *personne* → *personnel* → *personnalité* → *personnellement*

Exerce-toi

1. Pour chaque mot de base:

- écris un mot dérivé à l'aide d'un préfixe;

- donne ta propre définition du mot dérivé, comme dans l'exemple.

Exemple: **chute** → Mot dérivé (avec préfixe) *parachute* _____
Définition: *Objet qui empêche de tomber, contre la chute.* _____

a) commode → Mot dérivé (avec préfixe) _____

Définition: _____

b) parfait → Mot dérivé (avec préfixe) _____

Définition: _____

c) pousser → Mot dérivé (avec préfixe) _____

Définition: _____

d) venir → Mot dérivé (avec préfixe) _____

Définition: _____

Littératie en action 6 / Guide
11056
Cette fiche accompagne les activités langagières du guide d'enseignement.
69

FICHE D'ACTIVITÉ
13
MODULE 2

Les préfixes et les suffixes (suite)

Exerce-toi (suite)

2. Pour chaque mot de base :

- écris un mot dérivé à l'aide d'un suffixe ;

- donne ta propre définition du mot dérivé, comme dans l'exemple.

Exemple : **réaliser** → Mot dérivé (avec suffixe) *réalisatrice* _____

Définition : *Personne qui réalise un film ou une émission de télévision.* ___

a) **peur** → Mot dérivé (avec suffixe) _____

Définition : _____

b) **cascade** → Mot dérivé (avec suffixe) _____

Définition : _____

c) **héros** → Mot dérivé (avec suffixe) _____

Définition : _____

d) **célèbre** → Mot dérivé (avec suffixe) _____

Définition : _____

3. Pour chaque mot de base :

- écris deux mots dérivés, l'un avec un préfixe et l'autre avec un suffixe. Pour t'aider, reporte-toi aux tableaux de *Consulte la règle* et sers-toi d'un dictionnaire.

- encadre les préfixes et les suffixes dans les mots dérivés, comme dans l'exemple.

Mot dérivé (avec préfixe)	**← Mot de base →**	**Mot dérivé** (avec suffixe)
im mobile	*mobile*	*mobil ité*

Exemple :

FICHE D'ACTIVITÉ
13
MODULE 2

Les préfixes et les suffixes (suite)

Exerce-toi (suite)

Mot dérivé (avec préfixe)	← Mot de base →	Mot dérivé (avec suffixe)
a) _____	naturel	_____
b) _____	porter	_____
c) _____	poli	_____
d) _____	vivre	_____
e) _____	pluie	_____
f) _____	poser	_____
g) _____	normal	_____
h) _____	possible	_____
i) _____	vision	_____
j) _____	chance	_____

FICHE D'ACTIVITÉ
14

MODULE 2

Les manipulations linguistiques

Réfléchis

- Quelles manipulations linguistiques connais-tu?
- À quoi les manipulations linguistiques servent-elles?

Observe

- *Nathalie fait des maquillages.* → *Nathalie fait des maquillages pour le théâtre.*

- *Souvent, les maquillages sont très différents.* → *Les maquillages sont souvent très différents.*

- *J'aime beaucoup les maquillages colorés.* → *J'aime les maquillages.*

- *Mon amie a inventé mon maquillage.* → *C'est mon amie qui a inventé mon maquillage.*

- *Ils connaissent les trucs du maquillage.* → *Ils connaissent les secrets du maquillage.*

a) Lorsque tu compares ci-dessus les phrases de gauche avec celles de droite, quels mots ou groupes de mots ont été ajoutés, remplacés, effacés, déplacés, ou même encadrés à l'aide d'autres mots?

b) Avec tes mots, explique comment chaque phrase de gauche a été modifiée pour obtenir celle de droite.

- *Elle fait des maquillages.* → *Fait-elle des maquillages?*

- *J'aime les maquillages de clown.* → *Je n'aime pas les maquillages de clown.*

c) Lorsque tu compares ci-dessus les phrases de gauche avec celles de droite, quels changements observes-tu? Quels mots ont été déplacés ou ajoutés?

d) Avec tes mots, explique comment chaque phrase de gauche a été transformée pour obtenir celle de droite.

FICHE D'ACTIVITÉ
14
MODULE 2

Les manipulations linguistiques (*suite*)

Consulte la règle

Les **manipulations linguistiques** permettent de comprendre la construction d'une phrase en identifiant les classes de mots, en repérant certains groupes de mots ou encore en permettant de trouver leur fonction. Elles facilitent la révision, aident à enrichir ou à transformer les phrases.

Les manipulations linguistiques les plus utiles sont l'**addition**, l'**effacement**, l'**encadrement**, le **déplacement** et le **remplacement**.

L'addition permet d'ajouter des éléments à un groupe de mots ou à une phrase.		
On s'en sert pour :	**Phrase de départ**	**Phrase manipulée**
• transformer une phrase en phrase interrogative, négative ou exclamative ;	*Ce maquillage est réussi.*	(Phrase interrogative) → *Ce maquillage est-**il** réussi ?* (Phrase négative) → *Ce maquillage **n'**est **pas** réussi.* (Phrase exclamative) → ***Comme** ce maquillage est réussi !*
• enrichir un groupe de mots ou une phrase.		→ *Ce **magnifique** maquillage est **très** réussi.* → *Ce maquillage est très réussi, **car on ne te reconnaît pas du tout**.*

L'effacement permet d'enlever un mot ou un groupe de mots dans une phrase.		
On s'en sert pour :	**Phrase de départ**	**Phrase manipulée**
• trouver le complément de phrase (Compl. de P) ;	*Samedi dernier, mon meilleur ami est allé à un spectacle de cirque.*	(Compl. de P) → ~~Samedi dernier,~~ Mon meilleur ami est allé à un spectacle de cirque.
• repérer le noyau d'un groupe de mots.		(Noyau) (Noyau) → Samedi ~~dernier~~, mon ~~meilleur~~ ami (Noyau) est allé à un spectacle ~~de cirque~~.

Les manipulations linguistiques (suite)

Consulte la règle (suite)

L'encadrement permet d'encadrer un mot ou un groupe de mots à l'aide d'une expression.		
On s'en sert pour :	**Phrase de départ**	**Phrase manipulée**
• repérer le sujet dans une phrase ;	*Nathalie est une excellente maquilleuse.*	(Sujet) → **C'est** Nathalie **qui** est une excellente maquilleuse.
• repérer le verbe dans une phrase.		(Verbe) → Nathalie **n'**est **pas** une excellente maquilleuse.

Le déplacement permet de changer la position d'un mot ou d'un groupe de mots dans une phrase.		
On s'en sert pour :	**Phrase de départ**	**Phrase manipulée**
• trouver le complément de phrase (Compl. de P) et construire des phrases variées ;	*Tu aimes te maquiller le jour de l'Halloween.*	(Compl. de P) → **Le jour de l'Halloween**, tu aimes te maquiller ~~le jour de l'Halloween~~.
• transformer une phrase en phrase interrogative ou passive.	*Nathalie fait de beaux maquillages.*	(Phrase interrogative) → Nathalie **fait-elle** de beaux maquillages ? (Phrase passive) → **De beaux maquillages** sont faits par **Nathalie**.

FICHE D'ACTIVITÉ
14
MODULE 2

Les manipulations linguistiques (*suite*)

Consulte la règle (*suite*)

Le remplacement permet de remplacer un mot ou un groupe de mots par un autre.		
On s'en sert pour :	**Phrase de départ**	**Phrase manipulée**
• vérifier la classe d'un mot ;	*Nathalie et Lucas semblent fiers de leur maquillage.*	(Adjectif) → *Nathalie et Lucas semblent ~~fiers~~* **contents** *de leur maquillage.*
• vérifier si un verbe est attributif ;		(Verbe attributif) → *Nathalie et Lucas ~~semblent~~* **sont** *fiers de leur maquillage.*
• trouver le genre et le nombre d'un groupe nominal sujet ;		(3e pers. plur.) → *~~Nathalie et Lucas~~* **Ils** *semblent fiers de leur maquillage.*
• éviter les répétitions dans un texte.	*Je prête mes crayons de maquillage à mon frère. Mon frère utilise souvent mes crayons.*	→ *Je prête mes crayons de maquillage à mon frère.* (Pronoms) **Il les** *utilise souvent.*

Exerce-toi

1. Écris le nom de la manipulation linguistique (addition, effacement, encadrement, déplacement ou remplacement) effectuée dans les phrases suivantes. Indique les indices qui t'ont permis de trouver tes réponses, comme dans l'exemple.

Manipulation

Exemple :   *Laetitia* |*crée*| *des effets spéciaux.*

   → *Laetitia* |*invente*| *des effets spéciaux.*   _____ Remplacement

a) En 1988, elle a réalisé ses premiers maquillages pour le théâtre.

   → Elle a réalisé ses premiers maquillages.   _____

Littératie en action 6 / Guide
11056
Cette fiche accompagne les activités langagières du guide d'enseignement.

75

Les manipulations linguistiques (suite)

Exerce-toi (suite)

Manipulation

b) Le maquillage sert à créer des personnages.

→ Le maquillage sert aussi à créer des
personnages très drôles.

_____

c) Laetitia a créé des centaines de maquillages.

→ C'est Laetitia qui a créé des centaines
de maquillages.

_____

d) Elle travaille avec plusieurs personnes
au Cirque du Soleil.

→ Au Cirque du Soleil, elle travaille avec
plusieurs personnes.

_____

e) Les clowns utilisent des trucs pour réussir
leur maquillage.

→ Les artistes utilisent des trucs pour réussir
leur maquillage.

_____

2. Récris les phrases suivantes en additionnant un mot ou un groupe de mots.

a) Le Pierrot est un personnage.

_____

b) Mon amie aime les maquillages.

_____

FICHE D'ACTIVITÉ
14
MODULE 2

Les manipulations linguistiques *(suite)*

Exerce-toi *(suite)*

3. Récris les phrases suivantes en enlevant un mot ou un groupe de mots.

a) Les maquillages sont très importants pour créer un personnage.

_____

b) Il faut de la patience et du talent pour faire un maquillage.

_____

4. Récris les phrases suivantes en encadrant le sujet à l'aide de l'expression *C'est… qui*.

a) Mon maquillage représente un vampire.

_____

b) Bruno se déguise toujours en squelette.

_____

5. Récris les phrases suivantes en déplaçant un mot ou un groupe de mots.

a) Demain, nous verrons un spectacle de cirque.

_____

b) Nathalie, à 14 ans, a décidé de devenir maquilleuse.

_____

6. Récris les phrases suivantes en remplaçant un mot ou un groupe de mots.

a) Les artistes du Cirque du Soleil sont très impressionnants.

_____

b) J'aime les maquillages qui font peur.

_____

Nom : _____   Date : _____

Réfléchis

- Que connais-tu à propos des comparaisons et des métaphores ?
- À quoi servent-elles ?
- Quel genre de texte contient souvent des comparaisons et des métaphores : des articles de journaux, des récits, des biographies ou des poèmes ?

Observe

> - *Guillaume est fier comme un paon !*
> - *La queue du paon est pareille à un éventail multicolore.*
> - *Notre bateau était secoué par les vagues, telle une bouteille jetée à la mer.*

a) Dans les phrases ci-dessus, à quoi compare-t-on Guillaume, la queue du paon et le bateau ?

b) Dans ces phrases, quels mots t'indiquent qu'il s'agit de comparaisons ?

> - *Tes poèmes sont mes petits trésors.*
> - *Ce jardin est un océan de fleurs.*
> - *L'océan est un immense désert bleu.*
> - *Le désert est une mer de sable.*

c) Dans les phrases ci-dessus, à quoi compare-t-on les poèmes, le jardin, l'océan et le désert ?

d) Avec tes mots, explique pourquoi ces phrases créent des images et quel est leur effet dans un texte.

Les comparaisons et les métaphores (*suite*)

Consulte la règle

La **comparaison** sert à exprimer une ressemblance entre deux choses à l'aide d'un mot de comparaison : *comme, tel, aussi… que, plus… que, pareil à*, etc.

Exemples :   Les gouttes de pluie sont **comme des diamants**.
Signification : elles brillent.

Le bateau est secoué **telle** *une bouteille jetée à la mer*.
Signification : il n'a plus de direction, il suit le mouvement des vagues.

La **métaphore** sert à exprimer une ressemblance entre deux choses, sans mot de comparaison.

Exemples :   Tes poèmes sont mes petits trésors.
Signification : ils sont très précieux.

Ce jardin est un océan de fleurs.
Signification : il y a beaucoup de fleurs dans ce jardin.

Certaines **métaphores** décrivent un animal ou une chose avec des caractéristiques humaines (comme s'il s'agissait d'une personne). Ces métaphores s'appellent des **personnifications**.

Exemples :   L'océan est en colère.
Signification : il est très agité, comme une personne qui serait fâchée.

Le bateau valse sur les vagues.
Signification : il se déplace d'un côté et de l'autre, comme une personne qui danserait une valse.

Exerce-toi

1. Avec tes mots, explique ce que signifient les comparaisons et les métaphores suivantes.

a) La queue du paon est comme un éventail multicolore.

_____

b) Le paon danse pour séduire sa belle.

_____

c) Le temps court si vite qu'on ne peut le rattraper.

_____

Les comparaisons et les métaphores (suite)

Littératie en action 6 / Guide

Exerce-toi (suite)

d) Le soleil se repose la tête sur un nuage.

_____

e) Les vers de terre prennent l'air.

_____

f) L'océan est un immense désert bleu.

_____

2. Écris un court texte en utilisant au moins une comparaison et une métaphore. Ensuite :

- souligne la comparaison et la métaphore dans ton texte ;
- à partir de ton texte, crée un calligramme.

_____

_____

_____

_____

_____

Titre du calligramme : _____

FICHE D'ACTIVITÉ
16
MODULE 2

La position du sujet dans la phrase

Réfléchis

- Que connais-tu sur le rôle du sujet ? À quoi sert-il ?
- Le plus souvent, où le sujet est-il situé dans une phrase ?
- Comment peux-tu trouver le sujet dans une phrase longue ?
- Quels mots ou groupes de mots peuvent être le sujet d'une phrase ? Donne des exemples.

Observe

> - *Toi et moi aimons la même émission de télévision.*
> - *Les angles de prises de vue et les effets de caméra montrent le point de vue du réalisateur.*
> - *Les scènes de film et celles de téléroman sont tournées dans le désordre.*
> - *Dans ce studio de télévision, on enregistre mon téléroman préféré.*
> - *Tourner des scènes dans la rue est parfois difficile.*
> - *Derrière les caméras se cachent de grosses équipes techniques.*

a) Quel mot ou groupe de mots est le sujet dans les phrases ci-dessus ?

b) Où chaque sujet est-il situé ? Avant ou après le verbe ?

c) Quel est le mot le plus important (le mot noyau) dans ces sujets ?

d) D'après toi, pourquoi est-il important de trouver le mot noyau d'un sujet ?

e) Avec tes mots, explique ta façon de trouver le sujet dans une phrase.

FICHE D'ACTIVITÉ
16
MODULE 2

La position du sujet dans la phrase *(suite)*

Consulte la règle

Dans une phrase, le **sujet** indique généralement la personne ou la chose qui fait l'action. Il est habituellement placé avant le verbe.

Dans une phrase, le sujet peut être un groupe nominal, un pronom ou un groupe verbal.

Exemples :	**Groupe nominal (GN)**	*L'écran de télévision* / *encadre l'image.*
	Pronom	*Nous* / *regardons beaucoup la télévision.*
	Groupe verbal (GV)	*Choisir la position de la caméra* / *est important.*

Dans une phrase, le sujet peut contenir plusieurs groupes de mots, comme dans les exemples suivants.

Exemples :	**Plusieurs groupes nominaux**	*Le gros plan et le très gros plan* / *permettent de montrer des émotions.*
	Plusieurs pronoms	*Vous et moi* / *regardons la télévision.*
	Groupe nominal + pronom	*Ma meilleure amie et moi* / *aimons les mêmes émissions.*

Pour trouver le sujet dans une phrase, on peut utiliser les deux manipulations linguistiques suivantes.

1) On encadre le sujet par l'expression *C'est… qui* ou *Ce sont… qui.*	
Le gros plan et le très gros plan permettent de montrer des émotions. →	**Ce sont** *le gros plan et le très gros plan* **qui** *permettent de montrer des émotions.*
2) On remplace le sujet par les pronoms *il, elle, ils, elles* ou *cela* (lorsque le sujet n'est pas déjà un pronom).	
Le gros plan et le très gros plan permettent de montrer des émotions. →	**Ils** *permettent de montrer des émotions.*

Lorsque le sujet d'une phrase est un groupe nominal, il est important de trouver le **nom noyau** de ce groupe de mots. Le nom noyau permet de faire les accords dans le groupe nominal, mais aussi d'accorder le verbe avec son sujet.

Exemples :   *Le **plan** en contre-plongée de ce cochon* / *est très amusant.*

*Les très gros **plans** du visage de ce personnage* / *donnent le frisson.*

Pour trouver le nom noyau d'un groupe nominal, on peut utiliser la manipulation linguistique suivante.

On encadre uniquement le nom noyau par l'expression *C'est… qui* ou *Ce sont… qui.*
*Les très gros **plans** du visage de ce personnage donnent le frisson.* → **Ce sont** *les plans* **qui** *donnent le frisson.*

FICHE D'ACTIVITÉ
16
MODULE 2

La position du sujet dans la phrase (*suite*)

Exerce-toi

1. Souligne le sujet de chaque phrase. Vérifie ta réponse en encadrant le sujet avec l'expression *C'est… qui* ou *Ce sont… qui* et en remplaçant le sujet par un pronom, comme dans l'exemple.

> C'est [Il]   qui
> *Exemple : Le plan en contre-plongée d'un gratte-ciel donne une impression de hauteur.*

   a) La comédienne de ce téléroman est très connue.

   b) Le cinéma, la photographie et la télévision utilisent parfois les mêmes techniques.

   c) Mes camarades de classe et moi avons fait un film d'animation.

   d) Reconnaître les différents angles de prise de vue peut être amusant.

2. Dans les phrases suivantes, souligne le sujet et encercle chaque pronom sujet et chaque nom noyau, comme dans l'exemple. N'oublie pas d'utiliser des manipulations linguistiques pour vérifier tes réponses.

> *Exemple : Le* réalisateur *de l'émission et le* monteur *choisissent les prises de vue.*

   a) Dans ce plan, les personnes et les objets filmés paraissent petits.

   b) Les édifices et les personnes en contre-plongée paraissent grands.

   c) Mes camarades de classe et moi avons essayé de nous filmer en contre-plongée.

   d) Damien, ton ami et toi avez réalisé un dessin animé.

   e) Dans un plan moyen, les personnes, les objets et l'arrière-plan ont la même importance.

   f) Un immense globe oculaire est apparu à l'écran.

   g) Les émissions de variétés et les téléjournaux présentent souvent des plans d'ensemble.

   h) Les meilleures prises de vue font partie du montage final.

Littératie en action 6 | Guide
11056
Cette fiche accompagne les activités langagières du guide d'enseignement.
83

Le groupe adjectival et le groupe participial

Réfléchis

- Que connais-tu à propos des adjectifs ?
- Comment accordes-tu les adjectifs ?
- Que connais-tu à propos des participes présents ?
- Comment fais-tu pour former un participe présent ?

Observe

> - *Ce très beau plan montre d'impressionnants gratte-ciel.*
> - *Cet immense globe oculaire est vraiment effrayant.*
> - *Les images tournées par ce réalisateur sont surprenantes.*

a) Dans les phrases ci-dessus, où les adjectifs sont-ils situés ? Quels noms ces adjectifs accompagnent-ils ?

b) Quelles phrases contiennent des adverbes ? Comment peux-tu repérer un adverbe dans une phrase ?

c) Avec tes mots, explique ce qu'est un groupe adjectival.

> - *La caméra filmant ces images est située très près du sol.*
> - *Les images défilant à l'écran sont très colorées.*
> - *Ce gros plan montrant la tête d'un cochon est vraiment rigolo.*

d) Dans les phrases ci-dessus, où les participes présents sont-ils situés ? Quels noms ces participes présents accompagnent-ils ?

e) Avec tes mots, explique ce qu'est un groupe participial.

FICHE D'ACTIVITÉ
17
MODULE 2

Le groupe adjectival et le groupe participial (*suite*)

Consulte la règle

LE GROUPE ADJECTIVAL

Le **groupe adjectival (GAdj)** est un groupe de mots dont le noyau est un **adjectif**. Le groupe adjectival permet d'enrichir ou de préciser le sens d'un nom. Le groupe adjectival est habituellement un complément du nom ou un attribut du sujet.

Exemples :

GAdj (compl. du nom *plan*)   GAdj (compl. du nom *gratte-ciel*)
Ce │*très **beau*** │ *plan* montre d'│**impressionnants**│ *gratte-ciel*.
    Nom sujet   Nom

GAdj (compl. du nom *images*)   GAdj (attribut du sujet)
Les *images* │***tournées** par ce réalisateur* │ sont │**surprenantes**│.
Nom sujet

Le groupe adjectival peut être composé d'un adjectif ou encore d'un adjectif accompagné par un ou plusieurs autres mots, comme dans les exemples suivants.

Exemples :

Adjectif seul   Vous aimez ces │**belles**│ *images*.

Adjectif + adverbe   Vous aimez ces │*très **belles***│ *images*.

Adjectif + groupe de mots Ces *images* │***prises** dans la rue*│ sont les siennes.

Attention !

1. La plupart des participes passés utilisés seuls sont considérés comme des adjectifs. Par exemple, dans l'expression « des images │**prises** dans la rue│ », le mot *prises* est un participe passé employé comme adjectif.

2. L'adjectif s'accorde toujours en genre et en nombre avec le nom qu'il accompagne ou avec le sujet s'il est attribut.

LE GROUPE PARTICIPIAL

Le **groupe participial (GPart)** est un groupe de mots dont le noyau est un **participe présent**. Dans un groupe participial, le participe présent est habituellement suivi d'un complément.

Le groupe participial a souvent le même rôle (complément du nom) que le groupe adjectival, car il permet lui aussi d'enrichir ou de préciser le sens d'un nom. Cependant, on n'accorde jamais le participe présent avec le nom qu'il accompagne, car il est invariable.

Exemple :

GPart (compl. du nom *images*)
Les *images* │***défilant** à l'écran*│ sont très colorées.
Nom

Littératie en action 6 / Guide
11056

Cette fiche accompagne les activités langagières du guide d'enseignement.

85

Le groupe adjectival et le groupe participial *(suite)*

Consulte la règle *(suite)*

Le groupe participial peut aussi être précédé de la préposition *en*. Dans ce cas, il est plutôt un complément de phrase (Compl. de P).

GPart (Compl. de P)

Exemples :   *Les spectateurs sont très émus* <u>*en*</u> | ***regardant*** *ce film* | .

GPart (Compl. de P)

<u>*En*</u> | ***tournant*** *ces images* | *, le réalisateur voulait montrer la beauté du paysage.*

Le **participe présent** est un temps de conjugaison du verbe. On le forme à partir du radical du verbe à la 1re personne du pluriel, au présent de l'indicatif, auquel on ajoute la terminaison *-ant*.

Exemples : *finir, nous finiss***ons** → *finiss***ant** ; *boire, nous buv***ons** → *buv***ant** ;

*prendre, nous pren***ons** → *pren***ant** ; *découvrir, nous découvr***ons** → *découvr***ant**

Exerce-toi

1. Dans chaque phrase ci-dessous :

- souligne le ou les groupes adjectivaux (GAdj) ;

- encercle chaque adjectif noyau ;

- indique si les GAdj sont des compléments du nom ou des attributs du sujet, comme dans l'exemple.

Compl. du nom *objets*   Attribut

Exemple :   *Dans ce plan, les objets* |*filmés*| *paraissent* <u>*très*</u>|*petits*| .

a) Les très gros plans provoquent parfois des émotions intenses.

b) Ce petit dessin animé est vraiment très réussi.

c) Les images filmées par ton ami sont un peu trop floues.

FICHE D'ACTIVITÉ
17
MODULE 2

Le groupe adjectival et le groupe participial (*suite*)

Exerce-toi (*suite*)

d) À l'aide d'une petite caméra, tu peux faire de vrais films.

e) Les personnes filmées en contre-plongée sont plus grandes que dans la réalité.

2. Dans chaque phrase ci-dessous :

- souligne le groupe participial (GPart) ;
- encercle le participe présent noyau ;
- indique si le GPart est complément du nom ou complément de phrase (Compl. de P), comme dans l'exemple.

> Compl. du nom *cinéaste*
>
> Exemple : La cinéaste ⌐tenant¬ la caméra est très connue.

a) L'image de ce personnage faisant une cascade est spectaculaire.

b) Les objets paraissant plus grands sont souvent filmés en contre-plongée.

c) En éternuant très fort, le caméraman a fait rire tout le monde.

d) Mon amie a regardé cette scène en faisant une grimace.

e) Les larges plans montrant tout un décor ou un paysage sont souvent des plans d'ensemble.

Les expressions figurées

Réfléchis

- Que connais-tu à propos du sens propre et du sens figuré des mots ?

- Connais-tu des expressions figurées ? Donne des exemples.

- Peux-tu utiliser des expressions figurées dans n'importe quel genre de texte ?
  Explique ta réponse.

Observe

- *C'est ton imagination qui te joue des tours.*

- *Paralysé par la peur, Alex ne sait plus quoi faire.*

- *M. Vacherin a fait un vol plané vers le conteneur à vidanges.*

- *Tout le monde suit la scène en retenant son souffle.*

- *Comme un film au ralenti, la vidéocassette s'engouffre dans la boîte de dépôt.*

a) Dans chacune des phrases ci-dessus, quelle expression a un sens figuré, ou imagé ?

b) As-tu déjà lu ou entendu ces expressions ? T'arrive-t-il de les utiliser ? Explique tes réponses.

c) Que veulent dire ces expressions ? Pour répondre, reformule chaque phrase avec tes mots,
comme si tu expliquais le sens de la phrase.

d) Explique pourquoi les expressions figurées donnent un sens plus imagé à un texte.

FICHE D'ACTIVITÉ
18
MODULE 2

Les expressions figurées (*suite*)

Consulte la règle

Le **sens propre** est le sens concret d'un mot et souvent son sens le plus courant. Le **sens figuré** est le sens plus imagé et plus expressif d'un mot.

Exemples:	**Sens propre**	*Flavie **est tombée** par terre.*

Signification : elle a chuté, est tombée sur le sol.

Sens figuré   *En allant au club vidéo, Flavie **est tombée** sur M. Vacherin.*

Signification : elle a rencontré par hasard M. Vacherin.

Les **expressions figurées** permettent de créer un effet souvent original, drôle ou poétique dans une phrase, ou dans un texte, grâce à leur sens imagé.

Exemples: *C'est **ton imagination qui te joue des tours**.*

Signification : tu imagines des choses qui ne se sont pas réellement passées.

*Tout le monde **suit la scène en retenant son souffle**.*

Signification : tout le monde regarde ce qui se passe sans savoir ce qui arrivera.

Exerce-toi

Relie chacune des expressions figurées ci-dessous à sa signification.

a)	Donner sa langue au chat •	•	Être très inquiet ou inquiète
b)	Se faire du mauvais sang •	•	Regretter quelque chose
c)	N'y voir que du feu •	•	Déborder d'énergie
d)	S'en mordre les doigts •	•	Ne pas connaître la réponse
e)	Être tout feu tout flamme •	•	Ne s'apercevoir de rien
f)	Voir rouge •	•	Ne pas avoir peur
g)	Fondre en larmes •	•	Être distrait ou distraite
h)	Jeter de l'huile sur le feu •	•	Se mettre en colère
i)	Être dans la lune •	•	Aggraver une situation
j)	Ne pas avoir froid aux yeux •	•	Se mettre à pleurer

Nom : _____   Date : _____

Observations continues

Nom de l'élève	Communication orale	Lecture	Écriture	Littératie médiatique
	L'élève : • exprime clairement ses idées • écoute activement • tient compte de son auditoire et adapte ses propos au besoin • vérifie sa compréhension des propos des autres • applique les stratégies apprises en communication orale	L'élève : • précise son intention de lecture • fait des prédictions • vérifie ses prédictions et en fait de nouvelles • fait des liens • réfléchit aux stratégies et à leur efficacité • applique les stratégies apprises en lecture	L'élève : • détermine l'intention et le public cible • planifie et organise les idées • choisit bien ses mots et ses expressions • utilise les commentaires et les critères pour réviser • applique les règles et les conventions apprises dans ses textes	L'élève : • reconnaît le sujet • reconnaît l'intention • reconnaît le public cible • crée des messages visuels • applique les techniques médiatiques apprises • analyse les personnes représentées dans les médias

Note : Les comportements décrits sont donnés à titre d'exemples et ne constituent pas une liste exhaustive. Les ajuster en fonction de ce que l'on veut observer. Utiliser le symbole de notation en usage dans chaque région ou province : notes, codes, symboles.

Nom : _____ Date : _____

Grille d'évaluation de la section « À l'œuvre ! »

	Niveau 1	Niveau 2	Niveau 3	Niveau 4
Connaissance et compréhension	limitées	partielles	bonnes	approfondies
• Comprend la façon de concevoir un documentaire	☐ connaît les éléments et les techniques utilisés dans la création d'un documentaire	☐ connaît les éléments et les techniques utilisés dans la création d'un documentaire	☐ connaît les éléments et les techniques utilisés dans la création d'un documentaire	☐ connaît les éléments et les techniques utilisés dans la création d'un documentaire
Habiletés de la pensée	efficacité limitée	certaine efficacité	efficacité	grande efficacité
• Détermine l'intention et le public cible	☐ détermine l'intention et le public cible	☐ détermine l'intention et le public cible	☐ détermine l'intention et le public cible	☐ détermine l'intention et le public cible
• Utilise des critères pour réviser et évaluer son travail	☐ utilise des critères pour réviser et évaluer son travail	☐ utilise des critères pour réviser et évaluer son travail	☐ utilise des critères pour réviser et évaluer son travail	☐ utilise des critères pour réviser et évaluer son travail
Communication	efficacité limitée	certaine efficacité	efficacité	grande efficacité
• Joue efficacement son rôle dans la présentation	☐ participe à la recherche, à la préparation et à la présentation du documentaire	☐ participe à la recherche, à la préparation et à la présentation du documentaire	☐ participe à la recherche, à la préparation et à la présentation du documentaire	☐ participe à la recherche, à la préparation et à la présentation du documentaire
• Utilise des stratégies appropriées pour plaire au public cible	☐ capte l'attention du public cible	☐ capte l'attention du public cible	☐ capte l'attention du public cible	☐ capte l'attention du public cible
• Travaille bien en groupe	☐ travaille en groupe	☐ travaille en groupe	☐ travaille en groupe	☐ travaille en groupe
• Fait preuve de créativité en utilisant des effets améliorant la présentation (p. ex.: musique)	☐ utilise des effets qui améliorent la présentation	☐ utilise des effets qui améliorent la présentation	☐ utilise des effets qui améliorent la présentation	☐ utilise des effets qui améliorent la présentation
Mise en application	efficacité limitée	certaine efficacité	efficacité	grande efficacité
• Applique les connaissances et les stratégies apprises pour créer un documentaire	☐ applique les connaissances et les stratégies apprises	☐ applique les connaissances et les stratégies apprises	☐ applique les connaissances et les stratégies apprises	☐ applique les connaissances et les stratégies apprises

Voir aussi les grilles en lien avec les programmes dans le Compagnon Web de *Littératie en action 6*, à l'adresse suivante : [www.erpi.com/litteratie.cw].

Littératie en action 6 / Guide
11056
Cette fiche accompagne la leçon 10 du guide d'enseignement.
91

Nom : _____   Date : _____

À ton tour !

Nom de l'élève	Présentation			Écoute	
	Présente le roman-photo d'un récit, d'un poème ou d'une chanson	Divise le texte en séquences	Parle clairement et présente le roman-photo	Utilise des stratégies d'écoute active	Montre de l'intérêt envers les présentations des autres élèves

Note : Utiliser cet aide-mémoire pour évaluer le travail des élèves. Les élèves peuvent se servir de ces critères pour l'autoévaluation. Utiliser le symbole de notation en usage dans chaque région ou province : notes, codes, symboles.

Cette fiche accompagne la leçon 14 du guide d'enseignement.

Littératie en action 6 / Guide
11056

Nom : _____   Date : _____

Gros plan sur tes apprentissages

1. Fais un retour sur les objectifs d'apprentissage de ce module, à l'aide du tableau suivant.

- Choisis deux travaux montrant que tu as atteint ces objectifs.
- Décris ce que chaque travail indique au sujet de tes apprentissages.
- Écris les raisons pour lesquelles tu ajoutes ces travaux à ton portfolio.

Tes choix de travaux et ce qu'ils indiquent sur tes apprentissages	Tes raisons d'ajouter ces travaux à ton portfolio

2. Écris une ou deux choses importantes que tu as apprises sur la façon de présenter un roman-photo.

_____

_____

_____

_____

_____

3. Écris une découverte importante que tu as faite au sujet du pouvoir de l'image.

_____

_____

_____

Nom : _____ Date : _____

Grille d'évaluation du module

	Niveau 1	Niveau 2	Niveau 3	Niveau 4
Connaissance et compréhension	limitées	partielles	bonnes	approfondies
• Connaît les caractéristiques et la structure de l'entrevue	☐ utilise ses connaissances sur les caractéristiques et la structure d'une entrevue	☐ utilise ses connaissances sur les caractéristiques et la structure d'une entrevue	☐ utilise ses connaissances sur les caractéristiques et la structure d'une entrevue	☐ utilise ses connaissances sur les caractéristiques et la structure d'une entrevue
• Connaît les stratégies de compréhension (utiliser ses connaissances, déterminer ce qui est important, évaluer le message)	☐ connaît les stratégies de compréhension visées	☐ connaît les stratégies de compréhension visées	☐ connaît les stratégies de compréhension visées	☐ connaît les stratégies de compréhension visées
• Connaît et comprend le vocabulaire lié aux textes à l'étude	☐ démontre sa compréhension	☐ démontre sa compréhension	☐ démontre sa compréhension	☐ démontre sa compréhension
Habiletés de la pensée	efficacité limitée	certaine efficacité	efficacité	grande efficacité
• Utilise les stratégies de planification et les organisateurs graphiques pour rédiger ses textes	☐ utilise les stratégies de planification et les organisateurs graphiques	☐ utilise les stratégies de planification et les organisateurs graphiques	☐ utilise les stratégies de planification et les organisateurs graphiques	☐ utilise les stratégies de planification et les organisateurs graphiques
• Fait un raisonnement critique pour analyser l'efficacité d'un texte	☐ analyse des entrevues ☐ évalue l'efficacité de ses textes	☐ analyse des entrevues ☐ évalue l'efficacité de ses textes	☐ analyse des entrevues ☐ évalue l'efficacité de ses textes	☐ analyse des entrevues ☐ évalue l'efficacité de ses textes
Communication	efficacité limitée	certaine efficacité	efficacité	grande efficacité
• Exprime et organise des idées et l'information présentée	☐ exprime et organise des idées et de l'information dans les contextes suivants : – les textes informatifs à l'écrit et à l'oral – les discussions – les jeux de rôles – la présentation orale	☐ exprime et organise des idées et de l'information dans les contextes suivants : – les textes informatifs à l'écrit et à l'oral – les discussions – les jeux de rôles – la présentation orale	☐ exprime et organise des idées et de l'information dans les contextes suivants : – les textes informatifs à l'écrit et à l'oral – les discussions – les jeux de rôles – la présentation orale	☐ exprime et organise des idées et de l'information dans les contextes suivants : – les textes informatifs à l'écrit et à l'oral – les discussions – les jeux de rôles – la présentation orale

Nom : _____ Date : _____

Grille d'évaluation du module (*suite*)

	Niveau 1	Niveau 2	Niveau 3	Niveau 4
Communication	**efficacité limitée**	**certaine efficacité**	**efficacité**	**grande efficacité**
• Prend en considération les destinataires visés et l'intention de communication	☐ prend en considération les destinataires visés et l'intention pour : – mener une entrevue – participer à une discussion – présenter un roman-photo à partir d'un récit, d'un poème ou d'une chanson	☐ prend en considération les destinataires visés et l'intention pour : – mener une entrevue – participer à une discussion – présenter un roman-photo à partir d'un récit, d'un poème ou d'une chanson	☐ prend en considération les destinataires visés et l'intention pour : – mener une entrevue – participer à une discussion – présenter un roman-photo à partir d'un récit, d'un poème ou d'une chanson	☐ prend en considération les destinataires visés et l'intention pour : – mener une entrevue – participer à une discussion – présenter un roman-photo à partir d'un récit, d'un poème ou d'une chanson
• Utilise les codes et les conventions de communication orale (expression, volume) et écrite (ponctuation, orthographe)	☐ utilise les codes et les conventions de communication orale et écrite	☐ utilise les codes et les conventions de communication orale et écrite	☐ utilise les codes et les conventions de communication orale et écrite	☐ utilise les codes et les conventions de communication orale et écrite
Mise en application	**efficacité limitée**	**certaine efficacité**	**efficacité**	**grande efficacité**
• Applique ses connaissances et ses habiletés pour lire une variété de textes	☐ lit une variété de textes de manière autonome	☐ lit une variété de textes de manière autonome	☐ lit une variété de textes de manière autonome	☐ lit une variété de textes de manière autonome
• Applique ses connaissances et ses habiletés pour rédiger une variété de textes	☐ rédige une variété de textes	☐ rédige une variété de textes	☐ rédige une variété de textes	☐ rédige une variété de textes
• Fait des liens avec ses expériences personnelles et les textes lus et écrits	☐ fait des liens	☐ fait des liens	☐ fait des liens	☐ fait des liens

Littératie en action 6 / Guide
11056
Cette fiche accompagne la leçon 15 du guide d'enseignement.
95

Bilan des apprentissages

Données sur le rendement et les progrès de l'élève :

☐ Entrevue individuelle

    (date : _____)

☐ Journal de bord (réponses, réflexions)

☐ Productions technologiques ou médiatiques

☐ Productions écrites (p. ex. : « À l'œuvre ! »)

☐ Communication orale

☐ Révision du portfolio (« Gros plan sur tes apprentissages »)

☐ Autoévaluation

☐ Évaluation continue (p. ex. : fiche d'évaluation 2 ; notes anecdotiques)

☐ Tâche d'évaluation de la compréhension en lecture

☐ Autre :
_____

Domaine	Commentaire	Niveau
Communication orale		
Lecture		
Écriture		
Littératie médiatique		

Remarque : Pour formuler des commentaires et déterminer le niveau de rendement de l'élève, consulter la fiche d'évaluation **5 : Grille d'évaluation du module** et la grille d'évaluation du rendement publiée par le ministère de l'Éducation de la province.

Forces	
Besoins	
Prochaines étapes	

Corrélations avec les autres disciplines

LI = Liens interdisciplinaires   ALL = Activités en lien avec les leçons   AL = Activités langagières

					LEÇONS												
	LI	**ALL**	**AL**	**1**	**2**	**3**	**4**	**5**	**6**	**7**	**8**	**9**	**10**	**11**	**12**	**13**	**14**	**15**
ÉTUDES SOCIALES (SCIENCES HUMAINES)																		
LE MULTICULTURALISME CANADIEN																		
Connaissance et compréhension																		
Comprendre ses origines et préciser son identité.	•			•	•	•	•	•	•	•	•	•	•	•	•	•	•	
Reconnaître les traits de l'identité canadienne.	•			•	•	•	•	•	•	•	•	•	•	•	•	•	•	
Reconnaître la présence de francophones dans différentes régions du Canada.	•			•	•	•	•	•	•	•	•	•	•	•				
Répertorier des francophones du Canada qui se sont distingués dans divers domaines et tracer le portrait de certains d'entre eux.	•			•	•	•	•	•	•	•	•	•	•					•
Démontrer, à l'aide d'exemples ou par d'autres moyens, l'influence naturelle entre la société canadienne et d'autres pays et cultures.	•			•	•	•		•	•	•		•	•	•		•		
Comprendre la portée des événements qui se produisent dans l'actualité ainsi que les changements qui s'opèrent dans la société.	•			•	•	•	•	•	•	•	•	•	•	•	•	•		•
Connaître et comprendre les concepts de base sur les secteurs de la production, de la distribution et de la consommation des biens.	•			•	•	•	•	•		•							•	
Comprendre les institutions, les composantes des cultures et le fonctionnement des groupes.	•			•	•	•	•	•	•	•	•	•	•	•	•	•		•
Connaître et comprendre les facteurs de continuité ou de changement.	•			•	•	•	•	•	•	•	•	•	•	•		•	•	
Connaître et comprendre les structures et les systèmes mis en place par les humains pour gérer l'organisation naturelle ou sociale.	•			•	•	•	•	•	•	•	•	•	•	•	•	•	•	•
Questionnement, recherche et communication																		
Formuler des questions qui orientent son enquête.	•			•	•													
S'appuyer sur des documents de sources primaires et secondaires pour effectuer une enquête.	•			•	•													•

				LEÇONS														
	LI	ALL	AL	1	2	3	4	5	6	7	8	9	10	11	12	13	14	15
Questionnement, recherche et communication (*suite*)																		
Se servir d'organisateurs graphiques pour transmettre l'information.	•	•	•	•	•	•	•	•									•	
Communiquer les résultats de son enquête en utilisant différents supports visuels.					•													
Transmettre des idées et de l'information selon différentes formes et divers moyens.	•				•					•				•				
Utiliser le vocabulaire approprié pour communiquer les résultats de son enquête.	•			•	•					•				•			•	
Utilisation des cartes géographiques et des éléments graphiques																		
Représenter l'information à l'aide de cartes, de tableaux, de diagrammes et de graphiques.	•	•											•					
Application																		
Mettre en application, dans des contextes familiers, les concepts, les connaissances et les habiletés qui lui ont été présentés et de les transférer à des contextes nouveaux.	•			•	•	•				•	•	•		•				
Mettre en application le vocabulaire approprié au sujet à l'étude (p. ex.: populations francophones, différences culturelles, ressemblances culturelles, francophonie, multiculturalisme, équité, racisme).	•			•	•	•				•	•	•	•					
SCIENCES ET TECHNOLOGIE																		
L'ESPACE																		
Compréhension des concepts																		
Identifier des composantes du système solaire incluant le Soleil, la Terre, les autres planètes, les satellites naturels, les comètes, les astéroïdes, les météoroïdes et décrire leurs caractéristiques physiques.																		
Expliquer comment les humains répondent à leurs besoins de base dans l'espace.																		
Identifier l'équipement et les outils technologiques utilisés pour l'exploration spatiale.																		
Décrire des effets du mouvement et de la position de la Terre, de la Lune et du Soleil.																		
Décrire qualitativement la relation entre la masse et le poids.																		

LEÇONS

Acquisition d'habiletés en recherche scientifique, en conception et en communication

	LI	ALL	AL	1	2	3	4	5	6	7	8	9	10	11	12	13	14	15
Utiliser le processus de résolution de problèmes technologiques pour concevoir, construire et tester un objet qui utilise ou simule le mouvement des corps dans le système solaire.																		
Utiliser la démarche de recherche pour explorer les percées scientifiques et technologiques qui permettent aux humains de vivre et de s'adapter dans l'espace.																		
Utiliser les termes justes pour décrire ses activités de recherche, d'expérimentation, d'exploration et d'observation (p. ex. : planète, Lune, étoile, comète, éclipse, phase, astéroïde, météoroïde).																		
Communiquer oralement et par écrit en se servant d'aides visuelles dans le but d'expliquer les méthodes utilisées et les résultats obtenus lors de ses recherches, ses expérimentations, ses explorations ou ses observations.			•															

Rapprochement entre les sciences, la technologie, la société et l'environnement

	LI	ALL	AL	1	2	3	4	5	6	7	8	9	10	11	12	13	14	15
Évaluer la contribution des Canadiens et des Canadiennes dans l'exploration spatiale et le progrès scientifique.																		
Évaluer les avantages et les inconvénients de l'exploration spatiale pour la société et l'environnement.																		

MATHÉMATIQUES

Traitement des données et probabilités

	LI	ALL	AL	1	2	3	4	5	6	7	8	9	10	11	12	13	14	15
Démontrer comment la grandeur de l'échantillon peut influencer la nature des résultats d'une enquête.																		
Prédire, à partir de ses connaissances générales ou de diverses sources d'informations, les résultats possibles d'un sondage avant de recueillir les données.																		
Concevoir et effectuer un sondage, recueillir les données et les enregistrer selon des catégories et des intervalles appropriés.																		
Construire, à la main ou à l'ordinateur, divers diagrammes (p. ex. : diagramme à bandes horizontales, verticales ou doubles et diagramme à ligne brisée).																		
Formuler, oralement ou par écrit, des inférences ou des arguments à la suite de l'analyse et de la comparaison de données présentées dans un tableau ou dans un diagramme.																		

LI = Liens interdisciplinaires   ALL = Activités interdisciplinaires   AL = Activités en lien avec les leçons   AL = Activités langagières

	LI	ALL	AL	1	2	3	4	5	6	7	8	9	10	11	12	13	14	15
LEÇONS																		
Traitement des données et probabilités (*suite*)																		
Comparer et choisir, à l'aide d'un logiciel de graphiques, le genre de diagramme qui représente le mieux un ensemble de données.																		
ÉDUCATION ARTISTIQUE																		
ART DRAMATIQUE																		
Produire plusieurs formes de représentation (p. ex.: monologue, improvisation, création collective) pour communiquer un message à partir d'une situation dramatique donnée.						•									•		•	
Créer plusieurs courtes productions pour un auditoire spécifique en utilisant un appui technique.						•								•	•	•	•	
Décrire comment l'art dramatique contribue à son propre développement et à celui de la communauté.						•					•				•		•	
ARTS VISUELS																		
Recourir au processus de création artistique pour réaliser diverses œuvres d'art.	•										•	•			•			
MUSIQUE																		
Recourir au processus d'analyse critique pour analyser et apprécier diverses œuvres musicales.	•																	
Composer un message publicitaire et le mettre en musique.																		
Exprimer son appréciation d'une composition musicale dans diverses formes de représentation (p. ex.: danse, dessin).	•											•			•	•	•	

ÉDUCATION PHYSIQUE ET SANTÉ

	LEÇONS																	
	LI	ALL	AL	1	2	3	4	5	6	7	8	9	10	11	12	13	14	15
HABILETÉS PERSONNELLES ET SOCIALES																		
Communiquer oralement et par écrit en français pour s'affirmer sur le plan culturel et linguistique.	•		•	•	•				•	•	•	•						
Utiliser des habiletés personnelles pour développer son autonomie et un concept de soi positif.	•				•				•				•				•	
Utiliser des habiletés interpersonnelles pour communiquer et interagir avec les autres de manière positive et constructive.	•		•		•				•	•	•	•	•			•	•	
Utiliser la pensée critique et créative pour développer la capacité d'analyse et de discernement nécessaires pour se fixer des objectifs personnels, prendre des décisions éclairées et résoudre des problèmes.	•		•						•	•	•	•					•	

Guide d'enseignement

MODULE **3**

De la Terre à l'Univers

11056

POUR L'ÉDITION FRANÇAISE

Directrice à l'édition
Monique Daigle

Traductrice
Monique Lanouette

Rédacteurs (fiches d'activités 9 à 14)
Virginie Krysztofiak
Paul Ste-Marie

Chargée de projet
Lina Binet

Réviseure linguistique
Annick Loupias

Correctrices d'épreuves
Lina Binet
Sabine Cerboni

Coordonnatrice à l'édition Web
Jeannette Lafontaine

Couverture (reliure à anneaux)
Ediflex inc.

Édition électronique
La Plume Virtu-Elle enr.

POUR L'ÉDITION ORIGINALE

Chef d'équipe
Anita Borovilos

Consultantes nationales en littératie
Beth Ecclestone
Norma MacFarlane

Éditrices
Susan Green
Elynor Kagan

Chef de produit
Paula Smith

Directrice de rédaction
Monica Schwalbe

Directrices de la recherche et du développement
Carol Wells
Mariangela Gentile
Rena Sutton

Coordonnatrice de la production
Alison Dale

Directrice artistique
Zena Denchik

Graphiste
David Cheung

Vice-président, édition et marketing
Mark Cobham

Littératie en action 6, Guide d'enseignement,
édition française publiée par ERPI (ÉDITIONS
DU RENOUVEAU PÉDAGOGIQUE INC.)
© 2008 Pearson Canada Inc.
© 2010 ERPI pour l'édition française.

Traduction et adaptation autorisées de *Literacy in Action 6,*
Teacher's Guide, par Jeroski et autres, publié par Pearson
Canada Inc.
© 2008 Pearson Education Canada, une division de Pearson
Canada Inc.

Tous droits réservés.
On ne peut reproduire aucun extrait de ce livre
sous quelque forme ou par quelque procédé que
ce soit – sur une machine électronique, mécanique, à photocopier ou à enregistrer, ou
autrement – sans avoir obtenu, au préalable, la permission écrite de Pearson Canada Inc. Pour toute demande
à ce sujet, veuillez vous adresser à Pearson Canada Inc.,
Rights and Permissions Department, 26 Prince Andrew Place,
Don Mills, Ontario M3C 2T8 Canada.

Pearson® est une marque déposée de Pearson plc.

Dépôt légal – Bibliothèque et Archives nationales du Québec,
2010
Dépôt légal – Bibliothèque et Archives Canada, 2010

Imprimé au Canada   1234567890 TRN 13 12 11 10
ISBN 978-2-7613-2595-0   11056   OF10

Littératie en action 6, Guide d'enseignement,
French language edition, published by ERPI
(ÉDITIONS DU RENOUVEAU PÉDAGOGIQUE INC.)
© 2008 Pearson Canada Inc.

Authorized translation and adaptation from the English
language edition, entitled *Literacy in Action 6, Teacher's*
Guide, by Jeroski *et al.*, published by Pearson Education
Canada, a division of Pearson Canada Inc.

All rights reserved. This publication is protected by copyright.
No part of this book may be reproduced or transmitted in any
form or by any means, electronic or mechanical, including
photocopying, recording, or by any information storage
retrieval system, without permission from Pearson Canada
Inc. For information regarding permission(s), please submit
your request to: Pearson Canada Inc., Rights and Permissions
Department, 26 Prince Andrew Place, Don Mills, Ontario
M3C 2T8 Canada.

Pearson® is a registered trademark of Pearson plc.

POUR L'ÉDITION FRANÇAISE

Directeurs de collection
Léo-James Lévesque
Johanne Proulx

REMERCIEMENTS

L'éditeur remercie les personnes suivantes pour leurs commentaires judicieux au cours de l'élaboration de la collection *Littératie en action 6* :

Johanne Austin, N.-B.
Joanne Cameron, N.-É.
Alicia Logie, C.-B.
Karen Olsen, Sask.
Brian Svenningsen, Ont.
Diane Tijman, C.-B.
Nathalie Wall, Ont.

POUR L'ÉDITION ORIGINALE

Auteurs et consultants
Dr Sharon Jeroski

Andrea Bishop
Jean Bowman
Anne Boyd
Lynn Bryan
Linda Charko
Marla Ciccotelli
Susan Clarke
Alisa Dewald
Maureen Dockendorf
Ken Ealey
Susan Elliott
Christine Finochio
Patricia Gough
Jo Ann Grime
Doug Herridge
Patricia Horstead
Don Jones
Joanne Leblanc-Haley
Marg Lysecki
Jill Maar
Deidre McConnell
Carol Munro
Cathie Peters
Sue Pleli
Lorraine Prokopchuk
Joanne Rowlandson
Carole Stickley
Arnold Toutant
Kim Webber
Iris Zammit
Beth Zimmerman

Table des matières

---

* Ces fiches ont été conçues pour répondre aux attentes en ce qui concerne les connaissances et habiletés grammaticales du programme-cadre de français (6ᵉ année) du curriculum de l'Ontario. À titre d'enrichissement, toutefois, elles peuvent être aussi proposées aux élèves en immersion.

Module 3 : De la Terre à l'Univers

Dans ce module sur l'espace, les planètes du système solaire et l'exploration spatiale, les élèves écouteront, liront et écriront des textes scientifiques. Ils seront amenés à poser des questions, à vérifier leur compréhension et à faire un résumé durant la lecture d'une variété de textes, dont des fiches descriptives, des textes explicatifs, une chronique journalistique, un reportage, une chanson, des légendes et un récit de science-fiction. Les élèves effectueront une recherche sur une découverte en lien avec de récentes explorations spatiales. Finalement, ils mettront en application leurs nouvelles connaissances pour concevoir et présenter un jeu-questionnaire sur l'espace.

LES OBJECTIFS DE L'ENSEIGNEMENT

Stratégies	Poser des questions ; vérifier sa compréhension ; faire un résumé
Littératie critique	Déterminer la fiabilité des renseignements dans un texte explicatif
Genre de texte	Textes explicatifs
Éléments d'écriture	Comprendre la structure d'un texte explicatif ; reconnaître l'importance de choisir des mots précis dans un texte explicatif
Communication orale	Écouter de manière active ; faire une lecture en chœur ; présenter une recherche
Littératie médiatique	Reconnaître des renseignements fiables dans les médias

L'ÉVALUATION AU SERVICE DE L'APPRENTISSAGE

Évaluation diagnostique	Évaluation formative	Évaluation sommative
• Présentation du module (L : 1)	• Observations, interventions pédagogiques (L : 1 à 3, 5 à 14) • Évaluation par les élèves (L : 2, 4 à 6, 10, 11, 13 à 15) • Création de tableaux de référence (L : 1 à 3, 6, 8, 10) • Réflexion des élèves (toutes les leçons) • Tâche d'évaluation «À l'œuvre !» (L : 10) • À ton tour ! (L : 14)	• Ton portfolio (L : 15) • Entrevues individuelles (L : 15) • Réflexion des élèves (L : 15) • Tâche d'évaluation de la compréhension en lecture (L : 15)

LE CADRE D'ENSEIGNEMENT

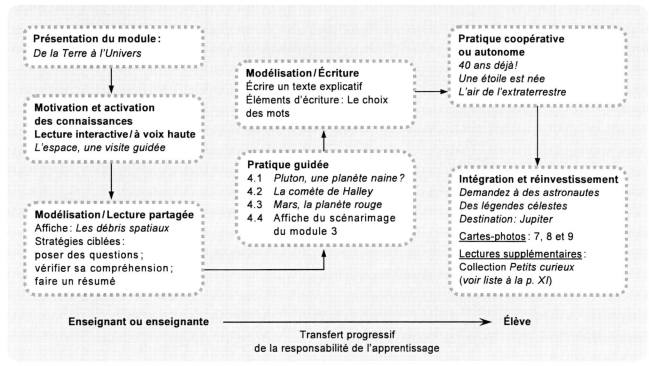

Présentation du module :
De la Terre à l'Univers

Motivation et activation des connaissances
Lecture interactive/à voix haute
L'espace, une visite guidée

Modélisation/Lecture partagée
Affiche : *Les débris spatiaux*
Stratégies ciblées :
poser des questions ;
vérifier sa compréhension ;
faire un résumé

Modélisation/Écriture
Écrire un texte explicatif
Éléments d'écriture : Le choix des mots

Pratique guidée
4.1 *Pluton, une planète naine ?*
4.2 *La comète de Halley*
4.3 *Mars, la planète rouge*
4.4 Affiche du scénarimage du module 3

Pratique coopérative ou autonome
40 ans déjà !
Une étoile est née
L'air de l'extraterrestre

Intégration et réinvestissement
Demandez à des astronautes
Des légendes célestes
Destination : Jupiter

Cartes-photos : 7, 8 et 9

Lectures supplémentaires :
Collection *Petits curieux*
(*voir liste à la p. XI*)

Enseignant ou enseignante ⟶ Élève
Transfert progressif
de la responsabilité de l'apprentissage

CONTENUS D'APPRENTISSAGE

Littératie en action est un outil d'enseignement qui vise à répondre aux attentes des programmes d'études[1] de l'ensemble des provinces et régions du Canada en matière de littératie. L'apprentissage des habiletés reliées à la littératie amène les élèves à utiliser l'écoute, l'expression orale, la lecture et l'écriture pour communiquer en français.

Le tableau intitulé « Corrélations avec les autres disciplines », aux pages 77 à 81 du présent fascicule, donne un aperçu des liens possibles avec les autres disciplines.

COMMUNICATION ORALE (écoute et expression)

	LEÇONS
Écoute	
• Déterminer l'intention de la situation d'écoute.	1, 2, 3, 5, 7, 8, 9, 10, 11, 12, 13, 14, 15
• Mettre en pratique l'écoute active.	1, 2, 3, 4, 5, 7, 8, 9, 10, 11, 12, 13, 14, 15
• Faire des inférences.	1, 2, 3, 8, 10, 12, 14
• Reconnaître les indices non verbaux et les interpréter.	1, 2, 3, 5, 10, 11, 12, 14
• Se concentrer et retenir les éléments importants.	1, 2, 3, 4, 5, 7, 8, 9, 10, 12, 13, 14
• Faire la synthèse des renseignements.	1, 2, 3, 4, 8, 9, 10, 12
Expression	
• Participer à une discussion en posant des questions, en répondant à des questions et en exprimant son point de vue.	1, 2, 3, 4, 5, 7, 8, 9, 11, 12, 13, 14
• S'exprimer oralement de façon efficace en tenant compte du contexte.	1, 2, 3, 4, 5, 7, 8, 9, 11, 12, 13, 15
• Communiquer clairement ses idées.	1, 2, 3, 4, 5, 7, 8, 9, 10, 11, 12, 13, 15
• Recourir à divers supports visuels pour appuyer son message.	1, 3, 4, 7, 8, 10, 12, 13, 14
Réflexion	
• Reconnaître l'aide des habiletés en lecture et en écriture dans la communication orale.	1, 2, 3, 4

LECTURE (et observation)

	LEÇONS
Préparation à la lecture	
• Déterminer l'intention de lecture.	2, 3, 4, 7, 8, 9, 10, 11, 12, 13, 14
• Choisir ses textes selon diverses intentions.	2, 3, 4, 7, 8, 9, 10, 11, 12, 13, 14
Lecture	
• Lire différents types de textes.	2, 3, 4, 7, 8, 9, 10, 11, 12, 13, 14
• Connaître et utiliser diverses stratégies de compréhension.	2, 3, 4, 7, 8, 9, 10, 11, 12, 13, 14
• Ajuster ses stratégies et son rythme de lecture selon le genre de texte et l'intention de lecture.	2, 3, 4, 7, 8, 9, 10, 11, 12, 13, 14
• Faire appel à un répertoire de mots connus.	2, 3, 4 , 7, 8, 9, 10, 11, 12, 13, 14
• Connaître et utiliser des stratégies de résolution de problèmes.	2, 3, 4, 5, 7, 8, 9, 10, 11, 12, 13, 14
• Connaître et utiliser les conventions linguistiques pour mieux comprendre le texte.	2, 3, 4, 7, 8, 9, 10, 11, 12, 13, 14
• Utiliser les éléments visuels pour soutenir sa compréhension.	2, 3, 4, 7, 8, 9, 10, 11, 12, 13, 14
• Connaître et utiliser les caractéristiques des divers genres de textes pour mieux comprendre le texte.	2, 3, 4, 7, 8, 9, 10, 11, 12, 13, 14
• Analyser les idées, les renseignements et les points de vue contenus dans le texte.	2, 3, 4, 7, 8, 9, 10, 11, 12, 13, 14
• Réagir de diverses manières aux textes lus.	2, 3, 4, 7, 8, 9, 10, 11, 12, 13, 14
Réflexion	
• Démontrer une réflexion métacognitive face à son processus et à ses stratégies de lecture.	2, 3, 4, 5, 7, 8, 10, 11, 12, 13, 15
• Reconnaître l'aide des habiletés en communication orale et en écriture dans la lecture.	2, 3, 4, 5, 7, 8, 10, 11, 12, 13, 15

---

1. Pour les corrélations précises avec les programmes d'études, consulter les tableaux contenus dans le Compagnon Web de *Littératie en action 6* à l'adresse suivante : [www.erpi.com/litteratie.cw]. Le nom d'utilisateur et le mot de passe pour y accéder figurent sur le carton de présentation inséré au début du classeur à anneaux.

ÉCRITURE (et représentation)

Planificateur : En un coup d'œil

A = fiches d'activités du présent fascicule
É = fiches d'évaluation du présent fascicule

AM = fiches d'activités modèles du fascicule *Guide d'enseignement de la littératie*[1]
ÉM = fiches d'évaluation modèles du fascicule *Guide d'enseignement de la littératie*

RESSOURCES DE L'ÉLÈVE	APPRENTISSAGES CIBLÉS	DURÉE PRÉVUE	GUIDE D'ENSEIGNEMENT	RESSOURCES SUPPLÉMENTAIRES	DIFFÉRENCIATION / INTERVENTIONS PÉDAGOGIQUES
Motivation et activation des connaissances					
1. Présentation du module (manuel, pages 96 et 97)	S'exprimer clairement en faisant des liens avec ses connaissances ; approfondir ses connaissances ; utiliser des mots précis pour parler de l'exploration spatiale.	De 40 à 60 min	Leçon 1	**A 1 :** Lettre à l'intention des parents / Home Connection Letter **A 2 :** Un survol du module **AM 3 (transparent 3 et organisateur graphique 3) :** Enrichir son vocabulaire **É 1 :** Observations continues	Accompagner les élèves ayant peu de vocabulaire et de connaissances. Leur donner l'occasion d'écouter de l'information sur l'exploration spatiale, d'en discuter et de s'approprier des termes scientifiques.
Lecture interactive / à voix haute					
2. L'espace, une visite guidée (manuel, pages 98 à 101)	Mettre en pratique l'écoute active ; approfondir sa compréhension par la discussion ; préparer une annonce publicitaire.	De 40 à 60 min	Leçon 2	**A 9 :** L'emploi de la virgule **É 1 :** Observations continues **Coffret audio**	Modéliser les comportements d'écoute active appropriés lors d'une discussion de groupe. Faire écouter des annonces publicitaires à utiliser comme modèles par les élèves.

---

1. Ce fascicule présente des stratégies d'enseignement fondées sur les plus récentes recherches en littératie. S'y trouvent également des fiches d'activités modèles à adapter ou à utiliser telles quelles.

RESSOURCES DE L'ÉLÈVE	APPRENTISSAGES CIBLÉS	DURÉE PRÉVUE	GUIDE D'ENSEIGNEMENT	RESSOURCES SUPPLÉMENTAIRES	DIFFÉRENCIATION / INTERVENTIONS PÉDAGOGIQUES
Modélisation / lecture partagée					
3. Lire un texte explicatif (manuel, pages 102 et 103) 3.1 Lis avec habileté : Précise ton intention 3.2 Lis avec habileté : Décode le texte 3.3 Lis avec habileté : Construis le sens du texte – Pose des questions, vérifie ta compréhension et fais un résumé 3.4 Lis avec habileté : Analyse le texte	Préciser son intention ; comprendre et évaluer les stratégies de lecture utilisées ; distinguer les idées principales des autres renseignements ; utiliser des stratégies de décodage pour comprendre des mots nouveaux ; déterminer l'exactitude d'une information.	De 60 à 120 min (2 à 5 séances)	Leçons 3.1, 3.2, 3.3 et 3.4	**Affiche de lecture partagée (transparent 16) :** *Les débris spatiaux* **A 3 :** Pose des questions, vérifie ta compréhension et fais un résumé **AM 5 (transparent 5 et organisateur graphique 5) :** Résumer l'information **É1 :** Observations continues	Comparer des textes de différents auteurs sur le même sujet. Relever l'information commune dans les textes. Discuter de l'importance de se référer à plus d'une source d'information.
Pratique guidée					
4.1 Pluton, une planète naine ? (manuel, pages 104 et 105) 4.2 La comète de Halley (manuel, pages 106 et 107) 4.3 Mars, la planète rouge (manuel, pages 108 et 109) 4.4 Affiche du scénarimage du module 3	Mettre en application les stratégies : poser des questions, vérifier sa compréhension et faire un résumé.	De 40 à 60 min	Leçons 4.1, 4.2, 4.3 et 4.4	**Affiche de lecture partagée (transparent 16) :** *Les débris spatiaux* **A 3 :** Pose des questions, vérifie ta compréhension et fais un résumé **A 11 :** Les coordonnants et les subordonnants **AM 5 (transparent 5 et organisateur graphique 5) :** Résumer l'information **Affiche du scénarimage du module 3** **Coffret audio**	Chaque texte présente un niveau de difficulté différent[1]. Attribuer un texte à chaque élève selon ses habiletés et ses préférences. Pour les élèves ayant des habiletés de lecture limitées, utiliser l'affiche du scénarimage afin de les aider à développer leur maîtrise de la langue et des concepts.

1. Niveau de lecture des textes : texte **4.1** : T-U, DRA 50-54 ; texte **4.2** : V-W, DRA 58-60 ; texte **4.3** : W-X, DRA 60-64.

A = fiches d'activités du présent fascicule
É = fiches d'évaluation du présent fascicule

AM = fiches d'activités modèles du fascicule *Guide d'enseignement de la littératie*
ÉM = fiches d'évaluation modèles du fascicule *Guide d'enseignement de la littératie*

RESSOURCES DE L'ÉLÈVE	APPRENTISSAGES CIBLÉS	DURÉE PRÉVUE	GUIDE D'ENSEIGNEMENT	RESSOURCES SUPPLÉMENTAIRES	DIFFÉRENCIATION / INTERVENTIONS PÉDAGOGIQUES
Pratique guidée (*suite*)					
5. Fais un retour sur tes apprentissages (manuel, page 110)	Évaluer ses apprentissages ; participer à une discussion ; comprendre et évaluer sa démarche en lecture.	De 40 à 60 min	Leçon 5	**Affiche de lecture partagée (transparent 16) :** *Les débris spatiaux* **A 3 :** Pose des questions, vérifie ta compréhension et fais un résumé **AM 5 (transparent 5 ou organisateur graphique 5) :** Résumer l'information **AM 33** à **38** sur les stratégies de lecture **É 1 :** Observations continues	Modéliser la façon de réfléchir à voix haute.
6. Écris avec habileté (manuel, page 111)	Analyser la structure d'un texte explicatif et créer un tableau de référence ; planifier et écrire un texte explicatif à l'aide d'un organisateur graphique.	De 40 à 60 min	Leçon 6	**Affiche de lecture partagée (transparent 16) :** *Les débris spatiaux* **Affiche de modélisation en écriture 3 (transparent 35) :** *Écrire un texte explicatif* **A 4 :** Planifie ton texte explicatif **A 5 :** Compare la structure de différents textes **É 1 :** Observations continues	Pour les élèves ayant besoin de plus de soutien, diviser les tâches à accomplir en différentes parties. Utiliser un organisateur graphique. Favoriser le travail en dyades.

RESSOURCES DE L'ÉLÈVE	APPRENTISSAGES CIBLÉS	DURÉE PRÉVUE	GUIDE D'ENSEIGNEMENT	RESSOURCES SUPPLÉMENTAIRES	DIFFÉRENCIATION / INTERVENTIONS PÉDAGOGIQUES
Pratique coopérative ou autonome					
7. 40 ans déjà! (manuel, pages 112 à 115)	Appliquer des stratégies de lecture; réagir à un texte lu; discuter de l'exploration spatiale.	De 80 à 120 min (2 ou 3 séances)	Leçon 7	**A 6:** Planifie ta chronique journalistique **A 10:** Les déterminants **É 1:** Observations continues **Coffret audio**	Assigner les textes de la pratique coopérative ou autonome en fonction des préférences et du niveau de lecture des élèves. Inviter les élèves moins habiles à travailler avec les cartes-photos, l'affiche du scénarimage ou les textes supplémentaires. Répartir les élèves en dyades pour favoriser leur collaboration. Pour les élèves ayant besoin de plus de soutien, faire écouter le texte du coffret audio. Faire les activités d'enrichissement[1]. Livrets *Petits curieux*[2] suggérés: • *Les exploits spatiaux* • *À la découverte de l'espace* • *Grands voyageurs* • *La technologie spatiale à notre service* • *Un télescope en orbite* • *La bionique* • *Les robots*
8. Une étoile est née (manuel, pages 116 à 119)	Appliquer des stratégies de lecture; réagir à un texte lu.	De 80 à 120 min (2 ou 3 séances)	Leçon 8	**A 7:** La relation de cause à effet **A 8:** Écris une définition **A 11:** Les coordonnants et les subordonnants **A 12:** Les marqueurs de relation (organisateurs textuels) **A 13:** L'accord de l'attribut du sujet et du participe passé avec *être* **É 1:** Observations continues **Coffret audio**	
9. L'air de l'extra-terrestre (manuel, pages 120 et 121)	Faire des liens avec ses connaissances; lire à voix haute avec expression; apprécier une chanson.	De 60 à 90 min (2 séances)	Leçon 9	**É 1:** Observations continues	Livrets *Alizé* suggérés: • *Les débris spatiaux* • *La Terre en danger*
Option: Choisir parmi les livrets des collections *Petits curieux* et *Alizé* (voir les titres suggérés dans la dernière colonne).					

1. Noter que les activités des rubriques **Va plus loin** et **Enrichissement** s'appuient sur différents types d'intelligence: verbale, logique, visuelle, interpersonnelle et intrapersonnelle.
2. Pour plus d'information, consulter le site [www.erpi.com].

PLANIFICATEUR : EN UN COUP D'ŒIL (SUITE)

A = fiches d'activités du présent fascicule
É = fiches d'évaluation du présent fascicule

AM = fiches d'activités modèles du fascicule *Guide d'enseignement de la littératie*
ÉM = fiches d'évaluation modèles du fascicule *Guide d'enseignement de la littératie*

RESSOURCES DE L'ÉLÈVE	APPRENTISSAGES CIBLÉS	DURÉE PRÉVUE	GUIDE D'ENSEIGNEMENT	RESSOURCES SUPPLÉMENTAIRES	DIFFÉRENCIATION / INTERVENTIONS PÉDAGOGIQUES
Intégration et réinvestissement					
10. À l'œuvre! (manuel, pages 122 et 123) **Remarque :** Cette leçon est une tâche d'évaluation qui peut être faite à tout moment après la pratique coopérative ou autonome.	Planifier et faire une recherche; rédiger un texte explicatif; évaluer son travail et se fixer des objectifs pour l'améliorer.		Leçon 10	**Affiche de modélisation en écriture 3 (transparent 35) :** *Écrire un texte explicatif* **AM 4 :** Réfléchis à ton écriture **A 4 :** Planifie ton texte explicatif **É 1 :** Observations continues **É 2 :** Grille d'évaluation de la section « À l'œuvre! »	Inviter les élèves à se référer à leurs expériences afin de choisir un sujet signifiant pour eux. Les inciter à comparer leurs textes avec d'autres textes d'opinion pour trouver des ressemblances et des différences. Préparer avec les élèves une liste de vérifications simple à utiliser fréquemment.
11. Demandez à des astronautes (manuel, pages 124 à 128)	Appliquer des stratégies de lecture; réagir à un texte lu; déterminer la fiabilité de l'information; analyser la structure de l'entrevue.	De 40 à 60 min	Leçon 11	**Affiche de modélisation en écriture 2 (transparent 34) :** *Écrire le compte rendu d'une entrevue* **A 14 :** La construction de la phrase négative **É 1 :** Observations continues **Coffret audio**	Revoir avec les élèves et modéliser les stratégies ciblées pour comprendre la transcription d'une entrevue. Amener les élèves à reconnaître des sources fiables en leur demandant de comparer diverses sources d'information.
12. Des légendes célestes (manuel, pages 129 à 133)	Lire avec précision et fluidité; raconter un texte après l'avoir lu; mettre en pratique les stratégies ciblées et recourir à d'autres stratégies.	De 40 à 60 min	Leçon 12	**É 1 :** Observations continues **Coffret audio**	Jumeler les élèves ayant besoin de soutien pour les aider à s'exercer à lire avec précision et fluidité. Modéliser la façon de raconter une légende (ou une autre histoire) après l'avoir lue. Expliquer comment on peut ajouter des éléments à une histoire sans changer l'idée principale.

Intégration et réinvestissement (suite)

RESSOURCES DE L'ÉLÈVE	APPRENTISSAGES CIBLÉS	DURÉE PRÉVUE	GUIDE D'ENSEIGNEMENT	RESSOURCES SUPPLÉMENTAIRES	DIFFÉRENCIATION / INTERVENTIONS PÉDAGOGIQUES
13. Destination : Jupiter (manuel, pages 134 à 137)	Mettre en application des stratégies de lecture ; réagir au texte lu ; faire le plan d'une histoire.	De 40 à 60 min	Leçon 13	**Affiche de modélisation en écriture 8 (transparent 40) :** *Écrire un récit* **É 1 :** Observations continues **Coffret audio**	Former de petits groupes composés d'élèves plus habiles et d'élèves ayant besoin de soutien pour accomplir la tâche demandée. Aider les élèves en modélisant le repérage des expressions ou des mots descriptifs et en expliquant comment ils permettent de visualiser des faits.
14. À ton tour! (manuel, page 138)	Concevoir un jeu-questionnaire ; poser des questions et y répondre ; réfléchir sur ses apprentissages et se fixer des objectifs.	De 60 à 80 min (2 séances)	Leçon 14	**AM 25 :** Réfléchis à ta présentation **É 1 :** Observations continues **É 3 :** À ton tour!	Suggérer aux élèves ayant besoin de soutien afin de planifier et de rédiger leur jeu-questionnaire de travailler en dyades. Modéliser la façon de poser des questions et d'y répondre.

Réflexion et bilan

RESSOURCES DE L'ÉLÈVE	APPRENTISSAGES CIBLÉS	DURÉE PRÉVUE	GUIDE D'ENSEIGNEMENT	RESSOURCES SUPPLÉMENTAIRES	DIFFÉRENCIATION / INTERVENTIONS PÉDAGOGIQUES
15. Ton portfolio : Gros plan sur tes apprentissages (manuel, page 139)	Sélectionner les éléments destinés au portfolio ; réfléchir à ses apprentissages et en discuter.	De 40 à 60 min	Leçon 15	Ensemble des travaux **É 4 :** Gros plan sur tes apprentissages	Inviter les élèves ayant de la difficulté à commenter leurs choix par écrit à les présenter oralement. Leur proposer au besoin des modèles pour les aider (p. ex. : voir les fiches AM du *Guide d'enseignement de la littératie*).
Tâche d'évaluation de la compréhension en lecture		De 60 à 90 min	Leçon 15	Fascicule *Évaluation de la compréhension en lecture*	Deux niveaux de difficulté sont proposés pour le texte.
Bilan des apprentissages		Variable	Leçon 15	**É 1 :** Observations continues **É 5 :** Grille d'évaluation du module **É 6 :** Bilan des apprentissages	Tenir compte des données d'évaluation sous différentes formes : participation de l'élève, expression orale, tâche d'évaluation de la compréhension en lecture, travaux divers.

Planificateur : Liens interdisciplinaires

Remarque : Les idées présentées dans cette section peuvent servir de minileçon au cours du module.

Sciences et technologie

Indiquer aux élèves que l'Agence spatiale canadienne est responsable du programme spatial du Canada, des nouvelles technologies spatiales et des astronautes canadiens. Demander aux élèves de faire une recherche sur les programmes (p. ex. : *Alouette, Anik*) et les personnes (p. ex. : Roberta Bondar, Bjarni Tryggvason) ayant joué un rôle dans l'exploration spatiale canadienne. Afficher les résultats sur un calendrier des « réussites spatiales canadiennes ». Au cours d'une séance de lecture coopérative ou autonome, inciter les élèves à lire les livrets *Les exploits spatiaux*, de Sheila Fletcher et Claire Owen, coll. Petits curieux, Montréal, ERPI, 2010, et *La technologie spatiale à notre service*, de Chelsea Donaldson, coll. Petits curieux, Montréal, ERPI, 2010.

Préciser aux élèves que la Station spatiale internationale (SSI) accueille des astronautes de différents pays pour des séjours de longue durée. Demander aux élèves de dresser une liste des objets indispensables aux astronautes pour demeurer dans la SSI pendant des mois. Former de petits groupes et les inviter à utiliser cette liste comme point de départ pour concevoir une maquette tridimensionnelle d'une station spatiale capable d'accueillir des êtres humains. Au cours d'une séance de lecture coopérative ou autonome, inciter les élèves à lire le livret *À la découverte de l'espace*, de Sheila Fletcher et Lynette Evans, coll. Petits curieux, ERPI, 2010.

Études sociales (sciences humaines)

Inviter les élèves à faire une recherche sur les explorateurs de l'espace et les explorateurs européens qui ont découvert le Canada, puis à établir leurs similitudes et leurs différences. Leur demander de les comparer à l'aide de différents critères :
- le but de l'exploration ;
- les problèmes affrontés ;
- le type d'environnement exploré ;
- les effets de leur présence sur l'environnement ;
- les aspects techniques ayant facilité l'exploration ;
- les avantages de l'exploration ;
- les inconvénients de l'exploration.

L'information peut être notée dans un tableau comme celui ci-dessous.

Critère	Explorateurs européens	Explorateurs de l'espace

Au cours d'une séance de lecture coopérative ou autonome, inciter les élèves à lire le livret *Grands voyageurs*, de Pamela Rushby, coll. Petits curieux, ERPI, 2006.

Santé, développement personnel et social

Mode de vie sain et actif

Lire les textes du module qui traitent de la vie dans l'espace. Discuter des défis en matière de santé lancés aux astronautes de la SSI. Demander aux élèves de jouer le rôle des scientifiques de la NASA chargés de veiller au bien-être des astronautes. Les inviter à former des dyades pour concevoir un programme quotidien de repas, de collations et d'exercices. Leur rappeler de dresser une liste des facteurs à considérer pour planifier un régime (p. ex.: comment faire de l'exercice en apesanteur, comment emballer les aliments pour éviter qu'ils flottent dans la station). Inciter les élèves à présenter leur programme au reste de la classe.

Comportement en groupe

L'interaction provoquant parfois des conflits, apprendre aux élèves l'importance du respect mutuel malgré les conflits. Modéliser les stratégies appropriées pour régler les conflits.

Par exemple:

- se calmer et s'expliquer, chacun ou chacune à son tour;
- trouver ensemble une solution et apprendre à faire des concessions: s'excuser, réparer ses torts, faire des compromis, partager, tirer au sort, etc.

Éducation artistique

Arts plastiques

Diviser les élèves en trois groupes. Leur demander de trouver et d'utiliser des objets (p. ex.: des balles de tennis, des cintres, de l'argile, du papier d'aluminium) pour créer la maquette de leur choix:

- la rotation de la Terre et le cycle du jour et de la nuit;
- la révolution de la Terre et le cycle des saisons;
- les caractéristiques de la surface de la Lune.

Danse et art dramatique

Demander à chaque groupe d'inventer une légende au sujet de sa maquette et de la raconter dans un mouvement créatif ou une danse. Leur faire choisir une pièce musicale pour accompagner leur spectacle (p. ex.: à la bibliothèque, à la maison, dans Internet ou dans le cours de musique de l'école). Utiliser le gymnase pour permettre à chaque groupe de danser son histoire devant la classe.

Planificateur : Activités en lien avec les leçons

Remarque : Les idées présentées dans cette section peuvent servir de minileçon au cours du module.

Utilisation des ressources

Livres scientifiques

Tout au long du module, inviter les élèves à consulter leur manuel de science et à comparer son contenu avec celui d'autres ouvrages du même type, ou bien comparer le contenu de leur manuel avec celui du module. Poser des questions telles que :

- Quels sujets se ressemblent ?
- Quel type d'ouvrage faut-il consulter pour obtenir des renseignements précis ? Pour se divertir ? Pour découvrir de nouvelles idées ?
- Quels sujets du manuel de science sont traités dans ce module ?
- Quelles caractéristiques tous ces ouvrages ont-ils en commun ?
- Quels éléments aident à comprendre l'information présentée (photos, illustrations, diagrammes, schémas, légendes) ?
- Quels éléments ou sections aident à trouver de l'information sur un sujet particulier (table des matières, glossaire, index, titres des chapitres, sous-titres et intertitres) ?

Journal de bord

Demander aux élèves de tenir un journal de bord afin de prolonger leur réflexion, de clarifier certaines idées et de réfléchir aux connaissances acquises au cours des activités du module.

Utilisation des technologies

Recherche dans Internet

Demander aux élèves d'effectuer une recherche dans Internet à l'aide de mots clés. Leur préciser de taper des mots français pour trouver de l'information en français. Établir un lien entre la recherche de mots clés et la recherche des idées principales dans un texte. Au besoin, modéliser la façon de faire une recherche dans Internet. Montrer aux élèves comment citer les sources d'information consultées. Discuter de la fiabilité des sources trouvées dans Internet.

Inviter les élèves à utiliser le logiciel Google Earth pour voir la Terre d'en haut, et faire des liens avec le module. Proposer les tâches suivantes : trouver et regarder des lieux ; mesurer la distance entre deux villes au Canada et ailleurs dans le monde ; manipuler les images pour les voir sous des angles différents ; explorer les enjeux environnementaux en regardant les cartes.

Proposer aux élèves de visiter le site [http://www.tomatosphere.org/fr/] et de songer à participer au programme de recherche spatiale.

Une fois les élèves à l'aise avec la recherche dans Internet, leur demander de créer un jeu-questionnaire sur l'espace à l'intention d'élèves plus jeunes afin de leur montrer comment utiliser les sites Web pour leurs recherches.

Remarque : Les recherches dans Internet doivent se faire sous la supervision des parents ou des enseignants. Rappeler aux élèves de ne jamais divulguer de renseignements personnels dans Internet.

Utiliser un logiciel de traitement de texte

Proposer aux élèves d'écrire leur texte explicatif à l'aide d'un logiciel de traitement de texte. Les encourager à utiliser un dictionnaire électronique pour réviser leur texte et améliorer le produit final. Inviter les élèves à utiliser les tableaux de ce logiciel pour fabriquer les cartes du jeu-questionnaire.

Utilisation des technologies (*suite*)

Prendre des notes

Demander aux élèves ce qu'ils font pour se souvenir de l'information contenue dans un texte. Leur expliquer que la prise de note est une excellente façon de résumer un texte et de mieux retenir l'information. Leur poser les questions suivantes :

- Pourquoi est-ce parfois important de retenir l'information contenue dans un texte ?
- Dans quelles situations vous demande-t-on de vous souvenir de l'information contenue dans un texte ?

Expliquer aux élèves qu'il existe des outils efficaces pour noter l'information et que cette minileçon en présente trois. Préciser qu'ils pourront utiliser la stratégie de prise de note de leur choix. Au besoin, modéliser l'utilisation de chaque stratégie proposée.

L'arête de poisson. Le diagramme en arête de poisson est un outil visuel qui offre un plan de structure. Il aide les élèves à organiser l'information et à prendre des notes, mais aussi à se souvenir des principaux renseignements d'un texte. Pour utiliser cette stratégie, il faut tenir compte des principaux concepts du sujet à l'étude, du vocabulaire se rapportant à ces concepts, de la capacité des élèves et de leur façon d'apprendre les données nécessaires.

La méthode Cornell. Elle consiste à diviser les éléments d'information en deux parties : à droite figurent les idées principales et secondaires. Les élèves inscrivent des mots clés ou des questions connexes à gauche, en face des notes. Ces mots et questions serviront d'indices plus tard. Au bas de la page, les élèves écrivent leurs réflexions et les liens qu'ils auront établis.

Les mots-aimants. Il s'agit de repérer dans le texte les mots ou concepts, appelés *mots-aimants*, qui attirent les idées secondaires. Une fois le mot-aimant inscrit sur un transparent ou au tableau, les élèves proposent les idées secondaires importantes correspondant à chaque mot et les inscrivent autour. Les élèves doivent utiliser une fiche pour chaque mot-aimant et les idées secondaires associées. Une fois la fiche remplie, ils résument en une phrase les éléments d'information. Ces fiches peuvent servir pour résumer et organiser de l'information en vue d'une production orale ou écrite.

Demander aux élèves de prendre des notes :

- sur des renseignements scientifiques (*voir page 102 du manuel, « Lire un texte explicatif »*) ;
- sur de l'information trouvée dans des articles, des livres, des ouvrages généraux, des vidéos ou des sites Web traitant de l'exploration de l'espace ;
- sur les stratégies de lecture utilisées (*voir page 103 du manuel, « Lis avec habileté »*).

Noter leurs réflexions :

- sur des textes, des schémas ou autres éléments étudiés ;
- au sujet des stratégies utiles avant, pendant et après la lecture, et sur la façon dont elles améliorent leur habileté en lecture ;
- sur les discussions, les rédactions de textes, l'interprétation des images et la façon de présenter l'information (p. ex. : construire un diagramme ou faire une présentation orale).

Au besoin, utiliser certaines fiches d'activités modèles fournies dans le *Guide d'enseignement de la littératie*.

Planificateur : Activités langagières

Remarque : Les idées présentées dans cette section peuvent servir de minileçon au cours du module.

Esprit créatif

Choisir un texte du module et inviter les élèves à approfondir leur compréhension de ce texte au moyen de questions.

Demander aux élèves de lire le texte en imaginant des questions sur l'information à poser aux autres élèves. Les inviter, en dyades, à rédiger de cinq à dix questions, à les échanger avec celles d'une autre dyade, puis à répondre à ces dernières en utilisant leurs propres mots. Encourager les élèves à commenter les questions formulées par les autres dyades (p. ex. : *la question est trop facile* ; *elle n'est pas formulée clairement* ; *la réponse n'est pas dans le texte*).

Jeux de mots

Inviter les élèves à construire leur vocabulaire en jouant avec les lettres contenues dans la phrase suivante : «L'exploration de l'espace a grandement contribué au développement technologique sur la Terre. » Leur demander d'agencer les lettres de manière à former le plus de mots possible en relation avec l'espace et l'exploration spatiale, puis de les écrire sur une feuille. Dresser au tableau une liste de ces mots.

Pour un défi supplémentaire, demander aux élèves de trouver le plus de mots possible en cinq minutes. Accorder des points pour les mots formés de cinq lettres et des points supplémentaires pour les mots de plus de cinq lettres.

Étude de mots

Choisir un texte du module et inviter les élèves :
- à trouver au moins cinq mots dont ils ignorent le sens ;
- à relire le texte afin de prédire le sens des mots, puis à vérifier leurs prédictions en cherchant les mots dans le dictionnaire ;
- à noter les définitions avec leurs mots, sans les révéler ;
- à former de petits groupes et, dans chaque groupe, à définir les mots choisis par les autres membres.

Accorder un point pour chaque mot défini correctement et un point supplémentaire si les élèves peuvent utiliser le mot dans une phrase.

Variante : Inviter les élèves à écrire deux définitions pour chaque mot : une exacte et l'autre, inventée. Chaque élève présente ses définitions. Les autres membres du groupe choisissent la bonne définition pour chaque mot.

Écriture

Rédaction d'un texte explicatif
Modéliser la façon d'écrire un texte explicatif. À l'aide du transparent **35 : Écrire un texte explicatif** (*voir aussi affiche de modélisation en écriture 3*), revoir avec les élèves les étapes du processus d'écriture d'un texte explicatif. Mettre un tableau de référence à leur disposition pour les aider à se rappeler les caractéristiques d'un texte explicatif.

Grammaire

Les coordonnants

Expliquer aux élèves que les coordonnants sont des mots invariables unissant des phrases ou des éléments ayant la même fonction. Dans une phrase complexe, on les utilise souvent pour marquer la relation entre deux éléments (p. ex. : *mais, car, parce que, puisque, quand, donc, en effet, ainsi, de plus, ensuite, et puis*). C'est pourquoi on appelle aussi les coordonnants des *marqueurs de relation*, car ils indiquent le lien entre les éléments ou les phrases qu'ils unissent. On utilise les coordonnants selon leur sens. Faire avec les élèves un tableau qui servira de référence lors des séances de rédaction. Par exemple :

Les coordonnants	
Addition	*aussi, de plus, et, ni*
Alternative	*ou, ou bien*
Cause	*car, en effet*
Conséquence	*ainsi, donc, en conséquence, par conséquent*
Explication	*bref, parce que, en somme*
Succession	*enfin, ensuite, et, puis*
Opposition OU Restriction	*cependant, mais, néanmoins, par contre*

Note : Tous les coordonnants peuvent se déplacer dans une phrase, sauf *et, ou, ni, mais, car* et *puis*.

Expliquer aux élèves qu'un signe de ponctuation remplace parfois les coordonnants. Par exemple, lorsque la virgule remplace le coordonnant *et*, on parle de *phrases juxtaposées*.

En lecture, connaître le sens des coordonnants permet de comprendre la relation entre deux éléments liés. En écriture, cette connaissance aide à marquer correctement les relations entre deux éléments qu'on veut lier.

La formation des mots

Faire remarquer aux élèves que la connaissance des préfixes et des suffixes facilite le décodage des mots nouveaux dans les textes scientifiques. De plus, expliquer que connaître la formation des mots aide à trouver leur sens ou leur orthographe.

Expliquer aux élèves que pour former des mots, on peut utiliser des préfixes, des suffixes et des racines savantes. Préciser que les préfixes sont des éléments qui s'ajoutent au début du mot, les suffixes, à la fin d'un mot, et que les racines savantes sont des éléments d'origine grecque ou latine.

Sortes de mots	Formation	Exemples
Mots composés	mot + mot mot + mot + mot	après + midi = après-midi corde + à + sauter = corde à sauter
Mots dérivés	préfixe + mot mot + suffixe préfixe + mot + suffixe	in- + habituel = inhabituel promener + -ade = promenade pré- + voir + -ance = prévoyance
Mots savants	racine savante + racine savante	carni- + -vore = carnivore
Mots tronqués	début d'un mot	moto = motocyclette
Sigles	initiale d'un mot + initiale d'un mot, etc.	<u>O</u>rganisation <u>m</u>ondiale de la <u>s</u>anté = OMS

Les pronoms *lui* et *leur*

Les pronoms personnels *lui* et *leur* remplacent souvent le complément indirect du verbe.
En règle générale, pour remplacer un nom de personne précédé de la préposition *à*, on utilise *lui* (masculin ou féminin singulier) ou *leur* (masculin ou féminin pluriel).

Par exemple :
*Ce livre appartient à ma mère. Ce livre **lui** appartient.*
*Cette maison appartient à mes parents. Cette maison **leur** appartient.*

Grammaire (*suite*)

Mentionner qu'on utilise le pronom personnel *lui* ou *leur* sans la préposition *à* et qu'on le place devant le verbe. Préciser que la préposition *à* se conserve dans les deux cas suivants :

1) quand le complément d'objet direct est *me, te, se, nous, vous*, et avec les verbes pronominaux ;

   Par exemple :
   *Elle nous envoie à son adjoint. Elle nous envoie **à lui**.*
   *Ils s'attaquent à ton ami. Ils s'attaquent **à lui**.*

2) après certaines expressions formées de verbes comme *être à, faire attention à, penser à, prendre garde à, rêver à, tenir à*.

   Par exemple :
   *Je pense à Jean. Je pense **à lui**.*

Remarque : Au pluriel, on dira **à eux** et non «à leur».

Rappeler aux élèves que le mot *leur* appartient à la classe des pronoms et à la classe des déterminants. Voici comment les différencier :
- le pronom personnel *leur* est toujours invariable ;
- le déterminant possessif *leur* s'accorde avec le nom qu'il détermine.

Par exemple :
*Nous **leur** avons demandé de préparer **leurs** valises.*

Préciser qu'un pronom est dit *de reprise* lorsqu'il reprend un ou des éléments d'un texte (antécédents) et qu'il a le même genre et le même nombre que son ou ses antécédents.

Pronoms de reprise	
Pronoms personnels	*il, elle, le (l'), la (l'), se (s'), soi, lui, ils, elles, les, leur, eux, en, y*, etc.
Pronoms démonstratifs	*ce (c'), ça, ceci, cela, celui, ceux, celle*, etc.
Pronoms possessifs	*le mien, la mienne, les miens, les nôtres*, etc.
Pronoms relatifs	*qui, que (qu'), quoi, dont, où, lequel*, etc.
Pronoms indéfinis	*chacun, certains, plusieurs, beaucoup, tout*, etc.
Pronoms numéraux	*un, une, deux, trois*, etc.
Pronoms interrogatifs	*qui, que (qu'), quoi, quel, lequel*, etc.

Les guillemets

Expliquer aux élèves que les guillemets servent surtout à encadrer les paroles dites ou écrites par une personne que l'on cite (il faut alors rapporter directement les paroles).

Mentionner aussi que les guillemets servent parfois :
- à encadrer un dialogue dans un texte narratif. Dans ce cas, on les remplace souvent par un long tiret ;
- à encadrer un élément (p. ex. : un mot ou une expression technique ou scientifique, un mot appartenant à un registre familier) de façon à le mettre en valeur.

Présentation du module

(manuel, pages 96 et 97)

Apprentissages ciblés

- S'exprimer clairement en faisant des liens avec ses connaissances.
- Approfondir ses connaissances.
- Utiliser des mots précis pour parler de l'exploration spatiale.

AVANT

Explorer le langage et les idées se rapportant à l'exploration spatiale

Informer les élèves que ce module les familiarisera avec l'exploration spatiale. Leur demander de penser à leurs connaissances à ce sujet. Les inviter à créer, en petits groupes, une toile de mots sur l'exploration spatiale et à y inscrire ce qu'ils savent sur ce thème.

Par exemple :

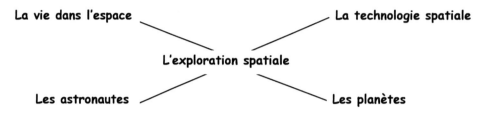

La vie dans l'espace — La technologie spatiale — L'exploration spatiale — Les astronautes — Les planètes

Poser des questions sur l'exploration spatiale

Demander à chaque groupe de présenter sa toile et d'écrire trois questions sur l'exploration spatiale. Expliquer aux élèves qu'en consultant une variété de sources d'information, ils en apprendront davantage sur l'exploration spatiale et son influence sur la vie quotidienne.

Inviter les élèves à observer la photo des pages 96 et 97 du manuel. Leur poser les questions suivantes :

- Que voyez-vous sur la photo ?
- Comment cette photo illustre-t-elle l'exploration spatiale ?
- Connaissez-vous les mots listés à la page 97 ? En quoi correspondent-ils au thème de l'exploration de l'espace ?

Inciter les élèves à faire part de leurs expériences en rapport avec la photo et les expressions présentées.

PENDANT

Faire des liens avec ses connaissances

Présenter aux élèves les objectifs d'apprentissage de la page 96 de leur manuel. Discuter avec eux des types d'activités susceptibles de les aider à atteindre ces objectifs. Créer un tableau des objectifs reformulés par les élèves pour leur permettre de s'y référer au besoin.

Soutien (étayage)

Aider les élèves à comprendre les objectifs d'apprentissage en les reliant à d'autres apprentissages (p. ex. : en sciences) à l'aide de réflexions comme la suivante : *Cela me fait penser à ce qu'on a déjà appris à propos de...*

Survoler le module avec les élèves. Leur poser les questions suivantes :

- Que remarquez-vous au sujet des différentes sections ?
- Quelles activités pensez-vous faire ?
- Avez-vous déjà certaines connaissances sur les sujets présentés ?
- Quelles choses aimeriez-vous connaître davantage ?
- Qu'est-ce qui vous intéresse le plus ?

Remettre la fiche d'activité **2 : Un survol du module** et proposer aux élèves de remplir cette fiche en dyades.

APRÈS

Le survol du texte terminé, former des groupes et leur demander de communiquer leurs réponses et leurs observations. Inviter les élèves à ajouter des mots à leur toile en s'appuyant sur leur réflexion et les découvertes faites en survolant le module. Leur expliquer qu'ils apprendront des faits concernant l'espace au fil de leurs lectures, des rédactions et des discussions.
  Au besoin :

- afficher des toiles de mots sur le mur pour faciliter leur consultation ;
- encourager les élèves à y ajouter des mots ou des expressions au cours du module ;
- créer un glossaire de mots évolutif tout au long du module.

RÉFLEXION

Inviter les élèves à noter une brève réflexion dans leur journal de bord au sujet de l'espace. Écrire au tableau : « La vie dans l'espace », « Les planètes », « Les astronautes » et « La technologie spatiale ». Demander aux élèves de noter des questions qu'ils se posent sur ces rubriques. Les inciter à utiliser des termes scientifiques en se référant au mur de mots et d'expressions.

Survoler le module

Remettre aux élèves la fiche d'activité **1 : Lettre à l'intention des parents / Home Connection Letter**. Cette lettre a pour but de faire connaître aux parents ou tuteurs le contenu du présent module et d'encourager leur participation aux apprentissages des élèves.

Préparer un glossaire sur l'espace

Réfléchir au thème

ÉVALUATION AU SERVICE DE L'APPRENTISSAGE *(voir fiche d'évaluation 1 : Observations continues)*

Observations	Interventions pédagogiques
Noter si les élèves peuvent : • s'exprimer clairement en faisant des liens avec leurs connaissances ; • approfondir leurs connaissances ; • utiliser des mots précis pour parler de l'exploration spatiale.	Inviter les élèves ayant peu de vocabulaire et peu de connaissances antérieures à : • écouter et discuter de l'information sur l'exploration spatiale ; • s'approprier des termes scientifiques précis au moyen d'indices contextuels et d'images qui en facilitent la compréhension.

L'espace, une visite guidée

(manuel, pages 98 à 101)

Apprentissages ciblés
- Mettre en pratique l'écoute active.
- Approfondir sa compréhension par la discussion.
- Préparer une annonce publicitaire.

Niveau de lecture S-T, DRA 48-50

AVANT

Échanger des connaissances

Expliquer aux élèves qu'ils vont lire un texte intitulé « L'espace, une visite guidée ». Leur poser les questions suivantes :
- Avez-vous déjà fait une visite guidée ? Si oui, quel genre d'information vous a-t-on donné ?
- Imaginez que vous faites une visite guidée de l'espace. À votre avis, quel genre d'information obtiendrez-vous ?

Se poser des questions

Demander aux élèves, en dyades, de discuter de leurs connaissances au sujet des planètes.

Modéliser la façon d'utiliser ses connaissances pour formuler des questions qui trouveraient des réponses grâce à cette visite guidée. Réfléchir à voix haute en disant, par exemple :
- *Je crois savoir que la température n'est pas la même sur toutes les planètes.*
- *Je prédis que cette visite guidée permettra de répondre à la question « À quel point chaque planète est-elle chaude ou froide ? ».*

Demander aux élèves d'utiliser leurs connaissances pour formuler d'autres questions. Noter leurs prédictions au tableau à titre de référence.

Inviter les élèves à survoler le texte et à discuter de la question de départ (*voir page 98 du manuel*) : Qu'aimerais-tu apprendre au sujet des planètes ?

Chercher des indices dans les éléments du texte	Le titre Les intertitres Les images et les légendes
Faire des liens avec ses connaissances et ses expériences	
Se poser des questions	

PENDANT

Écouter le texte

Lire le texte à voix haute ou inviter les élèves à écouter attentivement le texte du coffret audio tout en suivant dans leur manuel. S'arrêter de temps en temps pour les laisser faire des liens avec leurs connaissances. Leur poser les questions ci-dessous et leur demander de communiquer leurs idées avec un ou une camarade avant d'en discuter avec tout le groupe.
- Comment les éléments visuels vous aident-ils à comprendre le texte ?
- Quelles questions vous êtes-vous posées sur les planètes en écoutant le texte ?
- Avez-vous obtenu des réponses à toutes vos questions ? Sinon, où pourriez-vous les trouver ?
- Que pouvez-vous faire pour comprendre certains termes scientifiques ?
- Quelles sont les similitudes et les différences entre chacune des planètes et la Terre ?
- En quoi la photo reflète-t-elle les mots utilisés ?

APRÈS

Demander aux élèves de lire les questions inscrites au tableau et de désigner celles qui ont trouvé des réponses. Les inviter à discuter des réponses en tenant compte de ce qu'ils ont appris sur les planètes pendant la visite guidée. Poser les questions suivantes :

- Compte tenu de ce que vous savez maintenant sur les planètes, aimeriez-vous les visiter ? Pourquoi ?
- Quelles autres questions sur les planètes aimeriez-vous poser avant de prendre votre décision ?

Demander aux élèves de former des dyades pour faire les activités de l'encadré «Parlons-en !» (*voir page 101 du manuel*).

À la première activité, inviter les dyades à échanger leur point de vue sur la question posée. Pour les aider à rester concentrés sur la tâche et à organiser leurs idées avant de les communiquer, remettre à chaque dyade un feuillet adhésif pour permettre à chaque élève d'y inscrire deux ou trois raisons justifiant son opinion.

À la deuxième activité, demander aux élèves de revoir l'information sur la planète choisie afin de trouver les mots clés qui la décrivent et de les inclure dans leur annonce publicitaire.

Demander aux élèves de sélectionner les faits intéressants à inclure dans leur annonce publicitaire et de faire un remue-méninges sur sa forme et son contenu. Les inviter à présenter leur annonce à la classe.

> ### Conseil
> Expliquer aux élèves que pour préparer une annonce publicitaire, il faut déterminer les faits importants et tenir compte des destinataires. Modéliser, au besoin, la façon de préparer une annonce claire et pertinente.

Préparer et présenter une annonce publicitaire

OBSERVATION GRAMMATICALE EN CONTEXTE

Mentionner que les comparaisons aident à visualiser ce texte. Expliquer qu'une comparaison exprime une ressemblance entre deux réalités à l'aide d'un mot de comparaison (p. ex.: *comme, semblable à, pareille à, comparable à, avoir l'air de*). Demander aux élèves de relever des comparaisons dans ce texte et de les transformer en métaphores. Préciser qu'une métaphore est une figure de style exprimant une ressemblance sans l'aide d'un mot de comparaison.

Inviter les élèves à remplir la fiche d'activité **9 : L'emploi de la virgule.**

RÉFLEXION

Inviter les élèves à réfléchir à ce qu'ils ont appris et aux questions qu'ils ont posées. Par exemple : En quoi vos questions se sont-elles transformées à mesure que vous appreniez de nouveaux renseignements ?

Réfléchir aux stratégies utilisées

ÉVALUATION AU SERVICE DE L'APPRENTISSAGE (voir fiche d'évaluation 1 : Observations continues)

Observations	Interventions pédagogiques
Noter si les élèves peuvent : • mettre en pratique l'écoute active ;	Modéliser les comportements d'écoute active appropriés lors d'une discussion de groupe. Avec les élèves, dresser une liste des comportements d'un auditeur actif ou d'une auditrice active (p. ex.: *cette personne demande des précisions, résume ou paraphrase ce qu'elle a entendu*). Afficher la liste dans la classe pour permettre aux élèves de s'y référer au besoin.
• approfondir leur compréhension par la discussion ;	À la suite d'une discussion avec un petit groupe d'élèves, dresser une liste d'idées importantes et de renseignements résumant ce qu'ils ont retenu lors de cette discussion.
• préparer une annonce publicitaire.	Faire écouter des annonces publicitaires à utiliser comme modèles par les élèves.

3 Lire un texte explicatif

(manuel, pages 102 et 103)

Apprentissages ciblés
- Utiliser des stratégies de décodage pour comprendre des mots nouveaux.
- Préciser son intention pour la lecture d'un texte explicatif.
- Comprendre et évaluer les stratégies de lecture utilisées.
- Distinguer les idées principales des autres renseignements.
- Déterminer l'exactitude d'une information.

Affiche : **Les débris spatiaux** (*voir aussi transparent de lecture partagée **16***)

Note : Cette leçon de **lecture partagée** pourrait être enseignée sur une période de deux à cinq séances, selon les besoins des élèves.

3.1 Lis avec habileté : Précise ton intention *(manuel, page 103)*

AVANT

Se familiariser avec le genre de texte

Amener les élèves à comprendre les différences entre un texte explicatif et un texte narratif. Leur poser les questions suivantes :

- À votre avis, pourquoi utilise-t-on des textes explicatifs dans les livres scientifiques ? (p. ex. : *pour expliquer le fonctionnement d'une machine, pour expliquer un phénomène naturel.*)
- En quoi les textes explicatifs sont-ils différents des textes narratifs ou des histoires ? (p. ex. : *les textes explicatifs présentent des faits, fournissent de l'information pertinente, ne relèvent pas de la fiction.*)

Déterminer des sources d'information scientifique

Inciter les élèves à discuter des livres scientifiques qu'ils ont déjà lus. Les inviter à faire l'activité de la rubrique **Exprime-toi !** (*voir page 102 du manuel*).

PENDANT

Demander aux élèves de communiquer leurs connaissances sur les stratégies de lecture efficaces pour lire un livre ou un article de magazine scientifique. Leur rappeler les stratégies utilisées pour lire le texte « L'espace, une visite guidée » (*voir « Leçon 2 »*). Expliquer que les lecteurs efficaces précisent souvent leur intention avant de commencer à lire un texte afin de mieux se concentrer sur l'information qu'ils recherchent.

Dresser avec les élèves une liste des caractéristiques d'un texte explicatif et indiquer l'utilité de chacune. Concevoir un tableau semblable à celui de la page 102 du manuel.

APRÈS

Pourquoi lire des textes explicatifs

Poser la question de la rubrique **Précise ton intention** (*voir page 103 du manuel*) : Pourquoi lis-tu des textes explicatifs ? Par exemple :

- *pour avoir de l'information sur un sujet qui m'intéresse ;*
- *pour confirmer ce que je sais déjà sur un sujet ;*
- *pour apprendre de nouvelles connaissances ;*
- *pour le plaisir.*

Modéliser les réponses pour les élèves. Par exemple :
Je lis des textes explicatifs pour…

3.2 Lis avec habileté : Décode le texte *(manuel, page 103)*

Note : Cette leçon pourrait facilement s'intégrer à la leçon 3.3.

AVANT

Rappeler aux élèves que les lecteurs efficaces utilisent diverses stratégies pour décoder des mots inconnus. Lire avec les élèves la rubrique **Décode le texte** *(voir page 103 du manuel)*.

Discuter de stratégies de décodage

PENDANT

Proposer aux élèves d'observer la liste de mots écrits au tableau par la jeune fille de la photo. Leur demander quelle stratégie les aiderait à comprendre le sens de ces mots.

Écrire le mot *astronaute* au tableau et modéliser à voix haute la stratégie suivante. Par exemple :

Quand je lis le mot astronaute, *je reconnais le préfixe « astro ». Je pense alors à d'autres mots connus commençant par ce préfixe (p. ex. :* astrologie, astronomie, astronomique*). Je sais que ces mots se rapportent à l'espace. J'en conclus que le préfixe « astro » a le sens de* espace. *De même, le suffixe « naute » me rappelle d'autres mots se terminant de la même façon (p. ex. :* internaute, aéronaute*). J'en conclus que le suffixe « naute » a le sens de* navigateur. *Donc, j'en déduis que le mot* astronaute *a le sens de* navigateur de l'espace. *Je vérifie ma déduction en consultant le dictionnaire.*

Appliquer cette stratégie aux autres mots de la liste ou du mur de mots et d'expressions.

Modéliser la stratégie

Utiliser une partie d'un mot déjà connue

Observer la forme des mots

APRÈS

Amener les élèves à citer d'autres préfixes et suffixes. Dresser un tableau de suffixes et de préfixes les plus courants.

Inviter les élèves à travailler en dyades et à trouver d'autres mots compréhensibles grâce à cette stratégie.

Réfléchir aux stratégies utilisées

RÉFLEXION

Inviter les élèves à noter dans leur journal de bord ce qu'ils ont appris sur la façon de décoder des textes et de mieux les comprendre.

ÉVALUATION AU SERVICE DE L'APPRENTISSAGE *(voir fiche d'évaluation 1 : Observations continues)*

Observations	Interventions pédagogiques
Noter si les élèves peuvent : • utiliser des stratégies de décodage pour comprendre un mot nouveau.	Expliquer la signification de quelques mots clés, dans leur contexte. Au moment de lire, les élèves n'auront donc qu'à reconnaître le mot nouveau. Choisir judicieusement les mots à leur expliquer et ceux à leur laisser « deviner ».

3.3 Lis avec habileté : Construis le sens du texte — Pose des questions, vérifie ta compréhension et fais un résumé

(manuel, page 103)

AVANT

Commencer la lecture partagée

Rappeler aux élèves que les lecteurs efficaces choisissent judicieusement les stratégies à appliquer pour mieux comprendre un texte. Installer l'affiche **Les débris spatiaux** (*voir aussi transparent 16*) et poser les questions suivantes :

- Dans quelle intention lisez-vous ce texte ?
- Quelles stratégies vous aideraient à comprendre ce texte ?

Amener les élèves à réfléchir sur leurs connaissances au sujet des débris spatiaux et dresser la liste des questions qu'ils se posent en observant les intertitres et les images de l'affiche.

PENDANT

Modéliser les stratégies ciblées

Poser des questions

Vérifier sa compréhension

Faire un résumé

Lire aux élèves les intertitres de la rubrique **Construis le sens du texte** (*voir page 103 du manuel*) à voix haute. Préciser que l'enseignant ou l'enseignante les aidera à appliquer ces stratégies. Leur rappeler qu'en se posant des questions et en utilisant leurs connaissances, les lecteurs efficaces rendent l'information nouvelle plus facile à comprendre, plus intéressante à lire et plus aisée à retenir. De plus, ils font des pauses durant la lecture pour vérifier leur compréhension du sujet, et ainsi mieux dégager les idées principales et les résumer.

> **Soutien (étayage)**
>
> Même si la plupart des élèves peuvent utiliser plus d'une stratégie de lecture, continuer à modéliser le choix et l'intégration des stratégies permettant de rendre les lecteurs efficaces. Ajuster la leçon pour les élèves ayant davantage besoin de soutien.

Modéliser les stratégies ciblées. Par exemple :

- *Lorsque je lis un texte explicatif comme celui-ci, je survole d'abord l'information contenue dans le texte. Je lis le titre et les intertitres, puis j'observe les images. Je me pose ensuite les questions suivantes : « Que sais-je déjà sur le sujet qui m'aiderait à lire ce texte ? Est-ce que je reconnais certains mots ? »*
- *Je relis les intertitres de l'affiche **Les débris spatiaux** et je formule d'autres questions sur les renseignements que je pense trouver dans chaque section.*
- *Je lis la question : « Que sont les débris spatiaux ? ». Ensuite, je lis le texte pour trouver la réponse.*
- *Je repère les mots inconnus. Je cherche si le mot est expliqué plus loin. Je relis le texte pour trouver de nouveaux mots.*
- *Je lis chaque section attentivement. À la fin d'une section, je fais une pause pour vérifier ma compréhension du sujet. Je n'oublie pas les photos et leurs légendes qui donnent aussi des renseignements. Au besoin, je relis la section.*
- *À la fin de chaque section, je me demande comment résumer en quelques mots les renseignements. Je me pose la question : « Quelles sont les idées importantes dans cette section ? »*

Lire le texte de l'affiche à voix haute en invitant les élèves à participer. Faire des pauses afin de mettre l'accent sur les mots nouveaux, de poser des questions aux élèves et de vérifier leur compréhension du sujet. Pendant la lecture, leur permettre de comparer les stratégies et d'en discuter en dyades. Faire un retour sur ces échanges et poursuivre la lecture.

Lire avec les élèves les rubriques **Décode le texte** et **Construis le sens du texte** (*voir page 103 du manuel*) et en discuter. Modéliser la façon de remplir la fiche d'activité **3 : Pose des questions, vérifie ta compréhension et fais un résumé.**

APRÈS

Après la lecture de l'affiche, poser les questions suivantes :

- Qu'avez-vous appris au sujet des débris de l'espace ?
- Quelles stratégies étaient les plus efficaces pour comprendre le texte ? Pourquoi ?

Discuter des stratégies de compréhension

Expliquer aux élèves que, même si plusieurs personnes lisent un texte identique, chacune utilise différentes stratégies, selon ses besoins. Leur poser la question suivante : Si vous aviez lu ce texte de façon autonome, quelles autres stratégies auriez-vous utilisées ?

RÉFLEXION

Demander aux élèves de discuter, en dyades, de l'efficacité d'une stratégie utilisée pour comprendre ce texte.

Réfléchir aux stratégies utilisées

ÉVALUATION AU SERVICE DE L'APPRENTISSAGE *(voir fiche d'évaluation 1 : Observations continues)*

Observations	Interventions pédagogiques
Noter si les élèves peuvent : • préciser leur intention pour la lecture d'un texte explicatif ; • comprendre et évaluer les stratégies de lecture utilisées.	Proposer aux élèves de trouver d'autres textes explicatifs. Leur montrer la manière de préciser son intention pour la lecture de ce genre de textes. Modéliser la gestion des stratégies de compréhension de lecture, par exemple, la façon de se poser des questions au sujet d'un texte explicatif et d'en résumer l'information.

3.3 Lis avec habileté : Construis le sens du texte — Pose des questions, vérifie ta compréhension et fais un résumé (*suite*)

(manuel, page 103)

AVANT

Revoir les stratégies

Faire un résumé

Prendre des notes et faire un résumé

Revoir les activités précédentes avec les élèves. Expliquer l'importance de résumer un texte afin d'en retenir l'information essentielle.

Utiliser la première section du texte de l'affiche **Les débris spatiaux** pour modéliser la façon de résumer un texte explicatif. Montrer aux élèves comment prendre des notes à partir d'éléments du texte et résumer l'information. Leur demander de proposer des idées pour résumer les autres sections. Leur expliquer la façon de distinguer les idées principales des autres renseignements. Leur faire remarquer l'enchaînement des idées.

Reprendre la fiche d'activité **3 : Pose des questions, vérifie ta compréhension et fais un résumé**. Demander aux élèves de choisir la deuxième ou la troisième section du texte de l'affiche et de la résumer dans la case **4** de la fiche. Pour les aider, leur proposer de répondre en une phrase à la question : « Quelle information importante voudrais-je donner à une autre personne ? »

APRÈS

Inviter les élèves à discuter de l'utilité des stratégies de lecture.

RÉFLEXION

Réfléchir aux stratégies utilisées

Demander aux élèves d'expliquer dans leur journal de bord que faire un résumé aide à retenir l'information. Les inviter à décrire comment ils pourraient utiliser cette stratégie dans une autre situation de lecture.

ÉVALUATION AU SERVICE DE L'APPRENTISSAGE *(voir fiche d'évaluation 1 : Observations continues)*

Observations	Interventions pédagogiques
Noter si les élèves peuvent : • distinguer les idées principales des autres renseignements.	À l'aide d'autres textes explicatifs adaptés aux niveaux cognitif et langagier des élèves, modéliser la façon de distinguer les idées principales des autres renseignements.

3.4 Lis avec habileté : Analyse le texte *(manuel, page 103)*

AVANT

Préciser aux élèves que les lecteurs efficaces :

- observent comment l'auteur ou l'auteure présente l'information et analysent son intention et son point de vue ;
- ne croient pas tout ce qu'ils lisent ;
- se posent des questions et essaient de déterminer l'exactitude de l'information présentée (p. ex. : *Quelle information l'auteur veut-il me transmettre ? Pourquoi ? Cette information provient-elle d'une source sûre ?*) ;
- analysent les idées et l'information.

Déterminer l'exactitude de l'information

PENDANT

Souligner l'existence de plusieurs façons de voir les choses. Animer ensuite une discussion sur les deux questions de la rubrique **Analyse le texte** (*voir page 103 du manuel*). Poser les questions suivantes :

- Pourquoi écrit-on des textes explicatifs ? Pourquoi un auteur ferait-il le choix de présenter de l'information sur les débris spatiaux ?
- Qu'est-ce qui rend ce texte intéressant ?
- Quel autre point de vue pourrait-on présenter ?
- Les textes scientifiques devraient-ils toujours présenter des renseignements exacts ? Pourquoi ?
- Comment peut-on s'assurer que l'information présentée dans un texte est à jour ?

À chaque question, laisser quelques minutes aux élèves pour discuter de leurs réponses en dyades.

Discuter de l'importance de lire de façon critique

APRÈS

Discuter des réponses en groupe-classe. Mentionner l'importance de connaître la source d'une information afin de déterminer sa fiabilité.

RÉFLEXION

Proposer aux élèves de choisir une (ou plusieurs) stratégie de lecture utilisée pour comprendre le texte de l'affiche et expliquer comment s'en servir dans une autre situation de lecture.

Réfléchir aux stratégies utilisées

ÉVALUATION AU SERVICE DE L'APPRENTISSAGE *(voir fiche d'évaluation 1 : Observations continues)*

Observations	Interventions pédagogiques
Noter si les élèves peuvent : • déterminer l'exactitude d'une information.	Comparer des textes de différents auteurs sur le même sujet en y relevant l'information commune. Discuter de l'importance de se référer à plus d'une source pour être bien informé.

Enseignement différencié

Assigner aux élèves un des trois textes proposés selon leur niveau de lecture. Préférablement, former des groupes hétérogènes de quatre à six. S'assurer qu'au moins deux élèves lisent le même texte dans chaque groupe. Ainsi, après avoir résumé ce qu'il a lu, chaque élève validera sa compréhension du texte avec un ou une partenaire. Certains élèves peuvent travailler de façon autonome (p. ex. : à l'aide des cartes-photos).

4 La pratique guidée

(manuel, pages 104 à 109)

Apprentissages ciblés

Mettre en application les stratégies : *Poser des questions*, *Vérifier sa compréhension* et *Faire un résumé*.

4.1 Pluton, une planète naine ? (niveau de lecture T-U, DRA 50-54)

4.2 La comète de Halley (niveau de lecture V-W, DRA 58-60)

4.3 Mars, la planète rouge (niveau de lecture W-X, DRA 60-64)

4.4 Affiche du scénarimage du module 3

4.1 Pluton, une planète naine ? *(manuel, pages 104 et 105)*

AVANT

Niveau de lecture T-U, DRA 50-54

Inviter les élèves qui liront le texte « Pluton, une planète naine ? » à partager ce qu'ils connaissent déjà sur cet astre et de consigner l'information sur des papillons adhésifs. Préparer un tableau à deux colonnes et inviter les élèves à apposer leurs papillons adhésifs dans la première colonne.

Proposer aux élèves de survoler le texte en lisant le titre, les intertitres et en regardant les images. Leur demander de dresser ensemble la liste des questions qu'ils se posent sur le texte et de la copier dans la deuxième colonne du tableau. Distribuer ensuite la fiche d'activité **3 : Pose des questions, vérifie ta compréhension et fais un résumé** pour leur faire recopier la liste de questions dans la case **1**.

Conseil

Rappeler aux élèves que toutes les stratégies sont interdépendantes et que les lecteurs efficaces appliquent, au besoin, plus d'une stratégie à la fois, par exemple, lorsqu'ils font des prédictions, ils font aussi des liens et posent des questions.

Amener les élèves à se rendre compte comment leurs connaissances les ont conduits à se poser des questions pour obtenir de nouveaux éléments d'information sur le texte à lire (2e colonne).

Avant la lecture du texte, inciter les élèves à tenir compte des trois points suivants :

1) penser à ses connaissances sur le sujet ;
2) poser des questions pour en apprendre davantage ;
3) faire des pauses pendant la lecture pour vérifier sa compréhension et mémoriser les renseignements.

Survoler le texte

Poser des questions

PENDANT

Vérifier sa compréhension

Demander aux élèves d'imaginer la réponse à la question de l'intertitre (*voir page 104 du manuel*) : « Qu'est-ce que Pluton ? ». Lire le texte de la première section pour vérifier l'exactitude des connaissances des élèves. Leur poser les questions suivantes :

Soutien (étayage)

Pour les élèves ayant besoin de soutien pour comprendre le tableau du texte, modéliser la façon de lire un tableau à l'aide de l'affiche **Les débris spatiaux**.

- Quels nouveaux renseignements avez-vous retenus ?
- Qu'avez-vous appris grâce aux illustrations ?
- Quelle est l'idée la plus importante dans cette section ?

Demander aux élèves de lire toutes les sections du texte et de prêter attention aux renseignements importants. Les amener à réfléchir aux informations découvertes pendant leur lecture et à en parler avec un ou une camarade. Les inviter ensuite à écrire ce qu'ils ont appris dans les cases **2** et **3** de la fiche d'activité **3 : Pose des questions, vérifie ta compréhension et fais un résumé.**

APRÈS

Revoir avec les élèves le résumé de la première section de l'affiche **Les débris spatiaux** (*ou transparent 16*) et les inciter à suivre ce modèle pour résumer le texte « Qu'est-ce que Pluton ? ». Leur demander de remplir individuellement la case **4** de la fiche d'activité **3 : Pose des questions, vérifie ta compréhension et fais un résumé.**

> ### Soutien (étayage)
> Avant de remplir la fiche, laisser certains élèves travailler en équipe pour exprimer et échanger leurs idées, et d'autres résumer uniquement la partie du texte, à leurs yeux, la plus intéressante.

Faire un résumé

> **Critères d'évaluation :**
> - poser des questions pertinentes ;
> - noter les renseignements avec exactitude ;
> - relever les idées principales ;
> - résumer le texte.

Rassembler les réponses des élèves. Tout au long de la présentation des idées principales, amener les élèves à expliquer en quoi le fait de se poser des questions et de relire le texte leur a permis de comprendre l'information et de la retenir.

OBSERVATION GRAMMATICALE EN CONTEXTE

Demander aux élèves d'effectuer l'activité langagière : **Les coordonnants** (*voir page XX du présent document*).
Faire remarquer la construction des phrases interrogatives dans ce texte.

RÉFLEXION

Inviter les élèves à écrire une réflexion dans leur journal de bord. Pour les guider, proposer l'une des pistes suivantes :

- Que vous ont appris les photos et qu'auriez-vous ignoré en lisant le texte seulement ?
- Indiquez, dans le texte, où vous avez arrêté votre lecture pour vérifier votre compréhension. Décrivez votre méthode de réflexion.
- Pour expliquer à un ou une camarade l'utilité de la stratégie *Poser des questions*, que lui diriez-vous ?

Réfléchir aux stratégies utilisées

Niveau de lecture V-W, DRA 58-60

4.2 La comète de Halley *(manuel, pages 106 et 107)*

AVANT

Inviter les élèves qui liront le texte « La comète de Halley » à partager ce qu'ils connaissent déjà sur ce corps céleste et de consigner l'information sur des papillons adhésifs. Préparer un tableau à deux colonnes et inviter les élèves à apposer leurs papillons adhésifs dans la première colonne.

> **Conseil**
>
> Rappeler aux élèves que toutes les stratégies sont interdépendantes et que les lecteurs efficaces appliquent, au besoin, plus d'une stratégie à la fois, par exemple, lorsqu'ils font des prédictions, ils font aussi des liens et posent des questions.

Survoler le texte

Proposer aux élèves de survoler le texte en lisant le titre, les intertitres et en regardant les images. Leur demander de dresser ensemble la liste des questions qu'ils se posent sur le texte et de la copier dans la deuxième colonne du tableau. Distribuer ensuite la fiche d'activité **3 : Pose des questions, vérifie ta compréhension et fais un résumé** pour leur faire recopier la liste de questions dans la case **1**.

Poser des questions

Amener les élèves à se rendre compte comment leurs connaissances les ont conduits à se poser des questions pour obtenir de nouveaux éléments d'information sur le texte à lire (2ᵉ colonne).

Avant la lecture du texte, inciter les élèves à tenir compte des trois points suivants :

1) penser à ses connaissances sur le sujet ;
2) poser des questions pour en apprendre davantage ;
3) faire des pauses pendant la lecture pour vérifier sa compréhension et mémoriser les renseignements.

PENDANT

Vérifier sa compréhension

Demander aux élèves d'imaginer la réponse à la question de l'intitulé (*voir page 106 du manuel*) : « Qu'est-ce qu'une comète ? ». Lire le texte de la première section pour vérifier l'exactitude des connaissances des élèves. Leur poser les questions suivantes :

- Quels nouveaux renseignements avez-vous retenus ?
- Qu'avez-vous appris grâce aux illustrations ?
- Quelle est l'idée la plus importante dans cette section ?

Demander aux élèves de lire toutes les sections du texte et de prêter attention aux renseignements importants. Les amener à réfléchir aux informations découvertes pendant leur lecture et à en parler avec un ou une camarade. Les inviter ensuite à écrire ce qu'ils ont appris dans les cases **2** et **3** de la fiche d'activité **3 : Pose des questions, vérifie ta compréhension et fais un résumé**.

> **Soutien (étayage)**
>
> Pour les élèves ayant besoin de soutien pour comprendre le tableau du texte, modéliser la façon de lire un tableau à l'aide de l'affiche **Les débris spatiaux**.

APRÈS

Revoir avec les élèves le résumé de la première section de l'affiche **Les débris spatiaux** (*ou transparent 16*) et les inciter à suivre ce modèle pour résumer le texte «La comète de Halley». Leur demander de remplir individuellement la case **4** de la fiche d'activité **3: Pose des questions, vérifie ta compréhension et fais un résumé.**

> ### Soutien (étayage)
> Avant de remplir la fiche, laisser certains élèves travailler en équipe pour exprimer et échanger leurs idées, et d'autres résumer uniquement la partie du texte, à leurs yeux, la plus intéressante.

Faire un résumé

Critères d'évaluation:
- poser des questions pertinentes;
- noter les renseignements avec exactitude;
- relever les idées principales;
- résumer le texte.

Rassembler les réponses des élèves. Tout au long de la présentation des idées principales, amener les élèves à expliquer en quoi le fait de se poser des questions et de relire le texte leur a permis de comprendre l'information et de la retenir.

OBSERVATION GRAMMATICALE EN CONTEXTE

Demander aux élèves d'effectuer l'activité langagière: **Les coordonnants** (*voir page XX du présent document*).

Faire remarquer la construction des phrases interrogatives dans ce texte.

RÉFLEXION

Inviter les élèves à écrire une réflexion dans leur journal de bord. Pour les guider, proposer l'une des pistes suivantes:

- Que vous ont appris les photos et qu'auriez-vous ignoré en lisant le texte seulement?
- Indiquez, dans le texte, où vous avez arrêté votre lecture pour vérifier votre compréhension. Décrivez votre méthode de réflexion.
- Pour expliquer à un ou une camarade l'utilité de la stratégie *Poser des questions*, que lui diriez-vous?

Réfléchir aux stratégies utilisées

Niveau de lecture W-X, DRA 60-64

4.3 Mars, la planète rouge *(manuel, pages 108 et 109)*

AVANT

Inviter les élèves qui liront le texte « Mars, la planète rouge » à partager ce qu'ils connaissent déjà sur cette planète et à consigner l'information sur des papillons adhésifs. Préparer un tableau à deux colonnes et inviter les élèves à apposer leurs papillons adhésifs dans la première colonne.

Conseil

Rappeler aux élèves que toutes les stratégies sont interdépendantes et que les lecteurs efficaces appliquent, au besoin, plus d'une stratégie à la fois, par exemple, lorsqu'ils font des prédictions, ils font aussi des liens et posent des questions.

Survoler le texte

Proposer aux élèves de survoler le texte en lisant le titre, les intertitres et en regardant les images. Leur demander de dresser ensemble la liste des questions qu'ils se posent sur le texte et de la copier dans la deuxième colonne du tableau. Distribuer ensuite la fiche d'activité **3 : Pose des questions, vérifie ta compréhension et fais un résumé** pour leur faire recopier la liste de questions dans la case **1**.

Poser des questions

Amener les élèves à se rendre compte comment leurs connaissances les ont conduits à se poser des questions pour obtenir de nouveaux éléments d'information sur le texte à lire (2ᵉ colonne).

Avant la lecture du texte, inciter les élèves à tenir compte des trois points suivants :

1) penser à ses connaissances sur le sujet ;

2) poser des questions pour en apprendre davantage ;

3) faire des pauses pendant la lecture pour vérifier sa compréhension et mémoriser les renseignements.

PENDANT

Vérifier sa compréhension

Demander aux élèves d'imaginer la réponse à la question de l'intertitre *(voir page 108 du manuel)* : « Comment est la planète Mars ? ». Lire le texte de la première section pour vérifier l'exactitude des connaissances des élèves. Leur poser les questions suivantes :

- Quels nouveaux renseignements avez-vous retenus ?
- Qu'avez-vous appris grâce aux illustrations ?
- Quelle est l'idée la plus importante dans cette section ?

Demander aux élèves de lire toutes les sections du texte et de prêter attention aux renseignements importants. Les amener à réfléchir aux informations découvertes pendant leur lecture et à en parler avec un ou une camarade. Les inviter ensuite à écrire ce qu'ils ont appris dans les cases **2** et **3** de la fiche d'activité **3 : Pose des questions, vérifie ta compréhension et fais un résumé**.

Soutien (étayage)

Pour les élèves ayant besoin de soutien pour comprendre le tableau du texte, modéliser la façon de lire un tableau à l'aide de l'affiche **Les débris spatiaux**.

APRÈS

Revoir avec les élèves le résumé de la première section de l'affiche **Les débris spatiaux** (*ou transparent 16*) et les inciter à suivre ce modèle pour résumer le texte «Mars, la planète rouge». Leur demander de remplir individuellement la case **4** de la fiche d'activité **3 : Pose des questions, vérifie ta compréhension et fais un résumé**.

Rassembler les réponses des élèves. Tout au long de la présentation des idées principales, amener les élèves à expliquer en quoi le fait de se poser des questions et de relire le texte leur a permis de comprendre l'information et de la retenir.

> ### Soutien (étayage)
> Avant de remplir la fiche, laisser certains élèves travailler en équipe pour exprimer et échanger leurs idées, et d'autres résumer uniquement la partie du texte, à leurs yeux, la plus intéressante.

Faire un résumé

Critères d'évaluation :
• poser des questions pertinentes ;
• noter les renseignements avec exactitude ;
• relever les idées principales ;
• résumer le texte.

OBSERVATION GRAMMATICALE EN CONTEXTE

Demander aux élèves d'effectuer l'activité langagière : **Les coordonnants** (*voir page XX du présent document*).

Faire remarquer la construction des phrases interrogatives dans ce texte.

RÉFLEXION

Réfléchir aux stratégies utilisées

Inviter les élèves à écrire une réflexion dans leur journal de bord. Pour les guider, proposer l'une des pistes suivantes :

• Que vous ont appris les photos et qu'auriez-vous ignoré en lisant le texte seulement ?

• Indiquez, dans le texte, où vous avez arrêté votre lecture pour vérifier votre compréhension. Décrivez votre méthode de réflexion.

• Pour expliquer à un ou une camarade l'utilité de la stratégie *Poser des questions*, que lui diriez-vous ?

4.4 Affiche du scénarimage du module 3

Remarque : Pour les élèves ayant besoin de plus de soutien, utiliser le scénarimage avant les textes de la pratique guidée. Cette activité les aidera à développer le vocabulaire correspondant au module.

AVANT

Revoir le vocabulaire et les notions

Revoir les deux pages d'introduction du module sur l'exploration de l'espace (*voir « Leçon 1 »*). Demander aux élèves de repérer les mots connus ou appris depuis le début du module. Préparer un diagramme à partir de l'expression *exploration de l'espace* en utilisant la fiche d'activité modèle **53 : Construire le vocabulaire** (*voir* Guide d'enseignement de la littératie).

Survoler le scénarimage

Expliquer aux élèves qu'ils observeront des photos, écriront et liront à voix haute une légende pour chacune.

Installer l'affiche du **scénarimage du module 3** (*voir aussi transparent 22*). Laisser un peu de temps aux élèves pour observer les photos, puis leur demander ce qu'ils voient sur l'affiche.

Leur rappeler que les lecteurs et les auditeurs efficaces posent des questions, parfois à voix haute pour permettre aux autres d'y répondre, parfois dans leur tête pour trouver eux-mêmes des réponses.

Par exemple :

* *Je peux demander à quelqu'un de me donner son opinion : « Julie, que connais-tu au sujet de l'exploration spatiale ? »*
* *Je peux me demander : « Que sais-je sur l'espace et les planètes ? L'exploration spatiale est-elle utile à l'avenir de notre planète ? »*

Modéliser la formulation des questions pour les élèves.

Discuter des mots interrogatifs

Inviter les élèves à suggérer d'autres questions et à dresser une liste de mots interrogatifs (p. ex. : *qui, pourquoi, quoi, où, quand, comment*). Leur demander :

* En quoi le fait de se poser des questions aide-t-il à apprendre ?
* Quelles questions poseriez-vous à propos des photos sur cette affiche ?

PENDANT

Avant que les élèves rédigent des légendes pour les photos, leur demander de travailler oralement en échangeant des idées avec un ou une camarade ou en petits groupes. Au besoin, poser la question suivante : Que voyez-vous sur les photos présentées ?

Lire avec les élèves le livret *Un télescope en orbite*, de Tami Morton, coll. Petits curieux, Saint-Laurent, ERPI, 2006.

Écrire des légendes

Avec la classe, rédiger une légende pour chaque photo. Poser des questions aux élèves pour les aider à formuler leurs idées. Respecter leurs idées et leurs manières de s'exprimer, et les soutenir en reformulant leurs propos et en les clarifiant au besoin. Attirer leur attention sur les mots affichés au mur de mots et d'expressions. Rassembler les idées des élèves pour formuler une légende simple (p. ex. : *La navette spatiale décolle pour une mission dans l'espace.*). Lire chaque légende à haute voix, puis inviter les élèves à la lire ensemble.

Variante : Écrire les légendes sur des bandes en papier, puis inviter les élèves à les placer en ordre et à les associer aux photos appropriées.

Une fois toutes les légendes écrites, relire le texte avec les élèves. Leur poser les questions suivantes :

- Devrait-on changer certaines légendes ?
- Pourrait-on utiliser des mots plus précis à certains endroits ?
- Aimeriez-vous ajouter quelque chose ?

Inviter les élèves à trouver un titre et l'inscrire en haut de l'affiche.

APRÈS

Rappeler aux élèves que les lecteurs et les auteurs efficaces se posent des questions quand ils lisent ou écrivent. Leur montrer comment faire à partir des légendes qu'ils ont rédigées (p. ex. : *Est-ce difficile de vivre dans l'espace ?*). Inviter les élèves à formuler d'autres questions.

**S'exercer
à poser
des questions**

Distribuer un papillon adhésif aux élèves et leur demander de choisir un élément intéressant du scénarimage, puis d'écrire une étiquette pour nommer cet élément. Ils peuvent apposer le papillon adhésif sur le scénarimage et l'ajouter plus tard à leur journal de bord.

Regrouper les élèves en dyades et leur demander de créer une case supplémentaire en dessinant une image et en écrivant une légende pour accompagner leur dessin.

**Travailler
avec le texte**

RÉFLEXION

Former des dyades. Demander aux élèves de discuter des stratégies utilisées pour écrire des légendes brèves et précises et de se donner des exemples de légendes. Les inviter à trouver des façons d'améliorer leurs écrits.

**Réfléchir
aux stratégies
utilisées**

5 Fais un retour sur tes apprentissages

(manuel, page 110)

Apprentissages ciblés
- Évaluer ses apprentissages.
- Participer à une discussion.
- Comprendre et évaluer sa démarche en lecture.

AVANT

Faire un retour sur les stratégies apprises

Une fois que les élèves se sont exercés à utiliser les stratégies ciblées en lisant un des textes de la section «En orbite…» du manuel («Pluton, une planète naine?», «La comète de Halley» et «Mars, la planète rouge»), former des groupes homogènes. Laisser les élèves échanger sur ce qu'ils ont appris en lisant leur texte. Animer les discussions et poser les questions suivantes:

- Comment la stratégie *Poser des questions* aide-t-elle à utiliser ses connaissances et à mieux comprendre le texte?
- Comment la stratégie *Vérifier sa compréhension* favorise-t-elle une meilleure compréhension du texte?
- En quoi la stratégie *Faire un résumé* sert-elle à comprendre l'information présentée dans le texte?

PENDANT

Participer à une discussion

Lire la bulle de la page 110 avec les élèves. Leur demander d'imaginer la vie sur une autre planète. Animer une discussion en posant les questions suivantes:

- En quoi la vie sur une autre planète serait-elle semblable à la vie sur Terre? En quoi serait-elle différente?
- Quelles conditions permettraient aux êtres humains d'habiter une autre planète?
- Les voyages dans l'espace devraient-ils être réservés seulement aux astronautes?

Échanger des idées

Rappeler aux élèves les stratégies de lecture mises en pratique: *Poser des questions*, *Vérifier sa compréhension* et *Faire un résumé*. Mentionner que ces stratégies les aideront aussi à lire d'autres genres de texte. Par exemple, ils peuvent poser des questions après avoir observé les images accompagnant un texte narratif.

APRÈS

Pendant la lecture de la page 110 du manuel, souligner que les textes sur l'espace sont des textes explicatifs. Poser les questions suivantes:

- Où trouve-t-on des explications sur les sujets scientifiques?
- Pourquoi les gens aiment-ils lire des textes scientifiques?
- Quels genres d'ouvrages sur la science aimez-vous lire? Quels genres d'émissions scientifiques aimez-vous regarder?
- Quelles revues de science y a-t-il à la bibliothèque de l'école?

RÉFLEXION

Inviter les élèves à répondre aux questions au bas de la page 110. Leur demander de noter leurs réflexions sur une des stratégies utilisées pour découvrir le sens d'un mot nouveau. Dans leur journal de bord, leur demander de compléter les phrases suivantes :

- *J'ai utilisé la stratégie suivante :* _____

- *Dans une autre situation de lecture, je serai capable de…* _____

Ensuite, leur proposer d'échanger leurs idées en groupe ou avec un ou une camarade.
Discuter de l'importance de s'assurer de la fiabilité d'une source d'information.

ÉVALUATION AU SERVICE DE L'APPRENTISSAGE *(voir fiche d'évaluation 1 : Observations continues)*

Observations	Interventions pédagogiques
Noter si les élèves peuvent : • évaluer leurs apprentissages ;	Aux élèves ayant besoin de soutien pour évaluer leur apprentissage, fournir des modèles de travaux acceptables et expliquer ce qui les rend acceptables.
• participer à une discussion ;	Après avoir posé une question, laisser quelques minutes aux élèves pour échanger leurs idées, d'abord en dyades, puis avec le groupe-classe.
• comprendre et évaluer leur démarche en lecture.	Proposer aux élèves de réfléchir à voix haute. Modéliser la façon de faire pour leur permettre de développer un langage métacognitif et d'acquérir les notions nécessaires à la réflexion. Créer un tableau de débuts de phrases pour les aider à réfléchir à voix haute.

6 Écris avec habileté

(manuel, page 111)

Apprentissages ciblés
- Analyser la structure d'un texte explicatif et créer un tableau de référence.
- Planifier et écrire un texte explicatif à l'aide d'un organisateur graphique.

AVANT

Analyser la forme du texte

S'assurer que les élèves ont lu les textes explicatifs de la section «En orbite...». Un texte explicatif fournit de l'information pour faire comprendre un phénomène, un fait ou une affirmation. Installer l'affiche **Les débris spatiaux**, puis demander aux élèves d'étudier de quelle façon l'auteur a écrit son texte. Noter leurs observations au tableau ou sur une grande feuille. Prendre l'exemple du tableau suivant.

Créer un tableau

Les débris spatiaux	
L'intention	**Les observations**
Expliquer le phénomène des débris spatiaux.	• Les renseignements présentés sont véridiques. • Les intertitres présentent des idées importantes. • Les illustrations montrent des détails favorisant la compréhension du texte.

Préciser que plusieurs éléments consignés dans le tableau indiquent le genre d'information fournie par un texte explicatif.

Ensuite, lire avec les élèves la page 111 du manuel qui récapitule les éléments nécessaires à la rédaction d'un texte explicatif. Une fois qu'ils ont compris l'organisation des idées, créer ensemble un tableau présentant les parties importantes de ce type de texte et l'afficher dans la classe.

PENDANT

Planifier et structurer des idées

Modéliser la planification d'un texte explicatif sur l'espace. Afin de favoriser la participation des élèves, choisir un élément qu'ils connaissent bien. Utiliser le transparent **35 : Écrire un texte explicatif** (*ou affiche de modélisation en écriture 3*) pour leur faire comprendre le processus d'écriture d'un texte explicatif.

Distribuer la fiche d'activité **4 : Planifie ton texte explicatif** et montrer la façon de la remplir en réfléchissant à voix haute. Par exemple :

- *Je vais écrire un texte pour expliquer le fonctionnement de la planète Mercure. J'ai choisi ce sujet parce que cette planète m'intéresse* (le sujet).
- *Je veux faire comprendre aux autres élèves* (les destinataires) *le fonctionnement de Mercure, les faits intéressants à son sujet et les missions les plus récentes sur cette planète* (l'intention).

Continuer en expliquant aux élèves de préciser leurs choix et leur manière de s'y prendre pour répondre à leur intention. Par exemple :

- *Je dois indiquer le sujet dans mon titre qui pourrait être : «Mercure, une planète mystérieuse»* (le titre).
- *Je dois aussi choisir les idées importantes de mon texte* (les idées principales) *et trouver des renseignements permettant de bien faire comprendre chacune d'elles* (les renseignements).

- *Je vais également ajouter des images, comme des photos, et peut-être un tableau afin de rendre mon texte plus intéressant* (la présentation de l'information).
- *Enfin, je dois bien résumer les idées principales de mon texte* (la conclusion).

Expliquer aux élèves qu'il est possible, en cas de nouvelles idées, de réviser son plan et de le modifier avant d'écrire son texte.

APRÈS

Inviter les élèves à trouver des idées de sujet de textes explicatifs sur l'espace. Leur rappeler d'utiliser la fiche d'activité **4 : Planifie ton texte explicatif** pour faire leur plan et les aider pendant cette tâche. Les inviter à comparer les caractéristiques de leur texte avec celles notées dans le tableau affiché. À cette étape de l'écriture, leur demander de se concentrer principalement sur la formulation des idées. Faire travailler les élèves en dyades et les inviter à commenter les idées de leurs camarades.

Trouver des idées pour rédiger un texte explicatif

Leur préciser qu'il est possible de rédiger une ébauche de texte, de le réviser, puis de le corriger. Leur rappeler l'importance d'utiliser un vocabulaire scientifique. Les inviter à se référer au mur de mots et d'expressions.

Demander aux élèves de remplir la fiche d'activité **5 : Compare la structure de différents textes**, pour distinguer les similitudes et les différences entre un texte explicatif et un texte d'opinion. Les inviter à effectuer cette activité en dyades avant de la faire en groupe-classe.

OBSERVATION GRAMMATICALE EN CONTEXTE

Demander aux élèves de prêter attention à l'accord du verbe avec le groupe sujet, en rédigeant leur texte explicatif.

Discuter de l'importance des pronoms dans la reprise de l'information.

Encourager les élèves à se servir d'un dictionnaire de synonymes et d'antonymes pour choisir des mots précis pour leur rédaction.

Parler de l'importance d'employer différents types et formes de phrases dans un texte (p. ex. : phrase impersonnelle, phrase interrogative.)

> **Conseil**
>
> Pour amener les élèves à faire des commentaires constructifs, leur proposer la démarche suivante :
> - complimenter ;
> - questionner ;
> - suggérer.

RÉFLEXION

Inviter les élèves à discuter avec un ou une camarade des stratégies utilisées pour la planification de leur texte explicatif et à se questionner sur leur utilité.

Réfléchir aux stratégies de planification utilisées

ÉVALUATION AU SERVICE DE L'APPRENTISSAGE *(voir fiche d'évaluation 1 : Observations continues)*

Observations	Interventions pédagogiques
Noter si les élèves peuvent : • analyser la structure d'un texte explicatif et créer un tableau de référence ;	En vous servant d'un organisateur graphique, diviser un texte connu des élèves en différentes parties. Effectuer ce travail à voix haute avec la classe et commenter les choix de l'auteur (p. ex. : l'auteur du texte « Pluton, une planète naine ? » a eu la bonne idée d'accompagner son texte d'un tableau de renseignements).
• planifier et écrire un texte explicatif à l'aide d'un organisateur graphique.	Aux élèves ayant des difficultés à planifier leur texte explicatif, suggérer de travailler en dyades. Leur permettre de puiser des idées sur leur sujet dans des photos et des articles.

7 40 ans déjà!

(manuel, pages 112 à 115)

Apprentissages ciblés
- Appliquer des stratégies de lecture.
- Réagir à un texte lu.
- Discuter de l'exploration spatiale.

Niveau de lecture U-V, DRA 58-60

Remarque : Le niveau de lecture du texte « 40 ans déjà ! » devrait convenir à la plupart des élèves. Selon leurs besoins, proposer d'autres textes pour leur permettre d'appliquer l'une ou l'autre des stratégies de lecture. Le tableau suivant suggère des lectures supplémentaires.

Lectures supplémentaires

Stratégies	Livrets de la collection *Petits curieux*	Niveaux de lecture
Poser des questions	*Les exploits spatiaux* *À la découverte de l'espace* *Grands voyageurs*	U-V, DRA 54-58 V-W, DRA 58-60 X-Y, DRA 64-70
Vérifier sa compréhension	*La technologie spatiale à notre service* *Un télescope en orbite*	U-V, DRA 54-58 P, DRA 38
Faire un résumé	*La bionique* *Les robots*	S-T, DRA 48-50 P, DRA 38

AVANT

Utiliser ses connaissances

Animer une discussion ou un débat sur l'exploration spatiale. Par exemple, poser aux élèves les questions suivantes :
- L'exploration spatiale est-elle essentielle à la survie des êtres humains ?
- Les recherches spatiales sont-elles bénéfiques ?
- Quelles sont les retombées des programmes spatiaux ?
- Quels avantages les pays tirent-ils à collaborer à l'exploration spatiale ?
- Combien d'argent devrait-on dépenser dans l'exploration spatiale ? D'où cet argent devrait-il venir ?

Survoler le texte et préciser son intention

Lire le titre du texte avec les élèves. Leur préciser que ce texte explicatif concerne les 40 années d'exploration spatiale. Leur demander de le survoler et de noter deux questions sur cette chronique journalistique. Poser la question de départ (*voir page 112 du manuel*) : Pourquoi l'exploration spatiale est-elle importante ? Aider les élèves à préciser leur intention de lecture.

PENDANT

Lire de façon autonome

Utiliser les stratégies

Rappeler aux élèves d'appliquer les stratégies de lecture utilisées pendant la séance de lecture guidée :
- poser des questions au cours de la lecture pour faire des liens ;
- relire des parties de texte pour relever des renseignements et vérifier sa compréhension ;
- faire un résumé des idées importantes.

Demander aux élèves de lire le texte de façon autonome.

Soutien (étayage)

Suggérer aux élèves ayant besoin de plus de soutien d'écouter le texte du coffret audio. Ensuite, les inviter à dresser une liste d'idées importantes et de renseignements. Leur suggérer de prêter une attention particulière aux images susceptibles de fournir d'autres renseignements intéressants.

APRÈS

Poser les questions suivantes :
- Pourquoi est-ce important de connaître l'origine de l'exploration spatiale ?
- Le texte soutient que l'Agence spatiale canadienne joue un rôle primordial dans l'avancement de la science. D'après toi, est-ce un fait ou une opinion ? Relève dans ce texte d'autres faits ou opinions et discutes-en avec un ou une camarade.
- Serait-il intéressant de participer au projet *Tomatosphère* ? Pourquoi ?

> ### Soutien (étayage)
> Rappeler aux élèves les stratégies qu'ils connaissent afin de comprendre le sens des mots plus difficiles. Leur suggérer d'utiliser les illustrations et le contexte et, au besoin, leur fournir des explications.

Réagir au texte

Demander aux élèves de lire la rubrique **Observe le texte** (*voir page 113 du manuel*). Les inciter à relever des synonymes. En dresser la liste dans un tableau.

VA PLUS LOIN

1. *Créer un tableau.* Demander aux élèves, en dyades, de préparer un tableau des événements rapportés dans cette chronique journalistique. Les inviter à utiliser le vocabulaire du texte et à poser des questions susceptibles de les amener à découvrir d'autres informations.

Créer un tableau

2. *Rédiger un paragraphe.* Demander aux élèves d'écrire un paragraphe décrivant un voyage vers la Lune en 2020. Les inviter à comparer leur paragraphe avec ceux d'autres groupes. En quoi sont-ils semblables ? En quoi sont-ils différents ?

Rédiger un paragraphe

ENRICHISSEMENT

Avec les élèves, dégager la structure de la chronique journalistique, puis les inviter à écrire une chronique journalistique pour le journal de classe ou de l'école. Pour la planifier, demander aux élèves d'utiliser la fiche d'activité **6 : Planifie ta chronique journalistique**.

OBSERVATION GRAMMATICALE EN CONTEXTE

Demander aux élèves de repérer le déterminant indéfini *plusieurs* et son utilisation en contexte (*voir page 115 du manuel*). Leur expliquer que ce déterminant exprime une quantité imprécise et ajouter qu'il existe des déterminants semblables. Par exemple : *assez de, beaucoup de, certains, certaines, d'autres, divers, diverses, plus d'un, plus d'une, quelques, un peu de, une foule de*. Inviter les élèves à remplir la fiche d'activité **10 : Les déterminants**.

RÉFLEXION

Demander aux élèves d'expliquer une stratégie qu'ils ont utilisée pour comprendre la signification d'un mot nouveau.

Réfléchir aux stratégies utilisées

ÉVALUATION AU SERVICE DE L'APPRENTISSAGE *(voir fiche d'évaluation 1 : Observations continues)*

Observations	Interventions pédagogiques
Noter si les élèves peuvent : • appliquer des stratégies de lecture ; • réagir à un texte lu ; • discuter de l'exploration spatiale.	Avec les élèves ayant besoin de soutien, modéliser à voix haute la façon de poser des questions sur les idées du texte, et indiquer les mots clés et les phrases importantes. Demander aux élèves de discuter en dyades du texte lu et encourager leur participation. Les inviter à faire part d'une idée à un ou une camarade avant de la présenter au groupe.

Niveau de lecture W-X, DRA 60-64

8 Une étoile est née

(manuel, pages 116 à 119)

Apprentissages ciblés
- Appliquer des stratégies de lecture.
- Réagir à un texte lu.

Remarque : Le niveau de lecture du texte « Une étoile est née » devrait convenir à la plupart des élèves. Selon leurs besoins, proposer d'autres textes pour leur permettre d'appliquer l'une ou l'autre des stratégies de lecture. Le tableau suivant suggère des lectures supplémentaires.

Lectures supplémentaires

Stratégies	Livrets de la collection *Petits curieux*	Niveaux de lecture
Poser des questions	*Les exploits spatiaux* *À la découverte de l'espace* *Grands voyageurs*	U-V, DRA 54-58 V-W, DRA 58-60 X-Y, DRA 64, 70
Vérifier sa compréhension	*La technologie spatiale à notre service* *Un télescope en orbite*	U-V, DRA 54-58 P, DRA 38
Faire un résumé	*La bionique* *Les robots*	S-T, DRA 48-50 P, DRA 38

AVANT

Utiliser ses connaissances

Poser des questions

Demander aux élèves de former des dyades pour discuter de leurs connaissances au sujet des étoiles. Les inviter à noter leurs idées dans la première colonne d'un tableau à deux colonnes. Leur proposer ensuite de formuler une question permettant d'obtenir d'autres renseignements et de l'inscrire dans la deuxième colonne. Par exemple :

Les étoiles	
Ses connaissances au sujet des étoiles	**Les questions à se poser**
• Certaines étoiles semblent plus brillantes que les autres.	• Pourquoi y a-t-il des différences entre les étoiles ?

Demander aux élèves de survoler le texte, y compris le titre et la question de départ (*voir page 116 du manuel*) : Quels sont les stades de la vie d'une étoile ? Les inviter à se reporter à leur tableau et à prédire les questions auxquelles le texte pourrait répondre.

Inviter les élèves à survoler le texte (titre, intertitres et images). Leur demander de repérer dans le texte des mots ou des expressions, et les noter au tableau. Expliquer que la recherche du sens de ces mots se fera pendant la lecture du texte.

PENDANT

Rappeler aux élèves d'appliquer les stratégies de lecture pendant la séance de lecture guidée :

- poser des questions au cours de la lecture pour faire des liens ;
- relire des parties de texte pour relever des renseignements et vérifier sa compréhension ;
- faire un résumé des idées importantes.

Demander aux élèves de lire le texte en dyades ou de façon autonome. À ceux ayant besoin de plus de soutien, suggérer d'écouter le texte du coffret audio.

APRÈS

Poser la question suivante : Qu'avez-vous appris sur la naissance d'une étoile ?

Distribuer la fiche d'activité **7 : La relation de cause à effet**. Demander aux élèves, en dyades, d'associer les cartes « cause » avec les cartes « effet ». Ensuite, leur proposer de vérifier leurs idées avec une autre dyade, ou en fonction du texte. Les encourager à justifier leurs choix.

VA PLUS LOIN

1. *Dresser une liste de mots scientifiques.* À l'aide de la fiche d'activité **8 : Écris une définition**, amener les élèves à écrire une définition des mots de leur liste.
2. *Concevoir une affiche.* Demander aux élèves de planifier la réalisation de leur affiche avant de la concevoir.

ENRICHISSEMENT

Mettre les élèves au défi d'en apprendre davantage sur notre propre étoile, le Soleil. En petits groupes, leur demander de présenter l'information à leurs camarades.

OBSERVATION GRAMMATICALE EN CONTEXTE

Mentionner aux élèves l'utilisation de coordonnants dans ce texte. Leur demander de remplir la fiche d'activité **11 : Les coordonnants et les subordonnants** et de se référer à l'activité langagière : **Les coordonnants** (*voir page XX du présent document*).

Proposer aux élèves de remplir les fiches d'activité **12 : Les marqueurs de relation (organisateurs textuels)** et **13 : L'accord de l'adjectif attribut et du participe passé avec *être***.

Les inviter à parler des préfixes et des suffixes pour comprendre les mots scientifiques, et à se référer à l'activité langagière : **La formation des mots** (*voir la page XX du présent document*).

RÉFLEXION

Demander aux élèves en quoi poser des questions concerne la recherche de relations de cause à effet et la recherche scientifique en général.

ÉVALUATION AU SERVICE DE L'APPRENTISSAGE (*voir fiche d'évaluation 1 : Observations continues*)

Observations	Interventions pédagogiques
Noter si les élèves peuvent : • appliquer des stratégies de lecture ; • réagir à un texte lu.	Proposer aux élèves ayant besoin de soutien de travailler en petits groupes. Modéliser la façon de poser des questions sur les idées du texte et de repérer les mots clés ou les idées importantes. Utiliser des organisateurs graphiques pour aider les élèves à structurer leurs idées.

Appliquer des stratégies

À l'aide de la rubrique **Observe le texte** (*voir page 117 du manuel*), inviter les élèves à relever les mots scientifiques utilisés par l'auteur pour rendre son texte plus précis.

Réagir au texte

Dresser une liste de mots scientifiques

Concevoir une affiche

Faire une recherche

Réfléchir aux schémas réalisés

9 L'air de l'extraterrestre

(manuel, pages 120 et 121)

Apprentissages ciblés
- Faire des liens avec ses connaissances.
- Lire oralement avec expression.
- Apprécier une chanson.

Niveau de lecture : niveau visé

AVANT

Faire part de ses expériences en poésie

Lire avec un ou une camarade

Poser la question de départ (*voir page 120 du manuel*) : Comment une chanson peut-elle transmettre un message sur l'espace ?

Inviter les élèves à lire le titre de la chanson et à faire des prédictions.

PENDANT

Résumer et présenter

Inviter les élèves à lire la chanson et, si possible, la leur faire écouter. Discuter du message transmis par l'auteur. En dyades, demander aux élèves de lire chaque strophe et d'en présenter l'idée principale à haute voix.

Demander aux élèves de résumer l'idée principale de cette chanson.

Réflexion sur les mots

Inviter les élèves à relire le poème et attirer leur attention sur les strophes. Mentionner que chaque *strophe* est composée de vers et que chaque vers comporte un nombre de syllabes appelées *pieds*. Les vers d'une même strophe sont habituellement jumelés et se terminent par un même son appelé *rime*.

Demander aux élèves de compter le nombre de syllabes (pieds) dans chaque ligne (vers). Ensuite, leur proposer de composer des vers qui riment sur les extraterrestres.

APRÈS

Discuter des textes

Proposer aux élèves d'écrire un poème sur l'air d'une de leur chanson préférée.

VA PLUS LOIN

Faire une lecture en chœur

1. *Faire une lecture en chœur.* Demander aux élèves de lire en chœur cette chanson ou bien un autre poème ou une autre chanson sur l'espace. Préciser l'importance, dans la lecture en chœur, de la fluidité, de la répartition du texte entre les membres du groupe, d'un rythme ni trop lent ni trop rapide et de la force de la voix. Inviter les élèves à s'exercer, puis à présenter leur poème à la classe.

Effectuer une recherche

2. *Effectuer une recherche.* Modéliser la façon de trouver des poèmes dans Internet. Rassembler tous les poèmes dans un album collectif.

ENRICHISSEMENT

Comparer les textes

Demander aux élèves de trouver d'autres textes amusants sur l'espace et de les comparer avec le texte qu'ils viennent de lire.

OBSERVATION GRAMMATICALE EN CONTEXTE

Inviter les élèves à remarquer les rimes. Discuter de l'importance d'un vocabulaire riche pour composer des poèmes et des chansons.

Leur demander de relever les phrases interrogatives dans cette chanson. En quoi sont-elles efficaces dans ce contexte ?

RÉFLEXION

Inviter les élèves à expliquer, dans leur journal de bord, comment leur propre création (lettre, poème ou dessin) leur a permis de mieux comprendre et d'apprécier les textes du manuel.

Réfléchir à la création et à la présentation d'un texte

ÉVALUATION AU SERVICE DE L'APPRENTISSAGE *(voir fiche d'évaluation 1 : Observations continues)*

Observations	Interventions pédagogiques
Noter si les élèves peuvent : • faire des liens avec leurs connaissances ;	Montrer que faire des liens avec ses connaissances aide à comprendre et à interpréter un poème ou une chanson.
• lire oralement avec expression ;	Modéliser la façon de lire un texte avec expression. Expliquer qu'il faut souvent s'exercer plusieurs fois avant de lire un texte en public.
• apprécier une chanson.	Aider les élèves à trouver des poèmes ou des chansons dans Internet. Mettre à leur disposition des enregistrements de lecture vivante pour les stimuler.

À l'œuvre !

(manuel, pages 122 et 123)

Apprentissages ciblés
- Planifier et faire une recherche.
- Écrire un texte explicatif.
- Évaluer son travail et se fixer des objectifs pour l'améliorer.

Remarque : Cette leçon comporte une production dans laquelle les élèves appliquent les connaissances acquises et les habiletés développées dans ce module. Noter qu'elle fait appel à des contenus d'apprentissage liés à l'écriture et à la littératie médiatique. Proposer cette tâche d'évaluation à tout moment après la pratique coopérative ou autonome.

AVANT

Réfléchir au sujet, à l'intention, aux destinataires et à la forme du texte

Amener les élèves à réfléchir sur les textes explicatifs qu'ils ont lus jusqu'à présent et leur demander de lire les consignes de la page 122. Dresser une liste de sujets qui les intéressent et noter leurs suggestions au tableau ou sur une grande feuille. Leur poser les questions suivantes :

- Selon vous, quel sujet devrait intéresser vos destinataires ?
- Que voulez-vous apprendre à vos lecteurs et vos lectrices en leur faisant lire votre texte ?

Trouver des idées

Mentionner aux élèves l'importance de choisir un sujet qui les intéresse afin de capter l'attention des destinataires. Leur annoncer qu'ils devront rédiger un texte explicatif. Revenir sur les caractéristiques de ce genre de texte à l'aide de la section « Écris avec habileté » de la page 111.

Inviter les élèves à réfléchir, en dyades ou en petits groupes, aux aspects possibles à explorer. Leur proposer d'organiser leurs questions sur l'espace à l'aide d'un diagramme en toile d'araignée. Leur rappeler de diviser leur texte en plusieurs idées principales.

Planifier la recherche

Lire avec les élèves la rubrique **Planifiez votre recherche** (*voir page 122 du manuel*). Aider ceux ayant des difficultés à repérer des sources d'information pertinentes, notamment en les invitant à travailler avec un ou une camarade. Demander aux élèves de lire la rubrique **Quelques conseils** (*voir page 122 du manuel*) et les encourager à suivre ces recommandations.

PENDANT

Rédiger un texte explicatif

Distribuer la fiche d'activité **4 : Planifie ton texte explicatif**. À l'aide du transparent **35 : Écrire un texte explicatif** (*ou affiche de modélisation en écriture 3*), revoir avec les élèves le processus d'écriture à suivre pour rédiger leur texte.

Réviser

Pendant que les élèves révisent leur brouillon, attirer leur attention sur un ou deux aspects. Par exemple, leur demander de travailler avec un ou une camarade afin de préciser leurs idées ou de les réviser, en s'aidant de leur tableau de référence (*voir la section « Écris avec habileté », à la page 111 du manuel*).

APRÈS

Une fois le texte révisé, demander aux élèves de vérifier les points suivants : orthographe, grammaire, marqueurs de relation (organisateurs textuels) et ponctuation. Au besoin, leur fournir une liste de vérification et les aider lors d'entrevues individuelles.

Corriger

Animer une discussion sur les différentes façons de présenter une recherche.
Utiliser la fiche d'évaluation **2 : Grille d'évaluation de la section « À l'œuvre ! »** pour évaluer le travail des élèves et fournir une rétroaction.

**Présenter
sa recherche**

RÉFLEXION

Demander aux élèves de lire la rubrique **Faites un retour sur votre travail** (*voir page 123 du manuel*) et, au besoin, d'utiliser la fiche d'activité modèle **45 : Réfléchis à ton écriture** (*voir* Guide d'enseignement de la littératie).

**Faire un retour
sur son travail**

ÉVALUATION AU SERVICE DE L'APPRENTISSAGE *(voir fiche d'évaluation 1 : Observations continues)*

Observations	Interventions pédagogiques
Noter si les élèves peuvent : • planifier et faire une recherche ;	Pour prendre des notes, suggérer aux élèves d'utiliser un organisateur graphique ou de suivre une des démarches présentées dans la rubrique **Activités en lien avec les leçons** (*voir page XVII du présent document*).
• écrire un texte explicatif ;	Fournir aux élèves des modèles de textes explicatifs.
• évaluer leur travail et se fixer des objectifs pour l'améliorer.	Modéliser à voix haute la façon d'évaluer son travail et de se fixer des objectifs pour l'améliorer.

Niveau de lecture X-Y, DRA 64-70

Faire des liens avec ses connaissances

Demander aux élèves de lire la rubrique **Observe le texte** (*voir page 125 du manuel*). Discuter de la structure d'une entrevue. À l'aide du transparent **34 : Écrire le compte rendu d'une entrevue** (*ou affiche de modélisation en écriture 2*), revoir le processus d'écriture à suivre pour mener et transcrire une entrevue.

Réagir au texte lu et en discuter

11 Demandez à des astronautes

(manuel, pages 124 et 128)

Apprentissages ciblés
- Appliquer des stratégies de lecture.
- Réagir à un texte lu.
- Déterminer la fiabilité de l'information.
- Analyser la structure de l'entrevue.

AVANT

Poser la question de départ (*voir page 124 du manuel*) : Quel serait ton plus grand défi si tu vivais dans l'espace ? Demander aux élèves de former des dyades pour noter leurs connaissances sur la vie dans l'espace.

Inviter les élèves à survoler le texte en lisant son titre et en prêtant attention à ses éléments visuels ainsi qu'à sa structure. Mentionner qu'il s'agit d'une entrevue. Demander aux élèves s'ils ont déjà mené une entrevue et les inciter à faire part de leur expérience.

PENDANT

Demander aux élèves de lire les questions et les réponses en dyades, et à chaque membre de la dyade de lire une question et une réponse de façon autonome. Leur proposer de dresser une liste des renseignements intéressants puis d'en discuter avec leur camarade.

Pendant la lecture, leur suggérer d'observer les éléments de présentation utilisés : la mise en page, la police de caractère, les couleurs et les photos. Vérifier si les élèves lisent avec aisance et les aider au besoin.

Leur rappeler de faire des pauses pendant la lecture pour poser des questions et vérifier leur compréhension, analyser les photos afin d'en retirer des renseignements supplémentaires et faire des liens entre les photos et le texte.

Mentionner aux élèves que les lecteurs efficaces se servent de leurs habiletés pour trouver le sens des photos et en retirer des renseignements supplémentaires. Réfléchir à voix haute pour modéliser la façon de laisser les yeux parcourir la photo dans sa totalité. Demander aux élèves : Que veut me faire remarquer ou m'apprendre le ou la photographe ?

Ensuite, modéliser la façon de chercher les renseignements. Poser aux élèves les questions suivantes :

- Quel est le point d'intérêt ? Par quoi mes yeux sont-ils attirés en premier ?
- En quoi cela m'aide-t-il à comprendre le texte ?
- Que puis-je apprendre de plus en regardant des photos sur la vie dans l'espace ?
- Que peuvent m'apprendre les légendes des photos ?

APRÈS

Une fois la lecture du texte terminée, inviter les dyades à désigner une ou deux sources fiables susceptibles d'aider à trouver les réponses à d'autres questions qu'ils se posent sur l'espace.

Poser aux élèves les questions suivantes :

- Qu'avez-vous appris sur la vie dans l'espace ?
- À quoi pourrait servir cette information ?

VA PLUS LOIN

1. *Comparer.* Modéliser en utilisant une des questions titres du texte pour trouver un point de comparaison (sensations, exercice, sommeil, alimentation et tâches). Demander aux élèves d'utiliser ces questions titres pour créer leur tableau.

Comparer

Catégorie	Sur Terre	Dans l'espace
Sensation	• Les aliments sont savoureux.	• Il est difficile de reconnaître le goût des aliments.

2. *Trouver des faits intéressants.* Demander aux élèves de trouver des faits intéressants dans le texte et d'en dresser une liste. Inviter les élèves à comparer leur liste avec celle d'une autre équipe.

Trouver des faits intéressants

Média action

Demander aux élèves de parcourir des magazines traitant de l'espace ou de consulter le site Web de l'Agence spatiale canadienne ou de la NASA afin d'y trouver la photo récente d'un ou d'une astronaute actuellement dans l'espace, puis de la communiquer à la classe. Demander aux élèves d'expliquer la façon de s'assurer de la fiabilité et de l'actualisation de leurs renseignements.

OBSERVATION GRAMMATICALE EN CONTEXTE

Demander aux élèves de remplir la fiche d'activité **14 : La construction de la phrase négative**.

RÉFLEXION

Demander aux élèves de répondre à la question suivante dans leur journal de bord : En quoi une entrevue peut-elle être une bonne façon de transmettre de l'information ?

Réfléchir à la forme du texte

ÉVALUATION AU SERVICE DE L'APPRENTISSAGE *(voir fiche d'évaluation 1 : Observations continues)*

Observations	Interventions pédagogiques
Noter si les élèves peuvent : • appliquer des stratégies de lecture ;	Lors d'une séance de lecture partagée, revoir avec les élèves et modéliser les stratégies ciblées pour comprendre la transcription d'une entrevue. Modéliser à voix haute la façon d'aborder le nouveau vocabulaire, de faire appel à ses connaissances et de trouver des renseignements à l'aide de photos.
• réagir à un texte lu ;	Proposer à de petits groupes de formuler des questions sur la vie dans l'espace. Les guider pendant leurs recherches dans Internet ou à la bibliothèque.
• déterminer la fiabilité de l'information ;	Amener les élèves à reconnaître des sources fiables en leur demandant de comparer diverses sources d'information.
• analyser la structure de l'entrevue.	Avec les élèves, relever la structure de la transcription d'une entrevue et créer un tableau de référence susceptible de leur servir au moment d'écrire ce type de texte.

Niveau de lecture U-V, DRA 54-58

12 Des légendes célestes

(manuel, pages 129 à 133)

Apprentissages ciblés
- Lire avec précision et fluidité.
- Raconter un texte après l'avoir lu.
- Mettre en pratique les stratégies ciblées et recourir à d'autres stratégies.

AVANT

Activer ses connaissances

Demander aux élèves s'ils connaissent des légendes. Expliquer qu'une légende est un récit imaginaire ou transformé par les croyances que les gens racontent comme une histoire vraie. Les légendes contiennent souvent une morale ou une leçon et des éléments surnaturels. Elles servent à renforcer les valeurs de la communauté et à expliquer un phénomène. Poser la question de départ (*voir page 129 du manuel*) : Comment une légende peut-elle expliquer un phénomène de l'espace ?

Se poser des questions

Après la discussion, inviter les élèves à survoler le texte, à lire les intertitres et à se poser des questions. Par exemple :
- Pourquoi voudrait-on capter le Soleil ?
- Quel phénomène cette légende veut-elle expliquer ?

PENDANT

Lire de façon autonome

Demander aux élèves de lire le texte de façon autonome, puis de se placer en groupe pour raconter la légende qu'ils ont lue. Inviter un ou une élève à raconter la légende. Au signal de l'enseignant ou de l'enseignante (frapper dans les mains), un ou une autre élève poursuit le récit. Noter que cette activité permet de s'exercer à raconter une légende.

> **Soutien (étayage)**
> Aux élèves ayant besoin de soutien, faire écouter le texte (*voir coffret audio*) avant de leur demander de le raconter.

> Demander aux élèves de lire la rubrique **Observe le texte** (*voir page 131 du manuel*) et les inviter à relever les mots et les expressions indiquant qu'il s'agit d'une légende. Comment le surnaturel est-il représenté dans cette légende ?

APRÈS

Poser aux élèves les questions suivantes :
- Qu'avez-vous remarqué sur la façon de raconter une légende ?
- Qu'avez-vous aimé le plus ? le moins ?
- Qu'avez-vous remarqué lors de la deuxième lecture de la légende ?

VA PLUS LOIN

Raconter une légende

1. *Raconter une légende.* Demander aux élèves de trouver d'autres légendes et de s'exercer à les raconter avec expression. Réserver une journée en classe pour permettre aux élèves de raconter leur légende à leurs camarades.

Relever des faits

2. *Relever des faits.* Amener les élèves à relever les faits véridiques dans les légendes lues et à en dresser une liste. Leur demander de comparer leur liste avec celle d'une autre équipe.

ENRICHISSEMENT

Inviter les élèves à inventer une légende pour expliquer un phénomène de leur choix.

OBSERVATION GRAMMATICALE EN CONTEXTE

Mentionner aux élèves l'utilisation des guillemets dans ce texte. Leur demander de se référer à l'activité langagière **Les guillemets** (*voir page XXI du présent document*).

Faire observer l'ajout d'un groupe adjectival ou d'un groupe participial comme complément de phrase.

Faire remarquer aux élèves l'emploi des pronoms personnels : *leur*, *lui* et *les* (*voir page 132 du manuel*).

RÉFLEXION

Inviter les élèves à discuter avec un ou une camarade sur le fait que raconter une légende aide à mieux comprendre les idées importantes. Leur demander ensuite en quoi l'interprétation de ces idées peut varier selon les personnes.

Réfléchir sur sa présentation

ÉVALUATION AU SERVICE DE L'APPRENTISSAGE (*voir fiche d'évaluation 1 : Observations continues*)

Observations	Interventions pédagogiques
Noter si les élèves peuvent : • lire avec précision et fluidité ;	Jumeler les élèves ayant besoin de soutien pour les aider à s'exercer à lire avec précision et fluidité.
• raconter un texte après l'avoir lu ;	Modéliser la façon de raconter une légende (ou une autre histoire) après l'avoir lue. Expliquer comment on peut ajouter des éléments à une histoire sans, toutefois, trop changer l'idée principale.
• mettre en pratique les stratégies ciblées et recourir à d'autres stratégies.	Demander aux élèves de faire part des stratégies utilisées pour comprendre les légendes. Faire remarquer qu'il est possible d'employer différentes stratégies selon ses besoins.

Niveau de lecture T-U, DRA 50-54

13 Destination : Jupiter

(manuel, pages 134 à 137)

Apprentissages ciblés

- Mettre en application des stratégies de lecture.
- Réagir au texte lu.
- Faire le plan d'une histoire.

AVANT

Survoler le texte et faire des liens avec ses connaissances

Lire le texte et observer le choix des mots

Demander aux élèves de lire le titre et de survoler le texte. Leur poser les questions suivantes :

- Comment savez-vous qu'il s'agit d'un récit de science-fiction ?
- Que pensez-vous des images qui accompagnent ce texte ?

Poser la question de départ (*voir page 134 du manuel*) : À ton avis, comment se passerait un voyage sur Jupiter ? Puis, inviter les élèves à faire des prédictions et à les justifier.

Demander aux élèves de lire la rubrique **Observe le texte** (*voir page 135 du manuel*). Pour les aider à mieux comprendre l'histoire, leur proposer d'observer les illustrations. Les inviter à relever des phrases qui aident les lecteurs à visualiser le texte.

PENDANT

Demander aux élèves de lire le texte de façon autonome. Attirer ensuite leur attention sur le langage descriptif utilisé pour décrire le Star Jumper II et l'environnement spatial, et les inviter à le noter. Leur demander de discuter, en dyades, de leurs réponses avant de les communiquer à la classe.

Faire observer aussi les expressions et les mots employés dans les dialogues pour capter l'attention des lecteurs et des lectrices. Expliquer l'importance du choix des mots dans un texte. Inviter les élèves à faire le lien entre la lecture et l'écriture.

Conseil

Au besoin, lire le texte une première fois à voix haute aux élèves ou les inviter à écouter le texte (*voir coffret audio*). Puis, leur demander de le relire de façon autonome afin de faire l'activité proposée.

APRÈS

Discuter du texte

Inviter les élèves à discuter des difficultés éprouvées lors de la lecture du texte et de leur façon de les surmonter. Commenter leurs stratégies de lecture en insistant sur celles à privilégier. Demander aux élèves de dire quelle partie du texte ils ont trouvée la plus intéressante et de préciser pourquoi.

Lire à voix haute

Demander aux élèves de lire le texte à un ou une camarade. Afin de rendre la lecture à voix haute plus fluide, leur proposer de lire le texte de façon autonome avant.

VA PLUS LOIN

Faire un plan

1. *Faire un plan.* Demander aux élèves, en dyades, de faire un plan de cette histoire. Les inviter à comparer leur plan avec celui d'une autre dyade.

Rédiger une suite

2. *Rédiger une suite.* En petits groupes, demander aux élèves de rédiger une suite à cette histoire. Les inviter à s'exercer à lire leur texte avant de le présenter à la classe.

OBSERVATION GRAMMATICALE EN CONTEXTE

Faire remarquer l'emploi de comparaisons, de métaphores et d'expressions figurées dans ce texte. Au besoin, revoir avec les élèves la différence entre une comparaison et une métaphore.

RÉFLEXION

Poser aux élèves la question suivante : Quels éléments ont rendu la lecture du texte captivante ? (p. ex. : certains mots descriptifs, des illustrations, des personnages)

Les inviter à répondre à la question en dyades. Ensuite, leur suggérer de noter, dans leur journal de bord, un ou deux éléments intéressants à utiliser éventuellement dans leurs écrits.

Réfléchir aux stratégies utilisées

ÉVALUATION AU SERVICE DE L'APPRENTISSAGE *(voir fiche d'évaluation 1 : Observations continues)*

Observations	Interventions pédagogiques
Noter si les élèves peuvent : • mettre en application des stratégies de lecture ;	Former de petits groupes composés d'un ou d'une élève ayant de la facilité à lire et des élèves ayant besoin de soutien pour accomplir la tâche demandée. Inviter l'élève plus habile à expliquer sa démarche aux autres.
• réagir au texte lu ;	Aider les élèves en modélisant le repérage des expressions ou des mots descriptifs et en expliquant comment ceux-ci permettent de visualiser des faits.
• faire le plan d'une histoire.	À l'aide d'un autre texte, modéliser la façon de trouver le plan d'une histoire. Au besoin, se servir du transparent **40 : Écrire un récit** (*ou affiche de modélisation en écriture 8*) pour expliquer le processus d'écriture à utiliser pour rédiger un récit.

14 À ton tour!

(manuel, page 138)

Apprentissages ciblés
- Concevoir un jeu-questionnaire.
- Poser des questions et y répondre.
- Réfléchir sur ses apprentissages et se fixer des objectifs.

AVANT

Présenter et modéliser la tâche finale

Inviter les élèves à lire les consignes de la page 138. Leur expliquer leur tâche qui consiste à créer et présenter un jeu-questionnaire à l'aide de leurs connaissances sur l'espace.

Leur demander de penser à ce qu'ils ont appris au sujet de l'espace. Leur suggérer de choisir un sujet qui les intéresse particulièrement. Les informer de l'obligation de consulter des ressources supplémentaires à la bibliothèque ou dans Internet.

PENDANT

Préparer des questions

Aider les élèves à choisir leur sujet. Les inviter à lire la rubrique **Quelques conseils** (*voir page 138 du manuel*). Examiner avec les élèves des jeux-questionnaires afin de mieux les préparer à effectuer leur tâche. Leur permettre d'échanger des idées en dyades et de vérifier l'intérêt de leur sujet. Modéliser la façon de formuler des questions intéressantes.

Présenter son jeu-questionnaire

Une fois les questions rédigées, accorder du temps aux élèves pour s'exercer à les lire.

Leur demander de présenter leur jeu-questionnaire à un ou une camarade ou à un petit groupe.

APRÈS

Réfléchir à sa présentation

Amener les élèves à réfléchir à leur présentation en leur posant les questions suivantes :
- Quels étaient les commentaires des auditeurs et auditrices au sujet de votre jeu-questionnaire ?
- Qu'est-ce qui vous a permis de formuler des questions intéressantes ?
- Vos questions étaient-elles trop faciles ou trop difficiles pour les participants et les participantes ?
- Qu'avez-vous aimé de cette activité ?
- Qu'avez-vous appris qui soit susceptible de vous servir dans d'autres tâches ?

Noter les observations concernant les élèves dans la fiche d'évaluation **3 : À ton tour!** Mener des entrevues individuelles avec quelques élèves pour les faire parler de leur expérience. Leur demander de déterminer leurs forces et leurs points à améliorer.

RÉFLEXION

Demander aux élèves de repenser à leur présentation. Les inviter à utiliser la fiche d'activité modèle **25 : Réfléchis à ta présentation** (*voir* Guide d'enseignement de la littératie) pour déterminer les forces et les faiblesses de leur présentation, et découvrir la façon d'améliorer leurs aptitudes.

ÉVALUATION AU SERVICE DE L'APPRENTISSAGE *(voir fiche d'évaluation 1 : Observations continues)*

Observations	Interventions pédagogiques
Noter si les élèves peuvent : • concevoir un jeu-questionnaire ; • poser des questions et y répondre ; • réfléchir sur leurs apprentissages et se fixer des objectifs.	Aux élèves ayant besoin de soutien afin de planifier et de rédiger leur jeu-questionnaire, suggérer de travailler en dyades. Modéliser la façon de poser des questions et d'y répondre. Discuter avec les élèves de l'importance de faire un retour sur leur apprentissage afin d'évaluer l'efficacité de leur présentation et de se fixer des objectifs pour améliorer leur travail lors d'une prochaine tâche.

15 **Ton portfolio:**
Gros plan sur tes
apprentissages

(manuel, page 139)

Apprentissages ciblés
• Sélectionner les éléments destinés au portfolio.
• Réfléchir à ses apprentissages et en discuter.

AVANT

Revoir les apprentissages

Former de petits groupes et demander à chacun d'inscrire les apprentissages importants réalisés au cours du module, par exemple dans un tableau, une liste, un diagramme, une toile d'araignée. Suggérer de regrouper les éléments en différentes catégories : des moyens d'expression (communication orale, lecture, écriture, document médiatique); de l'information; des habiletés et des stratégies; des productions.

Une fois ce travail terminé, demander à chaque groupe de déterminer les deux ou trois apprentissages les plus importants parmi tous ceux qu'il a notés. Au cours d'une mise en commun, discuter de ces choix. Afficher les tableaux pour permettre aux élèves de les consulter pendant qu'ils feront le retour sur leur travail dans ce module.

Rassembler les travaux

Demander aux élèves de rassembler tous les travaux réalisés au cours du module.

PENDANT

Revoir les objectifs d'apprentissage

Lire les consignes de la page 139 avec les élèves, puis les inviter à noter leurs observations dans leur journal de bord ou sur la fiche d'évaluation **4 : Gros plan sur tes apprentissages**.

Revoir avec les élèves les objectifs d'apprentissage présentés au début du module, à la page 96, et ceux qu'ils ont écrits avec leurs mots, en les mettant en parallèle avec les tableaux (listes, toile d'araignée, etc.) réalisés au début de cette leçon. Réunir ensuite les élèves en dyades afin de les laisser choisir parmi les travaux qu'ils ont rassemblés.

Choisir les travaux et parler de ses choix

Aider les élèves à faire leurs choix, à en discuter et à écrire leurs réflexions. Leur rappeler de faire ces choix de manière réfléchie et de donner des exemples précis lorsqu'ils les justifient.

APRÈS

Former des groupes de quatre en réunissant deux dyades. À tour de rôle, chaque élève présente ses choix et les justifie. Pendant ce temps, observer un ou deux groupes plus attentivement ou mener des entrevues individuelles avec quelques élèves.

RÉFLEXION

Répondre individuellement

Lorsque les élèves ont terminé la présentation de leurs choix à leur équipe, leur demander de répondre individuellement aux trois questions de la rubrique **Réfléchis et discute** (*voir page 139 du manuel*), soit dans le cadre d'une entrevue individuelle, soit en remettant à l'enseignant ou l'enseignante la fiche d'évaluation **4 : Gros plan sur tes apprentissages**, soit dans le journal de bord dans lequel ils auront noté leurs choix de travaux et justifications.

TÂCHE D'ÉVALUATION DE LA COMPRÉHENSION EN LECTURE

Une tâche d'évaluation de la compréhension en lecture est proposée pour clore ce module (*voir fascicule* Évaluation de la compréhension en lecture). Elle est constituée d'un texte et d'un questionnaire qui visent à vérifier le niveau de compréhension des élèves et à évaluer leurs progrès en lecture. Le texte est offert en deux niveaux de difficulté. Cette tâche d'évaluation peut être donnée à n'importe quel moment après l'exploitation des textes de lecture guidée.

BILAN DES APPRENTISSAGES

Revoir la page VI du présent document pour faire le point sur les apprentissages des élèves. Recueillir des données reliées à la communication orale, à la lecture, à l'écriture et à la littératie médiatique. Les données pour l'évaluation peuvent être recueillies parmi les éléments suivants :

Prendre en considération les différents domaines de la littératie

- le journal de bord des élèves et les autres traces de leurs réflexions ;
- les réponses aux questions des rubriques du manuel (p. ex. : **Va plus loin**) ;
- les productions écrites ;
- les productions médiatiques ou technologiques ;
- les observations notées en cours d'apprentissage (p. ex. : avec la fiche d'évaluation **1 : Observations continues**) ;
- les tâches des différentes sections du manuel (p. ex. : « À l'œuvre ! ») ;
- la tâche d'évaluation de la compréhension en lecture en fin de module.

Les outils d'évaluation tels que la fiche d'évaluation **1 : Observations continues** et la fiche d'évaluation **5 : Grille d'évaluation du module** garantissent une évaluation qui repose sur des observations en lien direct avec les objectifs d'apprentissage du module. Joindre aux dossiers des élèves divers éléments probants, ainsi que des notes anecdotiques afin de mieux planifier les entrevues avec eux, individuellement ou en groupes. S'assurer que tous les travaux portent la date de réalisation.

Faire le bilan des apprentissages

Utiliser la fiche d'évaluation **6 : Bilan des apprentissages** pour préparer les communications aux parents ou aux tuteurs, et fournir des rétroactions précises et utiles aux élèves.

Nom : _____   Date : _____

Lettre à l'intention des parents

Chers parents,
Cher tuteur, chère tutrice,

Dans ce module, intitulé De la Terre à l'Univers, *les élèves écouteront, liront et écriront des textes explicatifs sur l'espace, les planètes et l'exploration spatiale.*

Vous êtes invités à accompagner votre enfant dans son apprentissage de différentes manières. Par exemple, vous pouvez :

- *lui demander de parler des textes lus en classe ;*

- *discuter de vos connaissances et expériences liées à l'exploration spatiale ;*

- *chercher, en sa compagnie, dans Internet, dans des journaux ou des magazines des renseignements sur l'espace et discuter de la fiabilité de ces sources ;*

- *lui demander de vous faire part des mots et des expressions scientifiques liés à l'exploration spatiale ;*

- *démontrer un intérêt pour le sujet en l'encourageant à réaliser les activités.*

À la fin du module, les élèves montreront ce qu'ils ont appris en présentant une recherche sur l'exploration spatiale. Ils appliqueront ainsi les stratégies apprises en lecture, en écriture, en communication orale et en littératie médiatique.

Vous pouvez soutenir votre enfant dans son apprentissage en discutant du sujet du module ou en l'amenant à vous parler des habiletés et des stratégies mises en application en classe.

C'est avec plaisir que nous entreprenons ce module.

L'enseignant ou l'enseignante

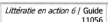

FICHE D'ACTIVITÉ

1

MODULE 3

Home Connection Letter

Dear Parents and Caregivers:

We are starting a new unit called De la Terre à l'Univers. *In this unit, students read and write explanatory texts about space, planets and space exploration.*

You are invited to be part of our unit in a variety of ways. For example:

- *Invite your child to talk about the texts we read at school.*

- *Share your experience and talk about what you know about space exploration.*

- *Search on Internet and look through newspapers and magazines to find information on space and discuss the reliability of the information found.*

- *Ask your child to talk about scientific works and expressions linked to space exploration.*

- *Show an interest in encouraging your child to complete all activities assigned.*

At the end of the unit, students will show what they have learned by presenting a research project on space and space exploration. They will use reading, writing, oral, and media skills and strategies to complete the task.

You can support the learning goals for this unit at home by discussing the unit topic, as well as the unit skills and strategies presented in this unit.

We're looking forward to an exciting unit!

Sincerely,

Teacher

FICHE D'ACTIVITÉ

2

MODULE 3

Un survol du module

Survole le module *De la Terre à l'Univers*, note les éléments suivants et réponds aux questions posées.

1. Trouve une photo qui t'intéresse. Pourquoi cette photo capte-t-elle ton attention ?

_____

_____

_____

2. Trouve un sujet ou une personne que tu connais ou que tu as l'impression de connaître. Que sais-tu sur ce sujet ou cette personne ?

_____

_____

_____

3. Trouve le nom d'un auteur ou d'une auteure que tu connais. Que sais-tu à son sujet ?

_____

_____

_____

4. Trouve un texte qui te semble intéressant à lire ou une activité qui te paraît intéressante à faire. Explique ton choix.

_____

_____

_____

5. Trouve quatre à six nouveaux mots qui te semblent importants dans ce module.

_____

_____

_____

FICHE D'ACTIVITÉ
3
Pose des questions, vérifie ta compréhension et fais un résumé

MODULE 3

À l'aide de l'information contenue dans le texte que tu as lu, remplis les cases de l'organisateur graphique suivant.

1. **Avant de lire le texte, écris deux questions que tu te poses.**

_____

_____

_____

_____

_____

Titre

_____

_____

_____

_____

_____

_____

2. **Après avoir lu le texte, réponds à tes questions.**
(Si tu n'as pas trouvé les réponses dans le texte, indique les sources d'information où aller les chercher.)

_____

_____

_____

_____

_____

3. **Relève les idées principales du texte en suivant la démarche suivante :**
   - **dans la première colonne du tableau, note les renseignements contenus dans chaque section du texte ;**
   - **dans la deuxième colonne, résume l'idée principale de la section.**

Renseignements importants	Résumé de l'idée principale

4. **Résume le texte à l'aide des idées principales que tu as notées au numéro 3.**

_____

_____

_____

_____

Nom : _____ Date : _____

Planifie ton texte explicatif

Planifie ton texte explicatif en répondant aux questions suivantes.

Le sujet Quel sujet as-tu choisi ?	_____ _____
Les destinataires Qui sont tes destinataires ?	_____ _____
L'intention Que veux-tu faire comprendre aux destinataires ?	_____ _____
Les idées principales Quelles idées principales présenteras-tu ? Nommes-en deux ou trois.	• _____ • _____ • _____
Les renseignements Quels renseignements donneras-tu pour appuyer chaque idée principale ? Quels termes scientifiques utiliseras-tu ? Quelle information les destinataires devront-ils retenir ?	Les renseignements : _____ _____ Les termes scientifiques : _____ _____ L'information à retenir : _____ _____
La présentation de l'information Quels éléments visuels utiliseras-tu (ex. : des photos, des illustrations, des schémas, des diagrammes, des tableaux) ?	_____ _____ _____ _____
La conclusion Sur quels points t'attarderas-tu dans ta conclusion ? En quoi résumera-t-elle bien les idées de ton texte et fera-t-elle réfléchir sur le sujet ?	_____ _____ _____ _____

Littératie en action 6 / Guide
11056
Cette fiche accompagne les leçons 6 et 10 du guide d'enseignement.
47

Nom : _____   Date : _____

Compare la structure de différents textes

À l'aide de l'organisateur graphique ci-dessous, compare la structure du texte explicatif avec celle du texte d'opinion. En quoi sont-elles semblables ? En quoi sont-elles différentes ?

Le texte explicatif

Le texte d'opinion

Ce qui est semblable

_____
_____
_____
_____
_____

Ce qui est différent

_____	_____
_____	_____
_____	_____
_____	_____
_____	_____
_____	_____
_____	_____
_____	_____
_____	_____

Nom : _____   Date : _____

Planifie ta chronique journalistique

Planifie ta chronique journalistique en répondant aux questions suivantes.

Le sujet Quel sujet as-tu choisi ?	_____
Les destinataires À qui s'adresse ta chronique ?	_____
Le titre Quel titre décrirait le mieux ton texte ?	_____ _____
L'intention Que veux-tu faire comprendre aux destinataires ?	_____ _____
Le point de vue Décris ton point de vue sur le sujet à l'aide de la question *Pourquoi ?* (Ex. : Pourquoi faut-il réduire la consommation de produits d'emballage ?)	_____ _____ _____
Les arguments Quels arguments choisiras-tu pour convaincre tes lecteurs et tes lectrices ? Nommes-en deux.	• _____ _____ • _____ _____
L'écriture Quel sera le ton de ta chronique (*humoristique*, *sensationnaliste*, *émotif*, *incitatif*, etc.) ? Quels mots et expressions pourras-tu utiliser pour toucher et convaincre les lecteurs et les lectrices ? Donne un exemple d'image forte pour illustrer ton propos.	_____ _____ _____ _____ _____
La conclusion Sur quels points t'attarderas-tu dans ta conclusion ? En quoi résumera-t-elle bien les idées de ton texte et fera-t-elle réfléchir sur le sujet ?	_____ _____ _____

La relation de cause à effet

Découpe les 12 cartes suivantes.

Associe les cartes qui représentent des causes aux cartes qui représentent les effets appropriés. Une cause peut produire plus d'un effet.

Utilise des marqueurs de relation (coordonnants et organisateurs textuels) pour faire des liens entre les phrases.

Vérifie ton travail avec un ou une camarade.

l'étoile se met à luire ou à scintiller	la pression augmente et la température devient très élevée	à mesure que le globe grossit
quand une étoile commence à manquer d'énergie	les atomes à l'intérieur du noyau se fusionnent	l'étoile éclate
au bout d'un moment, l'étoile recommence à rétrécir	ses couches de gaz sont projetées dans l'espace	l'étoile explose
quand une étoile plus grande que le Soleil manque d'énergie	il ne reste qu'un trou noir	une violente explosion appelée *supernova* se produit

Nom : _____ Date : _____

Écris une définition

D'abord, lis attentivement l'information suivante.

Une définition est utile pour comprendre la signification d'un mot.

Le modèle de phrase ci-dessous aide à écrire la définition d'un nom commun désignant, par exemple, une personne, un phénomène, un objet, un animal, un lieu.

Une _____ **est un** _____ **qui** _____.

Ex. : **Une** nébuleuse **est un** nuage de gaz et de poussières **qui** est visible dans le ciel.

Ensuite, choisis quatre noms communs nouveaux ou, selon toi, intéressants dans le texte. À l'aide du modèle, écris leur définition dans le tableau suivant.

Attention ! Choisis les déterminants parmi ceux-ci : *un*, *une*, *le*, *la*, *l'*.

Nom commun (au singulier)	Définition
_____	_____ _____ _____
_____	_____ _____ _____
_____	_____ _____ _____
_____	_____ _____ _____

Littératie en action 6 | Guide
11056
Cette fiche accompagne la leçon 8 du guide d'enseignement.
51

FICHE D'ACTIVITÉ
9
MODULE 3

L'emploi de la virgule

Réfléchis

- Quels signes de ponctuation connais-tu ?
- Lesquels sont toujours situés à la fin d'une phrase ? Lesquels sont situés à l'intérieur d'une phrase ?
- D'après toi, à quoi servent les virgules dans une phrase ?

Observe

- *Jupiter est entourée de nuages roses, jaunes, rouges, brun clair et blancs.*
- *Sur Mars, il y a des calottes de glace, d'immenses canyons, des vallées et des volcans.*

a) Pourquoi y a-t-il plusieurs virgules dans les phrases ci-dessus ?

b) Dans une phrase, comment appelle-t-on une liste d'éléments séparés par des virgules ?

- *Il y a des vents puissants sur Neptune.*
- *Sur Neptune, il y a des vents puissants.*
- *Il y a, sur Neptune, des vents puissants.*

c) Dans les phrases ci-dessus, quel groupe de mots est un complément de phrase ?

d) Pourquoi y a-t-il des virgules dans deux de ces phrases ?

- *Neptune et Uranus sont bleues, car leur atmosphère est composée de méthane.*
- *Mars ressemble à un désert brûlant, mais il y fait pourtant très froid.*

e) Dans les phrases ci-dessus, quels sont les deux mots précédés d'une virgule ?
À quelle classe ces deux mots appartiennent-ils ?

f) Dans tes mots, explique trois façons différentes d'utiliser la virgule dans une phrase.

FICHE D'ACTIVITÉ
9
MODULE 3

L'emploi de la virgule (*suite*)

Consulte la règle

La **virgule** est un signe de ponctuation employé de différentes façons dans les phrases.
Le tableau suivant montre ses principales utilisations.

On se sert de la **virgule** pour:	Exemples
• séparer les éléments d'une énumération ;	*Jupiter est entourée de nuages <u>roses</u>, <u>jaunes</u>, <u>rouges</u>, <u>brun clair</u> et <u>blancs</u>.*
• isoler un complément de phrase (Compl. de P) placé au début d'une phrase ;	Compl. de P *Les paysages sont magnifiques <u>sur Vénus</u>.* → *<u>Sur Vénus</u>, les paysages sont magnifiques.*
• encadrer un complément de phrase (Compl. de P) placé au milieu d'une phrase ;	→ *Les paysages, <u>sur Vénus</u>, sont magnifiques.*
• introduire les coordonnants *car*, *alors*, *pourtant*, *donc*, *puis*, *c'est-à-dire* et *mais* dans une phrase.	*Du métal pourrait fondre à la surface de Mercure, <u>car</u> la température y est très élevée.*

Exerce-toi

Inscris la ou les virgules manquantes dans les phrases suivantes.

a) En 1989 la sonde *Voyager 2* a survolé Neptune.

b) Le rouge le brun le jaune le bleu-vert et le bleu des planètes géantes sont magnifiques.

c) Tu ne pourrais pas atterrir sur Jupiter car c'est une grosse boule de gaz.

d) Jupiter Saturne Uranus et Neptune sont des planètes géantes gazeuses.

e) Sur Mars on trouve du dioxyde de carbone.

f) Mercure a des températures extrêmes car elle a une orbite allongée.

g) Mars ressemble à la Terre mais son atmosphère est différente.

h) Quatre sondes spatiales depuis 1979 ont visité Saturne.

i) Dans le système solaire il y a une ceinture d'astéroïdes entre Mars et Jupiter.

j) Le Soleil sur Vénus se lève à l'ouest et se couche à l'est.

FICHE D'ACTIVITÉ
10   *Les déterminants*

MODULE 3

Réfléchis

- Que connais-tu à propos des déterminants ?
- Quels déterminants utilises-tu le plus souvent ?
- Avec quoi accordes-tu les déterminants ?

Observe

> - *Quelques années plus tard, en 1969, deux astronautes se posaient sur la Lune.*
> - *Leur retour sur Terre est prévu au même endroit.*
> - *Ces astronautes sont partis en expédition avec notre petite voiture lunaire.*
> - *De nombreux échantillons de sol ont été recueillis sur la Lune.*
> - *Un réservoir d'oxygène a explosé pendant votre vol vers la Lune.*

a) Dans les phrases ci-dessus, où sont placés les déterminants ? Quels noms accompagnent-ils ?

b) Quelle phrase contient un déterminant utilisé pour montrer quelque chose à quelqu'un ?

c) Quelles phrases contiennent un déterminant qui n'indique pas le nombre précis du nom qu'il accompagne ?

d) Quelle phrase contient un déterminant utilisé pour indiquer qu'une chose appartient à quelqu'un ?

e) Quelle phrase contient un déterminant qui remplace les mots *à le* ?

f) Dans tes mots, décris les différentes catégories de déterminants que tu connais.

Les déterminants (*suite*)

Consulte la règle

Le **déterminant** est placé devant le **nom** et il reçoit le genre et le nombre de ce nom.
Le déterminant permet de préciser le sens du nom qu'il accompagne.

Exemples:

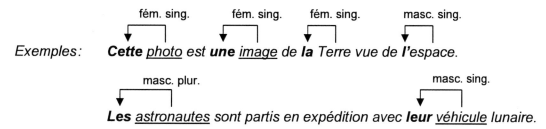

Il existe **plusieurs sortes** de déterminants.

1. Les déterminants articles définis

Singulier		Pluriel	Exemples
Masculin	**Féminin**	**Masculin et féminin**	
le, au (à le), du (de le)	la	les, aux (à les), des (de les)	*le* pain, *la* piscine, *les* enfants *au* parc, *du* pain, *aux* enfants, *des* maisons
Remarque: *le* et *la* deviennent *l'* devant un mot commençant par une voyelle ou un *h* muet. *Exemples:* *l'astronaute, l'école, l'humanité.*			

2. Les déterminants articles indéfinis

Singulier		Pluriel	Exemples
Masculin	**Féminin**	**Masculin et féminin**	
un	une	des	*un* astronaute, *une* astronaute, *des* astronautes
Remarques: • *des* devient *de* lorsque le nom au pluriel qu'il accompagne est précédé d'un adjectif; *Exemples:* *des* astronautes, *de* bons astronautes. • *des* devient *d'* devant un mot qui n'est pas un nom et qui commence par une voyelle ou un *h* muet. *Exemples:* *des* astronautes, *d'excellents* astronautes.			

Littératie en action 6 | Guide
11056
Cette fiche accompagne les activités langagières du guide d'enseignement.
55

Les déterminants (*suite*)

Consulte la règle (*suite*)

3. Les déterminants démonstratifs

Singulier		Pluriel	Exemples
Masculin	**Féminin**	**Masculin et féminin**	
ce, cet	cette	ces	*ce* module, *cet* outil, *cette* maison, *ces* outils
Remarque : On utilise *cet* devant un mot au masculin singulier commençant par une voyelle ou un *h* muet. *Exemple :* **cet** astronaute.			

4. Les déterminants possessifs

Singulier		Pluriel	Exemples
Masculin	**Féminin**	**Masculin et féminin**	
mon, ton, son, notre, votre, leur	ma, ta, sa, notre, votre, leur	mes, tes, ses, nos, vos, leurs	*mon* camion, *ta* voiture, *ses* livres
Remarque : *ma*, *ta*, *sa* deviennent *mon*, *ton*, *son* devant un mot au féminin singulier commençant par une voyelle ou un *h* muet. *Exemples :* **mon** exploration, **mon** horloge.			

5. Les déterminants numéraux

Singulier		Pluriel	Exemples
Masculin	**Féminin**	**Masculin et féminin**	
un	une	deux, trois, quatre, vingt, cent, mille, etc.	*une* mission, *deux* satellites, *quatre* véhicules, *cent* projets

Cette fiche accompagne les activités langagières du guide d'enseignement.

Les déterminants (*suite*)

Consulte la règle (*suite*)

6. Les déterminants indéfinis

Singulier		Pluriel		Exemples
Masculin	**Féminin**	**Masculin**	**Féminin**	
aucun	aucune			*aucun* télescope *aucune* comète
certain, quelque	certaine, quelque	certains, quelques	certaines, quelques	*certaines* sorties *quelques* expéditions
beaucoup de, peu de, chaque		beaucoup de, peu de, plusieurs		*beaucoup de* courage *beaucoup de* vols spatiaux *plusieurs* astronautes
Remarque : Certains déterminants indéfinis sont invariables : *beaucoup de*, *peu de*, *chaque*, *plusieurs*, etc.				

Attention ! Les mots *la*, *les*, *l'*, *leur* et *leurs* peuvent être des pronoms.

Exemple : Les astronautes ont utilisé <u>le véhicule</u>. → Les astronautes l'ont utilisé.

(*l'* est un pronom qui remplace *le véhicule*)

Littératie en action 6 / Guide
11056
Cette fiche accompagne les activités langagières du guide d'enseignement.
57

FICHE D'ACTIVITÉ
10   *Les déterminants* (*suite*)
MODULE 3

Exerce-toi

Inscris le déterminant qui convient et indique l'accord avec le nom, comme dans l'exemple.

masc. sing.   masc. sing.

Exemple :   ___Un___ *réservoir d'oxygène a explosé lors* ___du___ *vol d'Apollo 13.*
un, une, des, de   le, la, au, du, des

a) _____ station spatiale permet d'étudier _____ effets de longs séjours dans _____ espace.
le, la, l', les   le, la, l', les   le, la, l', les

b) _____ instrument scientifique est _____ télescope de _____ taille d'_____ autobus.
ce, cet, cette, ces   un, une, de, des   le, la, l', les   un, une

c) Apollo 17 a été _____ dernière mission à emmener _____ êtres humains sur _____ Lune.
le, la, l', les   un, une, d', de, des   le, la, l', les

d) _____ image la plus connue est « la bille bleue », une photo prise de _____ Lune.
son, sa   le, la, l', les

e) _____ véhicule à _____ places a permis _____ hommes de se déplacer.
ce, cet, cette, ces   un, une, deux   les, l', au, aux

f) _____ expédition lunaire s'est déroulée _____ 26 juillet _____ 7 août 1971.
ce, cet, cette, ces   le, la, au, du   le, la, au, du

g) _____ mission Apollo 12 a permis de rapporter _____ nombreux échantillons de sol lunaire.
le, la, l', les   un, une, de, des

h) _____ astronautes sont revenus sains et saufs malgré _____ mésaventures.
l', le, la, les   son, sa, leur, ses, leurs

Nom : _____   Date : _____

FICHE D'ACTIVITÉ
11
MODULE 3

Les coordonnants et les subordonnants

Réfléchis

- Que connais-tu à propos des conjonctions et des adverbes?
- Quels mots peux-tu utiliser pour unir deux sujets dans une phrase? Donne un exemple.
- De quels mots peux-tu te servir pour fournir une explication dans une phrase? Donne un exemple.

Observe

> - *Les naines blanches et les naines noires se forment à la fin de la vie d'une étoile.*
> - *Les étoiles se transforment et elles changent durant leur vie.*
> - *L'étoile se met à luire ou à scintiller.*

a) Dans les phrases ci-dessus, quels mots servent seulement à unir des groupes de mots?

> - *Les étoiles deviennent plus petites parce qu'elles perdent de l'énergie.*
> - *Les trous noirs engloutissent tout ce qui les entoure puisqu'ils ont une énorme gravité.*
> - *Je pense aux merveilles de l'espace lorsque je regarde le ciel, la nuit.*

b) Dans les phrases ci-dessus, quels mots permettent d'insérer une phrase dans une autre phrase?

c) D'après toi, dans les six phrases des encadrés, quels mots sont des coordonnants? Quels mots sont des subordonnants? Explique pourquoi.

Littératie en action 6 | Guide
11056
Cette fiche accompagne les activités langagières du guide d'enseignement.
59

FICHE D'ACTIVITÉ
11
MODULE 3

Les coordonnants et les subordonnants (*suite*)

Consulte la règle

Les **coordonnants** sont des mots invariables qui unissent des mots de même classe, des groupes de mots semblables ou des phrases. Les coordonnants sont des **conjonctions** ou des **adverbes**.

Exemples :   *Les naines blanches* **et** *les naines noires se forment à la fin de la vie d'une étoile.*
Conjonction

Au cours de leur vie, les étoiles perdent de l'énergie, **ainsi** *elles se transforment.*
Adverbe

Conjonctions	*mais, ou, et, donc, car, ni, or, c'est-à-dire,* etc.
Adverbes	*ainsi, alors, puis, aussi, enfin, cependant,* etc.

Les **subordonnants** sont des mots invariables qui permettent d'insérer une phrase dans une autre. Les subordonnants sont surtout des **pronoms relatifs**, des **conjonctions** et des **adverbes**.

Exemples :   *Les étoiles* **qui** <u>*sont les plus éloignées*</u> *sont parfois très brillantes.*
Pronom relatif

Les étoiles deviennent plus petites **parce qu'**<u>*elles perdent de l'énergie.*</u>
Conjonction

Les étoiles se transforment **quand** <u>*elles perdent de l'énergie.*</u>
Adverbe

Pronoms relatifs	*qui, que, dont, où, lequel,* etc.
Conjonctions	*que, si, parce que, puisque, pour que, lorsque, afin que,* etc.
Adverbes	*où, quand, comment, pourquoi,* etc.

Exerce-toi

Le texte ci-dessous contient cinq coordonnants et cinq subordonnants. Encercle les coordonnants et souligne les subordonnants.

Lorsque le globule de la nébuleuse devient un globe dense et lourd, l'étoile se met à luire ou à scintiller. Cette étoile se met à briller parce que la pression et la température au centre du noyau deviennent extrêmement élevées. Des milliards d'années plus tard, quand l'énergie qui se déplace vers la surface diminue, l'étoile devient plus petite. Lorsque les atomes du noyau de l'étoile fusionnent, l'étoile éclate. L'étoile devient alors une naine blanche, puis une naine noire.

Nom : _____   Date : _____

Les marqueurs de relation (organisateurs textuels)

Réfléchis

- Dans un texte, à quoi servent des mots comme *tout d'abord*, *puis*, *ensuite* et *après*?

- Dans un texte, quels mots peux-tu utiliser pour expliquer l'ordre des actions à respecter, par exemple dans une recette de cuisine ou une marche à suivre?

- De quels mots peux-tu te servir pour organiser les différentes idées d'un texte?

Observe

- *Au début, l'étoile est une nébuleuse.*
- *Ensuite, la nébuleuse se transforme en étoile brillante, comme le Soleil.*
- *Après, le noyau se réchauffe et l'étoile devient une géante rouge.*
- *Puis, la géante rouge rétrécit et explose. Elle devient alors une naine blanche.*
- *Enfin, elle perd sa chaleur et devient une naine noire.*

a) Dans les phrases ci-dessus, quels mots te permettent de comprendre que le texte décrit une série d'événements qui se déroulent les uns après les autres?

b) Si tu effaçais ces mots, le texte serait-il aussi facile à comprendre? Explique ta réponse.

c) Dans tes mots, explique pourquoi on appelle ces mots des *organisateurs textuels*.

Les marqueurs de relation (organisateurs textuels) (*suite*)

Consulte la règle

Les **marqueurs de relation** sont des **conjonctions** et des **adverbes** qui servent à organiser un texte pour mieux montrer le lien entre les phrases, les idées ou les paragraphes. On les utilise aussi pour organiser un texte selon le temps, le lieu ou l'ordre des événements ou encore pour insérer des explications ou des opinions. On les appelle alors des **organisateurs textuels**.

Exemples :   ***Au début**, l'étoile est une nébuleuse.*

***Puis**, la géante rouge se rétrécit et explose. Elle devient **alors** une naine blanche.*

*J'aime regarder le ciel, **car** il est rempli d'étoiles.*

Il existe de très nombreux organisateurs textuels. Le tableau suivant en présente quelques-uns.

Pour indiquer le temps	*aujourd'hui, demain, tout à l'heure, il y a longtemps, bientôt, maintenant, le lendemain, etc.*
Pour indiquer le lieu	*ici, là-bas, devant, derrière, dessus, dessous, tout près, près de, à gauche, à droite, à côté, etc.*
Pour indiquer l'ordre des événements	*d'abord, ensuite, puis, après, enfin, alors, premièrement, deuxièmement, finalement, etc.*
Pour indiquer des liens dans une explication	*c'est pourquoi, car, puisque, en résumé, en effet, d'ailleurs, c'est-à-dire, autrement dit, étant donné que, etc.*
Pour insérer une opinion	*à mon avis, d'après moi, selon moi, évidemment, heureusement, pour ma part, etc.*

Exerce-toi

Le texte suivant contient huit organisateurs textuels. Souligne-les.

Au départ, les étoiles naissent d'un nuage de gaz appelé nébuleuse. Après des millions d'années, la nébuleuse forme un noyau chaud et dense qui se met à briller ou à luire. Plusieurs milliards d'années plus tard, l'étoile manque d'énergie, elle devient plus petite et elle éclate comme un grain de maïs, pour devenir une géante rouge. Au bout d'un moment, l'étoile rétrécit et explose de nouveau, devenant une naine blanche. Avec le temps, cette étoile se refroidit et devient une naine noire. Finalement, les étoiles les plus grandes terminent leur vie de façon particulière. Elles explosent pour devenir des supernovas, puis s'effondrent pour former des trous noirs.

FICHE D'ACTIVITÉ
13
MODULE 3

L'accord de l'attribut du sujet et du participe passé avec **être**

Réfléchis

- Quels types de verbes (actifs, passifs, pronominaux) sont toujours conjugués avec l'auxiliaire *être*?
- Que connais-tu à propos de l'attribut du sujet? du participe passé?
- Que connais-tu à propos de l'accord de l'attribut du sujet? de l'accord du participe passé?

Observe

> - *Les nébuleuses sont magnifiques.*
> - *Après des milliards d'années, l'étoile devient plus petite.*
> - *Les couches de gaz de l'étoile sont projetées dans l'espace.*
> - *Les naines blanches sont encore lumineuses.*
> - *L'explosion de cette supernova a été très impressionnante.*

a) Quels sont les verbes dans les phrases ci-dessus? S'agit-il de verbes d'action ou de verbes d'état?

b) Quel auxiliaire de conjugaison (*être* ou *avoir*) est employé pour former certains de ces verbes?

c) Quel est le genre et quel est le nombre des participes passés et des adjectifs?

d) Dans tes mots, explique la façon d'accorder les participes passés et les adjectifs dans les phrases de l'encadré ci-dessus.

L'accord de l'attribut du sujet et du participe passé avec **être** *(suite)*

Consulte la règle

L'**attribut du sujet** et le **participe passé employé avec** *être* s'accordent en **genre** (masculin ou féminin) et en **nombre** (singulier ou pluriel) avec le sujet.

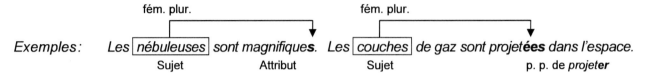

Exemples : Les ⌐nébuleuses¬ sont magnifique**s**. Les ⌐couches¬ de gaz sont projet**ées** dans l'espace.
 Sujet Attribut Sujet p. p. de *projeter*

LA RÈGLE GÉNÉRALE DE L'ACCORD DE L'ATTRIBUT DU SUJET ET DU PARTICIPE PASSÉ EMPLOYÉ AVEC *ÊTRE*

- Si le sujet est un **groupe nominal**, l'attribut ou le participe passé avec *être* reçoit le genre et le nombre du **nom noyau** du groupe nominal.

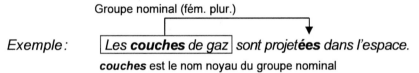

Exemple : ⌐Les **couches** de gaz¬ sont projet**ées** dans l'espace.
 couches est le nom noyau du groupe nominal

- Si le sujet est le pronom *je*, *tu*, *moi*, *toi*, *nous* ou *vous*, on doit connaître le genre (masculin ou féminin) de la personne ou des personnes que le pronom représente. L'attribut ou le participe passé avec *être* reçoit le genre et le nombre de ce pronom.

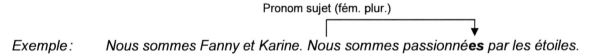

Exemple : Nous sommes Fanny et Karine. Nous sommes passionn**ées** par les étoiles.

LES CAS PARTICULIERS DE L'ACCORD DE L'ATTRIBUT DU SUJET ET DU PARTICIPE PASSÉ EMPLOYÉ AVEC *ÊTRE*

- Si le sujet a **plusieurs pronoms sujets** ou s'il contient **plusieurs groupes nominaux**, on doit trouver le genre (masculin ou féminin) de chaque nom noyau et de chaque pronom. Quand les noms noyaux ou les pronoms qui composent le sujet sont de genres différents, on accorde l'attribut ou le participe passé avec *être* au masculin pluriel.

Exemples :

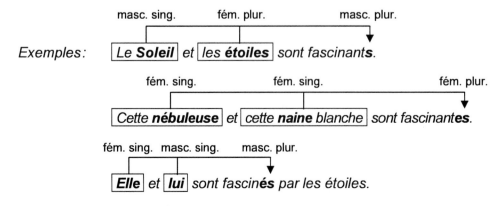

FICHE D'ACTIVITÉ
13
MODULE 3

L'accord de l'attribut du sujet et du participe passé avec **être** *(suite)*

Consulte la règle *(suite)*

- Si le sujet est le ***vous* de politesse**, l'attribut ou le participe passé avec *être* s'accorde au féminin singulier si la personne est une femme ou au masculin singulier si la personne est un homme.

Exemples :   Madame, | **vous** | semblez *fasciné**e** par les étoiles.*

fém. sing.

Monsieur, | **vous** | semblez *fasciné par les étoiles.*

masc. sing.

- Si le sujet est le pronom ***on* synonyme de *nous***, l'attribut ou le participe passé avec *être* s'accorde au pluriel.

Exemple :   *Mes amis et moi,* | **on** | *est fascin**és** par les étoiles.*

plur.

- Si le sujet est un **groupe verbal infinitif**, l'attribut s'accorde au masculin singulier.

Exemple : | ***Observer** les étoiles* | *est vraiment fascinant.*

Groupe verbal infinitif (masc. sing.)

Remarques :

1. Plusieurs **verbes actifs** comme les verbes *aller, monter, entrer, sortir, descendre* et *venir* se conjuguent avec l'auxiliaire *être* aux temps composés.

   *Exemples : **elle** est all**ée**; **ils** sont part**is**; **elles** seront reven**ues**.*

2. Plusieurs **verbes attributifs** comme les verbes *sembler, rester, demeurer, paraître* et *devenir* peuvent avoir un attribut du sujet.

   *Exemples : **elle** paraît grand**e**; **ils** semblent très éloign**és**; **elles** deviendront roug**es**.*

L'accord de l'attribut du sujet et du participe passé avec **être** *(suite)*

Exerce-toi

Dans les phrases ci-dessous, accorde l'attribut du sujet ou le participe passé (p. p.) en laissant des traces de ton accord, comme dans l'exemple. Pour t'aider, consulte des tableaux de conjugaison.

fém. plur.

Exemple :   Les <u>étoiles</u> *appelées* géantes rouges *sont très* _____*grosses*_____ .
                                                                                          gros

a) Cette planète sera un jour _____ par ce trou noir.
                            p. p. de *engloutir*

b) Ces naines blanches sont _____ il y a environ quatre milliards d'années.
                          p. p. de *naître*

c) Cette nébuleuse _____ _____ et _____ .
                    Verbe attributif   lointain   mystérieux

d) Les géantes rouges sont 50 fois plus _____ que le Soleil.
                                        grand

e) La taille du Soleil est assez _____ .
                                petit

f) Étudier les étoiles est _____ pour connaître l'âge de l'Univers.
                          utile

g) Mes amies, vous semblez très _____ par l'âge de notre étoile.
                                surpris

h) Ces nuages de gaz et ces poussières sont _____ des nébuleuses.
                                           p. p. de *appeler*

i) Mes frères et moi, on est très _____ pour nommer les étoiles.
                                 bon

Cette fiche accompagne les activités langagières du guide d'enseignement.   *Littératie en action 6* / Guide
11056

Nom : _____ Date : _____

La construction de la phrase négative

Réfléchis

- Comment reconnais-tu une phrase négative ?

- Quels mots de négation connais-tu ? Où doit-on les placer dans une phrase ?

- D'après toi, est-ce que toutes les phrases (déclarative, interrogative, exclamative et impérative) peuvent être transformées en phrase négative ? Explique ta réponse.

Observe

• *Ils mangent comme nous sur Terre.*	→	*Ils ne mangent pas comme nous sur Terre.*
• *Que les astronautes sont courageux !*	→	*Que les astronautes ne sont pas courageux !*
• *Sont-ils encore en orbite ?*	→	*Ne sont-ils plus en orbite ?*
• *Buvez toujours dans un verre.*	→	*Ne buvez jamais dans un verre.*
• *Ils ont terminé leur repas.*	→	*Ils n'ont pas terminé leur repas.*
• *Ils doivent épousseter et balayer.*	→	*Ils ne doivent ni épousseter ni balayer.*

a) Quels mots a-t-on ajoutés ou remplacés dans les phrases de droite pour qu'elles aient un sens contraire à celles de gauche ?

b) Dans tes mots, explique comment tu transformes une phrase positive en phrase négative.

Consulte la règle

La **phrase négative** sert à nier un fait ou encore à exprimer le contraire d'une phrase positive.

La phrase négative se construit en encadrant le verbe ou le verbe auxiliaire (*être* ou *avoir*) par des **mots de négation**.

Mots de négation	Phrase positive	Phrase négative
ne / n'… pas	*Les astronautes <u>ont</u> fait la vaisselle.*	→ *Les astronautes **n'<u>ont</u> pas** fait la vaisselle.*
ne / n'… plus	*Ils <u>mangent</u> encore dans des assiettes.*	→ *Ils **ne** <u>mangent</u> **plus** dans des assiettes.*
ne / n'… jamais	*Ils <u>dorment</u> toujours dans un lit.*	→ *Ils **ne** <u>dorment</u> **jamais** dans un lit.*
ne / n'… rien	*Vous <u>avez</u> tout jeté dans l'espace.*	→ *Vous **n'<u>avez</u> rien** jeté dans l'espace.*
ne / n'… aucun	*Ils <u>ont</u> un aspirateur.*	→ *Ils **n'<u>ont</u> aucun** aspirateur.*
ne / n'… ni… ni…	*Elle <u>a</u> un oreiller et une lampe.*	→ *Elle **n'<u>a</u> ni** oreiller **ni** lampe.*

La construction de la phrase négative (*suite*)

Consulte la règle (*suite*)

On peut transformer tous les types de phrases (phrases déclarative, interrogative, impérative ou exclamative) en phrase négative.

Type de phrase	Forme positive	Forme négative
Phrase déclarative	*Tu <u>fais</u> la vaisselle.*	→ *Tu **ne** <u>fais</u> **pas** la vaisselle.*
Phrase interrogative	*<u>Fais</u>-tu la vaisselle ?*	→ ***Ne** <u>fais</u>-tu **pas** la vaisselle ?*
Phrase impérative	*<u>Fais</u> la vaisselle.*	→ ***Ne** <u>fais</u> **pas** la vaisselle.*
Phrase exclamative	*Comme tu <u>fais</u> bien la vaisselle !*	→ *Comme tu **ne** <u>fais</u> **pas** bien la vaisselle !*

Exerce-toi

1. Dans les phrases suivantes, souligne le verbe ou le verbe auxiliaire (*être* ou *avoir*). Transforme ensuite ces phrases à l'aide des mots de négation *ne... pas* ou *ne... plus*.

a) Dans l'espace, le sang circule jusqu'aux extrémités du corps.

_____

b) Les aliments restent dans les assiettes.

_____

c) Ils ont fait plusieurs séjours dans l'espace.

_____

d) Les astronautes boivent dans des verres.

_____

2. Dans les phrases suivantes, souligne le verbe ou le verbe auxiliaire. Transforme ensuite ces phrases à l'aide des mots de négation *ne... jamais*, *ne... aucun* ou *ne... rien*, selon le cas.

a) Certains astronautes ont souvent mal à la tête.

_____

La construction de la phrase négative (*suite*)

Exerce-toi (*suite*)

b) Ils peuvent tout faire comme sur la Terre.

_____

c) Manger dans l'espace a posé beaucoup de problèmes aux astronautes.

_____

3. Les phrases suivantes sont de différents types (déclaratif, interrogatif, impératif ou exclamatif). Transforme-les en phrases négatives ou positives, selon le cas.

a) Dans l'espace, manger n'est pas une tâche difficile.

_____

b) Que la vie dans la station spatiale est intéressante !

_____

c) Les astronautes ne mangent-ils pas comme nous ?

_____

d) Ne faites pas attention aux miettes.

_____

e) Pourquoi les astronautes font-ils de l'exercice ?

_____

f) Quelles sensations éprouvez-vous en apesanteur ?

_____

g) Dans la station, ils ne doivent ni épousseter, ni balayer, ni passer l'aspirateur.

_____

Nom : _____   Date : _____

Observations continues

Nom de l'élève	Communication orale	Lecture	Écriture	Littératie médiatique
	L'élève : • exprime clairement ses idées • écoute activement • tient compte de son auditoire et adapte ses propos au besoin • vérifie sa compréhension des propos des autres • applique les stratégies apprises en communication orale	L'élève : • précise son intention de lecture • pose des questions • vérifie sa compréhension • fait un résumé • réfléchit aux stratégies et à leur efficacité • applique les stratégies apprises en lecture	L'élève : • détermine l'intention et le public cible • planifie et organise les idées • choisit bien ses mots et ses expressions • utilise les commentaires et les critères pour réviser • applique les règles et les conventions apprises dans ses textes	L'élève : • reconnaît le sujet • reconnaît l'intention • reconnaît le public cible • crée des messages visuels • applique les techniques médiatiques apprises • détermine la fiabilité des sources consultées

Note : Les comportements décrits sont donnés à titre d'exemples et ne constituent pas une liste exhaustive. Les ajuster en fonction de ce qu'on veut observer. Utiliser le symbole de notation en usage dans chaque région ou province : notes, codes, symboles.

Nom : _____ Date : _____

Grille d'évaluation de la section « À l'œuvre ! »

	Niveau 1	Niveau 2	Niveau 3	Niveau 4
Connaissance et compréhension	limitées	partielles	bonnes	approfondies
• Comprend la façon d'effectuer une recherche et de présenter ses résultats sous la forme d'un texte explicatif	☐ connaît les techniques et les éléments utilisés pour effectuer une recherche et rapporte les résultats sous la forme d'un texte explicatif	☐ connaît les techniques et les éléments utilisés pour effectuer une recherche et rapporte les résultats sous la forme d'un texte explicatif	☐ connaît les techniques et les éléments utilisés pour effectuer une recherche et rapporte les résultats sous la forme d'un texte explicatif	☐ connaît les techniques et les éléments utilisés pour effectuer une recherche et rapporte les résultats sous la forme d'un texte explicatif
Habiletés de la pensée	efficacité limitée	certaine efficacité	efficacité	grande efficacité
• Détermine l'intention et le public cible	☐ détermine l'intention et le public cible	☐ détermine l'intention et le public cible	☐ détermine l'intention et le public cible	☐ détermine l'intention et le public cible
• Utilise des critères pour s'autoévaluer et réviser son travail	☐ utilise des critères pour s'autoévaluer et réviser son travail	☐ utilise des critères pour s'autoévaluer et réviser son travail	☐ utilise des critères pour s'autoévaluer et réviser son travail	☐ utilise des critères pour s'autoévaluer et réviser son travail
Communication	efficacité limitée	certaine efficacité	efficacité	grande efficacité
• Joue efficacement son rôle dans la présentation	☐ participe à la recherche, la préparation et la présentation du jeu-questionnaire	☐ participe à la recherche, la préparation et la présentation du jeu-questionnaire	☐ participe à la recherche, la préparation et la présentation du jeu-questionnaire	☐ participe à la recherche, la préparation et la présentation du jeu-questionnaire
• Utilise des stratégies appropriées pour plaire au public cible	☐ capte l'attention du public cible	☐ capte l'attention du public cible	☐ capte l'attention du public cible	☐ capte l'attention du public cible
• Travaille bien en groupe	☐ travaille en groupe	☐ travaille en groupe	☐ travaille en groupe	☐ travaille en groupe
• Fait preuve de créativité en utilisant des effets qui améliorent la présentation (p. ex. : tableau et autres éléments visuels)	☐ utilise des effets qui améliorent la présentation	☐ utilise des effets qui améliorent la présentation	☐ utilise des effets qui améliorent la présentation	☐ utilise des effets qui améliorent la présentation
Mise en application	efficacité limitée	certaine efficacité	efficacité	grande efficacité
• Applique les connaissances et les stratégies apprises pour effectuer une recherche et écrire un texte explicatif	☐ applique les connaissances et les stratégies apprises	☐ applique les connaissances et les stratégies apprises	☐ applique les connaissances et les stratégies apprises	☐ applique les connaissances et les stratégies apprises

Voir aussi les grilles en lien avec les programmes dans le Compagnon Web de *Littératie en action 6*, à l'adresse suivante : [www.erpi.com/litteratie.cw].

Nom : _____ Date : _____

À ton tour !

Nom de l'élève	Présentation			Écoute	
	Présente un jeu-questionnaire	Compose des questions intéressantes	Lis clairement les questions et parle assez fort pour se faire comprendre	Utilise des stratégies d'écoute active	Montre de l'intérêt envers les présentations des autres élèves

Note : Utiliser cet aide-mémoire pour évaluer le travail des élèves. Les élèves peuvent se servir de ces critères pour l'autoévaluation. Utiliser le symbole de notation en usage dans chaque région ou province : notes, codes, symboles.

Cette fiche accompagne la leçon 14 du guide d'enseignement.

Nom : _____ Date : _____

Gros plan sur tes apprentissages

1. Fais un retour sur les objectifs d'apprentissage de ce module, à l'aide du tableau suivant.

- Choisis deux travaux montrant que tu as atteint ces objectifs.
- Décris ce que chaque travail indique au sujet de tes apprentissages.
- Écris les raisons pour lesquelles tu ajoutes ces travaux à ton portfolio.

Tes choix de travaux et ce qu'ils indiquent sur tes apprentissages	Tes raisons d'ajouter ces travaux à ton portfolio

2. Écris une ou deux choses importantes que tu as apprises sur la façon de présenter un jeu-questionnaire.

_____

_____

_____

_____

_____

3. Écris une découverte importante que tu as faite au sujet de l'espace.

_____

_____

_____

_____

Littératie en action 6 / Guide
11056
Cette fiche accompagne la leçon 15 du guide d'enseignement.
73

Nom : _____   Date : _____

Grille d'évaluation du module

	Niveau 1	Niveau 2	Niveau 3	Niveau 4
Connaissance et compréhension	**limitées**	**partielles**	**bonnes**	**approfondies**
• Connaît les caractéristiques et la structure du texte explicatif	☐ utilise ses connaissances sur les caractéristiques et la structure du texte explicatif	☐ utilise ses connaissances sur les caractéristiques et la structure du texte explicatif	☐ utilise ses connaissances sur les caractéristiques et la structure du texte explicatif	☐ utilise ses connaissances sur les caractéristiques et la structure du texte explicatif
• Connaît les stratégies de compréhension (poser des questions, vérifier sa compréhension et faire un résumé)	☐ connaît les stratégies de compréhension visées	☐ connaît les stratégies de compréhension visées	☐ connaît les stratégies de compréhension visées	☐ connaît les stratégies de compréhension visées
• Connaît et comprend le vocabulaire lié aux textes à l'étude	☐ démontre sa compréhension du vocabulaire lié aux textes à l'étude	☐ démontre sa compréhension du vocabulaire lié aux textes à l'étude	☐ démontre sa compréhension du vocabulaire lié aux textes à l'étude	☐ démontre sa compréhension du vocabulaire lié aux textes à l'étude
Habiletés de la pensée	**efficacité limitée**	**certaine efficacité**	**efficacité**	**grande efficacité**
• Utilise les stratégies de planification et les organisateurs graphiques pour rédiger ses textes	☐ utilise les stratégies de planification et les organisateurs graphiques	☐ utilise les stratégies de planification et les organisateurs graphiques	☐ utilise les stratégies de planification et les organisateurs graphiques	☐ utilise les stratégies de planification et les organisateurs graphiques
• Fait un raisonnement critique pour analyser l'efficacité d'un texte	☐ analyse des textes explicatifs ☐ évalue l'efficacité de ses textes	☐ analyse des textes explicatifs ☐ évalue l'efficacité de ses textes	☐ analyse des textes explicatifs ☐ évalue l'efficacité de ses textes	☐ analyse des textes explicatifs ☐ évalue l'efficacité de ses textes
Communication	**efficacité limitée**	**certaine efficacité**	**efficacité**	**grande efficacité**
• Exprime et organise des idées et l'information présentée	☐ exprime et organise des idées et de l'information dans les contextes suivants : – les textes explicatifs à l'écrit et à l'oral – les discussions – les jeux de rôles – la présentation orale	☐ exprime et organise des idées et de l'information dans les contextes suivants : – les textes explicatifs à l'écrit et à l'oral – les discussions – les jeux de rôles – la présentation orale	☐ exprime et organise des idées et de l'information dans les contextes suivants : – les textes explicatifs à l'écrit et à l'oral – les discussions – les jeux de rôles – la présentation orale	☐ exprime et organise des idées et de l'information dans les contextes suivants : – les textes explicatifs à l'écrit et à l'oral – les discussions – les jeux de rôles – la présentation orale

Nom : _____ Date : _____

Grille d'évaluation du module (*suite*)

	Niveau 1	Niveau 2	Niveau 3	Niveau 4
Communication	**efficacité limitée**	**certaine efficacité**	**efficacité**	**grande efficacité**
• Prend en considération les destinataires visés et l'intention de communication	☐ prend en considération les destinataires visés et l'intention pour : – participer à une discussion – présenter les résultats d'une recherche – écrire un texte explicatif	☐ prend en considération les destinataires visés et l'intention pour : – participer à une discussion – présenter les résultats d'une recherche – écrire un texte explicatif	☐ prend en considération les destinataires visés et l'intention pour : – participer à une discussion – présenter les résultats d'une recherche – écrire un texte explicatif	☐ prend en considération les destinataires visés et l'intention pour : – participer à une discussion – présenter les résultats d'une recherche – écrire un texte explicatif
• Utilise les codes et les conventions de communication orale (expression, volume) et écrite (ponctuation, orthographe)	☐ utilise les codes et les conventions de communication orale et écrite	☐ utilise les codes et les conventions de communication orale et écrite	☐ utilise les codes et les conventions de communication orale et écrite	☐ utilise les codes et les conventions de communication orale et écrite
Mise en application	**efficacité limitée**	**certaine efficacité**	**efficacité**	**grande efficacité**
• Applique ses connaissances et ses habiletés pour lire une variété de textes	☐ lit une variété de textes de manière autonome	☐ lit une variété de textes de manière autonome	☐ lit une variété de textes de manière autonome	☐ lit une variété de textes de manière autonome
• Applique ses connaissances et ses habiletés pour rédiger une variété de textes	☐ rédige une variété de textes	☐ rédige une variété de textes	☐ rédige une variété de textes	☐ rédige une variété de textes
• Fait des liens avec ses expériences personnelles et les textes lus et écrits	☐ fait des liens	☐ fait des liens	☐ fait des liens	☐ fait des liens

Nom : _____ Date : _____

Bilan des apprentissages

Données sur le rendement et les progrès de l'élève :

☐ Entrevue individuelle

(date : _____)

☐ Journal de bord (réponses, réflexions)

☐ Productions technologiques ou médiatiques

☐ Productions écrites (p. ex. : « À l'œuvre ! »)

☐ Communication orale

☐ Révision du portfolio (« Gros plan sur tes apprentissages »)

☐ Autoévaluation

☐ Évaluation continue (p. ex. : fiche d'évaluation 2 ; notes anecdotiques)

☐ Tâche d'évaluation de la compréhension en lecture

☐ Autre :

_____

Domaine	Commentaire	Niveau
Communication orale		
Lecture		
Écriture		
Littératie médiatique		

Remarque : Pour formuler des commentaires et déterminer le niveau de rendement de l'élève, consulter la fiche d'évaluation **5 : Grille d'évaluation du module** et la grille d'évaluation du rendement publiée par le ministère de l'Éducation de la province.

Forces
Besoins
Prochaines étapes

Cette fiche accompagne la leçon 15 du guide d'enseignement.

Corrélations avec les autres disciplines

LI = Liens interdisciplinaires ALL = Activités en lien avec les leçons AL = Activités langagières

	LI	ALL	AL	1	2	3	4	5	6	7	8	9	10	11	12	13	14	15
ÉTUDES SOCIALES (SCIENCES HUMAINES)																		
LE MULTICULTURALISME CANADIEN																		
Connaissance et compréhension																		
Comprendre ses origines et préciser son identité.	•																	
Reconnaître les traits de l'identité canadienne.	•			•						•								
Reconnaître la présence de francophones dans différentes régions du Canada.	•			•						•								
Répertorier des francophones du Canada qui se sont distingués dans divers domaines et tracer le portrait de certains d'entre eux.	•			•						•								
Démontrer, à l'aide d'exemples ou par d'autres moyens, l'influence naturelle entre la société canadienne et d'autres pays et cultures.	•			•						•								
Comprendre la portée des événements qui se produisent dans l'actualité ainsi que les changements qui s'opèrent dans la société.	•			•						•								
Connaître et comprendre les concepts de base sur les secteurs de la production, de la distribution et de la consommation des biens.	•																	
Comprendre les institutions, les composantes des cultures et le fonctionnement des groupes.	•																	
Connaître et comprendre les facteurs de continuité ou de changement.	•																	
Connaître et comprendre les structures et les systèmes mis en place par les humains pour gérer l'organisation naturelle ou sociale.	•																	
Questionnement, recherche et communication																		
Formuler des questions qui orientent son enquête.	•			•						•			•					
S'appuyer sur des documents de sources primaires et secondaires pour effectuer une enquête.	•			•						•								

CORRÉLATIONS AVEC LES AUTRES DISCIPLINES (suite)

LI = Liens interdisciplinaires ALL = Activités en lien avec les leçons AL = Activités langagières

	LI	ALL	AL	\<LEÇONS\> 1	2	3	4	5	6	7	8	9	10	11	12	13	14	15
Questionnement, recherche et communication (*suite*)																		
Se servir d'organisateurs graphiques pour transmettre l'information.	•			•									•					
Communiquer les résultats de son enquête en utilisant différents supports visuels.	•									•			•					
Transmettre des idées et de l'information selon différentes formes et divers moyens.	•			•									•					
Utiliser le vocabulaire approprié pour communiquer les résultats de son enquête.	•			•									•					
Utilisation des cartes géographiques et des éléments graphiques																		
Représenter l'information à l'aide de cartes, de tableaux, de diagrammes et de graphiques.											•							
Application																		
Mettre en application, dans des contextes familiers, les concepts, les connaissances et les habiletés qui lui ont été présentés et de les transférer à des contextes nouveaux.	•											•						
Mettre en application le vocabulaire approprié au sujet à l'étude (p. ex.: populations francophones, différences culturelles, ressemblances culturelles, francophonie, multiculturalisme, équité, racisme).	•												•					
SCIENCES ET TECHNOLOGIE																		
L'ESPACE																		
Compréhension des concepts																		
Identifier des composantes du système solaire incluant le Soleil, la Terre, les autres planètes, les satellites naturels, les comètes, les astéroïdes, les météoroïdes et décrire leurs caractéristiques physiques.			•	•	•	•	•	•	•	•	•	•	•	•				
Expliquer comment les humains répondent à leurs besoins de base dans l'espace.			•	•	•	•	•	•	•	•	•	•	•	•	•	•		
Identifier l'équipement et les outils technologiques utilisés pour l'exploration spatiale.			•	•	•	•	•	•	•	•	•	•	•	•	•	•		
Décrire des effets du mouvement et de la position de la Terre, de la Lune et du Soleil.			•	•	•	•	•	•	•	•	•	•	•	•	•	•		
Décrire qualitativement la relation entre la masse et le poids.			•	•	•	•	•	•	•	•	•	•	•	•	•	•		

	LEÇONS																	
	LI	ALL	AL	1	2	3	4	5	6	7	8	9	10	11	12	13	14	15
Acquisition d'habiletés en recherche scientifique, en conception et en communication																		
Utiliser le processus de résolution de problèmes technologiques pour concevoir, construire et tester un objet qui utilise ou simule le mouvement des corps dans le système solaire.			•		•	•	•		•	•	•	•	•	•		•		
Utiliser la démarche de recherche pour explorer les percées scientifiques et technologiques qui permettent aux humains de vivre et de s'adapter dans l'espace.			•		•	•	•		•	•	•	•	•	•		•		
Utiliser les termes justes pour décrire ses activités de recherche, d'expérimentation, d'exploration et d'observation (p. ex. : planète, Lune, étoile, comète, éclipse, phase, astéroïde, météoroïde).			•		•	•	•		•	•	•	•	•	•		•		
Communiquer oralement et par écrit en se servant d'aides visuelles dans le but d'expliquer les méthodes utilisées et les résultats obtenus lors de ses recherches, ses expérimentations, ses explorations ou ses observations.			•		•	•	•		•	•	•	•	•	•		•		
Rapprochement entre les sciences, la technologie, la société et l'environnement																		
Évaluer la contribution des Canadiens et des Canadiennes dans l'exploration spatiale et le progrès scientifique.			•		•	•	•		•	•	•	•	•	•		•		
Évaluer les avantages et les inconvénients de l'exploration spatiale pour la société et l'environnement.			•		•	•	•		•	•	•	•	•	•		•		
MATHÉMATIQUES																		
Traitement des données et probabilités																		
Démontrer comment la grandeur de l'échantillon peut influencer la nature des résultats d'une enquête.																		
Prédire, à partir de ses connaissances générales ou de diverses sources d'informations, les résultats possibles d'un sondage avant de recueillir les données.																		
Concevoir et effectuer un sondage, recueillir les données et les enregistrer selon des catégories et des intervalles appropriés.																		
Construire, à la main ou à l'ordinateur, divers diagrammes (p. ex. : diagramme à bandes horizontales, verticales ou doubles et diagramme à ligne brisée).																		
Formuler, oralement ou par écrit, des inférences ou des arguments à la suite de l'analyse et de la comparaison de données présentées dans un tableau ou dans un diagramme.																		

CORRÉLATIONS AVEC LES AUTRES DISCIPLINES (*suite*)

LI = Liens interdisciplinaires   ALL = Activités en lien avec les leçons   AL = Activités langagières

	LI	ALL	AL	1	2	3	4	5	6	7	8	9	10	11	12	13	14	15
Traitement des données et probabilités (*suite*)																		
Comparer et choisir, à l'aide d'un logiciel de graphiques, le genre de diagramme qui représente le mieux un ensemble de données.																		
ÉDUCATION ARTISTIQUE																		
ART DRAMATIQUE																		
Produire plusieurs formes de représentation (p. ex. : monologue, improvisation, création collective) pour communiquer un message à partir d'une situation dramatique donnée.	•																•	
Créer plusieurs courtes productions pour un auditoire spécifique en utilisant un appui technique.	•														•			
Décrire comment l'art dramatique contribue à son propre développement et à celui de la communauté.	•														•	•		
ARTS VISUELS																		
Recourir au processus de création artistique pour réaliser diverses œuvres d'art.	•																	
MUSIQUE																		
Recourir au processus d'analyse critique pour analyser et apprécier diverses œuvres musicales.												•						
Composer un message publicitaire et le mettre en musique.	•																	
Exprimer son appréciation d'une composition musicale dans diverses formes de représentation (p. ex. : danse, dessin).	•											•						

LEÇONS

	LI	ALL	AL	1	2	3	4	5	6	7	8	9	10	11	12	13	14	15
ÉDUCATION PHYSIQUE ET SANTÉ																		
HABILETÉS PERSONNELLES ET SOCIALES																		
Communiquer oralement et par écrit en français pour s'affirmer sur le plan culturel et linguistique.	•																•	
Utiliser des habiletés personnelles pour développer son autonomie et un concept de soi positif.	•																	
Utiliser des habiletés interpersonnelles pour communiquer et interagir avec les autres de manière positive et constructive.	•																•	
Utiliser la pensée critique et créative pour développer la capacité d'analyse et de discernement nécessaires pour se fixer des objectifs personnels, prendre des décisions éclairées et résoudre des problèmes.	•																•	

Guide d'enseignement

MODULE **4**

Des divertissements sur mesure

PEARSON
ERPI

11056

POUR L'ÉDITION FRANÇAISE

Directrice à l'édition
Monique Daigle

Traductrice
Monique Lanouette

Rédacteurs (fiches d'activités 8 à 15)
Virginie Krysztofiak
Paul Ste-Marie

Chargée de projet
Lina Binet

Réviseure linguistique
Annick Loupias

Correctrices d'épreuves
Lina Binet
Sabine Cerboni

Coordonnatrice à l'édition Web
Jeannette Lafontaine

Couverture (reliure à anneaux)
Édiflex inc.

Édition électronique
La Plume Virtu-Elle enr.

POUR L'ÉDITION ORIGINALE

Chef d'équipe
Anita Borovilos

Consultantes nationales en littératie
Beth Ecclestone
Norma MacFarlane

Éditrices
Susan Green
Elynor Kagan

Chef de produit
Paula Smith

Directrice de rédaction
Monica Schwalbe

Directrices de la recherche et du développement
Carol Wells
Mariangela Gentile
Rena Sutton

Coordonnatrice de la production
Alison Dale

Directrice artistique
Zena Denchik

Graphiste
David Cheung

Vice-président, édition et marketing
Mark Cobham

Littératie en action 6, Guide d'enseignement,
édition française publiée par ERPI (ÉDITIONS
DU RENOUVEAU PÉDAGOGIQUE INC.)
© 2008 Pearson Canada Inc.
© 2010 ERPI pour l'édition française.

Traduction et adaptation autorisées de *Literacy in Action 6,
Teacher's Guide*, par Jeroski et autres, publié par Pearson
Canada Inc.
© 2008 Pearson Education Canada, une division de Pearson
Canada Inc.

Tous droits réservés.
On ne peut reproduire aucun extrait de ce livre
sous quelque forme ou par quelque procédé que
ce soit – sur une machine électronique, mécanique, à photocopier ou à enregistrer, ou
autrement – sans avoir obtenu, au préalable, la permission écrite de Pearson Canada Inc. Pour toute demande
à ce sujet, veuillez vous adresser à Pearson Canada Inc.,
Rights and Permissions Department, 26 Prince Andrew Place,
Don Mills, Ontario M3C 2T8 Canada.

Pearson® est une marque déposée de Pearson plc.

Dépôt légal – Bibliothèque et Archives nationales du Québec,
2010
Dépôt légal – Bibliothèque et Archives Canada, 2010

Imprimé au Canada	1234567890 TRN 13 12 11 10
ISBN 978-2-7613-2595-0	11056	OF10

Littératie en action 6, Guide d'enseignement,
French language edition, published by ERPI
(ÉDITIONS DU RENOUVEAU PÉDAGOGIQUE INC.)
© 2008 Pearson Canada Inc.

Authorized translation and adaptation from the English
language edition, entitled *Literacy in Action 6*, *Teacher's
Guide*, by Jeroski *et al.*, published by Pearson Education
Canada, a division of Pearson Canada Inc.

All rights reserved. This publication is protected by copyright.
No part of this book may be reproduced or transmitted in any
form or by any means, electronic or mechanical, including
photocopying, recording, or by any information storage
retrieval system, without permission from Pearson Canada
Inc. For information regarding permission(s), please submit
your request to: Pearson Canada Inc., Rights and Permissions
Department, 26 Prince Andrew Place, Don Mills, Ontario
M3C 2T8 Canada.

Pearson® is a registered trademark of Pearson plc.

POUR L'ÉDITION FRANÇAISE

Directeurs de collection
Léo-James Lévesque
Johanne Proulx

REMERCIEMENTS

L'éditeur remercie les personnes suivantes pour leurs commentaires judicieux au cours de l'élaboration de la collection *Littératie en action 6* :

Johanne Austin, N.-B.
Joanne Cameron, N.-É.
Alicia Logie, C.-B.
Karen Olsen, Sask.
Brian Svenningsen, Ont.
Diane Tijman, C.-B.
Nathalie Wall, Ont.

POUR L'ÉDITION ORIGINALE

Auteurs et consultants
Dr Sharon Jeroski

Andrea Bishop
Jean Bowman
Anne Boyd
Lynn Bryan
Linda Charko
Marla Ciccotelli
Susan Clarke
Alisa Dewald
Maureen Dockendorf
Ken Ealey
Susan Elliott
Christine Finochio
Patricia Gough
Jo Ann Grime
Doug Herridge
Patricia Horstead
Don Jones
Joanne Leblanc-Haley
Marg Lysecki
Jill Maar
Deidre McConnell
Carol Munro
Cathie Peters
Sue Pleli
Lorraine Prokopchuk
Joanne Rowlandson
Carole Stickley
Arnold Toutant
Kim Webber
Iris Zammit
Beth Zimmerman

Table des matières

* Ces fiches ont été conçues pour répondre aux attentes en ce qui concerne les connaissances et habiletés grammaticales du programme-cadre de français (6ᵉ année) du curriculum de l'Ontario. À titre d'enrichissement, toutefois, elles peuvent être aussi proposées aux élèves en immersion.

Module 4 : Des divertissements sur mesure

Dans ce module, les élèves écouteront, liront et écriront des textes d'opinion liés aux divertissements. Au fil des activités et des lectures, ils seront amenés à appliquer des stratégies de lecture pour lire une variété de textes, dont des éditoriaux, un reportage, des haïkus, une marche à suivre, des bandes dessinées et un récit d'aventures. Les élèves écriront un article pour un journal scolaire sur un sujet de leur choix en lien avec le divertissement. Finalement, ils rédigeront et présenteront une critique sur un sujet lié au divertissement de leur choix.

LES OBJECTIFS DE L'ENSEIGNEMENT

Stratégies	Utiliser ses connaissances ; visualiser ; faire une synthèse
Littératie critique	Réfléchir sur l'influence de l'opinion d'un auteur ou d'une auteure sur son choix
Genre de texte	Textes d'opinion
Éléments d'écriture	Comprendre la structure d'un texte d'opinion ; organiser ses idées ; tenir compte des destinataires et moduler le ton de son texte en conséquence
Communication orale	Écouter de manière active ; réagir ; poser des questions ; répondre à des questions ; exprimer son opinion
Littératie médiatique	Rassembler et analyser des articles et des critiques traitant d'émissions de téléréalité ; consulter des journaux et des magazines ; naviguer dans Internet

L'ÉVALUATION AU SERVICE DE L'APPRENTISSAGE

Évaluation diagnostique	Évaluation formative	Évaluation sommative
• Présentation du module (L : 1)	• Observations, interventions pédagogiques (L : 1 à 3, 5 à 15) • Évaluation par les élèves (L : 6, 11, 14, 15) • Création de tableaux de référence (L : 3, 4, 6, 11, 14) • Réflexion des élèves (toutes les leçons) • Tâche d'évaluation « À l'œuvre ! » (L : 10) • À ton tour ! (L : 14)	• Ton portfolio (L : 15) • Entrevues individuelles (L : 15) • Réflexion des élèves (L : 15) • Tâche d'évaluation de la compréhension en lecture (L : 15)

LE CADRE D'ENSEIGNEMENT

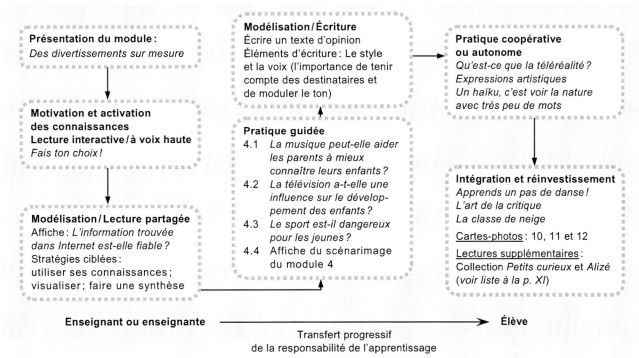

Présentation du module :
Des divertissements sur mesure

**Motivation et activation des connaissances
Lecture interactive / à voix haute**
Fais ton choix !

Modélisation / Lecture partagée
Affiche : *L'information trouvée dans Internet est-elle fiable ?*
Stratégies ciblées :
utiliser ses connaissances ;
visualiser ; faire une synthèse

Modélisation / Écriture
Écrire un texte d'opinion
Éléments d'écriture : Le style et la voix (l'importance de tenir compte des destinataires et de moduler le ton)

Pratique guidée
4.1 *La musique peut-elle aider les parents à mieux connaître leurs enfants ?*
4.2 *La télévision a-t-elle une influence sur le développement des enfants ?*
4.3 *Le sport est-il dangereux pour les jeunes ?*
4.4 Affiche du scénarimage du module 4

Pratique coopérative ou autonome
Qu'est-ce que la téléréalité ?
Expressions artistiques
Un haïku, c'est voir la nature avec très peu de mots

Intégration et réinvestissement
Apprends un pas de danse !
L'art de la critique
La classe de neige

Cartes-photos : 10, 11 et 12

Lectures supplémentaires :
Collection *Petits curieux* et *Alizé* (*voir liste à la p. XI*)

Enseignant ou enseignante ———————————————→ Élève
Transfert progressif
de la responsabilité de l'apprentissage

CONTENUS D'APPRENTISSAGE

Littératie en action est un outil d'enseignement qui vise à répondre aux attentes des programmes d'études[1] de l'ensemble des provinces et régions du Canada en matière de littératie. L'apprentissage des habiletés reliées à la littératie amène les élèves à utiliser l'écoute, l'expression orale, la lecture et l'écriture pour communiquer en français.

Le tableau intitulé «Corrélations avec les autres disciplines», aux pages 100 à 104 du présent fascicule, donne un aperçu des liens possibles avec les autres disciplines.

COMMUNICATION ORALE (écoute et expression)

	LEÇONS
Écoute	
• Déterminer l'intention de la situation d'écoute.	1, 2, 3, 4, 5, 7, 8, 9, 10, 11, 12, 13, 14, 15
• Mettre en pratique l'écoute active.	1, 2, 3, 4, 5, 7, 8, 9, 10, 11, 12, 13, 14, 15
• Faire des inférences.	1, 2, 3, 4, 7, 8, 9, 10, 11, 12, 13
• Reconnaître les indices non verbaux et les interpréter.	1, 2, 3, 4, 5, 7, 8, 9, 10, 11, 12, 13
• Se concentrer et retenir les éléments importants.	1, 2, 3, 4, 5, 7, 8, 9, 10, 11, 12, 13, 14
• Faire la synthèse des renseignements.	1, 2, 3, 4, 8, 9, 10, 12
Expression	
• Participer à une discussion en posant des questions, en répondant à des questions et en exprimant son point de vue.	1, 2, 3, 4, 5, 7, 8, 9, 11, 12, 13, 14
• S'exprimer oralement de façon efficace en tenant compte du contexte.	1, 2, 3, 4, 5, 7, 8, 9, 10, 11, 12, 13, 14, 15
• Communiquer clairement ses idées.	1, 2, 3, 4, 5, 7, 8, 9, 10, 11, 12, 13, 14, 15
• Recourir à divers supports visuels pour appuyer son message.	1, 4, 5, 6, 7, 8, 9, 10, 11, 12, 13, 14
Réflexion	
• Reconnaître l'aide des habiletés en lecture et en écriture dans la communication orale.	1, 2, 3, 4, 6, 10, 14

LECTURE (et observation)

	LEÇONS
Préparation à la lecture	
• Déterminer l'intention de lecture.	2, 3, 4, 7, 8, 9, 10, 11, 12, 13
• Choisir ses textes selon diverses intentions.	2, 3, 4, 7, 8, 9, 10, 11, 12, 13
Lecture	
• Lire différents types de textes.	2, 3, 4, 6, 7, 8, 9, 10, 11, 12, 13
• Connaître et utiliser diverses stratégies de compréhension.	2, 3, 4, 7, 8, 9, 10, 11, 12, 13
• Ajuster ses stratégies et son rythme de lecture selon le genre de texte et l'intention de lecture.	2, 3, 4, 7, 8, 9, 10, 11, 12, 13
• Faire appel à un répertoire de mots connus.	2, 3, 4, 7, 8, 9, 10, 11, 12, 13
• Connaître et utiliser des stratégies de résolution de problèmes.	2, 3, 4, 5, 7, 8, 9, 10, 11, 12, 13
• Connaître et utiliser les conventions linguistiques pour mieux comprendre le texte.	2, 3, 4, 7, 8, 9, 10, 11, 12, 13
• Utiliser les éléments visuels pour soutenir sa compréhension.	2, 3, 4, 7, 8, 9, 10, 11, 12, 13
• Connaître et utiliser les caractéristiques des divers genres de textes pour mieux comprendre le texte.	2, 3, 4, 7, 8, 9, 10, 11, 12, 13
• Analyser les idées, les renseignements et les points de vue contenus dans le texte.	2, 3, 4, 7, 8, 9, 10, 11, 12, 13
• Réagir de diverses manières aux textes lus.	2, 3, 4, 7, 8, 9, 10, 11, 12, 13
Réflexion	
• Démontrer une réflexion métacognitive face à son processus et à ses stratégies de lecture.	2, 3, 4, 5, 7, 8, 10, 11, 12, 13, 14, 15
• Reconnaître l'aide des habiletés en communication orale et en écriture dans la lecture.	2, 3, 4, 5, 7, 8, 10, 11, 12, 13, 14, 15

1. Pour les corrélations précises avec les programmes d'études, consulter les tableaux contenus dans le Compagnon Web de *Littératie en action 6* à l'adresse suivante : [www.erpi.com/litteratie.cw]. Le nom d'utilisateur et le mot de passe pour y accéder figurent sur le carton de présentation inséré au début du classeur à anneaux.

ÉCRITURE (et représentation)

Planificateur : En un coup d'œil

A = fiches d'activités du présent fascicule
É = fiches d'évaluation du présent fascicule

AM = fiches d'activités modèles du fascicule *Guide d'enseignement de la littératie*[1]
ÉM = fiches d'évaluation modèles du fascicule *Guide d'enseignement de la littératie*

RESSOURCES DE L'ÉLÈVE	APPRENTISSAGES CIBLÉS	DURÉE PRÉVUE	GUIDE D'ENSEIGNEMENT	RESSOURCES SUPPLÉMENTAIRES	DIFFÉRENCIATION / INTERVENTIONS PÉDAGOGIQUES
Motivation et activation des connaissances					
1. Présentation du module (manuel, pages 140 et 141)	Communiquer clairement ses idées ; participer à une discussion et émettre son opinion ; faire des liens avec ses connaissances et ses expériences.	De 40 à 60 min	Leçon 1	**ÉM 1 :** Profil de l'élève **A 1 :** Lettre à l'intention des parents / Home Connection Letter **A 2 :** Un survol du module **AM 3 (transparent 3 et organisateur graphique 3) :** Enrichir son vocabulaire **É 1 :** Observations continues	Inviter les élèves à exprimer oralement leurs idées. Modéliser la façon d'émettre une opinion tout en respectant celle des autres. Jumeler les élèves pour leur permettre d'entendre leurs camarades faire des liens avec leurs expériences personnelles.
Lecture interactive / à voix haute					
2. Fais ton choix ! (manuel, pages 142 à 145)	Utiliser ses connaissances ; écouter et interagir dans une discussion ; communiquer clairement ses idées.	De 40 à 60 min	Leçon 2	**É 1 :** Observations continues	Modéliser la manière d'utiliser ses connaissances. Discuter des stratégies à mettre en pratique lors de discussions en groupe. Discuter de l'importance de communiquer clairement ses idées.

1. Ce fascicule présente des stratégies d'enseignement fondées sur les plus récentes recherches en littératie. S'y trouvent également des fiches d'activités modèles à adapter ou à utiliser telles quelles.

RESSOURCES DE L'ÉLÈVE	APPRENTISSAGES CIBLÉS	DURÉE PRÉVUE	GUIDE D'ENSEIGNEMENT	RESSOURCES SUPPLÉMENTAIRES	DIFFÉRENCIATION / INTERVENTIONS PÉDAGOGIQUES
Modélisation / lecture partagée					
3. Lire un texte d'opinion (manuel, pages 146 et 147) 3.1 Lis avec habileté : Précise ton intention 3.2 Lis avec habileté : Décode le texte 3.3 Lis avec habileté : Construis le sens du texte – Utilise tes connaissances, visualise et fais une synthèse 3.4 Lis avec habileté : Analyse le texte	Préciser son intention de lecture ; distinguer les faits des opinions ; revoir ses connaissances sur la lecture d'un texte d'opinion ; comprendre et évaluer les stratégies de lecture utilisées ; utiliser des stratégies pour comprendre un texte ; adopter un point de vue critique en analysant un texte.	De 90 à 150 min (2 à 5 séances)	Leçons 3.1, 3.2, 3.3 et 3.4	**Affiche de lecture partagée (transparent 17) :** *L'information trouvée dans Internet est-elle fiable ?* **AM 6 (transparent 6 et organisateur graphique 6) :** Comparer A 3 : Utilise tes connaissances et visualise A 4 : Fais une synthèse É1 : Observations continues	Modéliser la façon de distinguer les faits des opinions. Demander aux élèves de déterminer le but des textes d'opinion. Montrer la façon de visualiser le contenu d'un texte. Modéliser l'analyse d'un texte en se posant des questions. Inviter les élèves à présenter différents points de vue sous forme de jeu de rôle.
Pratique guidée					
4.1 La musique peut-elle aider les parents à mieux connaître leurs enfants ? (manuel, pages 148 et 149) 4.2 La télévision a-t-elle une influence sur le développement des enfants ? (manuel, pages 150 et 151) 4.3 Le sport est-il dangereux pour les jeunes ? (manuel, pages 148 et 149) 4.4 Affiche du scénarimage du module 4	Mettre en application les stratégies : utiliser ses connaissances, visualiser et faire une synthèse.	De 40 à 60 min	Leçons 4.1, 4.2, 4.3 et 4.4	**Affiche de lecture partagée (transparent 17) :** *L'information trouvée dans Internet est-elle fiable ?* **AM 6 (transparent 6 et organisateur graphique 6) :** Comparer A 3 : Utilise tes connaissances et visualise A 4 : Fais une synthèse A 8 : Les types et les formes de phrases **Affiche du scénarimage du module 4** **Coffret audio**	**Remarque :** Chaque texte présente un niveau de difficulté différent[1]. Attribuer un texte à chaque élève selon ses habiletés et ses préférences. Pour les élèves ayant des habiletés de lecture limitées, utiliser l'affiche du scénarimage afin de les aider à développer leur maîtrise de la langue et des concepts.

1. Niveau de lecture des textes : texte **4.1** : S-T, DRA 48-50 ; texte **4.2** : W-X, DRA 60-64 ; texte **4.3** : U-V, DRA 54-58.

PLANIFICATEUR: EN UN COUP D'ŒIL (*SUITE*)

A = fiches d'activités du présent fascicule
É = fiches d'évaluation du présent fascicule

AM = fiches d'activités modèles du fascicule *Guide d'enseignement de la littératie*
ÉM = fiches d'évaluation modèles du fascicule *Guide d'enseignement de la littératie*

RESSOURCES DE L'ÉLÈVE	APPRENTISSAGES CIBLÉS	DURÉE PRÉVUE	GUIDE D'ENSEIGNEMENT	RESSOURCES SUPPLÉMENTAIRES	DIFFÉRENCIATION / INTERVENTIONS PÉDAGOGIQUES
Pratique guidée (*suite*)					
5. Fais un retour sur tes apprentissages (manuel, page 154)	Revoir le genre de texte ; échanger des idées et mettre en pratique l'écoute active ; résumer et comparer des textes d'opinion ; comprendre et évaluer les stratégies utilisées.	De 40 à 60 min	Leçon 5	**Affiche de lecture partagée :** *L'information trouvée dans Internet est-elle fiable ?* **A 5 :** Compare des textes d'opinion **AM 33 à 38** sur les stratégies de lecture **É 1 :** Observations continues	Avec les élèves, remplir le tableau récapitulatif à partir d'exemples concrets tirés des textes afin d'établir clairement les comparaisons. Inviter les élèves à noter des mots clés avant de présenter leurs idées. Modéliser la façon de résumer et de comparer des textes.
6. Écris avec habileté (manuel, page 155)	Analyser la structure d'un texte d'opinion ; créer un tableau de référence ; développer ses idées à l'aide d'un organisateur graphique ; écrire un texte d'opinion.	De 40 à 60 min	Leçon 6	**Affiche de modélisation en écriture 4 (transparent 36) :** Écrire un éditorial **AM 6 (organisateur graphique 6 et transparent 6) :** Comparer **A 6 :** Planifie ton texte d'opinion **É 1 :** Observations continues	Pour les élèves ayant besoin de plus de soutien, morceler les tâches à accomplir en différentes étapes. Amener les élèves à suivre le processus d'écriture (planification, révision, rédaction).

RESSOURCES DE L'ÉLÈVE	APPRENTISSAGES CIBLÉS	DURÉE PRÉVUE	GUIDE D'ENSEIGNEMENT	RESSOURCES SUPPLÉMENTAIRES	DIFFÉRENCIATION / INTERVENTIONS PÉDAGOGIQUES
Pratique coopérative ou autonome					
7. Qu'est-ce que la téléréalité ? (manuel, pages 156 à 160)	Mettre en pratique les stratégies de lecture ; tenir compte d'autres points de vue ; exprimer ses opinions et les appuyer par des éléments de preuve.	De 80 à 120 min (2 ou 3 séances)	Leçon 7	**A 9 :** L'emploi des guillemets et du tiret **A 10 :** L'accord du verbe et la conjugaison **É 1 :** Observations continues **Coffret audio**	Avec les élèves ayant besoin d'aide, travailler à l'aide d'exemples simples de « pour ou contre » et les inviter à réagir à une petite partie du texte au moyen de cadres de phrases. Aux élèves ayant besoin de soutien, proposer de travailler en petits groupes.
8. Expressions artistiques (manuel, pages 161 à 165)	Appliquer des stratégies de lecture ; rédiger le profil d'un ou d'une artiste ; développer des techniques d'entrevue.	De 60 à 90 min (2 séances)	Leçon 8	**A 11 :** L'ajout d'un groupe adjectival ou d'un groupe participial **A 12 :** La position des groupes de mots dans la phrase **Coffret audio**	Élaborer avec les élèves des questions leur permettant de guider leur écriture. Aider les élèves à déterminer les renseignements importants et intéressants à recueillir lors d'une entrevue. Faire les activités d'enrichissement[1].
Option : Choisir parmi les livrets des collections *Petits curieux* et *Alizé* (voir les titres suggérés dans la dernière colonne).	Appliquer les stratégies de lecture.	Variable	Prendre pour modèle les leçons 7 et 8.	Choisir parmi les fiches d'activités modèles celles se rapportant au journal de bord. **É 1 :** Observations continues	Livrets de la collection *Petits curieux*[2] suggérés : • *Des prouesses sur la glace* • *Passer à l'action* • *Des symboles canadiens* • *La vie dans le désert* • *Des prix canadiens !* • *La bionique* Livrets de la collection *Alizé* suggérés : • *Qu'en penses-tu ?* • *Tracasseries de voisins* • *Exprime-toi*
9. Un haïku, c'est voir la nature avec très peu de mots (manuel, pages 166 et 167)	Lire des haïkus ; écrire des haïkus ; appliquer des stratégies de lecture pour lire des poèmes.	De 40 à 60 min	Leçon 9	**Affiche de modélisation en écriture 10 (transparent 42) :** Écrire un haïku **É 1 :** Observations continues	Modéliser la manière de lire un haïku avec expression. Modéliser la manière d'écrire un haïku. Modéliser à voix haute la manière de visualiser un haïku.

1. Noter que les activités **Va plus loin** et **Enrichissement** s'appuient sur différents types d'intelligence : verbale, logique, visuelle, interpersonnelle et intrapersonnelle.

2. Pour plus d'information, consulter le site [www.erpi.com].

PLANIFICATEUR : EN UN COUP D'ŒIL (*SUITE*)

A = fiches d'activités du présent fascicule
É = fiches d'évaluation du présent fascicule

AM = fiches d'activités modèles du fascicule *Guide d'enseignement de la littératie*
ÉM = fiches d'évaluation modèles du fascicule *Guide d'enseignement de la littératie*

RESSOURCES DE L'ÉLÈVE	APPRENTISSAGES CIBLÉS	DURÉE PRÉVUE	GUIDE D'ENSEIGNEMENT	RESSOURCES SUPPLÉMENTAIRES	DIFFÉRENCIATION / INTERVENTIONS PÉDAGOGIQUES
Intégration et réinvestissement					
10. À l'œuvre ! (manuel, pages 168 et 169) **Remarque :** Cette leçon est une tâche d'évaluation qui peut être faite à tout moment après la pratique coopérative ou autonome.	Planifier et organiser ses idées ; écrire, réviser et présenter un article de journal.	De 80 à 120 min (2 ou 3 séances)	Leçon 10	**AM 45 :** Réfléchis à ton écriture **É 1 :** Observations continues **É 2 :** Grille d'évaluation de la section « À l'œuvre ! »	Aider les élèves à dégager la structure du texte à écrire. Inciter les élèves à comparer leurs textes avec d'autres textes pour trouver des ressemblances et des différences. Modéliser la manière de réviser un texte avant de le présenter.
11. Apprends un pas de danse ! (manuel, pages 170 et 171)	Lire et suivre une marche à suivre ; écrire une marche à suivre.	De 40 à 80 min (2 séances)	Leçon 11	**A 13 :** Les groupes fonctionnels de la phrase **É 1 :** Observations continues	Amener les élèves ayant des difficultés à parler des instructions d'une action ou d'un geste qu'ils savent faire. Les inviter à paraphraser les étapes des instructions, à faire un croquis de chaque étape et à transmettre une série d'instructions à une personne qui ne lit pas le texte.
12. L'art de la critique (manuel, pages 172 à 175)	Interpréter une bande dessinée ; faire des inférences.	De 40 à 80 min (2 séances)	Leçon 12	**É 1 :** Observations continues	Encourager les élèves à lire une variété de bandes dessinées et modéliser les stratégies de lecture à voix haute.
13. La classe de neige (manuel, pages 176 à 181)	Lire avec fluidité et précision ; mettre en pratique des stratégies de compréhension en lecture ; écrire une lettre ; participer à un jeu de rôle.	De 40 à 80 min (2 séances)	Leçon 13	**A 14 :** Les expressions figurées, les comparaisons et les métaphores **A 15 :** Les accords dans le groupe nominal **É 1 :** Observations continues **Coffret audio**	Modéliser la façon de lire un texte avec expression. Modéliser la manière d'appliquer des stratégies de compréhension en lecture. Modéliser la manière de rédiger une lettre. Modéliser la façon de jouer un jeu de rôle. Amener les élèves à réécrire le texte sous une autre forme avec des jeux de rôles.

RESSOURCES DE L'ÉLÈVE	APPRENTISSAGES CIBLÉS	DURÉE PRÉVUE	GUIDE D'ENSEIGNEMENT	RESSOURCES SUPPLÉMENTAIRES	DIFFÉRENCIATION / INTERVENTIONS PÉDAGOGIQUES
Intégration et réinvestissement (*suite*)					
14. À ton tour! (manuel, page 182)	Préparer et présenter une critique ; réfléchir sur ses apprentissages et se fixer des objectifs.	De 40 à 80 min (2 séances)	Leçon 14	**A 25 :** Réfléchis à ta présentation **É 1 :** Observations continues **É 3 :** À ton tour!	Mettre à la disposition des élèves des critiques comme modèles. Modéliser la manière d'écrire une critique et dresser une liste de mots ou d'expressions utiles pour rédiger une critique. Aider les élèves à choisir un exemple de travail correspondant aux objectifs.
Réflexion et bilan					
15. Ton portfolio : Gros plan sur tes apprentissages (manuel, page 183)	Sélectionner les éléments destinés au portfolio ; réfléchir à ses apprentissages et en discuter.	De 40 à 60 min	Leçon 15	Ensemble des travaux **É 4 :** Gros plan sur tes apprentissages	Inviter les élèves ayant de la difficulté à commenter leurs choix par écrit à les présenter oralement. Leur proposer au besoin des modèles pour les aider (p. ex. : voir les fiches AM du *Guide d'enseignement de la littératie*).
Tâche d'évaluation de la compréhension en lecture		De 60 à 90 min	Leçon 15	Fascicule *Évaluation de la compréhension en lecture*	Deux niveaux de difficulté sont proposés pour le texte.
Bilan des apprentissages		Variable	Leçon 15	**É 1 :** Observations continues **É 5 :** Grille d'évaluation du module **É 6 :** Bilan des apprentissages	Tenir compte des données d'évaluation sous différentes formes : participation de l'élève, expression orale, tâche d'évaluation de la compréhension en lecture, travaux divers.

Planificateur : Liens interdisciplinaires

Remarque : Les idées présentées dans cette section peuvent servir de minileçon au cours du module.

Sciences et technologie

Revoir avec les élèves les animaux qu'ils ont fabriqués après la lecture du texte « Des personnages à portée de la main » (*voir page 84 du manuel*). En équipe, leur demander de faire une recherche sur un animal de leur choix. Mentionner que le but de cette activité est de réunir des faits intéressants et étonnants sur les êtres vivants qui peuplent la planète. Une fois leur recherche terminée, inviter les élèves à utiliser un logiciel de présentation (p. ex. : Microsoft Publisher) pour organiser et présenter leurs données. Les encourager à créer un jeu-questionnaire sur les animaux étudiés.

Études sociales (sciences humaines)

Inviter les élèves à naviguer dans Internet et à lire des ouvrages imprimés pour trouver des exemples de légendes écrites par des membres des Premières Nations.

Demander aux élèves de choisir, en dyades, une légende qu'ils présenteront à la classe sous forme d'adaptation dramatique. Leur recommander de s'exercer à raconter l'histoire plusieurs fois afin de se familiariser avec l'intrigue et le dialogue des principaux personnages.

Proposer aux élèves de raconter leurs histoires à de petits groupes placés en cercle, en ayant recours au langage corporel, soit les expressions faciales et les gestes appropriés.

Santé, développement personnel et social

Revoir le texte « Fais ton choix ! » et examiner les caractéristiques d'un sondage. Avec la classe, dresser une liste des facteurs à prendre en compte pour créer un sondage. Demander aux élèves de choisir un des sujets suivants :
- une saine alimentation ;
- les premiers soins et la sécurité personnelle ;
- l'activité physique ;
- la prise de décision ;
- l'établissement d'objectifs.

Inviter les élèves à réaliser un sondage sur un mode de vie sain et actif. Leur proposer de sonder leurs camarades et de présenter les résultats dans un graphique. Les inviter ensuite à en tirer des conclusions et à les communiquer au reste de la classe. En fonction des résultats, demander aux élèves de rédiger un plan d'action pour promouvoir un mode de vie sain et actif.

Éducation artistique

Art dramatique
Inviter les élèves à réfléchir aux idées du module qui les ont touchés personnellement (p. ex. : la grande variété des formes de divertissement et les opinions des gens à ce sujet, l'importance des arts et des loisirs au quotidien). Leur demander de créer en groupes un sketch ou une série de tableaux pour exprimer leurs pensées. Les inviter à échanger et à discuter.

Musique
Inviter les élèves à se servir de leurs connaissances en musique pour créer leur propre revue musicale. Leur proposer d'utiliser des instruments rythmiques et Orff, des objets trouvés et des percussions corporelles pour :
- accompagner leurs chansons ;
- jouer leur propre composition musicale ;
- chanter leurs chansons préférées du cours de musique.

Planificateur: Activités en lien avec les leçons

Remarque: Les idées présentées dans cette section peuvent servir de minileçon au cours du module.

Utilisation des ressources

Magazines d'arts et de divertissement

Fournir aux élèves une collection de magazines d'arts et de divertissement, et les inviter à la compléter. (**Remarque:** Vérifier la pertinence du contenu.) À différents moments pendant le module, demander aux élèves d'évaluer les magazines, en dyades ou en petits groupes. Poser des questions telles que:

- Que remarquez-vous à propos des magazines?
- Que constatez-vous au sujet de la présentation des articles ou des impressions pleine page?
- Quel magazine vous attire le plus? Pourquoi? Quelles sont ses particularités?

Inviter les élèves à exprimer leur opinion générale sur les différents magazines. En dyades, leur demander de rédiger un bref article d'opinion au sujet du magazine de leur choix. Poser des questions telles que:

- Si vous étiez l'éditeur ou l'éditrice, que changeriez-vous?
- Que garderiez-vous?
- Quel conseil donneriez-vous à l'éditeur ou à l'éditrice?

Journal de bord

Demander aux élèves de tenir un journal de bord afin de prolonger leur réflexion, de clarifier certaines idées et de réfléchir aux connaissances acquises au cours des activités du module.

Utilisation des technologies

Songer à utiliser un ordinateur pour créer un portfolio de classe comprenant les apprentissages du module. Ce portfolio peut contenir:

- des textes d'opinion sur la téléréalité, l'éthique ou les problèmes causés par le jeu, ainsi que des critiques de spectacles, de films, de concerts et de disques;
- des résultats de sondages présentés à l'aide d'un tableur ou d'un logiciel de graphisme;
- des bandes dessinées ou des romans illustrés sur la mythologie;
- des couvertures de CD.

Exposer le produit fini à la bibliothèque à l'aide d'un ordinateur portatif ou d'un poste d'ordinateur.

Proposer aux élèves d'utiliser les arts dramatiques et le multimédia pour exposer leurs idées et présenter l'information. Par exemple, pour le texte « Expressions artistiques », les inviter à montrer une entrevue simulée avec l'artiste en y incluant quelques éléments visuels ou extraits sonores sur son travail. Comme autre solution, il est possible de filmer les entrevues et de les montrer aux autres classes, ou de les utiliser dans le cours d'arts plastiques.

Planificateur : Activités langagières

Remarque : Les idées présentées dans cette section peuvent servir de minileçon au cours du module.

Esprit créatif

Expliquer aux élèves qu'il existe différents types de poèmes. Les inviter à trouver, si possible, des exemples dans des recueils ou dans d'autres manuels scolaires.

Acrostiche : poème dans lequel les premières lettres de chaque vers forment un mot ou une expression quand on les lit à la verticale.

Calligramme : poème en vers dont la disposition des mots représente une forme évoquant générale-lement le sujet ou le thème du poème.

Poème-découpage : collage de mots ou de phrases découpés dans les journaux ou dans d'autres types de textes imprimés pour exprimer ses idées.

Comptine : court poème chanté ou parlé servant à déterminer le rôle des personnes dans un jeu. Très souvent écrit en rimes.

Haïku : poème d'origine japonaise de trois vers dont la structure syllabique est la suivante : 5, 7, 5.

Étude de mots

Préparer une liste de mots du module, puis demander aux élèves :

- d'ajouter, individuellement ou en dyades, des préfixes ou des suffixes (p. ex. : *joindre / rejoindre* ; *paraître / apparaître / disparaître / comparaître* ; *professionnel / professionnellement* ; *seul / seulement*) ;
- de noter les nouveaux mots formés.

Mettre les verbes à l'infinitif pour faciliter les recherches des élèves dans le dictionnaire et afficher dans la classe une liste de préfixes et de suffixes.

Enrichissement du vocabulaire créatif

Inviter les élèves à former des dyades et à choisir, dans le texte « La classe de neige » (*voir page 176 du manuel*), cinq à dix mots à leurs yeux inté-ressants. À partir de ces mots, leur demander d'en trouver d'autres de la même famille (p. ex. : *neige : enneiger, déneigement*) et de les noter dans la fiche d'activité **7 : Des mots de la même famille**. Les inviter à comparer ensuite leur liste de mots avec celle d'une autre équipe. Afficher les listes pour permettre aux élèves de s'y référer au besoin.

Variante : Pour rendre la tâche un peu plus difficile, demander aux élèves de placer les mots par classes de mots (noms communs, verbes, adverbes, etc.).

Jeux de mots

Les lettres vedettes

Pour ce jeu, former des groupes d'au moins six élèves. Distribuer une vingtaine de fiches sur lesquelles figure une lettre de l'alphabet. (Supprimer les lettres qui compliquent le jeu, par exemple K, Q, W, X, Y, Z.) Chaque élève tire une fiche et cherche un mot commençant par la lettre vedette ou qui contient cette lettre. Le mot trouvé doit appartenir au thème (p. ex. : les divertissements). L'élève doit le prononcer et l'épeler. Si le mot est bien ortho-graphié, l'équipe marque un point. Si l'élève ne trouve aucun mot, il choisit une nouvelle lettre, et le jeu continue. Attribuer aussi un point chaque fois que la lettre fait partie d'un mot.

Écriture

Révision d'un texte

Inviter les élèves à discuter, en dyades, de deux éléments importants qu'ils connaissent au sujet de la révision d'un texte. Leur permettre de se référer aux notes de leur journal de bord ou à tout aide-mémoire affiché dans la classe. Mettre en commun les points dont ils ont discuté. Leur poser les questions suivantes :

- Pourquoi est-il important de réviser un texte ?
- Quand devez-vous réviser ?
- Qu'est-ce qui vous aiderait pendant cette tâche ?
- Comment savez-vous que la révision de votre texte est terminée ?

Expliquer aux élèves que la révision représente l'étape du processus d'écriture pendant laquelle l'auteur ou l'auteure améliore son texte et fait les changements les plus importants concernant les éléments d'écriture : les idées, la structure, le style, le choix de mots, la fluidité des phrases, les conventions linguistiques et la présentation finale.

Informer les élèves que les rédacteurs efficaces planifient la révision de leur texte. Leur demander de relire leur texte, puis leur poser les questions suivantes :

- Est-ce bien le message que vous voulez transmettre ?
- Les destinataires comprendront-ils votre message ?
- Chaque paragraphe a-t-il du sens ?
- Y aurait-il une meilleure façon de formuler votre idée ?

Ensuite, demander aux élèves de relever un aspect satisfaisant et un aspect insatisfaisant de leur texte. Afin de les aider à réaliser cette étape, leur remettre la fiche d'activité modèle **42 : Révise ton texte** (*voir* Guide d'enseignement de la littératie).

Pour d'autres modèles de textes d'opinion, consulter les livres suivants de Jill Eggleton, dans la collection Alizé d'ERPI : *Qu'en penses-tu ?* série Grand vent 4 (2008) ; *Tracasseries de voisins*, série Vent du large 1 (2006) ; *Exprime-toi*, série Vent du large 2 (2008).

Grammaire

Les marqueurs de relation

Expliquer aux élèves que les marqueurs de relation servent à construire des phrases et à faire des liens dans un texte (p. ex. : *et, parce que, car, donc, en effet, ainsi, ensuite, mais, puis*). Noter qu'on les appelle aussi des **coordonnants**, car ils indiquent les liens entre les éléments ou les phrases qu'ils unissent.

Le tableau suivant présente les principaux marqueurs de relation (ou coordonnants), classés selon leur sens.

Sens	Principaux marqueurs de relation (ou coordonnants)	Exemple
Addition	*aussi, de plus, et, ni*	*La musique fait partie de la culture **et** de la vie des jeunes.*
Alternative	*ou, ou bien*	*Préfères-tu la musique rock **ou** la musique classique ?*
Cause	*car, en effet*	*La musique est un bon sujet de conversation, **car** de nombreuses personnes s'y intéressent.*
Conséquence	*ainsi, donc, en conséquence, par conséquent*	*Mon ordinateur est en panne, **donc** je ne peux pas lire mes courriels.*
Explication	*bref, parce que, en somme, c'est-à-dire, c'est pourquoi*	*Passer beaucoup de temps devant la télévision est mauvais pour la santé, **c'est pourquoi** on recommande aux parents de surveiller leurs enfants.*
Opposition OU Restriction	*cependant, mais, néanmoins, par contre*	*Lo Shen aime ce sport. **Cependant**, elle se demande s'il est dangereux.*

Demander aux élèves de relever des marqueurs de relation (coordonnants) dans les textes qu'ils ont lus en lecture guidée.

Les organisateurs textuels

Les organisateurs textuels lient les différentes parties d'un texte. Il peut s'agir d'un mot, d'une expression ou d'une phrase.

Les organisateurs textuels servent à organiser un texte, entre autres :

- pour indiquer le temps : ***Lundi dernier***, *une personne s'est blessée à la suite d'un entraînement trop rigoureux.*
- pour indiquer l'ordre des événements : ***Ensuite***, *elle a évoqué le sentiment de joie que lui apporte la musique.*
- pour situer les lecteurs et les lectrices : *Vous trouverez des conseils dans l'encadré **ci-dessous**.*

Présentation du module

(manuel, pages 140 et 141)

Apprentissages ciblés
- Communiquer clairement ses idées.
- Participer à une discussion et émettre son opinion.
- Faire des liens avec ses connaissances et ses expériences.

AVANT

Faire des liens

Inviter les élèves à observer l'illustration des pages 140 et 141 du manuel. Leur poser les questions suivantes :
- Quels liens peut-on faire entre le titre « Des divertissements sur mesure » et l'illustration ?
- Les jeunes d'aujourd'hui ont-ils plus de temps libre que les jeunes d'autrefois ?

Créer un organisateur graphique

Former des groupes de trois ou quatre élèves. Leur demander de dresser une liste des divertissements pratiqués par les jeunes d'aujourd'hui et les jeunes d'autrefois. Leur remettre des fiches en carton (ou des papillons autocollants) et leur demander d'inscrire un divertissement par fiche (p. ex. : cinéma, jeux de société, sports, jeux vidéo). En groupe-classe, les inviter à coller les fiches sur un diagramme de Venn. Leur poser les questions suivantes :
- En quoi les divertissements d'autrefois sont-ils semblables à ceux d'aujourd'hui ? En quoi sont-ils différents ?
- Est-ce important d'avoir des divertissements dans sa vie ? Pourquoi ?

PENDANT

Faire des liens avec ses connaissances et ses expériences

Lire avec les élèves les expressions de la page 141 du manuel. Ensuite, leur demander de faire des liens avec leurs connaissances et leurs expériences. Leur poser les questions suivantes :
- Avez-vous déjà entendu ces expressions ? Si oui, dans quel contexte ?
- Avez-vous déjà exprimé votre opinion ?

Présenter à la classe les objectifs d'apprentissage, à la page 140 du manuel. Discuter avec les élèves des types d'activités susceptibles de les aider à atteindre ces objectifs. Ensuite, créer un tableau en reformulant ces derniers avec les mots des élèves.

Survoler le module et faire des prédictions

Remettre aux élèves la fiche d'activité **2 : Un survol du module**. Les inviter à survoler le module en notant les pages où des activités sont à faire. Leur demander de déterminer les plus intéressantes à leurs yeux et de communiquer leur opinion à un ou une camarade. Faire un retour en groupe-classe. Amener les élèves à se rendre compte que l'opinion d'une personne influence parfois celle d'autres personnes.

Demander aux élèves de faire un remue-méninges pour déterminer les éléments susceptibles d'influencer leur opinion.

APRÈS

Demander aux élèves de discuter, en petites équipes, de la signification du mot *divertissement*. Leur suggérer d'inclure dans leurs discussions des exemples d'activités qui sont des divertissements et d'autres qui n'en sont pas. En groupe-classe, écrire une définition du mot *divertissement* à l'aide de l'organisateur graphique **3 : Enrichir son vocabulaire** (*voir aussi transparent 3 ou fiche d'activité modèle 3 du* Guide d'enseignement de la littératie). Afficher la définition dans la classe pour permettre aux élèves de s'y référer tout au long du module.

RÉFLEXION

Inviter les élèves à noter une brève réflexion dans leur journal de bord au sujet des divertissements. Pour les guider, poser les questions suivantes :

- Quels divertissements aimeriez-vous expérimenter ?
- Quels sont les bienfaits d'avoir un divertissement ?
- Devrait-on tenir compte de l'opinion des jeunes au sujet des divertissements ?

> Remettre aux élèves la fiche d'activité **1 : Lettre à l'intention des parents / Home Connection Letter**. Cette lettre a pour but de faire connaître aux parents ou tuteurs le contenu du présent module et d'encourager leur participation aux apprentissages des élèves.

Réfléchir au thème

ÉVALUATION AU SERVICE DE L'APPRENTISSAGE *(voir fiche d'évaluation 1 : Observations continues)*

Observations	Interventions pédagogiques
Noter si les élèves peuvent : • communiquer clairement leurs idées ;	Inviter les élèves à exprimer oralement leurs idées. Faire plusieurs pauses lors des discussions en classe et demander aux élèves de communiquer leurs commentaires à leurs camarades.
• participer à une discussion et émettre leur opinion ;	Modéliser la façon d'émettre une opinion tout en respectant celle des autres. Parler de l'importance des habiletés sociales au cours des communications orales.
• faire des liens avec leurs connaissances et leurs expériences.	Jumeler les élèves pour leur permettre d'entendre leurs camarades faire des liens avec leurs expériences personnelles.

Niveau de lecture S-T, DRA 48-50

Fais ton choix!

(manuel, pages 142 à 145)

Apprentissages ciblés
- Utiliser ses connaissances.
- Écouter et interagir dans une discussion.
- Communiquer clairement ses idées.

AVANT

Utiliser ses connaissances

Aborder le sujet du texte à l'aide des questions suivantes:
- Connaissez-vous une personne mordue de sports, de cinéma ou de musique?
- Quels sont les loisirs préférés des jeunes de votre âge? Comment pourriez-vous le savoir?

Préciser son intention de lecture

Inviter les élèves à garder leur manuel fermé. Leur expliquer que cette leçon consiste à lire les résultats d'un sondage sur les loisirs. Leur poser la question de départ (*voir page 142 du manuel*): Qu'aimes-tu faire dans tes temps libres? puis en discuter.

Lire la page 142 à voix haute en soulignant que le texte contient aussi les réponses de 100 filles et 100 garçons de 6ᵉ année de partout au Canada. Lire à voix haute les questions de la page 143, en s'arrêtant après chacune d'elles pour demander aux élèves de réfléchir à leurs préférences. Les inviter ensuite à ouvrir leurs manuels et à répondre en dyades aux questions de la page 143.

PENDANT

Comparer des résultats d'un sondage

Expliquer aux élèves que le reste de la leçon révèle les résultats du sondage, classés en deux catégories: filles et garçons. Leur demander de rester en dyades pour faire des prédictions concernant les réponses des filles et des garçons de leur classe et les inviter à les noter pour chaque question. Ensuite, proposer aux élèves de discuter de leurs prédictions avec une autre dyade, puis d'en faire part au reste de la classe. (**Remarque:** Les élèves ne devraient pas lire les pages 144 et 145 avant d'avoir fait leurs prédictions.)

Inscrire les réponses des élèves dans un diagramme à bandes (*voir des exemples aux pages 144 et 145*). Comparer les prédictions des élèves avec les résultats de la classe et en discuter.

Lire le résultat du sondage avec les élèves. Les inviter à comparer les résultats de la classe avec ceux du sondage dans le manuel. Leur poser les questions suivantes:
- En quoi les résultats de la classe sont-ils semblables à ceux du sondage présenté dans le manuel? En quoi sont-ils différents?
- À quoi peut-on attribuer les similitudes et les différences?
- Qu'avez-vous appris au sujet des préférences de votre classe?

Inviter les élèves à formuler des hypothèses pouvant expliquer les similitudes et les différences entre les résultats obtenus. Par exemple:

Nos remarques	Une hypothèse
À la question 5, nos résultats de classe pour les filles et pour les garçons sont plus proches que ceux du sondage dans le manuel.	• L'école possède un club de photographie, et beaucoup de filles et de garçons y sont inscrits.

APRÈS

Répartir les élèves en petits groupes pour faire les activités de la rubrique **Parlons-en!** Leur demander de formuler d'autres questions et de présenter leurs résultats à la classe. Demander aux élèves de suggérer des formes de diagrammes pour présenter ce genre de résultats. Ensuite, leur poser les questions suivantes:

Réagir au texte

- Quels modèles ou tendances avez-vous remarqués dans les résultats du sondage?
- Pourquoi les auteurs du sondage ont-ils décidé de comparer les réponses des filles et des garçons? Quels autres groupes de personnes pourraient avoir des opinions différentes?

Modéliser la façon de formuler des phrases interrogatives.

Pour formuler une question à laquelle on peut répondre simplement par «oui» ou par «non», on modifie la phrase de base:

- en ajoutant *est-ce que*:
  Exemple: Est-ce que tu aimes la musique rock?
- en inversant le pronom sujet et le verbe (ou son auxiliaire):
  Exemple: As-tu une émission de télévision préférée?
- en ajoutant un pronom qui reprend le groupe sujet (Gs) après le verbe:
  Exemple: Les garçons préfèrent-ils les spectacles de groupe de musique aux cérémonies de remise de prix?

Pour formuler une question exigeant une réponse plus détaillée, on modifie la phrase de base en ajoutant des mots interrogatifs tels que les suivants: *où, quand, comment, pourquoi, quoi, combien de, qui, quel, est-ce que, est-ce qu'il.*

Préciser que les phrases interrogatives se terminent toujours par un point d'interrogation, peu importe la façon dont on les construit.

Faites remarquer la concordance des temps de l'imparfait et du conditionnel.

RÉFLEXION

Inviter les élèves à répondre aux questions suivantes dans leur journal de bord:

Réfléchir à l'efficacité du sondage pour connaître l'opinion des gens

- En quoi le sondage est-il un moyen efficace pour connaître l'opinion des gens sur un sujet?
- Devrait-on toujours se fier aux résultats d'un sondage? Pourquoi?
- Quels sont les avantages et les désavantages de fournir des choix de réponses?

ÉVALUATION AU SERVICE DE L'APPRENTISSAGE *(voir fiche d'évaluation 1: Observations continues)*

Observations	Interventions pédagogiques
Noter si les élèves peuvent: • utiliser leurs connaissances; • écouter et interagir dans une discussion; • communiquer clairement leurs idées.	Pour les élèves ayant besoin de soutien pour appliquer la stratégie *Utiliser ses connaissances*, la modéliser en lisant une partie du texte et en réfléchissant à voix haute. Discuter de ses divertissements préférés. Discuter des stratégies à mettre en pratique lors de discussions de groupe. Faire remarquer la différence entre un message clair et un message ambigu. Discuter de l'importance de communiquer clairement ses idées afin que son opinion soit prise au sérieux.

Lire un texte d'opinion

(manuel, pages 146 et 147)

Apprentissages ciblés
- Distinguer les faits des opinions.
- Préciser son intention de lecture.
- Revoir ses connaissances sur la lecture d'un texte d'opinion.
- Comprendre et évaluer les stratégies de lecture utilisées.
- Utiliser des stratégies pour comprendre un texte.
- Adopter un point de vue critique en analysant un texte.

Affiche : **L'information trouvée dans Internet est-elle fiable ?**
(voir aussi transparent de lecture partagée 17).

Note : Cette leçon de **lecture partagée** pourrait être enseignée sur une période de deux à cinq séances, selon les besoins des élèves.

3.1 Lis avec habileté : Précise ton intention *(manuel, page 147)*

AVANT

Se familiariser avec le genre de texte

Mettre à la disposition des élèves différents textes d'opinion sur des sujets qui les captivent, notamment sur des personnes ou des événements dont ils ont entendu parler. Leur donner du temps pour les parcourir. Au tableau, écrire l'expression « texte d'opinion » au centre d'un diagramme en toile d'araignée, puis inviter les élèves à parler de leurs connaissances sur ce genre de texte, ainsi que de leurs expériences. Noter leurs idées dans le diagramme au tableau et les inviter à ajouter des mots associés à l'écriture de textes d'opinion (p. ex. : *raisons, persuader, pour ou contre, point de vue*).

PENDANT

Utiliser ses connaissances

Lire ensemble le texte d'ouverture « Lire un texte d'opinion », à la page 146. Inviter les élèves à désigner les médias où ils ont lu ou entendu des opinions (p. ex. : des critiques de spectacle dans les magazines et les journaux, des commentaires sur le sport à la télévision ou à la radio, sur des sites Web). Créer un lieu dans la classe pour leur permettre d'afficher le matériel trouvé pendant le module. Les inciter à recueillir des exemples et à en faire part à leurs camarades de classe.

Demander aux élèves de communiquer leurs connaissances sur les stratégies de lecture efficaces pour lire un texte d'opinion dans un livre ou un magazine. Leur rappeler les stratégies qu'ils ont déjà utilisées. Expliquer que les lecteurs efficaces précisent souvent leur intention avant de commencer à lire un texte afin de mieux se concentrer sur l'information qu'ils cherchent.

Installer l'affiche **L'information trouvée dans Internet est-elle fiable ?** (*voir aussi transparent 17*). Amener les élèves à réfléchir sur l'information recueillie dans Internet. Les inciter à observer les illustrations de l'affiche. Leur expliquer que leur tâche consiste à remplir, avec l'enseignant ou l'enseignante, un tableau **SVA** (**S** ce que je sais, **V** ce que je veux savoir, **A** ce que j'ai appris). Distribuer la fiche d'activité **3 : Utilise tes connaissances et visualise**, et modéliser la façon de remplir les deux premières colonnes du tableau en posant les questions suivantes :

- Que savez-vous au sujet de l'information trouvée dans Internet ?
- Que voudriez-vous apprendre ?

Demander aux élèves de faire l'activité de la rubrique **Exprime-toi!** (*voir page 146 du manuel*) avec un ou une camarade, puis celle au bas de la page 146, qui consiste à créer un tableau.

APRÈS

Déterminer l'intention de lecture en posant la question suivante aux élèves : Pourquoi lit-on des textes d'opinion ?

Noter leurs réponses en précisant qu'il peut y avoir plusieurs raisons.

Préciser son intention de lecture

Pourquoi lit-on des textes d'opinion ?
• pour avoir un autre point de vue sur une idée ou une situation ; • pour voir comment les gens pensent et raisonnent différemment ; • pour obtenir des conseils ou des suggestions ; • pour le plaisir.

Demander aux élèves s'ils ont déjà lu un texte ou entendu une opinion avec lequel ou laquelle ils étaient en total désaccord. Ont-ils continué de lire ou d'écouter jusqu'à la fin ? Si tel est le cas, les inviter à se demander pourquoi.

3.2 Lis avec habileté : Décode le texte *(manuel, page 147)*

AVANT

Distinguer les faits des opinions

Rappeler aux élèves que, dans les textes d'opinion, les auteurs présentent des faits et expriment leurs opinions ou le point de vue d'autres personnes. Lire la rubrique **Décode le texte** (*voir page 147 du manuel*) et demander aux élèves de repérer un exemple d'opinion dans le texte «La musique peut-elle aider les parents à mieux connaître leurs enfants?» (*voir page 148 du manuel*). Discuter des stratégies pour distinguer le fait de l'opinion.

PENDANT

Décoder le texte

Demander aux élèves de lire le texte de l'affiche **L'information trouvée dans Internet est-elle fiable?** (*voir aussi transparent 17*) et les inviter à repérer les faits et les opinions pendant leur lecture. Faire des pauses pour permettre aux élèves de discuter en dyades de leurs résultats. Leur poser les questions suivantes:

- Quels mots les auteurs et les auteures peuvent-ils utiliser pour amener les lecteurs et les lectrices à distinguer leur opinion des faits? (p. ex.: *à mon avis*, *je crois*.)
- Que pensez-vous de l'information trouvée dans Internet? Est-elle fiable? Pourquoi?

APRÈS

Noter des faits et des opinions

En dyades, demander aux élèves de noter dans un tableau à deux colonnes des faits et des opinions tirés du texte de l'affiche, puis d'en faire part à une autre équipe.

Les inviter à utiliser les formules suivantes, avec un ou une camarade, pour exprimer leur opinion sur leurs préférences en matière de divertissements. Au besoin, adapter ou simplifier les formules. Par exemple:

- *Mon style de musique préféré est...*
- *Mon genre d'émission de télévision préféré est...* (*la comédie de situation*, *le documentaire*, etc.)
- *Mon loisir préféré est...*

Inviter les élèves à donner leur opinion sur un métier lié aux arts et aux loisirs en leur proposant une formule telle que la suivante: *Si je pouvais exercer un métier dans les arts visuels, je me dirigerais vers... (la peinture, la bande dessinée, l'animation par ordinateur, la photographie, etc.) parce que...*

RÉFLEXION

Demander aux élèves de noter, dans leur journal de bord, une expérience lors de laquelle ils auraient eu avantage à distinguer les faits des opinions. Leur proposer de faire part de leur expérience à la classe.

**Réfléchir
aux stratégies
utilisées**

ÉVALUATION AU SERVICE DE L'APPRENTISSAGE *(voir fiche d'évaluation 1 : Observations continues)*

Observations	Interventions pédagogiques
Noter si les élèves peuvent : • préciser leur intention de lecture ; • distinguer les faits des opinions.	Au cours d'une séance de lecture partagée, modéliser la façon de distinguer les faits des opinions. Inviter les élèves à trouver les mots permettant d'effectuer cette distinction.

3.3 Lis avec habileté: Construis le sens du texte — Utilise tes connaissances, visualise et fais une synthèse

(manuel, page 147)

AVANT

Survoler les stratégies

Rappeler aux élèves que les lecteurs efficaces précisent leur intention, puis choisissent les stratégies à appliquer pour mieux comprendre le texte. Revenir sur l'affiche **L'information trouvée dans Internet est-elle fiable?** (*voir aussi transparent 17*) et poser les questions suivantes:

- Quels indices laissent croire qu'il s'agit d'un texte d'opinion?
- Quelles stratégies pourraient vous aider à comprendre le texte?

Soutien (étayage)

Même si la plupart des élèves peuvent utiliser plus d'une stratégie de lecture, continuer à modéliser le choix et l'intégration des stratégies permettant de rendre les lecteurs efficaces. Ajuster la leçon pour les élèves ayant davantage besoin de soutien.

PENDANT

Modéliser les stratégies
Utiliser ses connaissances,
Visualiser et
Faire une synthèse

Lire aux élèves la rubrique **Construis le sens du texte** (*voir page 147 du manuel*). Préciser que l'enseignant ou l'enseignante les aidera à appliquer ces stratégies. Leur rappeler qu'en faisant des liens avec leurs connaissances pendant leur lecture, les lecteurs efficaces rendent l'information nouvelle plus facile à comprendre, plus intéressante à lire et plus facile à retenir. De plus, en visualisant le contenu du texte, ils s'en font une image mentale en créant un film dans leur tête. Ils ont ainsi une idée plus précise du contenu du texte avant d'en faire une synthèse.

Commencer la lecture partagée

Modéliser les stratégies ciblées. Par exemple:

- *Je commence par lire le titre et j'observe les photos pour me faire une idée du sujet. D'après le titre, je sais que le texte porte sur l'information trouvée dans Internet. D'après les photos (illustrant une adresse Internet, une souris et l'auteure du texte devant un ordinateur) et mes connaissances sur le sujet, je pense qu'on fait référence à l'Internet comme outil de recherche et comme diffuseur d'information. Je connais bien ce sujet, car je me sers souvent d'Internet pour élargir mes connaissances. Je me demande si l'auteure partage mon opinion sur ce sujet.*
- *Pour m'aider à visualiser le texte, je peux m'imaginer en train de faire une recherche dans Internet. C'est un peu comme si je créais un film dans ma tête.*

Lire le texte de l'affiche à voix haute en invitant les élèves à participer et à visualiser le contenu du texte. Faire des pauses afin de mettre l'accent sur les mots nouveaux et de vérifier auprès des élèves la compréhension du sujet. Pendant la lecture, leur permettre de comparer les stratégies et d'en discuter en dyades. Faire un retour sur ces échanges et poursuivre la lecture.

Inviter ensuite les élèves à dessiner leurs images mentales dans la section «Visualise» de la fiche d'activité **3: Utilise tes connaissances et visualise**.

APRÈS

Modéliser la fiche d'activité **4 : Fais une synthèse**, à l'aide de l'organisateur graphique **6 : Comparer** (*voir aussi transparent **6** et fiche d'activité modèle **6** du Guide d'enseignement de la littératie*), sur la façon de combiner les renseignements qu'ils viennent d'apprendre avec ceux qu'ils connaissent, puis de les comparer. Cela leur permet de vérifier l'information du texte et de mieux cerner le point de vue présenté.

Faire une synthèse

RÉFLEXION

En dyades, inviter les élèves à revoir les stratégies utilisées et à en discuter. Leur poser la question suivante : Comment ces stratégies peuvent-elles vous aider dans vos lectures ?

Inviter les élèves à écrire leur réflexion dans leur journal de bord.

ÉVALUATION AU SERVICE DE L'APPRENTISSAGE *(voir fiche d'évaluation 1 : Observations continues)*

Observations	Interventions pédagogiques
Noter si les élèves peuvent : • revoir leurs connaissances sur la lecture d'un texte d'opinion ; • comprendre et évaluer les stratégies de lecture utilisées ; • utiliser des stratégies pour comprendre un texte.	Apporter en classe des magazines pour jeunes ou des journaux. Aux élèves ayant besoin de plus de soutien, demander d'y trouver des textes d'opinion et de les étiqueter selon leur but (p. ex. : sensibiliser le public à la fraude dans Internet). Rencontrer les élèves ayant des difficultés. Modéliser l'utilisation des stratégies de lecture. Montrer comment visualiser le contenu d'un texte.

3.4 Lis avec habileté : Analyse le texte *(manuel, page 147)*

AVANT

Analyser le texte

Préciser aux élèves que les lecteurs efficaces analysent le texte pour tenter de comprendre le message ou le point de vue d'un auteur ou une auteure en se posant des questions. Au sujet de l'affiche **L'information trouvée dans Internet est-elle fiable ?** (*voir aussi transparent 17*), leur poser les questions suivantes :

- Que veut présenter l'auteure ? (p. ex. : *L'auteure présente son point de vue au sujet de l'information dans Internet.*) ;
- Quel message veut-elle transmettre ? (p. ex. : *Son message parle de l'importance de vérifier la qualité de l'information afin de s'assurer qu'elle est authentique, crédible et exacte*).

Attirer l'attention des élèves sur les images de l'affiche. Leur poser la question suivante : En quoi ces images peuvent-elles influencer votre compréhension du sujet ?

PENDANT

Discuter de l'importance de lire de façon critique

Souligner l'existence de plusieurs façons de voir les choses. Animer ensuite une discussion sur les deux questions de la rubrique **Analyse le texte** (*voir page 147 du manuel*). Poser les questions suivantes :

- Pourquoi écrit-on des textes d'opinion ?
- Pourquoi l'auteure a-t-elle choisi de présenter son opinion ?
- Qu'est-ce qui rend ce texte intéressant ?
- De quel autre point de vue pourrait-on présenter cette information ?
- Les textes d'opinion présentent-ils toujours des renseignements exacts ? Pourquoi ?
- La personne qui a écrit ce texte a-t-elle réussi à t'influencer ? Comment ?

À chaque question, laisser quelques minutes aux élèves pour discuter de leurs réponses.

APRÈS

Discuter des opinions émises

Discuter des réponses en groupe-classe. Expliquer aux élèves qu'un autre point de vue existe et qu'il n'est pas toujours présenté. Préciser qu'avant d'adhérer à une opinion, il est important de réfléchir à ce qu'une autre personne aurait à dire sur le sujet. Discuter d'événements ou de choses ayant eu lieu à l'école ou dans la communauté. Présenter des opinions différentes et les appuyer sur des arguments.

RÉFLEXION

Demander aux élèves de réfléchir à une stratégie qui les aide à considérer différents points de vue et de la noter dans leur journal de bord.

Réfléchir à une stratégie utilisée

ÉVALUATION AU SERVICE DE L'APPRENTISSAGE *(voir fiche d'évaluation 1 : Observations continues)*

Observations	Interventions pédagogiques
Noter si les élèves peuvent : • adopter un point de vue critique en analysant un texte.	Modéliser l'analyse d'un texte en se posant des questions. Poser aux élèves les questions suivantes : • Des personnes pourraient-elles être en désaccord ? • Quel serait leur point de vue ? Inviter les élèves à présenter différents points de vue sous forme de jeu de rôle.

4 La pratique guidée

(manuel, pages 148 à 153)

Apprentissages ciblés

Mettre en application les stratégies : *Utiliser ses connaissances*, *Visualiser* et *Faire un résumé*.

4.1 La musique peut-elle aider les parents à mieux connaître leurs enfants ?
(niveau de lecture S-T, DRA 48-50)

4.2 La télévision a-t-elle une influence sur le développement des enfants ?
(niveau de lecture W-X, DRA 60-64)

4.3 Le sport est-il dangereux pour les jeunes ? (niveau de lecture U-V, DRA 54-58)

4.4 Affiche du scénarimage du module 4

4.1 La musique peut-elle aider les parents à mieux connaître leurs enfants ? *(manuel, pages 148 et 149)*

AVANT

Enseignement différencié

Assigner aux élèves un des trois textes proposés selon leur niveau de lecture. Préféra-blement, former des groupes hétérogènes de quatre à six, puis les inviter à lire leur texte avec l'aide de l'enseignant ou l'enseignante. Certains élèves peuvent travailler de façon autonome (p. ex. : à l'aide des cartes-photos) ou avec l'ensei-gnant ou l'enseignante.

Niveau de lecture S-T, DRA 48-50

Survoler le texte

Désigner les élèves qui liront le texte « La musique peut-elle aider les parents à mieux connaître leurs enfants ? » et leur demander de le survoler. Afin de modéliser le travail de lecture guidée à faire en groupe, utiliser les outils suivants :

- Fiche d'activité **3 : Utilise tes connaissances et visualise** ;
- Fiche d'activité **4 : Fais une synthèse** ;
- Fiche d'activité modèle **6 : Comparer** du *Guide d'enseignement de la littératie* (*voir aussi transparent 6 ou organisateur graphique 6*) ;
- Affiche de lecture partagée : **L'information trouvée dans Internet est-elle fiable ?**

Conseil

Rappeler aux élèves que toutes les stratégies sont interdépendantes et que les lecteurs efficaces appliquent, au besoin, plus d'une stratégie à la fois. Par exemple, lorsqu'ils font une synthèse, ils se servent aussi de leurs connais-sances sur le sujet et posent des questions.

Utiliser ses connaissances

Inciter les élèves à utiliser leurs connaissances en posant la question de la rubrique **Utilise tes connaissances** (*voir page 148 du manuel*) : Que connais-tu du sujet présenté ?

Distribuer la fiche d'activité **3 : Utilise tes connaissances et visualise**. Modéliser la façon de remplir la fiche en notant les réponses des élèves dans la première colonne du tableau **SVA**. Ensuite, les inviter à remplir la deuxième colonne.

Méthode « visualisation, croquis, réaction »

Inviter les élèves à discuter, en petits groupes, des façons d'utiliser leurs connaissances pour lire le texte (p. ex. : faire des prédictions, se mettre dans la peau des personnages, observer les photos et lire les légendes).

Leur proposer d'appliquer la méthode « visualisation, croquis, réaction ». Par exemple, les élèves :

- lisent le premier paragraphe du texte, puis ferment leur manuel ;
- dessinent ce qu'ils ont imaginé pendant leur lecture ;
- discutent de leurs croquis.

Expliquer aux élèves que, grâce à cette méthode, ils utiliseront leurs connaissances sur le sujet et comprendront mieux le texte.

PENDANT

Demander aux élèves de dessiner les images qui leur viennent en tête dans la section « Visualise » sur la fiche d'activité **3 : Utilise tes connaissances et visualise**, puis d'y écrire quelques mots qui aideront à comprendre leur croquis.

Répéter l'exercice avec les autres paragraphes. Permettre aux élèves de discuter entre eux du travail réalisé et de constater les différences et les ressemblances entre les croquis. Leur poser la question suivante : Pourquoi avez-vous imaginé le texte de différentes façons ?

Faire remarquer que chaque élève a utilisé ses connaissances pour visualiser le contenu du texte. Leur poser la question suivante : Comment la stratégie de visualisation vous aide-t-elle pendant la lecture ?

Proposer aux élèves de remplir la colonne **A** du tableau **SVA** de leur fiche d'activité.

Visualiser le contenu du texte

APRÈS

Revenir sur l'organisateur graphique **6 : Comparer** réalisé à la leçon 3.3 avec l'affiche **L'information trouvée dans Internet est-elle fiable ?** (*voir aussi transparent 17*). Rappeler aux élèves que la stratégie *Faire une synthèse* leur permet de comprendre et de retenir l'information d'un texte. En plus, elle les aide à combiner les renseignements du texte avec leurs connaissances sur le sujet et de les comparer.

Demander aux élèves de lire la rubrique **Fais une synthèse** (*voir page 149 du manuel*). Leur poser les questions suivantes :

- En quoi votre opinion sur la musique est-elle semblable à celle de l'auteure ?
- En quoi est-elle différente ?

Inviter les élèves à remplir la fiche d'activité modèle **6 : Comparer** (*voir* Guide d'enseignement de la littératie) afin de constater les différences et les similitudes entre leur opinion et celle de l'auteure.

Leur proposer de présenter leur travail à la classe. Leur demander si le fait d'avoir utilisé leurs connaissances sur le sujet leur a permis de comprendre davantage le contenu du texte.

Faire une synthèse

Critères d'évaluation :
- utiliser ses connaissances ;
- visualiser ;
- faire une synthèse ;
- comprendre le texte.

OBSERVATION GRAMMATICALE EN CONTEXTE

Mentionner aux élèves les divers types et formes de phrases. Les inviter à remplir la fiche d'activité **8 : Les types et les formes de phrases**.

Revoir avec les élèves la façon de trouver le sujet dans une phrase et l'accord du verbe avec son sujet.

Leur demander d'effectuer l'activité langagière **Les marqueurs de relation** (*voir page XVII du présent document*).

Faire remarquer le rôle des marqueurs de relation dans la construction de phrases et dans les textes.

RÉFLEXION

Dans le cadre d'une entrevue individuelle ou d'une discussion en groupes, inviter les élèves à réfléchir à leurs stratégies de lecture. Leur demander d'en choisir une et leur poser la question suivante : Comment cette stratégie peut-elle vous aider pendant la lecture d'autres textes d'opinion ?

Demander aux élèves d'écrire dans leur journal de bord ce qu'ils ont appris dans cette leçon sur les stratégies ciblées.

Réfléchir aux stratégies utilisées

Niveau de lecture W-X, DRA 60-64

4.2 La télévision a-t-elle une influence sur le développement des enfants ? *(manuel, pages 150 et 151)*

AVANT

Survoler le texte

Désigner les élèves qui liront le texte « La télévision a-t-elle une influence sur le développement des enfants ? » et leur demander de le survoler. Afin de modéliser le travail de lecture guidée à faire en groupe, utiliser les outils suivants :

- Fiche d'activité **3 : Utilise tes connaissances et visualise** ;
- Fiche d'activité **4 : Fais une synthèse** ;
- Fiche d'activité modèle **6 : Comparer** du *Guide d'enseignement de la littératie* (*voir aussi transparent 6 ou organisateur graphique 6*) ;
- Affiche de lecture partagée : **L'information trouvée dans Internet est-elle fiable ?**

Conseil

Rappeler aux élèves que toutes les stratégies sont interdépendantes et que les lecteurs efficaces appliquent, au besoin, plus d'une stratégie à la fois. Par exemple, lorsqu'ils font une synthèse, ils se servent aussi de leurs connaissances et posent des questions.

Utiliser ses connaissances

Inciter les élèves à utiliser leurs connaissances en posant la question de la rubrique **Utilise tes connaissances** (*voir page 150 du manuel*) : Que connais-tu du sujet présenté ?

Distribuer la fiche d'activité **3 : Utilise tes connaissances et visualise**. Modéliser la façon de remplir la fiche en notant les réponses des élèves dans la première colonne du tableau **SVA**. Ensuite, les inviter à remplir la deuxième colonne.

Méthode « visualisation, croquis, réaction »

Inviter les élèves à discuter, en petits groupes, des façons d'utiliser leurs connaissances pour lire le texte (p. ex. : faire des prédictions, se mettre dans la peau des personnages, observer les photos et lire les légendes).

Leur proposer d'appliquer la méthode « visualisation, croquis, réaction ». Par exemple, les élèves :

- lisent le premier paragraphe du texte, puis ferment leur manuel ;
- dessinent ce qu'ils ont imaginé pendant leur lecture ;
- discutent de leurs croquis.

Expliquer aux élèves que, grâce à cette méthode, ils utiliseront leurs connaissances sur le sujet et comprendront mieux le texte.

PENDANT

Visualiser le contenu du texte

Demander aux élèves de dessiner les images qui leur viennent en tête dans la section « Visualise » sur la fiche d'activité **3 : Utilise tes connaissances et visualise**, puis d'y écrire quelques mots qui aideront à comprendre leur croquis.

Répéter l'exercice avec les autres paragraphes. Permettre aux élèves de discuter entre eux du travail réalisé et de constater les différences et les ressemblances entre les croquis. Leur poser la question suivante : Pourquoi avez-vous imaginé le texte de différentes façons ?

Faire remarquer que chaque élève a utilisé ce qu'il ou elle connaissait pour visualiser le contenu du texte. Leur poser la question suivante : Comment la stratégie de visualisation vous aide-t-elle pendant la lecture ?

Proposer aux élèves de remplir la colonne **A** du tableau **SVA** de leur fiche d'activité.

APRÈS

Revenir sur l'organisateur graphique **6 : Comparer** réalisé à la leçon 3.3 avec l'affiche **L'information trouvée dans Internet est-elle fiable ?** (*voir aussi transparent 17*). Rappeler aux élèves que la stratégie *Faire une synthèse* leur permet de comprendre et de retenir l'information d'un texte. En plus, elle les aide à combiner les renseignements du texte avec leurs connaissances sur le sujet et de les comparer.

Demander aux élèves de lire la rubrique **Fais une synthèse** (*voir page 151 du manuel*). Leur poser les questions suivantes :

- En quoi votre opinion sur la télévision est-elle semblable à celle de l'auteur ?
- En quoi est-elle différente ?

Inviter les élèves à remplir la fiche d'activité modèle **6 : Comparer** (*voir* Guide d'enseignement de la littératie) afin de constater les différences et les similitudes entre leur opinion et celle de l'auteur.

Leur proposer de présenter leur travail à la classe. Leur demander si le fait d'avoir utilisé leurs connaissances sur le sujet leur a permis de comprendre davantage le contenu du texte. Inviter les élèves à présenter leur travail. Leur faire remarquer qu'en utilisant leurs connaissances sur le sujet, cela les aide à mieux comprendre le contenu du texte.

OBSERVATION GRAMMATICALE EN CONTEXTE

Mentionner aux élèves les divers types et formes de phrases. Les inviter à remplir la fiche d'activité **8 : Les types et les formes de phrases**.

Revoir avec les élèves la façon de trouver le sujet dans une phrase et l'accord du verbe avec son sujet.

Leur demander d'effectuer l'activité langagière **Les marqueurs de relation** (*voir page XVII du présent document*).

Faire remarquer le rôle des marqueurs de relation dans la construction de phrases et dans les textes.

RÉFLEXION

Dans le cadre d'une entrevue individuelle ou d'une discussion en groupes, inviter les élèves à réfléchir à leurs stratégies de lecture. Leur demander d'en choisir une et leur poser la question suivante : Comment cette stratégie peut-elle vous aider pendant la lecture d'autres textes d'opinion ?

Demander aux élèves d'écrire dans leur journal de bord ce qu'ils ont appris dans cette leçon sur les stratégies ciblées.

Faire une synthèse

Critères d'évaluation :
- utiliser ses connaissances ;
- visualiser ;
- faire une synthèse ;
- comprendre le texte.

Réfléchir aux stratégies utilisées

Niveau de lecture U-V, DRA 54-58

4.3 Le sport est-il dangereux pour les jeunes ? *(manuel, pages 152 et 153)*

AVANT

Survoler le texte

Désigner les élèves qui liront le texte « Le sport est-il dangereux pour les jeunes ? » et leur demander de le survoler. Afin de modéliser le travail de lecture guidée à faire en groupe, utiliser les outils suivants :

- Fiche d'activité **3 : Utilise tes connaissances et visualise** ;
- Fiche d'activité **4 : Fais une synthèse** ;
- Fiche d'activité modèle **6 : Comparer** du *Guide d'enseignement de la littératie* (*voir aussi transparent 6 ou organisateur graphique 6*) ;
- Affiche de lecture partagée : **L'information trouvée dans Internet est-elle fiable ?**

> ### Conseil
> Rappeler aux élèves que toutes les stratégies sont interdépendantes et que les lecteurs efficaces appliquent, au besoin, plus d'une stratégie à la fois. Par exemple, lorsqu'ils font une synthèse, ils se servent aussi de leurs connaissances et posent des questions.

Utiliser ses connaissances

Inciter les élèves à utiliser leurs connaissances en posant la question de la rubrique **Utilise tes connaissances** (*voir page 152 du manuel*) : Que connais-tu du sujet présenté ?

Distribuer la fiche d'activité **3 : Utilise tes connaissances et visualise**. Modéliser la façon de remplir la fiche en notant les réponses des élèves dans la première colonne du tableau **SVA**. Ensuite, les inviter à remplir la deuxième colonne.

Méthode « visualisation, croquis, réaction »

Inviter les élèves à discuter, en petits groupes, des façons d'utiliser leurs connaissances pour lire le texte (p. ex. : faire des prédictions, se mettre dans la peau des personnages, observer les photos et lire les légendes).

Leur proposer d'appliquer la méthode « visualisation, croquis, réaction ». Par exemple, les élèves :

- lisent le premier paragraphe du texte, puis ferment leur manuel ;
- dessinent ce qu'ils ont imaginé pendant leur lecture ;
- discutent de leurs croquis.

Expliquer aux élèves que, grâce à cette méthode, ils utiliseront leurs connaissances sur le sujet et comprendront mieux le texte.

PENDANT

Visualiser le contenu du texte

Demander aux élèves de dessiner les images qui leur viennent en tête dans la section « Visualise » sur la fiche d'activité **3 : Utilise tes connaissances et visualise**, puis d'y écrire quelques mots qui aideront à comprendre leur croquis.

Répéter l'exercice avec les autres paragraphes. Permettre aux élèves de discuter entre eux du travail réalisé et de constater les différences et les ressemblances entre les croquis. Leur poser la question suivante : Pourquoi avez-vous imaginé le texte de différentes façons ?

Faire remarquer que chaque élève a utilisé ce qu'il ou elle connaissait pour visualiser le contenu du texte. Leur poser la question suivante : Comment la stratégie de visualisation vous aide-t-elle pendant la lecture ?

Proposer aux élèves de remplir la colonne **A** du tableau **SVA** de leur fiche d'activité.

APRÈS

Revenir sur l'organisateur graphique **6 : Comparer** réalisé à la leçon 3.3 avec l'affiche **L'information trouvée dans Internet est-elle fiable ?** (*voir aussi transparent 17*). Rappeler aux élèves que la stratégie *Faire une synthèse* leur permet de comprendre et de retenir l'information d'un texte. En plus, elle les aide à combiner les renseignements du texte avec leurs connaissances sur le sujet et de les comparer.

Demander aux élèves de lire la rubrique **Fais une synthèse** (*voir page 153 du manuel*). Leur poser les questions suivantes :

- En quoi votre opinion sur le sport est-elle semblable à celle de l'auteure ?
- En quoi est-elle différente ?

Inviter les élèves à remplir la fiche d'activité modèle **6 : Comparer** (*voir* Guide d'enseignement de la littératie) afin de constater les différences et les similitudes entre leur opinion et celle de l'auteure.

Leur proposer de présenter leur travail à la classe. Leur demander si le fait d'avoir utilisé leurs connaissances sur le sujet leur a permis de comprendre davantage le contenu du texte.

OBSERVATION GRAMMATICALE EN CONTEXTE

Mentionner aux élèves les divers types et formes de phrases. Les inviter à remplir la fiche d'activité **8 : Les types et les formes de phrases**.

Revoir avec les élèves la façon de trouver le sujet dans une phrase et l'accord du verbe avec son sujet.

Leur demander d'effectuer l'activité langagière **Les marqueurs de relation** (*voir page XVII du présent document*).

Faire remarquer le rôle des marqueurs de relation dans la construction de phrases et dans les textes.

RÉFLEXION

Dans le cadre d'une entrevue individuelle ou d'une discussion en groupes, inviter les élèves à réfléchir à leurs stratégies de lecture. Leur demander d'en choisir une et leur poser la question suivante : Comment cette stratégie peut-elle vous aider pendant la lecture d'autres textes d'opinion ?

Demander aux élèves d'écrire dans leur journal de bord ce qu'ils ont appris dans cette leçon sur les stratégies ciblées.

Faire une synthèse

Critères d'évaluation :
- utiliser ses connaissances ;
- visualiser ;
- faire une synthèse ;
- comprendre le texte.

Réfléchir aux stratégies utilisées

4.4 Affiche du scénarimage du module 4

Remarque : Pour les élèves ayant besoin de plus de soutien, utiliser le scénarimage avant les textes de la pratique guidée. Cette activité les aidera à développer le vocabulaire correspondant au module.

AVANT

Revoir le vocabulaire et les notions

Revoir les activités sur les arts et les loisirs effectuées dans ce module et les tableaux créés en classe dans les leçons précédentes. Utiliser ces derniers, et, le cas échéant, les listes et les affiches, pour revoir ce que les élèves ont appris. Lancer une discussion en posant les questions suivantes :

- Comment les gens aiment-ils se divertir ?
- Comment aimez-vous divertir les autres ?
- Que pensez-vous des célébrités ? À votre avis, sont-elles des modèles positifs ? Pourquoi ?
- Quels mots ou quelles phrases ont été abondamment utilisés pour parler des arts et des loisirs ?

S'exprimer oralement

Inviter les élèves à utiliser les formules suivantes, avec un ou une camarade, pour exprimer leur opinion sur leurs préférences en matière d'arts et de loisirs. Au besoin, adapter ou simplifier les formules.

- *Mon style de musique préféré est...*
- *Mon genre d'émission de télévision préféré est...* (*la comédie de situation, le documentaire,* etc.)
- *Si je pouvais exercer un métier dans les arts visuels, je me dirigerais vers...* (*la peinture, la bande dessinée, l'animation par ordinateur, la photographie,* etc.)
- *Mon loisir préféré est...*

Demander aux élèves de nommer une chose qu'ils ont apprise en interrogeant leur camarade. Les inviter à se servir de la formule suivante pour communiquer un bref « extrait sonore » de leur conversation. Par exemple : *La chose la plus intéressante que j'ai apprise sur... et sur les arts et les loisirs qu'il ou elle préfère est...*

Leur demander de présenter cet extrait. Auparavant, leur laisser le temps de s'exercer.

PENDANT

Survoler le scénarimage

Informer les élèves qu'ils observeront des illustrations et écriront une histoire au sujet d'un divertissement.

Installer l'**affiche du scénarimage du module 4** (*voir aussi transparent 23*). Laisser un peu de temps aux élèves pour observer les illustrations, puis leur demander ce qu'ils pensent de l'histoire. Les soutenir en reformulant leurs idées et en les clarifiant au besoin. Inciter les élèves à utiliser certains des termes des tableaux de la classe pour générer des idées. Afin de les stimuler, poser des questions telles que :

- Que se passe-t-il dans les images ? Quel est le sujet de l'histoire ?
- Que font les élèves ?
- Quel est le premier événement ? le deuxième ?
- Que pouvez-vous dire de plus à ce sujet ?
- Quels liens êtes-vous en mesure de faire avec le thème de ce module, les divertissements ?

Avec la classe, rédiger des légendes pour chaque image, une à la fois. Poser la question suivante : Que se passe-t-il dans la première image ?

Rassembler les idées des élèves pour formuler une seule légende. Tout au long du développement de l'histoire, insister sur le fait qu'elle doit être logique, de la première image jusqu'à la dernière.

Lire chaque légende à voix haute en l'inscrivant sur l'affiche, puis inviter les élèves à la lire ensemble.

Une fois toutes les légendes inscrites, les relire avec les élèves. Poser les questions suivantes :

• Devrait-on modifier une partie de l'histoire ?

• Aimeriez-vous ajouter quelque chose ?

Inviter les élèves à trouver un titre et l'inscrire au haut de l'affiche. Lire l'histoire terminée aux élèves.

APRÈS

Demander aux élèves d'utiliser l'affiche et les légendes pour s'exercer à écrire et à la lire de différentes façons. Par exemple, ils peuvent :

S'exercer à la lecture

• répartir les mots de l'histoire en catégories, en fonction de leur signification ou de leur forme ;

• noter les légendes sur des bandes de papier et les mettre en ordre ;

• choisir un élément intéressant dans une des images, rédiger une légende dans leur langue maternelle et en français sur un papillon autocollant, puis le coller sur l'affiche pour l'ajouter dans leur cahier plus tard ;

• utiliser l'affiche exposée en classe pour s'exercer à la lecture.

RÉFLEXION

Demander aux élèves d'écrire ou de dessiner une chose importante qu'ils ont apprise et qu'ils veulent se rappeler. Les inviter à noter leur réflexion dans leur journal de bord en se servant de bulles et à communiquer leur réflexion à un ou une camarade.

Réfléchir à ses apprentissages

5 Fais un retour sur tes apprentissages

(manuel, page 154)

Apprentissages ciblés
- Revoir le genre de texte.
- Échanger des idées et mettre en pratique l'écoute active.
- Résumer et comparer des textes d'opinion.
- Comprendre et évaluer les stratégies utilisées.

AVANT

Réfléchir aux stratégies

Une fois que les élèves se sont exercés à utiliser les stratégies de lecture en lisant un des textes d'opinion de la section «Une question d'opinion» du manuel («La musique peut-elle aider les parents à mieux connaître leurs enfants?», «La télévision a-t-elle une influence sur le développement des enfants?» et «Le sport est-il dangereux pour les jeunes?»), discuter de ce qu'ils ont appris et les amener à réfléchir à leurs stratégies de lecture.

Présenter et comparer son travail

Demander aux élèves de montrer leur organisateur graphique ou leur tableau de comparaison réalisé à la leçon précédente à un ou une camarade ayant travaillé à partir d'un texte différent, puis de comparer leur travail. Ensuite, les inviter à poser une question pertinente sur le travail de ce ou cette camarade. Proposer aux groupes de faire part de quelques questions et de leurs réponses à un autre groupe ou à la classe.

PENDANT

Résumer un texte d'opinion

Inviter les élèves à résumer de façon autonome le texte qu'ils ont lu dans la section «Une question d'opinion» à l'aide de la fiche d'activité **5: Compare des textes d'opinion**. Au besoin, expliquer la façon de remplir la fiche. Ensuite, demander aux élèves de comparer leur travail avec celui d'un ou une camarade ayant lu un autre texte.

Avec les élèves, créer un tableau récapitulatif pour résumer les quatre textes lus, incluant celui de l'affiche **L'information trouvée dans Internet est-elle fiable?** (*voir aussi transparent 17*).

Tableau récapitulatif				
	La musique	**La télévision**	**Le sport**	**L'information dans Internet**
Quelle est l'opinion de l'auteur ou l'auteure?	Les parents devraient parler avec leurs enfants de la musique qu'ils écoutent afin de mieux les connaître.	Les parents devraient prêter une attention particulière à la place que la télévision occupe dans la vie de leurs enfants.	Il est important que les jeunes pratiquent un sport, mais ils doivent suivre un entraînement progressif et respecter les règles et les conseils de sécurité pour éviter les accidents.	Il faut évaluer les sources consultées et vérifier la qualité de l'information trouvée.
Quels sont les arguments présentés?	La musique est importante pour les jeunes. C'est un moyen d'expression.	Les jeunes regardent beaucoup la télévision. Les parents ont la responsabilité de s'assurer que leurs enfants lisent et pratiquent des activités sportives.	De nombreux accidents sont liés à la pratique d'un sport. Il faut respecter les règles de sécurité.	L'information diffusée dans Internet n'est pas toujours vérifiée ni validée avant sa publication.
Les arguments présentés influencent-ils votre opinion? Comment?				

Inviter les élèves à faire une synthèse de ce qu'ils ont appris dans les textes. Leur poser les questions suivantes :

- Qu'est-ce qui est semblable dans les textes ?
- Qu'est-ce qui est différent ?

Faire une synthèse

Demander aux élèves de tirer des conclusions des textes qu'ils ont lus (p. ex. : *Les émissions de qualité transmettent des valeurs importantes. Les parents doivent passer plus de temps avec leurs enfants.*).

Tirer des conclusions

APRÈS

Revenir sur chaque texte avec les élèves. Leur poser les questions suivantes :

- Quelle est l'opinion de chaque auteur et auteure ?
- En quoi l'utilisation de statistiques ou de résultats de recherche sert-elle à appuyer une opinion ?
- En quoi la présentation de points de vue différents aide-t-elle à solidifier son opinion ?

Explorer différents points de vue

Discuter avec les élèves de quelle façon la lecture d'un texte d'opinion comportant de l'information peut influencer leurs opinions. En groupe-classe, ajouter les jeux mentionnés dans les différents textes aux catégories de divertissements de la leçon 1 (p. ex. : jouer au soccer, jouer à la crosse). Si le contenu des textes d'opinion a donné le goût à certains élèves de pratiquer les activités mentionnées, les inviter à en parler en groupe-classe.

RÉFLEXION

Demander aux élèves de lire les questions de la rubrique **Réfléchis à ta démarche de lecture** (*voir page 154 du manuel*) et de noter leurs réflexions dans leur journal de bord. Les inciter à donner des exemples précis quand ils expliquent l'importance de dégager les points de vue explicites et implicites dans un texte d'opinion. Discuter de stratégies susceptibles de servir à comprendre des mots nouveaux (p. ex. : le contexte, les préfixes et les suffixes, les mots d'une même famille).

Réfléchir aux stratégies utilisées

ÉVALUATION AU SERVICE DE L'APPRENTISSAGE *(voir fiche d'évaluation 1 : Observations continues)*

Observations	Interventions pédagogiques
Noter si les élèves peuvent : • revoir le genre de texte ; • échanger des idées et mettre en pratique l'écoute active ; • résumer et comparer des textes d'opinion ; • comprendre et évaluer les stratégies utilisées.	Avec les élèves, remplir le tableau récapitulatif à partir d'exemples concrets tirés des textes afin d'établir clairement les comparaisons. Pendant les discussions en groupe, inviter les élèves ayant tendance à s'éloigner du sujet à noter deux ou trois mots clés avant de présenter leurs idées. Modéliser la façon de faire. Tout au long de la leçon, soutenir les élèves en difficulté en modélisant la façon de résumer et de comparer des textes, ou en invitant d'autres élèves à le faire. Pour guider la réflexion des élèves sur les stratégies de lecture utilisées, distribuer les fiches d'activités modèles **33 à 38** du *Guide d'enseignement de la littératie*.

6 Écris avec habileté

(manuel, page 155)

Apprentissages ciblés
- Analyser la structure d'un texte d'opinion.
- Créer un tableau de référence.
- Développer ses idées à l'aide d'un organisateur graphique.
- Écrire un texte d'opinion.

AVANT

Revoir ses connaissances sur les textes d'opinion

Revenir sur les connaissances acquises jusqu'à présent sur les textes d'opinion et sur les discussions des élèves à ce sujet. Leur rappeler les textes lus et les tableaux qu'ils ont réalisés. Leur poser les questions de la rubrique **Exprime-toi!** (*voir page 155 du manuel*).

PENDANT

Comparer un texte d'opinion avec un récit

Informer les élèves que leur tâche consiste à apprendre à écrire et à présenter des opinions. Leur préciser de choisir des arguments convaincants. Former des équipes et leur demander de comparer un texte d'opinion avec un récit qu'ils ont lu récemment. Si nécessaire, mettre des récits à leur disposition. Pour les aider, fournir une photocopie de la fiche d'activité modèle **6 : Comparer** (*voir* Guide d'enseignement de la littératie).

Je compare

| un texte d'opinion | **et** | un récit |

Ce qui est semblable

Ils présentent un sujet.

Ce qui est différent

| des renseignements et des exemples convaincants | une histoire qui peut être vraie ou fictive |

Dresser une liste commune

Avec les élèves, dresser une liste des caractéristiques des textes d'opinion. Les inviter à vérifier si elle est comparable avec celle de la rubrique **La structure d'un texte d'opinion** (*voir page 155 du manuel*). Leur poser les questions suivantes :
- Qu'est-ce qui est semblable ?
- Qu'est-ce qui est différent ?

Attirer l'attention des élèves sur la rubrique **Le style et la voix** (*voir page 155 du manuel*). Leur poser les questions suivantes:

- Dans les textes d'opinion, avez-vous noté la présence de renseignements et d'exemples pour appuyer l'idée principale? Si oui, lesquels?
- Quelles autres idées pourrait-on ajouter à la liste?

Informer les élèves que, dans un texte d'opinion, les auteurs et les auteures doivent tenir compte des destinataires et moduler le ton en conséquence.

Proposer aux élèves de trouver un sujet de texte d'opinion sur les divertissements des jeunes. Leur demander de planifier leurs textes à l'aide de la fiche d'activité **6: Planifie ton texte d'opinion**.

Planifier un texte d'opinion

Ensuite, modéliser la façon d'écrire le paragraphe d'introduction du texte d'opinion en réfléchissant à voix haute. Par exemple: *Je dois donner mon opinion sur le divertissement présenté dans l'introduction. Ensuite, il me faut appuyer cette opinion sur des renseignements (p. ex.: des statistiques ou des résultats de recherches) et des exemples convaincants.*

Après la modélisation, mentionner aux élèves l'importance de réviser leur plan et de le modifier, si nécessaire, avant d'écrire leur texte.

Modéliser l'écriture de l'introduction d'un texte d'opinion

APRÈS

Demander aux élèves d'écrire leur texte de façon autonome. Leur allouer suffisamment de temps. Leur suggérer de conserver leur plan afin d'y revenir, au besoin, lors de l'écriture de leur texte.

Écrire un texte d'opinion

OBSERVATION GRAMMATICALE EN CONTEXTE

Demander aux élèves de prêter attention, en rédigeant leur texte d'opinion, à l'accord du verbe avec le groupe sujet.

RÉFLEXION

Inviter les élèves à former des groupes et à discuter de l'utilité de la planification dans le travail de rédaction d'un texte d'opinion. Leur demander de noter, dans leur journal de bord, les idées importantes qu'ils ont retenues pendant la discussion.

Réfléchir à la stratégie de planification

ÉVALUATION AU SERVICE DE L'APPRENTISSAGE (*voir fiche d'évaluation 1: Observations continues*)

Observations	Interventions pédagogiques
Noter si les élèves peuvent: • analyser la structure d'un texte d'opinion; • créer un tableau de référence; • développer leurs idées à l'aide d'un organisateur graphique; • écrire un texte d'opinion.	Pour les élèves ayant besoin de plus de soutien, morceler les tâches à accomplir en différentes étapes. Modéliser la façon de remplir la fiche d'activité **6: Planifie ton texte d'opinion** à l'aide des mots interrogatifs ou demander de le faire à des élèves ayant les habiletés nécessaires. Pour l'activité d'écriture, amener les élèves à suivre le processus d'écriture (*voir affiche de modélisation en écriture 4 ou transparent 36: Écrire un éditorial*): 1) planifier la rédaction à l'aide de la fiche d'activité **6: Planifie ton texte d'opinion**; 2) réviser la planification; 3) rédiger le texte d'opinion.

Niveau de lecture X-Y, DRA 64-70

7 Qu'est-ce que la téléréalité?

(manuel, pages 156 à 160)

Apprentissages ciblés
- Mettre en pratique les stratégies de lecture.
- Tenir compte d'autres points de vue.
- Exprimer ses opinions et les appuyer par des éléments de preuve.

Remarque: Le niveau de lecture du texte « Qu'est-ce que la téléréalité? » devrait convenir à la plupart des élèves. Selon leurs besoins, proposer d'autres textes pour leur permettre d'appliquer l'une ou l'autre des stratégies de lecture. Le tableau suivant suggère des lectures supplémentaires.

> Demander aux élèves de lire la question de la rubrique **Observe le texte** (*voir page 158 du manuel*). Discuter de la réponse avec le groupe-classe.

Lectures supplémentaires

Stratégies	Livrets de la collection *Petits curieux*	Niveaux de lecture
Utiliser ses connaissances	*Des prouesses sur la glace* *Passer à l'action*	T-U, DRA 50-54 Q-R, DRA 40-44
Visualiser	*Des symboles canadiens* *La vie dans le désert*	S-T, DRA 48-50 P-Q, DRA 38-40
Faire une synthèse	*Des prix canadiens!* *La bionique*	T-U, DRA 50-54 S-T, DRA 48-50

AVANT

Utiliser ses connaissances

Poser la question de départ (*voir page 156 du manuel*): Pourquoi les gens regardent-ils des émissions de téléréalité? puis en discuter. Inciter les élèves à s'exprimer.

Leur demander de former de petits groupes pour dresser une liste des émissions de téléréalité qu'ils ont déjà regardées ou dont ils ont entendu parler. Afficher les listes pour permettre aux autres équipes de les lire et d'y réagir.

Inviter les élèves à réfléchir sur ce genre d'émissions et à s'interroger sur leurs effets positifs ou négatifs sur les téléspectateurs. Avec la classe, noter les réponses au tableau pour les deux catégories d'effets.

PENDANT

Lire le texte

Lire ou faire écouter le texte (*voir coffret audio*). Ou encore, demander aux élèves de lire le texte de façon autonome ou avec l'aide d'un ou d'une camarade. Leur rappeler de réfléchir aux stratégies à utiliser, comme **visualiser** leurs gestes, leurs pensées et leurs émotions s'ils participaient à une émission de téléréalité. En groupe-classe, résumer le texte et poser les questions suivantes: En quoi l'information que vous avez lue ou entendue se compare-t-elle avec ce que vous croyez ou savez déjà? Qu'est-ce qui est semblable? Qu'est-ce qui est différent? Qu'avez-vous appris?

APRÈS

Réagir au texte

Pour alimenter la discussion, poser des questions telles que:
- À votre avis, que pense l'auteure des émissions de téléréalité?
- Pourquoi qualifie-t-on ces émissions de « téléréalité »? Précisez votre pensée.

Média action

Attirer l'attention des élèves sur la rubrique **Média action** (*voir page 160 du manuel*). Leur poser la question suivante: En quoi le traitement du sujet choisi par l'auteure se compare-t-il avec celui d'autres ouvrages?

VA PLUS LOIN

1. *Exprimer son opinion par écrit.* Avec le groupe-classe, créer un tableau à trois colonnes pour classer les émissions de téléréalité en fonction de leurs effets : positifs, négatifs ou positifs et négatifs à la fois. Inviter les élèves à réfléchir à ces exemples et à se faire une opinion. Quand les élèves ont terminé l'ébauche de leur lettre, les inviter à faire part de leur réflexion. Leur rappeler d'appuyer leur opinion sur des arguments solides.

Exprimer son opinion par écrit

2. *Effectuer un sondage.* Demander aux élèves de former de petits groupes pour effectuer un sondage afin de déterminer l'émission de téléréalité la plus populaire de leur école. Inviter les élèves à présenter leurs résultats à l'aide d'un diagramme de leur choix.

Effectuer un sondage

ENRICHISSEMENT

Demander aux élèves, en petits groupes, de créer le concept de leur propre émission.

Créer un concept

Inviter ensuite les groupes à présenter leur concept à une autre équipe. Demander à l'auditoire de participer en déterminant si les groupes ont respecté ou non les critères établis. Poser la question suivante : À votre avis, cette émission de téléréalité vaudrait-elle la peine d'être regardée ? Pourquoi ?

OBSERVATION GRAMMATICALE EN CONTEXTE

Inviter les élèves à remplir les fiches d'activités **9 : L'emploi des guillemets et du tiret** et **10 : L'accord du verbe et la conjugaison**.

Leur demander d'observer les types et les formes de phrases dans la mise en situation du texte. Par exemple, la phrase impersonnelle (*voir page 157 du manuel*) suivante : « Il semble qu'on les adore ou les déteste. »

Rappeler aux élèves que les synonymes sont des mots qui ont à peu près le même sens et les antonymes, qui ont un sens contraire. Souligner l'importance de tenir compte du contexte pour bien choisir un synonyme ou un antonyme.

RÉFLEXION

Inviter les élèves à rédiger une brève réflexion sur la téléréalité et les stratégies qu'ils ont utilisées pour communiquer et appuyer leurs idées.

Réfléchir aux stratégies utilisées

ÉVALUATION AU SERVICE DE L'APPRENTISSAGE *(voir fiche d'évaluation 1 : Observations continues)*

Observations	Interventions pédagogiques
Noter si les élèves peuvent : • mettre en pratique les stratégies de lecture ; • tenir compte d'autres points de vue ; • exprimer leurs opinions et les appuyer par des éléments de preuve.	Avec les élèves ayant besoin de soutien dans un contexte de pratique coopérative, travailler à l'aide d'exemples simples de « pour ou contre » (p. ex. : aller à l'école toute l'année et avoir des vacances plus fréquentes ou y aller seulement 10 mois et avoir congé tout l'été). Inviter les élèves moins habiles à répondre dans le cadre d'une tâche structurée. Par exemple, leur demander de réagir à une petite partie du texte à la fois avec des cadres de phrases telles que : *Cette section parle de…* ; *Je pense…* ; *Je me demande…*

Niveau de lecture V-W, DRA 58-60

8 Expressions artistiques

(manuel, pages 161 à 165)

Apprentissages ciblés

- Appliquer des stratégies de lecture.
- Rédiger le profil d'un ou d'une artiste.
- Développer des techniques d'entrevue.

Remarque : Le niveau de lecture du texte « Expressions artistiques » devrait convenir à la plupart des élèves. Selon leurs besoins, proposer d'autres textes pour leur permettre d'appliquer l'une ou l'autre des stratégies de lecture. Le tableau suivant suggère des lectures supplémentaires.

Lectures supplémentaires

Stratégies	Livrets de la collection *Petits curieux*	Niveaux de lecture
Utiliser ses connaissances	*Des prouesses sur la glace* *Passer à l'action*	T-U, DRA 50-54 Q-R, DRA 40-44
Visualiser	*Des symboles canadiens* *La vie dans le désert*	S-T, DRA 48-50 P-Q, DRA 38-40
Faire une synthèse	*Des prix canadiens !* *La bionique*	T-U, DRA 50-54 S-T, DRA 48-50

AVANT

Survoler le texte

Poser la question de départ (*voir page 161 du manuel*) : Pratiquer un art est-il un divertissement ? Demander aux élèves de former des groupes pour dresser une liste des moyens d'expression artistique. Les inviter à discuter, puis à faire part de leur réflexion sur les questions suivantes :

- Que peut-on apprendre d'un art par une simple pratique ?
- Selon certaines personnes, s'exprimer par l'art contribue à un mode de vie sain. Si tel est le cas, pourquoi ?

> À l'aide de la rubrique **Observe le texte** (*voir page 161 du manuel*), inviter les élèves à relever les expressions et les mots utilisés par l'auteur pour éviter les répétitions.

Proposer aux élèves de survoler le texte en lisant le titre et les intertitres, en regardant les images et les autres caractéristiques. Leur demander de noter leurs remarques sur le sujet, le contenu et la forme – la façon dont l'information est transmise. Leur poser la question suivante : Que savez-vous au sujet des artistes présentés dans ce texte ?

PENDANT

Lire de manière autonome ou en dyades

Réfléchir aux mots et aux expressions

Inviter les élèves à écouter (*voir coffret audio*) ou à lire de façon autonome ou en dyades les textes sur les différentes formes d'expression artistique. Après la lecture de chaque texte, leur demander de remplir, en dyades, un tableau récapitulatif comprenant les catégories suivantes : l'artiste, la forme d'expression artistique, un fait intéressant, ce que nous savons déjà, notre opinion.

À la fin de la tâche, demander aux équipes de comparer leur tableau avec celui d'une autre équipe, puis de discuter des différences et des similitudes.

Demander aux élèves de survoler le texte pour trouver le mot *multidisciplinaire*. Les inviter à en deviner le sens en utilisant leurs connaissances et les indices présents dans le texte. Les convier à consulter un dictionnaire pour confirmer la signification et la racine du mot. Faire un remue-méninges pour découvrir d'autres mots ayant le même préfixe. Expliquer la façon dont les préfixes et les suffixes changent le sens et l'usage d'un mot. Demander aux élèves de trouver le plus de mots possible commençant par le préfixe « multi- ».

APRÈS

Leur poser les questions suivantes :

Réagir au texte

- Quelle forme d'expression artistique connaissez-vous le mieux ? En quoi pouvez-vous comparer l'information de ce texte avec vos connaissances ou vos croyances ?
- Quelle forme d'expression artistique vous intéresse ou vous attire le plus ? Pourquoi ?
- Quelle forme d'expression artistique choisiriez-vous ?

VA PLUS LOIN

1. *Poser des questions d'entrevue.* Avant le début de la tâche, dresser avec les élèves une liste des caractéristiques d'une bonne question d'entrevue, c'est-à-dire celle qui suscite une réponse intéressante. Rédiger la liste au tableau. Par exemple :

Poser des questions d'entrevue

Une bonne question d'entrevue...

- aborde un fait important et intéressant ;
- est claire, directe et facile à comprendre ;
- suit l'ordre logique de l'entrevue ;
- forme une phrase complète.

Demander aux élèves de former des dyades pour rédiger des questions d'entrevue. Leur rappeler de tenir compte des caractéristiques de la liste et d'éviter les questions auxquelles on ne peut répondre que par « oui » ou « non ». Inviter les équipes à choisir quatre ou cinq de leurs questions les plus efficaces, à décider du meilleur ordre pour les poser et à faire part du fruit de leur travail au reste de la classe.

2. *Rédiger un court profil.* Avant de demander aux élèves de rédiger leurs profils, analyser brièvement avec eux le contenu et la structure des profils du texte. Leur demander de présenter leur travail de la même façon, y compris les titres et les images. Regrouper les profils pour créer un livre de classe.

Rédiger un court profil

OBSERVATION GRAMMATICALE EN CONTEXTE

Demander aux élèves de remplir les fiches d'activités **11 : L'ajout d'un groupe adjectival ou d'un groupe participial** et **12 : La position des groupes de mots dans la phrase.**

RÉFLEXION

Demander aux élèves d'écrire en quoi le fait de parfaire leurs techniques d'entrevue les a aidés à réfléchir au but de l'entrevue et au genre d'information qu'ils voulaient obtenir.

Réfléchir aux techniques d'entrevue

ÉVALUATION AU SERVICE DE L'APPRENTISSAGE (voir fiche d'évaluation 1 : Observations continues)

Observations	Interventions pédagogiques
Noter si les élèves peuvent : • appliquer des stratégies de lecture ; • rédiger le profil d'un ou d'une artiste ; • développer des techniques d'entrevue.	Proposer aux élèves ayant besoin de soutien pour poser des questions et exprimer des idées importantes de travailler en petits groupes. Élaborer avec les élèves des questions leur permettant de guider leur écriture. Par exemple : • L'information est-elle pertinente, précise et intéressante ? • La phrase d'introduction explique-t-elle qui est l'artiste ? • L'information est-elle organisée en une suite logique ? • Y a-t-il une variété suffisante de types et de structures de phrases ? Aider les élèves à déterminer les renseignements importants et intéressants à recueillir lors d'une entrevue.

9 Un haïku, c'est voir la nature avec très peu de mots

(manuel, pages 166 et 167)

Apprentissages ciblés
- Lire des haïkus.
- Écrire des haïkus.
- Appliquer des stratégies de lecture pour lire des poèmes.

AVANT

Faire des liens avec ses connaissances

Poser la question de départ (*voir page 166 du manuel*) : Que connais-tu à propos des haïkus ? Pour alimenter une discussion, leur poser les questions suivantes :
- En quoi la poésie est-elle différente d'autres écrits ?
- Quels poèmes connaissez-vous ?
- Quelles sont les caractéristiques de la poésie ?

Inviter les élèves à lire l'origine des haïkus à la page 166 du manuel. Leur demander pourquoi la poésie semble davantage faire appel aux sens des lecteurs et des lectrices que d'autres types d'écrits.

Inviter les élèves à visualiser le poème. Leur poser les questions suivantes :
- Quelles images vous viennent en tête lorsque vous entendez ce haïku ?
- Qu'est-ce qui crée cette image ?
- Quelles images les mots évoquent-ils ?

PENDANT

Écouter et réagir

Lire à voix haute chaque haïku au moins deux fois. Inviter les élèves à se créer une image mentale pendant qu'ils écoutent les poèmes.

Faire une pause après chaque haïku afin de leur permettre d'exprimer leur visualisation.

Demander aux élèves de discuter avec un ou une camarade des images qui leur viennent en tête à l'écoute des haïkus. S'interroger sur la longueur des vers et sur le choix de mots.

> À l'aide de la rubrique **Observe le texte** (*voir page 167 du manuel*), inviter les élèves à expliquer l'importance du choix de mots dans un haïku.

Relever les mots qui les ont aidés à se créer une image mentale des poèmes et les écrire sur une grande feuille.

Demander aux élèves de relire les poèmes en silence. Ensuite, les inviter à les relire à voix haute et avec expression avec un ou une camarade.

Leur expliquer qu'ils vont utiliser ce qu'ils ont appris pour composer leur propre haïku. Discuter du choix des mots et des effets du langage, et rappeler l'importance d'aider les lecteurs à visualiser le poème.

Composer son propre haïku

Inviter les élèves à faire un remue-méninges afin de trouver des sujets pour écrire un haïku.

À l'aide de l'affiche de modélisation en écriture **10 : Écrire un haïku** (*voir aussi transparent 42*), revoir avec les élèves les étapes du processus d'écriture de ce genre de poème.

APRÈS

Proposer aux élèves de présenter leurs haïkus sous forme de recueil, à l'aide d'un logiciel de présentation, le cas échéant. Leur allouer du temps pour la préparation et la présentation.

Les inviter à présenter leur recueil lors d'une fête ou à une autre classe de l'école.

**Présenter
des haïkus**

VA PLUS LOIN

1. *Exprimer une préférence.* Déterminer les haïkus préférés de la classe. Inciter les élèves à exprimer leur opinion et à justifier leur choix.

**Exprimer une
préférence**

2. *Écrire un haïku.* Demander aux élèves d'écrire deux ou trois haïkus avec un ou une camarade. Les inviter à illustrer leurs haïkus avec des dessins ou des photos libres de droits.

**Écrire
un haïku**

ENRICHISSEMENT

Demander aux élèves de trouver un poème dans lequel l'auteur ou l'auteure fait part de ses goûts et de ses opinions. Communiquer les résultats de leur recherche à la classe.

**Faire une
recherche**

RÉFLEXION

Demander aux élèves d'écrire, dans leur journal de bord, ce qu'ils ont appris sur l'importance des mots dans un haïku. Les inviter à faire part de leur réflexion à un ou à une camarade et à la classe.

**Réfléchir sur
son travail**

ÉVALUATION AU SERVICE DE L'APPRENTISSAGE *(voir fiche d'évaluation 1 : Observations continues)*

Observations	Interventions pédagogiques
Noter si les élèves peuvent : • lire des haïkus ; • écrire des haïkus ; • appliquer des stratégies de lecture pour lire des poèmes.	Modéliser la manière de lire des haïkus avec expression. Expliquer l'importance de s'exercer avant de lire à voix haute.
	Modéliser la manière d'écrire des haïkus. Mettre à la disposition des élèves des recueils de haïkus comme exemples pour rédiger d'autres haïkus.
	Modéliser à voix haute la manière de visualiser un haïku. Pour les élèves ayant besoin de soutien pour visualiser le contenu du texte, modéliser l'utilisation de la méthode « visualisation, croquis, réaction » *(voir « Leçon 4 »).*

10 À l'œuvre !

(manuel, pages 168 et 169)

Apprentissages ciblés
- Planifier et organiser ses idées.
- Écrire, réviser et présenter un article de journal.

Remarque : Cette leçon comporte une production dans laquelle les élèves appliquent les connaissances acquises et les habiletés développées dans ce module. Noter qu'elle fait appel à des contenus d'apprentissage liés à l'écriture et à la littératie médiatique. Proposer cette tâche d'évaluation à tout moment après la pratique coopérative ou autonome.

AVANT

Planifier sa recherche

Lire avec les élèves les consignes de la page 168 du manuel et s'assurer de leur compréhension. Les inviter à travailler avec un ou une camarade afin d'écrire un article pour un journal scolaire sur un divertissement de leur choix. Rappeler qu'un journal peut contenir des reportages, des textes d'opinion, des critiques ou d'autres textes.

Inviter les élèves à lire la rubrique **Quelques conseils** (*voir page 168 du manuel*) indiquant où trouver des modèles pour effectuer la tâche demandée. Pour présenter et discuter des critères d'évaluation, distribuer aux élèves la fiche d'évaluation **2 : Grille d'évaluation de la section «À l'œuvre!»** et leur demander de noter sur une grande feuille les façons possibles de répondre aux critères d'évaluation. Poser des questions aux élèves afin de s'assurer qu'ils comprennent bien la tâche à réaliser.

PENDANT

Préparer et assembler son journal scolaire

Inviter les élèves à lire les sections «Préparez votre article» et «Préparez et assemblez votre journal scolaire», aux pages 168 et 169 du manuel. S'assurer de leur compréhension des conseils et des consignes présentés.

Comme modèles, fournir des journaux aux élèves et leur mentionner les divers types d'articles ainsi que leur structure.

Une fois l'article écrit et révisé, demander aux élèves de s'assurer de sa structure. Leur suggérer de vérifier les points suivants : orthographe, grammaire, mots de transition (marqueurs de relation) et ponctuation. Au besoin, leur fournir une liste de vérification et les aider lors d'entrevues individuelles.

Discuter avec les élèves des façons de faire connaître leur journal dans l'école.

APRÈS

Présenter son travail

Lancer une discussion sur des manières d'obtenir une rétroaction des lecteurs. Poser aux élèves la question suivante : Pourquoi est-ce important de recevoir une rétroaction des lecteurs et des lectrices de votre journal ?

Proposer aux élèves de préparer un questionnaire afin de connaître l'appréciation des lecteurs. Utiliser éventuellement les résultats comme rétroaction et évaluation du travail.

Inviter les élèves à lire la section «Faites un retour sur votre travail», à la page 169 du manuel. Les amener à discuter de leur travail et surtout des améliorations à apporter la prochaine fois.

RÉFLEXION

Demander aux élèves de s'autoévaluer et de réfléchir au travail de planification, de rédaction et de révision de leur article de journal en remplissant la fiche d'activité modèle **45 : Réfléchis à ton écriture** (*voir* Guide d'enseignement de la littératie). Évaluer les productions des élèves et leur fournir une rétroaction à l'aide de la fiche d'évaluation **2 : Grille d'évaluation de la section « À l'œuvre ! »**.

Réfléchir au travail réalisé et s'autoévaluer

ÉVALUATION AU SERVICE DE L'APPRENTISSAGE *(voir fiche d'évaluation 1 : Observations continues)*

Observations	Interventions pédagogiques
Noter si les élèves peuvent : • planifier et organiser leurs idées ;	Aux élèves ayant besoin de plus de soutien, rappeler de consulter la liste préparée lors du remue-méninges afin de trouver un sujet intéressant pour leur article. Leur fournir des modèles simples et les aider à dégager la structure du texte à écrire.
• écrire, réviser et présenter un article de journal.	Inciter les élèves à comparer leurs textes avec d'autres textes pour trouver des ressemblances et des différences.
	Modéliser la manière de réviser un texte avant de le présenter.

11 Apprends un pas de danse!

(manuel, pages 170 et 171)

Apprentissages ciblés
- Lire et respecter une marche à suivre.
- Écrire une marche à suivre.

AVANT

Activer ses connaissances

Expliquer la tâche aux élèves qui consiste à lire un texte sur la danse et les inviter à discuter de leurs expériences. Leur poser les questions suivantes :

- Quelles danses connaissez-vous ?
- Suivez-vous des cours de danse ou connaissez-vous une personne qui en suit ?
- Avez-vous déjà vu un spectacle de danse ou assisté à ce genre de spectacle ?

Poser la question de départ (*voir page 170 du manuel*) : Quel pas de danse pourrais-tu enseigner à ta classe ? Inviter les élèves à former des dyades afin d'échanger leurs idées ou leurs prédictions sur ce pas de danse.

PENDANT

Lire de façon autonome ou en dyades

Demander aux élèves de lire le texte avec un ou une camarade et d'apprendre le pas de danse. Les inviter à noter leurs interrogations pendant qu'ils lisent le texte et suivent les instructions.

Réunir les élèves pour discuter des instructions et les inviter à poser leurs questions. Mentionner que le fait de poser des questions et de tenter d'y répondre joue un rôle important dans la lecture d'un texte d'un mode d'emploi.

> Demander aux élèves de lire la rubrique **Observe le texte** (*voir page 171 du manuel*), puis en discuter ensemble.

Participer à une discussion

APRÈS

Pour alimenter la discussion, poser des questions telles que :

- Quelle partie dans l'apprentissage d'un pas de danse a été la plus difficile ? Quelle partie avez-vous le plus aimée ?
- Comment avez-vous facilité votre apprentissage ? Quel usage avez-vous fait des illustrations ?
- À votre avis, pourquoi les gens du monde entier célèbrent-ils en dansant ?

VA PLUS LOIN

1. *Apprendre les mouvements.* Demander aux dyades, pendant l'exécution des mouvements, d'expérimenter au moins trois façons de les apprendre (p. ex.: un pas à la fois, en regardant seulement les illustrations ou en utilisant juste le texte). Les inviter ensuite à choisir celle qui leur convient le mieux. Après l'exercice, proposer aux dyades de comparer leurs mouvements avec ceux d'une autre équipe pour constater les similitudes et les différences. Dans ce dernier cas, inviter les élèves à se demander si les différences sont attribuables à l'interprétation, à une mauvaise compréhension des instructions ou à d'autres raisons.

Apprendre les mouvements

2. *Rédiger une marche à suivre.* Demander aux élèves de créer un nouveau pas de danse et de noter les instructions afin de permettre aux autres élèves de les suivre. Avant le début de la rédaction, discuter avec le groupe-classe des qualités des instructions (p. ex.: elles doivent être claires, précises, ordonnées, numérotées et formulées de manière identique – commencer chaque étape par un verbe), puis donner des exemples. Mentionner l'importance d'un croquis ou d'un diagramme. Demander aux élèves de former des dyades pour vérifier le bon fonctionnement de leurs instructions, et les modifier au besoin. Inviter les élèves à présenter leur pas de danse à une autre équipe. Leur fournir une affiche pour leur permettre d'exposer leurs instructions et leurs illustrations dans la classe.

Rédiger une marche à suivre

ENRICHISSEMENT

Demander aux élèves de faire une recherche, avec un ou une camarade, sur une danse qu'ils ne connaissent pas – idéalement une danse traditionnelle. Leur préciser de fournir de l'information sur la danse, son origine, son histoire et son intention. Les inviter ensuite à présenter un rapport oral à la classe. Demander aux élèves de trouver de la musique pour accompagner la danse et de la faire jouer pendant leur présentation.

Faire une recherche

OBSERVATION GRAMMATICALE EN CONTEXTE

Mentionner aux élèves l'utilisation du mode impératif dans la rédaction d'une marche à suivre. Leur préciser que le mode infinitif peut aussi être utilisé.

Les inviter à remplir la fiche d'activité **13 : Les groupes fonctionnels de la phrase**.

RÉFLEXION

Demander aux élèves de nommer une ou deux stratégies de lecture à leur avis particulièrement utiles pour lire une marche à suivre.

Réfléchir aux stratégies de lecture

ÉVALUATION AU SERVICE DE L'APPRENTISSAGE *(voir fiche d'évaluation 1 : Observations continues)*

Observations	Interventions pédagogiques
Noter si les élèves peuvent : • lire et respecter une marche à suivre ; • écrire une marche à suivre.	Aux élèves ayant de la difficulté à lire, à écrire et à suivre des instructions, proposer les activités suivantes : • parler des instructions d'une action ou d'un geste qu'ils savent faire ; • paraphraser chaque étape des instructions pendant leur lecture ; • faire un croquis de chaque étape ; • transmettre une série d'instructions à une personne qui ne lit pas le texte.

12 L'art de la critique

(manuel, pages 172 à 175)

Apprentissages ciblés
- Interpréter une bande dessinée.
- Faire des inférences.

AVANT

Faire un remue-méninges sur les bandes dessinées

Poser les questions suivantes aux élèves :
- Avez-vous déjà lu les bandes dessinées sur le cyclope Léon ?
- Si oui, que racontaient-elles ?
- Comment les bandes dessinées présentent-elles des situations ?
- Selon vous, est-ce plus intéressant d'écrire ou d'illustrer une bande dessinée ?
- Qu'est-ce qui rend une bande dessinée intéressante ?
- Lisez-vous souvent des bandes dessinées ? Si oui, lesquelles ?
- Où peut-on trouver des bandes dessinées ? (p. ex. : dans les journaux.)

Poser la question de départ (*voir page 172 du manuel*) : En quoi une bande dessinée peut-elle être un divertissement ?

PENDANT

Lire une bande dessinée

Inviter les élèves à lire les bandes dessinées des pages 172 à 175 du manuel. Expliquer que le choix des plans d'une bande dessinée dépend de ce qu'on veut montrer aux lecteurs et aux lectrices. Revoir les divers plans avec les élèves.
- Le très gros plan consiste à remplir une case avec un seul élément.
- Le gros plan sert à donner de l'importance à un élément comme l'expression d'un personnage.
- Le plan rapproché montre un ou deux personnages jusqu'à la taille et une partie du décor.
- Le plan américain montre les personnages jusqu'à mi-cuisse.
- Le plan d'ensemble montre le décor.

Revoir la stratégie d'inférence

Après la lecture des deux premières bandes dessinées, poser aux élèves la question de la rubrique **Observe le texte** (*voir page 173 du manuel*). Discuter de l'efficacité des plans utilisés dans une BD.

Inviter les élèves à trouver des sites Internet sur la création de bandes dessinées. Par exemple, le site [www.bdquebec.qc.ca] propose un tour d'horizon de la bande dessinée québécoise. On peut y lire des entrevues entre des bédéistes et un historique de la bande dessinée au Québec. Le site [http://expositions.bnf.fr/bd] présente de l'information sur les bédéistes européens.

Note : Les adresses de pages Internet indiquées ci-dessus ont fait l'objet d'une vérification. Toutefois, il est possible que certaines pages aient subi des modifications ou disparu depuis la date de publication de ce guide.

Informer les élèves que la bande dessinée transmet beaucoup d'idées dans peu d'espace et qu'elle met l'accent sur l'image et les inférences. Leur expliquer que les lecteurs et les lectrices doivent très souvent imaginer ce qui a eu lieu avant ou, en d'autres mots, imaginer l'histoire derrière les images et les mots.

Conseil

Mettre des bandes dessinées à la disposition des élèves.

APRÈS

Demander aux élèves de parler des bandes dessinées qu'ils ont lues. Les aider à exprimer leur opinion. Leur poser les questions suivantes :

Réagir au texte

- Quel message les bédéistes veulent-ils transmettre ?
- Le message est-il drôle ?

Choisir des bandes dessinées et masquer le texte des phylactères. Inviter les élèves à imaginer un nouveau dialogue et à le lire à un ou une camarade. Leur demander si la lecture de ces bandes dessinées leur a donné le goût de créer leur propre BD.

VA PLUS LOIN

1. *Discuter.* Demander aux élèves d'appuyer le choix de leur bande dessinée préférée sur des exemples concrets.

Discuter

2. *Faire une murale.* Discuter des similitudes et des différences des bandes dessinées trouvées dans Internet.

Faire une murale

ENRICHISSEMENT

Inviter les élèves qui le désirent à écrire leur propre bande dessinée. Leur rappeler de construire un scénario, d'inventer un personnage et de créer une bande dessinée divertissante.

Créer une bande dessinée

RÉFLEXION

Demander aux élèves de compléter la phrase suivante dans leur journal de bord : *Pour capter l'attention d'un lecteur ou d'une lectrice de bande dessinée, il est important de…*

Réfléchir aux stratégies

ÉVALUATION AU SERVICE DE L'APPRENTISSAGE *(voir fiche d'évaluation 1 : Observations continues)*

Observations	Interventions pédagogiques
Noter si les élèves peuvent : • interpréter une bande dessinée ;	Mettre à la disposition des élèves une variété de bandes dessinées. Revoir les stratégies de lecture à privilégier. Modéliser en lisant à voix haute.
• faire des inférences.	Pour les élèves ayant de la difficulté à faire des inférences, demander à un ou une élève habile de modéliser la façon de faire.

Niveau de lecture T-U, DRA 50-54

13 La classe de neige

(manuel, pages 176 à 181)

Apprentissages ciblés

- Lire avec fluidité et précision.
- Mettre en pratique des stratégies de compréhension en lecture.
- Écrire une lettre.
- Participer à un jeu de rôle.

AVANT

Utiliser ses expériences et ses connaissances

Survoler le texte et faire des prédictions

Poser la question de départ (*voir page 176 du manuel*) : En quoi la pratique d'un sport peut-elle être un divertissement ?

Lire le titre du texte avec les élèves, puis les inviter à observer les illustrations et à faire des prédictions.

Leur poser les questions suivantes :

- Avez-vous déjà lu un roman d'Alain Bergeron ?
- En quoi connaître un auteur ou une auteure peut-il aider à faire des prédictions sur le texte à lire ? (p. ex. : *Je sais qu'Alain Bergeron est reconnu pour écrire des romans drôles, alors je peux prédire que cette histoire sera drôle.*)
- Que voyez-vous dans l'illustration de la page 176 ?
- Quelles prédictions pouvez-vous faire en observant les illustrations ?
- Que pourrait-il arriver à une personne lors de sa première expérience en ski ?

Noter les réponses des élèves au tableau ou sur une grande feuille et s'en servir pour formuler des prédictions et déterminer une intention de lecture.

PENDANT

Lire de façon autonome

Demander aux élèves de lire l'histoire une première fois, en silence. Ensuite, les inviter à l'écouter (*voir coffret audio*), puis à vérifier leurs prédictions et leur compréhension. Proposer aux élèves de visualiser les événements de l'histoire. Les inciter à s'arrêter à la fin de chaque section pour vérifier leurs prédictions et parler des liens qu'ils ont faits.

Avec les élèves, lire la rubrique **Observe le texte** (*voir page 177 du manuel*) et relever la structure d'un récit d'aventures.

APRÈS

Pour vérifier la compréhension des élèves, les amener à réagir au texte et à faire des inférences. Leur poser les questions suivantes :

Réagir au texte

- D'après ce que vous avez lu, Dominic est-il un garçon qui a le sens de l'exagération ? Pourquoi ?
- Quel est le nom du skieur qui fait « clac-clac » des dents ? (*Xavier*) Comment le sais-tu ? (« *... les claquements de dents de Xavier reprennent de plus belle.* »)
- Quel est le nom du skieur qui fait « snif-snif » du nez ? (*Dominic*) Comment le sais-tu ? (*Il est enrhumé.*)
- Quel est le nom de famille de Dominic ? de Xavier ?
- Pourquoi Dominic remercie-t-il Sophie « avec un sourire forcé » ?
- Comment Dominic s'est-il cassé la cheville ?

VA PLUS LOIN

1. *Écrire une lettre persuasive.* Demander aux élèves d'écrire une lettre pour convaincre leurs parents de les laisser participer à une autre classe de neige. Modéliser la façon d'écrire une lettre persuasive. Inviter les élèves à lire leur lettre à un ou une camarade pour obtenir une rétroaction.

Écrire une lettre persuasive

2. *Préparer un jeu de rôle.* Demander aux élèves de préparer et présenter leur jeu de rôle. Les inviter à utiliser leurs expériences et leurs connaissances pour placer le personnage dans une situation particulière. Mentionner que le jeu de rôle devrait refléter la personnalité des personnages du récit et qu'il est un excellent moyen de mieux comprendre leur point de vue.

Préparer un jeu de rôle

ENRICHISSEMENT

Demander aux élèves de se mettre à la place d'un des personnages de ce récit et d'écrire un texte d'opinion sur le ski alpin.

Écrire un texte d'opinion

OBSERVATION GRAMMATICALE EN CONTEXTE

Modéliser la façon de remplir les fiches d'activités **14 : Les expressions figurées, les comparaisons et les métaphores** et **15 : Les accords dans le groupe nominal**.
   Mentionner aux élèves le rôle du pronom relatif *qui* dans une phrase.
   Leur demander de relever les expressions imagées qui aident les lecteurs et les lectrices à visualiser le texte (p. ex. : « Le mont Everest a sûrement l'air d'une colline à côté de ça. » ; « Les arbres sont recouverts de neige et de givre. »)

RÉFLEXION

Inviter les élèves à répondre aux questions suivantes dans leur journal de bord :

Réfléchir à ses apprentissages

- Quels liens pouvez-vous faire entre ce texte et vos expériences ?
- En quoi ce texte est-il un récit d'aventures ?
- Quelle est la structure d'un récit d'aventures ?
- En quoi ce texte est-il semblable à d'autres récits (p. ex. : récit fantastique, récit de science-fiction ou d'intrigue policière) ? En quoi est-il différent ?

ÉVALUATION AU SERVICE DE L'APPRENTISSAGE *(voir fiche d'évaluation 1 : Observations continues)*

Observations	Interventions pédagogiques
Noter si les élèves peuvent : • lire avec fluidité et précision ;	Modéliser la façon de lire un texte avec expression. Demander à certains élèves de s'exercer et de lire un texte avec expression. En inviter d'autres à enregistrer un texte pour des élèves plus jeunes.
• mettre en pratique des stratégies de compréhension en lecture ;	À l'aide de divers textes, modéliser la manière d'appliquer les stratégies de compréhension en lecture.
• écrire une lettre ;	Avec les élèves, revoir la structure d'une lettre. Modéliser la manière de rédiger une lettre pour persuader les lecteurs et les lectrices. Parler de l'importance de connaître ses destinataires.
• participer à un jeu de rôle.	Modéliser la façon de jouer un jeu de rôle. Avec les élèves, réécrire le texte sous la forme d'une pièce de théâtre et travailler avec eux pour améliorer leurs habiletés et leur capacité de faire des liens avec leurs personnages dans un jeu de rôle. Pour les aider à mieux comprendre leur personnage, poser des questions telles que : • Comment ce personnage se comporte-t-il à l'école ? à la maison ? • Comment ce personnage occupe-t-il ses moments libres à la maison ? à l'école ?

14 À ton tour!

(manuel, page 182)

Apprentissages ciblés
- Préparer et présenter une critique.
- Réfléchir sur ses apprentissages et se fixer des objectifs.

AVANT

Survoler le texte et comprendre la tâche

Inviter les élèves à survoler les consignes de la page 182 du manuel et leur demander de discuter, en dyades, du travail à faire, selon eux. Lire ensuite la page avec le groupe-classe en expliquant les consignes et en s'arrêtant après chaque section. Permettre aux élèves de reformuler les tâches à accomplir. Au besoin, fournir un diagramme ou une liste de vérification énumérant les étapes à suivre et demander aux élèves de cocher au fur et à mesure les tâches accomplies. Lire avec eux les consignes attentivement.

Leur demander de réfléchir à ce qu'ils ont appris sur les divertissements et les textes d'opinion. Les informer de l'obligation quasi certaine de consulter des ressources à la bibliothèque ou dans Internet.

Leur poser les questions suivantes :

- Selon vous, pourquoi les gens lisent-ils des critiques ?
- Qu'est-ce qui pourrait vous amener à lire une critique ?
- Comment peut-on s'assurer de la fiabilité d'une critique ?

PENDANT

Planifier et présenter une critique

Aider les élèves à choisir le sujet de leur critique. Leur expliquer qu'elle peut porter sur un film, un livre, une pièce de théâtre, un concert ou une émission de télévision. Parler de l'importance de l'intention d'écriture et du public ciblé. Comme modèles, fournir des critiques aux élèves. Par exemple, *Des critiques élogieuses*, de Jill Eggleton, coll. Alizé, série Grand vent 3, Saint-Laurent, ERPI, 2006.

Inviter les élèves à s'exercer à lire leur critique avant de la présenter à la classe.

APRÈS

Présenter la critique

Demander aux élèves de présenter leur critique. Noter les observations sur la présentation et l'écoute des élèves dans la fiche d'évaluation **3 : À ton tour !** Inviter les élèves à déterminer trois critères susceptibles de servir à évaluer leur critique. Au cours d'entrevues individuelles, amener les élèves à déterminer leurs forces dans la création et la présentation de leur travail, ainsi que les points à améliorer.

RÉFLEXION

Demander aux élèves de réfléchir à leur présentation orale. Les inviter à utiliser la fiche d'activité modèle **25 : Réfléchis à ta présentation** (*voir* Guide d'enseignement de la littératie) pour déterminer les forces et les faiblesses de leur présentation, et découvrir la façon d'améliorer leurs aptitudes.

Réfléchir à sa présentation orale

ÉVALUATION AU SERVICE DE L'APPRENTISSAGE *(voir fiche d'évaluation 1 : Observations continues)*

Observations	Interventions pédagogiques
Noter si les élèves peuvent : • préparer et présenter une critique ;	Mettre à la disposition des élèves des critiques comme modèles. Modéliser la manière d'écrire une critique. Dresser une liste de mots et d'expressions utiles pour rédiger une critique.
• réfléchir sur leurs apprentissages et se fixer des objectifs.	Aider les élèves à choisir un exemple de travail correspondant aux objectifs.

15 **Ton portfolio :
Gros plan sur tes
apprentissages**

(manuel, page 183)

Apprentissages ciblés
- Sélectionner les éléments destinés
  au portfolio.
- Réfléchir à ses apprentissages
  et en discuter.

AVANT

**Revoir les
apprentissages**

Former de petits groupes et demander à chacun de dresser la liste des apprentissages importants réalisés dans ce module, par exemple dans un tableau, une liste, un diagramme en toile d'araignée, etc. Suggérer de regrouper les éléments en différentes catégories : des moyens d'expression (communication orale, lecture, écriture, document médiatique) ; de l'information ; des habiletés et des stratégies ; des productions.

Une fois le travail terminé, demander à chaque groupe de déterminer les deux ou trois apprentissages les plus importants parmi ceux qu'il a notés. Au cours d'une mise en commun, discuter de ces choix. Afficher les listes pour permettre aux élèves de les consulter pendant qu'ils feront le retour sur leur travail de ce module.

**Rassembler
les travaux**

Demander aux élèves de rassembler tous les travaux qu'ils ont réalisés au cours du module.

PENDANT

**Revoir les
objectifs
d'apprentissage**

Lire les consignes de la page 183 avec les élèves, puis les inviter à noter leurs observations dans leur journal de bord ou sur la fiche d'évaluation **4 : Gros plan sur tes apprentissages**.

Revoir avec les élèves les objectifs d'apprentissage présentés au début du module, à la page 140 du manuel, et ceux qu'ils ont écrits avec leurs mots, en les mettant en parallèle avec les listes réalisées au début de cette leçon. Réunir ensuite les élèves en dyades afin de les laisser choisir parmi les travaux qu'ils ont rassemblés.

**Choisir les
travaux et parler
de ses choix**

Aider les élèves à faire leurs choix, à en discuter et à écrire leurs réflexions. Leur rappeler de faire ces choix de manière réfléchie et de donner des exemples précis lorsqu'ils les justifient.

APRÈS

Former des groupes de quatre en réunissant deux dyades. À tour de rôle, chaque élève présente ses choix et les justifie. Pendant ce temps, observer un ou deux groupes plus attentivement ou mener des entrevues individuelles avec quelques élèves.

RÉFLEXION

**Répondre
individuellement**

Lorsque les élèves ont terminé la présentation de leurs choix à leur équipe, leur demander de répondre individuellement aux trois questions de la rubrique **Réfléchis** (*voir page 183 du manuel*), soit dans le cadre d'une entrevue individuelle, soit en remettant à l'enseignant ou l'enseignante la fiche d'évaluation **4 : Gros plan sur tes apprentissages**, soit dans le journal de bord dans lequel ils auront noté leurs choix de travaux et justifications.

TÂCHE D'ÉVALUATION DE LA COMPRÉHENSION EN LECTURE

Une tâche d'évaluation de la compréhension en lecture est proposée pour clore ce module (*voir fascicule* Évaluation de la compréhension en lecture). Elle est constituée d'un texte et d'un questionnaire qui visent à vérifier le niveau de compréhension des élèves et à évaluer leurs progrès en lecture. Le texte est offert en deux niveaux de difficulté. Cette tâche d'évaluation peut être donnée à n'importe quel moment après l'exploitation des textes de lecture guidée.

BILAN DES APPRENTISSAGES

Revoir la page V du présent document pour faire le point sur les apprentissages des élèves. Recueillir des données reliées à la communication orale, à la lecture, à l'écriture et à la littératie médiatique.

Prendre en considération les différents domaines de la littératie

    Les données pour l'évaluation peuvent être recueillies parmi les éléments suivants :

- le journal de bord des élèves et les autres traces de leurs réflexions ;
- les réponses aux questions des rubriques du manuel (p. ex. : **Va plus loin**) ;
- les productions écrites ;
- les productions médiatiques ou technologiques ;
- les observations notées en cours d'apprentissage (p. ex. : avec la fiche d'évaluation **1 : Observations continues**) ;
- les tâches des différentes sections du manuel (p. ex. : **À l'œuvre !**) ;
- la tâche d'évaluation de la compréhension en lecture en fin de module.

Les outils d'évaluation tels que la fiche d'évaluation **1 : Observations continues** et la fiche d'évaluation **5 : Grille d'évaluation du module** garantissent une évaluation qui repose sur des observations en lien direct avec les objectifs d'apprentissage du module. Joindre aux dossiers des élèves divers éléments probants, ainsi que des notes anecdotiques afin de mieux planifier les entrevues avec eux, individuellement ou en groupes. S'assurer que tous les travaux portent la date de réalisation.

Faire le bilan des apprentissages

    Utiliser la fiche d'évaluation **6 : Bilan des apprentissages** pour préparer les communications aux parents ou aux tuteurs, et fournir des rétroactions précises et utiles aux élèves.

FICHE D'ACTIVITÉ

1

MODULE 4

Lettre à l'intention des parents

Chers parents,
Cher tuteur, chère tutrice,

Dans le présent module, intitulé Des divertissements sur mesure, *les élèves écouteront, liront et écriront des textes d'opinion sur les divertissements.*

Vous êtes invités à accompagner votre enfant dans son apprentissage de différentes manières. Par exemple, vous pouvez :

- *lui demander de parler des textes lus en classe ;*

- *discuter de vos connaissances et expériences liées à divers loisirs et divertissements ;*

- *chercher, en sa compagnie, dans Internet, dans des journaux ou des magazines, des exemples de textes d'opinion (critique, éditorial, chronique journalistique) ;*

- *discuter de l'importance de connaître l'opinion des autres, mais aussi de reconnaître une opinion crédible ;*

- *démontrer un intérêt pour le sujet en l'encourageant à réaliser les activités.*

À la fin du module, les élèves montreront ce qu'ils ont appris en présentant la critique d'un film, d'un livre, d'une pièce de théâtre, d'un concert ou d'une émission de télévision. Ils appliqueront ainsi les stratégies apprises en lecture, en écriture, en communication orale et en littératie médiatique.

Vous pouvez soutenir votre enfant dans son apprentissage en discutant du sujet du module ou en l'amenant à vous parler des habiletés et des stratégies mises en application en classe.

C'est avec plaisir que nous entreprenons ce module.

L'enseignant ou l'enseignante

Home Connection Letter

Dear Parents and Caregivers:

We are starting a new unit called Des divertissements sur mesure. *In this unit, students will listen, read and write opinion texts related to the arts and entertainment.*

You are invited to be part of our unit in a variety of ways. For example:

- *Invite your child to talk about the texts we read at school.*

- *Share your experience and talk about what you know about the arts and entertainment.*

- *Search on Internet and look through newspapers and magazines to find examples of opinion articles, columns or reviews.*

- *Discuss the importance of listening to others opinions but also how to identify opinion that are credible.*

- *Show an interest in encouraging your child to complete all activities assigned.*

At the end of the unit, students will show what they have learned by writing a review of a film, a book, a play, a concert or a television show. They will use reading, writing, oral, and media skills and strategies to complete the task.

You can support the learning goals for this unit at home by discussing the unit topic, as well as the unit skills and strategies presented in this unit.

We're looking forward to an exciting unit!

Sincerely,

Teacher

Un survol du module

1. Survole le module *Des divertissements sur mesure* et note les pages de ton manuel où tu auras à faire les activités suivantes.

_____ : Lire un texte d'opinion sur la musique.

_____ : Rédiger une lettre d'opinion.

_____ : Effectuer un sondage auprès des élèves de ton école pour déterminer l'émission de téléréalité la plus populaire.

_____ : Lire un texte d'opinion sur la télévision.

_____ : Apprendre un pas de danse.

_____ : Dégager la structure d'un texte d'opinion.

_____ : Lire un texte sur la téléréalité.

_____ : Répondre à un sondage.

_____ : Préparer et publier un journal scolaire.

_____ : Lire un texte sur un artiste d'origami.

_____ : Écrire une critique.

_____ : Lire des haïkus.

_____ : Écrire un haïku.

_____ : Lire une bande dessinée.

_____ : Lire un texte d'opinion sur la pratique d'un sport.

_____ : Effectuer une recherche sur un artiste franco-canadien ou une artiste franco-canadienne.

_____ : Présenter un jeu de rôle.

2. Laquelle de ces activités te semble la plus intéressante ? Pourquoi ? Explique ton choix à un ou une camarade.

_____

_____

_____

_____

_____

Littératie en action 6 / Guide
11056
Cette fiche accompagne la leçon 1 du guide d'enseignement.
47

Utilise tes connaissances et visualise

Utilise tes connaissances

Lis le titre du texte et observe les images pour te faire une idée du sujet.

a) Que sais-tu déjà sur ce sujet ? Remplis la colonne **S**.

b) Que veux-tu savoir sur ce sujet ? Remplis la colonne **V**.

c) Lis le texte et note ce que tu as appris dans la colonne **A**.

S	V	A
Ce que tu sais :	Ce que tu veux savoir :	Ce que tu as appris :

Visualise

Dessine les images qui te viennent en tête en lisant le texte.

48

Cette fiche accompagne les leçons 3 et 4 du guide d'enseignement.

Littératie en action 6 / Guide
11056

Fais une synthèse

À l'aide de l'organisateur graphique suivant, compare ton opinion avec celle exprimée dans le texte. En quoi sont-elles semblables ? En quoi sont-elles différentes ?

Je compare

	et	
_____		_____

Ce qui est semblable

_____

_____

_____

_____

_____

_____

Ce qui est différent

_____	_____
_____	_____
_____	_____
_____	_____
_____	_____

Littératie en action 6 / Guide
11056
Cette fiche accompagne les leçons 3 et 4 du guide d'enseignement.

49

Nom : _____   Date : _____

Compare des textes d'opinion

1. Lis un texte d'opinion et réponds aux questions indiquées dans le tableau ci-dessous.
Note tes réponses dans la première colonne.

2. Fais part de ton travail à un ou une camarade qui a lu un autre texte d'opinion.
Note ses renseignements dans la deuxième colonne du tableau.

	Texte que tu as lu	**Texte lu par ton ou ta camarade**
Titre		
Quelle est l'opinion de l'auteur ou l'auteure ?		
Quels sont les faits présentés ? Note un ou deux arguments donnés par l'auteur ou l'auteure.		
Les arguments présentés influencent-ils ton opinion ? Comment ?		

3. Comparez vos résultats. Qu'est-ce qui est semblable dans les deux textes ?
Qu'est-ce qui est différent ?

_____

_____

_____

50
Cette fiche accompagne la leçon 4 du guide d'enseignement.
Littératie en action 6 | Guide
11056

Nom : _____   Date : _____

FICHE D'ACTIVITÉ

6

MODULE 4

Planifie ton texte d'opinion

Planifie ta chronique journalistique en répondant aux questions suivantes.

Le sujet Quel sujet as-tu choisi?	
Les destinataires À qui s'adresse ton texte?	
L'intention Quel est ton point de vue sur le sujet? Que veux-tu que les destinataires retiennent de ton texte?	

	Idée 1	Idée 2
Les idées principales Quelles idées principales présenteras-tu pour appuyer ton opinion? Notes-en deux.		
Les renseignements Quels exemples donneras-tu? Pense aux mots que tu utiliseras (ex.: *selon moi, à mon avis, je crois que*, etc.).		

La conclusion Quelle est ton opinion sur le sujet?	

FICHE D'ACTIVITÉ
7
MODULE 4

Des mots de la même famille

Choisis cinq à dix mots dans le texte « La classe de neige », aux pages 176 à 181 de ton manuel, et note-les dans la première colonne du tableau suivant.

Dans la deuxième colonne, écris des mots de la même famille. Pour t'aider, sers-toi d'un dictionnaire.

Mot	Mots de la même famille
Exemple : la nouvelle	*nouveau, nouvel* ou *nouvelle, nouveauté, nouvellement, renouveler*
_____	_____
_____	_____
_____	_____
_____	_____
_____	_____
_____	_____
_____	_____
_____	_____

Nom : _____   Date : _____

Réfléchis

- Quels types de phrases connais-tu ?

- À quoi reconnais-tu une phrase interrogative ? une phrase exclamative ?

- Quels mots utilises-tu pour former une phrase négative ?

Observe

- *Tu écoutes de la musique.*   →   *Est-ce que tu écoutes de la musique ?*
- *Tu éteins la télévision.*   →   *Éteins la télévision.*
- *Ce sport est dangereux.*   →   *Comme ce sport est dangereux !*

a) Lorsque tu compares ci-dessus les phrases de gauche avec celles de droite, quels signes de ponctuation sont différents ? Quels mots sont différents ?

b) Les trois phrases de gauche sont du même type. Sont-elles de type déclaratif, interrogatif, exclamatif ou impératif ?

c) Quel est le type de phrase de chacune des phrases de droite ?

d) Dans tes mots, explique comment tu reconnais chaque type de phrase.

- *Elle aime s'entraîner le matin.*   →   *Elle n'aime pas s'entraîner le matin.*
- *Toute la classe a vu ce documentaire.*   →   *Ce documentaire a été vu par toute la classe.*
- *Un accident de bicyclette est arrivé.*   →   *Il est arrivé un accident de bicyclette.*

e) Lorsque tu compares ci-dessus les phrases de gauche avec celles de droite, quels mots sont différents ?

f) Qui fait l'action dans chacune de ces phrases ?

g) Quelle phrase a un sujet qui ne représente ni une personne, ni une chose, ni une idée ?

Littératie en action 6 | Guide
11056

Cette fiche accompagne les activités langagières du guide d'enseignement.

53

Les types et les formes de phrases (suite)

Consulte la règle

LES TYPES DE PHRASES

Type de phrase	Caractéristiques	Exemples
La **phrase déclarative** sert à affirmer quelque chose.	• Elle correspond au **modèle de la phrase de base**. • Elle se termine par un **point** (.).	*Les jeunes écoutent beaucoup de musique.*
La **phrase exclamative** sert à exprimer une émotion ou un jugement.	• Elle commence par un mot exclamatif (**Que**, **Comme**, etc.). • Elle se termine par un **point d'exclamation** (!).	**Comme** *cette chanson est belle* **!**
La **phrase impérative** sert à donner un conseil, un ordre ou une consigne.	• Elle utilise un **verbe à l'impératif** et n'a pas de sujet. • Elle se termine par un **point** (.) ou par un **point d'exclamation** (!).	**Soyez** *prudents.* **Assoyez**-*vous* **!**
La **phrase interrogative** sert à poser une question.	• Elle peut commencer par un mot interrogatif (**Qui**, **Pourquoi**, etc.). • Elle se termine par un **point d'interrogation** (?).	**Pourquoi** *ce sport est-il dangereux pour les jeunes* **?** *Est-ce que ce sport est dangereux pour les jeunes* **?**

LES FORMES DE PHRASES

Forme de phrase	Caractéristiques	Exemples
La forme **positive** ou **négative**	• La phrase positive n'a pas de marque de négation.	*La télévision influence la vie familiale.*
	• La phrase négative contient des **mots de négation** (*ne… pas, ne… plus, ne… jamais, ni,* etc.).	*La télévision* **n'**influence **pas** *la vie familiale.*
La forme **active** ou **passive**	• Le sujet de la phrase active **fait l'action** du verbe.	*Tiara chante une chanson.*
	• Le sujet de la phrase passive **subit l'action** du verbe. C'est le complément qui fait l'action.	*Une chanson est chantée par Tiara.*
La forme **personnelle** ou **impersonnelle**	• Le sujet de la phrase personnelle représente une personne, une chose ou une idée.	**Olivier** *donne de bons conseils.* **Il** *a souvent raison.*
	• Le sujet de la phrase impersonnelle est le pronom *il*, qui ne représente ni une personne, ni une chose, ni une idée.	**Il** *arrive qu'Olivier donne de bons conseils.*

Les types et les formes de phrases (suite)

Exerce-toi

1. Indique le type de phrase (phrase déclarative, exclamative, impérative ou interrogative) des phrases suivantes. Encercle les indices qui t'ont permis de trouver tes réponses.

Type de phrase

a) Quel genre de musique aimes-tu ? _____

b) Baisse le son du téléviseur ! _____

c) Mon amie ne regarde jamais la télévision. _____

d) Que ce vidéoclip est bon ! _____

e) Cette chanson est très populaire. _____

f) Pourquoi le soccer est-il ton sport préféré ? _____

g) Explique-moi ce qui te plaît dans cette chanson. _____

h) Comme j'ai hâte de voir cette émission ! _____

2. Indique si les phrases suivantes sont de forme positive ou négative.

Positive ou négative

a) Ne touche pas à la télécommande. _____

b) Elle pense que ce sport est dangereux. _____

c) Mon amie a fait une chute à vélo. _____

d) Elle ne portait pas son casque protecteur. _____

3. Indique si chacune des phrases suivantes est de forme active ou passive.

Active ou passive

a) Tu exprimes souvent tes opinions. _____

b) Cet article a été écrit par Anjij. _____

c) Vincent a été averti par l'enseignante. _____

d) Wilfred n'aime pas le cours de natation. _____

FICHE D'ACTIVITÉ
8
MODULE 4

Les types et les formes de phrases (suite)

Exerce-toi (suite)

4. Indique si les phrases suivantes sont de forme personnelle ou impersonnelle.

	Personnelle ou impersonnelle

a) Jasmine est très bonne au basketball. _____

b) Il arrive parfois que les sportifs se blessent. _____

c) Il parle de son projet à son enseignant. _____

d) Il est important d'être prudent dans certains sports. _____

5. Indique le type (déclaratif, exclamatif, impératif ou interrogatif) et les trois formes (active ou passive, positive ou négative, personnelle ou impersonnelle) des phrases suivantes.

a) N'oublie pas de regarder des deux côtés de la rue.

Type : _____ Formes : _____

b) Comment as-tu brisé ton vélo ?

Type : _____ Formes : _____

c) Mon vélo a été réparé par mon père.

Type : _____ Formes : _____

d) Il ne faut pas oublier de mettre son casque.

Type : _____ Formes : _____

6. Récris les phrases suivantes selon le type et les formes indiqués entre parenthèses.

a) Mon ami regarde cette émission de télévision. (Déclarative ; active, négative, personnelle)

_____

b) Tu joues au badminton. (Interrogative ; active, positive, personnelle)

_____

c) Ce lancer était rapide. (Exclamative ; active, positive, personnelle)

_____

Nom : _____ Date : _____

L'emploi des guillemets et du tiret

Réfléchis

- Quels signes de ponctuation connais-tu?

- Quels signes de ponctuation utilises-tu lorsque tu dois rapporter les paroles
  d'une personne dans un texte?

Observe

- *Je me suis assis à la table pour manger. Ma fausse mère m'a servi une assiette encore
  fumante et m'a dit: «J'espère que tu aimeras mon ragoût de vers et d'asticots.»
  En soulevant ma fourchette, je lui ai répondu que son ragoût avait l'air délicieux! J'ai alors
  regardé droit dans la lentille de la caméra et j'ai pris une bouchée.*

- *Je me suis assis à la table pour manger.*
  *– J'espère que tu aimeras mon ragoût de vers et d'asticots, m'a dit ma fausse mère
  en me servant une assiette encore fumante.*
  – Ton ragoût a l'air délicieux!, lui ai-je répondu en soulevant ma fourchette.
  J'ai alors regardé droit dans la lentille de la caméra et j'ai pris une bouchée.

a) Lequel des deux textes rapporte les paroles d'une seule personne? Quels signes de
ponctuation t'ont permis de trouver la réponse? Comment ces signes s'appellent-ils?

b) Lequel des deux textes rapporte un dialogue entre deux personnes? Quel signe de
ponctuation t'a permis de trouver la réponse? Comment ce signe s'appelle-t-il?

c) Dans tes mots, explique la façon d'utiliser les signes de ponctuation pour rapporter
les paroles d'une personne ou celles d'un dialogue.

Littératie en action 6 / Guide
11056
Cette fiche accompagne les activités langagières du guide d'enseignement.
57

L'emploi des guillemets et du tiret (suite)

Consulte la règle

1. Pour rapporter les **paroles d'une seule personne** :

   - On utilise un verbe de parole comme *dire, demander, répondre, répliquer, murmurer,* etc. ;

   Exemple :   Ma fausse mère m'**a dit**

   - On place le deux-points $\boxed{:}$ qui annonce les paroles de la personne ;

   Exemple :   Ma fausse mère m'a dit **:**

   - On écrit les paroles de la personne entre guillemets $\boxed{\text{« »}}$.

   Exemple :   Ma fausse mère m'a dit : **«** J'espère que tu aimeras mon ragoût de vers et d'asticots. **»**

2. Pour rapporter les paroles d'un **dialogue entre deux ou plusieurs personnes** :

   - On met un tiret $\boxed{-}$ devant les répliques de chaque personne ;

   Exemple :   – J'espère que tu aimeras mon ragoût de vers et d'asticots.

                         – Ton ragoût a l'air délicieux !

   - Si on veut préciser à qui appartiennent les paroles d'un dialogue, on peut placer un verbe de parole à la fin de certaines répliques.

   Exemple :   – J'espère que tu aimeras mon ragoût de vers et d'asticots, **m'a dit ma fausse mère.**

                         – Ton ragoût a l'air délicieux ! **lui ai-je répondu.**

   - On peut aussi insérer ce verbe de parole au milieu de la réplique, entre deux virgules $\boxed{,}$.

   Exemple :   – Ton ragoût**, lui ai-je répondu,** a l'air délicieux !

FICHE D'ACTIVITÉ
9
MODULE 4

L'emploi des guillemets et du tiret *(suite)*

Exerce-toi

1. **a)** Dans la phrase suivante, encercle le verbe de parole et les signes de ponctuation qui permettent de rapporter des paroles.

Lorsque je suis arrivée à la maison, ma petite sœur m'a dit : « Salut, Julia ! Aimerais-tu

regarder une émission avec moi ? »

b) Cette phrase rapporte-t-elle les paroles d'une seule personne ou de deux personnes ?

_____

c) Qui prononce la phrase entre guillemets ?

_____

2. Imagine la suite de la conversation entre Julia et sa petite sœur en poursuivant leur dialogue. N'oublie pas de respecter les règles de ponctuation du dialogue.

Lorsque je suis arrivée à la maison, ma petite sœur m'a dit :

– Salut, Julia ! Aimerais-tu regarder une émission avec moi ?

– Bonjour, Émilie ! Oui, je veux bien. Mais avant, je dois faire mes devoirs.

– _____

_____

– _____

_____

– _____

_____

– _____

_____

Réfléchis

- Quels temps de conjugaison connais-tu ?

- Lesquels de ces temps de conjugaison expriment une action qui se déroule dans le présent ? dans le passé ? dans le futur ?

- Comment se nomme le groupe de lettres qui varie à la fin d'un verbe conjugué ? Pourquoi ces lettres varient-elles ?

Observe

- *Les participants de cette émission ont mangé un ragoût étrange.*
- *Certaines émissions de téléréalité seraient d'un goût douteux.*
- *Beaucoup de jeunes téléspectatrices aimaient cette émission.*
- *L'un des participants quittera le jeu avant la fin de l'épreuve.*
- *La moitié des téléspectateurs auront changé de chaîne pendant la pause publicitaire.*

a) Dans les phrases ci-dessus, quels sont les verbes conjugués ? Sont-ils formés à l'aide d'un auxiliaire (*avoir* ou *être*) ?

b) À quel temps chaque verbe est-il conjugué ?

c) Dans ces phrases, quel est le sujet de chaque verbe ? S'agit-il d'un pronom ou d'un groupe nominal ?

d) Dans tes mots et à l'aide d'un exemple, explique comment la dernière partie d'un verbe conjugué change selon la personne, le nombre et le temps de conjugaison.

FICHE D'ACTIVITÉ
10
MODULE 4

L'accord du verbe et la conjugaison (suite)

Consulte la règle

On accorde le **verbe** avec le sujet. La **terminaison du verbe** varie selon **la personne** (1re, 2e ou 3e pers.) et **le nombre** (singulier ou pluriel) du sujet.

- Si le sujet est un **pronom**, le verbe reçoit la personne et le nombre de ce pronom.

  Pronom sujet (2e pers. plur.)

  Exemple : **Vous** avez *regardé une émission de téléréalité.*

- Si le sujet est un **groupe nominal**, le verbe reçoit la 3e personne et le nombre du **nom noyau** du groupe nominal.

  Groupe nominal (3e pers. plur.)

  Exemple : *Mes* **camarades** *de classe regard**ent** parfois des émissions de téléréalité.*

  camarades est le noyau du groupe nominal

Voici comment accorder le verbe dans les cas particuliers suivants.

- Si le sujet est formé de **plusieurs groupes nominaux**, le verbe reçoit la 3e personne du pluriel.

  Groupes nominaux (3e pers. plur.)

  Exemple : *Une* **mère** *et sa* **fille** *regard**ent** une émission de téléréalité.*

- Si le sujet est un **groupe verbal infinitif**, le verbe reçoit la 3e personne du singulier.

  Groupe verbal infinitif (3e pers. sing.)

  Exemple : **Regarder** *des émissions de téléréalité peu**t** être amusant.*

- Si le sujet est *chacun / chacune*, *aucun / aucune*, *personne*, *rien*, *tout* ou *tout le monde*, le verbe reçoit la 3e personne du singulier.

  3e pers. sing.

  Exemple : **Tout le monde** *regard**e** les émissions de téléréalité.*

L'accord du verbe et la conjugaison (*suite*)

Consulte la règle (*suite*)

- Si le sujet est *plusieurs*, *la plupart*, *beaucoup*, *certains* ou *quelques-uns*, le verbe reçoit la 3e personne du pluriel.

3e pers. plur.

Exemples : La plupart des **gens** **ont** *regardé une émission de téléréalité.*

3e pers. plur.

La plupart **ont** *vu au moins une émission de téléréalité.*

- Si le sujet est *peu de*, *beaucoup de*, *la moitié de* + *un nom*, le verbe reçoit la 3e personne du singulier ou du pluriel. Pour faire l'accord au singulier ou au pluriel, il faut vérifier si le nom est dénombrable (comptable) ou non.

3e pers. sing.

Exemples : Peu de temps *s'est écoulé entre les deux épisodes de cette émission de téléréalité.*

3e pers. plur.

Beaucoup de **personnes** *regarder***ont** *cette émission de téléréalité.*

- Si le sujet est formé de **plusieurs pronoms sujets** ou encore d'un **groupe nominal** et d'un **pronom sujet**, on doit trouver le pronom qui convient pour désigner l'ensemble de ces personnes. On accorde le verbe avec ce pronom.

Nous

Exemples : Avant, **vous** et **moi** *regardi***ons** *des émissions de téléréalité.*

Vous

Ta grande **sœur** *et* **toi** *regarder***ez** *une émission de téléréalité.*

62
Cette fiche accompagne les activités langagières du guide d'enseignement.
Littératie en action 6 | Guide
11056

Nom : _____   Date : _____

Consulte la règle (suite)

LES TEMPS ET LES TERMINAISONS DES VERBES

Temps des verbes	Exemples	Terminaisons
INFINITIF		
Les verbes à l'infinitif ne sont pas conjugués. On trouve des verbes à l'infinitif dans de nombreuses phrases.	*Nous aimons regard**er** cette émission.* *Regard**er** cette émission est amusant.*	**-er** (ex. : *aim**er***) **-ir** (ex. : *fin**ir***) **-oir** (ex. : *pouv**oir***) **-re** (ex. : *pren**dre**, écri**re***)
PRÉSENT DE L'INDICATIF		
Le présent de l'indicatif (ou *présent*) sert à exprimer une action qui se déroule dans le présent.	*Nous aim**ons** cette émission.* *Ils regard**ent** cette émission.*	Sing. Plur. 1re pers. **-e, -is, -s, -x** **-ons** 2e pers. **-es, -is, -s, -x** **-ez** 3e pers. **-e, -it, -t, -d** **-ent**
PASSÉ COMPOSÉ		
Le passé composé sert à exprimer une action qui se déroule dans le passé. On le forme avec l'auxiliaire *avoir* ou *être* (au présent de l'indicatif) et le participe passé du verbe.	*Hier, j'**ai** regard**é** mon émission préférée.* *Ce matin, elle **est** arriv**ée** tôt à l'école.*	**-é, -ée, -és, -ées** (ex. : *aim**ée**)* **-i, -ie, -is, -ies** (ex. : *fin**ies***) **-s, -e, -s, -es** (ex. : *pri**se***) **-u, -ue, -us, -ues** (ex. : *rel**us***) **-t, -te, -ts, -tes** (ex. : *écri**tes***)
IMPARFAIT		
L'imparfait sert à exprimer une action qui se déroule dans le passé. Il sert aussi à exprimer une supposition après un *si*.	*Avant, elle aim**ait** bien cette émission.* *Si tu le voul**ais** vraiment, tu pourrais le faire.* *Ce matin, je finiss**ais** mon projet.*	Sing. Plur. 1re pers. **-ais** **-ions** 2e pers. **-ais** **-iez** 3e pers. **-ait** **-aient**
FUTUR SIMPLE		
Le futur simple sert à exprimer une action qui se déroule dans le futur.	*Demain, nous regard**erons** notre émission préférée.* *Nous fin**irons** nos devoirs après.*	Sing. Plur. 1re pers. **-(e)rai** **-(e)rons** 2e pers. **-(e)ras** **-(e)rez** 3e pers. **-(e)ra** **-(e)ront**
FUTUR ANTÉRIEUR		
Le futur antérieur sert à exprimer une première action qui se déroule avant une deuxième action, dans le futur. On le forme avec l'auxiliaire *avoir* ou *être* (au futur simple) et le participe passé du verbe.	*Lorsque vous aur**ez** termin**é** vos devoirs, vous pourrez regarder la télévision.* *Tu regarderas la télévision lorsque tu aur**as** termin**é** tes devoirs.*	**-é, -ée, -és, -ées** (ex. : *aim**ée***) **-i, -ie, -is, -ies** (ex. : *fin**ies***) **-s, -e, -s, -es** (ex. : *pri**se***) **-u, -ue, -us, -ues** (ex. : *rel**us***) **-t, -te, -ts, -tes** (ex. : *écri**tes***)

Littératie en action 6 / Guide
11056
Cette fiche accompagne les activités langagières du guide d'enseignement.
63

Nom : _____   Date : _____

FICHE D'ACTIVITÉ
10
MODULE 4

L'accord du verbe et la conjugaison *(suite)*

Consulte la règle *(suite)*

Temps des verbes	Exemples	Terminaisons		
PRÉSENT DE L'IMPÉRATIF				
Le présent de l'impératif sert à exprimer un ordre, un conseil ou un souhait. Il n'a pas de sujet. On conjugue l'impératif seulement à la 2ᵉ personne du singulier et aux 1ʳᵉ et 2ᵉ personnes du pluriel.	*Écoute-moi.* *Prends ton crayon.* *Allons-y ensemble.* *Rangez vos sacs.*		Sing.	Plur.
		1ʳᵉ pers.		*-ons*
		2ᵉ pers.	*-e, -is, -s*	-ez
CONDITIONNEL PRÉSENT				
Le conditionnel présent sert à exprimer une action future qui est incertaine ou une action future qui dépend d'une condition.	*Plus tard, j'aimerais faire le tour du monde.* *Si tu le voulais vraiment, tu pourrais le faire.*		Sing.	Plur.
		1ʳᵉ pers.	*-(e)rais*	*-(e)rions*
		2ᵉ pers.	*-(e)rais*	*-(e)riez*
		3ᵉ pers.	*-(e)rait*	*-(e)raient*

Exerce-toi

1. Conjugue les verbes ci-dessous au temps indiqué entre parenthèses. Pour t'aider, consulte des tableaux de conjugaison.

a) Je _____ la télévision.
regarder (futur simple)

b) Tu _____ quand j'arriverai.
partir (futur antérieur)

c) Elle _____ participer à l'émission.
vouloir (conditionnel présent)

d) Nous _____ dans la salle à manger.
aller (présent de l'indicatif)

e) Vous _____ votre repas quand l'émission a commencé.
finir (imparfait)

f) Ils _____ toutes les émissions.
voir (passé composé)

64   Cette fiche accompagne les activités langagières du guide d'enseignement.   *Littératie en action 6 / Guide* 11056

FICHE D'ACTIVITÉ
10
MODULE 4

L'accord du verbe et la conjugaison (*suite*)

Exerce-toi (*suite*)

2. Conjugue les verbes ci-dessous aux temps indiqués entre parenthèses. Pour t'aider, consulte des tableaux de conjugaison.

a) Nous _____ notre spectacle.
   réussir (imparfait)

b) Elle _____ les mêmes participants.
   garder (conditionnel présent)

c) _____ d'avoir peur !
   arrêter (présent de l'impératif, 1re pers. plur.)

d) Nous _____ notre ragoût quand elle arrivera.
   manger (futur antérieur)

e) Ils _____ leur groupe d'amis.
   attendre (présent de l'indicatif)

f) _____ au sondage avant lundi.
   répondre (présent de l'impératif, 2e pers. plur.)

g) Tu _____ toutes les émissions.
   voir (futur antérieur)

h) Vous _____ de faire l'enregistrement plus tôt.
   décider (passé composé)

i) Il _____ une belle expérience.
   vivre (futur simple)

j) Tu _____ tes plus beaux vêtements pour assister à l'émission.
   mettre (conditionnel présent)

3. Dans les phrases ci-dessous, souligne les sujets et encercle les noyaux qui permettent d'accorder le verbe. Accorde ensuite le verbe avec son sujet en le conjuguant au temps demandé. Laisse des traces de ton accord, comme dans l'exemple.

Exemple :

3e pers. plur.

La plupart des téléspectateurs *ne* _____voudraient_____ *pas participer à cette émission.*
   vouloir (conditionnel présent)

a) Tes amis et toi _____ beaucoup cette émission.
   aimer (imparfait)

Littératie en action 6 / Guide
11056
Cette fiche accompagne les activités langagières du guide d'enseignement.
65

L'accord du verbe et la conjugaison (suite)

Exerce-toi (suite)

b) Chaque participant _____ une deuxième chance.
   avoir (futur simple)

c) Le ragoût de vers et d'asticots _____ l'épreuve la plus difficile.
   être (futur antérieur)

d) Manger le ragoût _____ à cette participante de gagner.
   permettre (passé composé)

e) Mes camarades de classe et moi _____ faire un sondage.
   devoir (présent de l'indicatif)

f) Selon moi, plusieurs épreuves de l'émission _____ très dangereuses.
   être (imparfait)

g) Peu de gens _____ être à la place des participants.
   aimer (conditionnel présent)

h) Toi et moi _____ beaucoup de choses sur les émissions de téléréalité.
   connaître (imparfait)

i) Dans cette émission, tout le monde _____ des équipements de sécurité.
   utiliser (futur simple)

FICHE D'ACTIVITÉ

11

MODULE 4

L'ajout d'un groupe adjectival ou d'un groupe participial

Réfléchis

- Quel est le rôle de l'adjectif dans un groupe nominal ? dans un groupe verbal ?
- Avec quoi accordes-tu les adjectifs ?
- Que connais-tu à propos des participes présents ?

Observe

- *Gabrielle Roy est une auteure franco-manitobaine très célèbre.*
- *Swing est un groupe composé d'un duo de musiciens.*
- *La musique de ce groupe est vraiment irrésistible.*

a) Dans les phrases ci-dessus, où les adjectifs sont-ils situés ? Quels noms ces adjectifs accompagnent-ils ?

b) Quelles phrases contiennent des adverbes ? Comment peux-tu repérer un adverbe dans une phrase ?

c) Dans tes mots, explique ce qu'est un groupe adjectival.

- *Ces gravures représentant le Yukon sont très connues.*
- *Joseph crée des œuvres d'origami en utilisant très peu les ciseaux.*
- *Connaissant très bien les techniques traditionnelles, Todd les utilise sans y penser.*

d) Dans les phrases ci-dessus, où les participes présents sont-ils situés ? Quels noms ces participes présents accompagnent-ils ?

e) Quels types de compléments sont placés après ces participes présents ? des compléments du nom ou des compléments du verbe ?

f) Dans tes mots, explique ce qu'est un groupe participial.

L'ajout d'un groupe adjectival ou d'un groupe participial (*suite*)

Consulte la règle

LE GROUPE ADJECTIVAL

Le **groupe adjectival (GAdj)** est un groupe de mots dont le noyau est un **adjectif**. Le groupe adjectival permet d'enrichir ou de préciser le sens d'un nom. Le groupe adjectival est habituellement un complément du nom ou un attribut du sujet.

Exemples :

GAdj (attribut du sujet)

La <u>musique</u> de ce groupe est | *vraiment **irrésistible*** | .
Nom sujet

GAdj (compl. du nom *groupe*)

Swing est un <u>groupe</u> | ***composé** d'un duo de musiciens* | .
Nom

Le groupe adjectival peut être composé d'un adjectif ou encore d'un adjectif accompagné par un ou plusieurs autres mots, comme dans les exemples suivants.

Exemples :   **Adjectif seul**   *Vous aimez cette* | ***magnifique*** | *<u>peinture</u>.*

Adjectif + adverbe   *Vous aimez cette* | *très **belle*** | *<u>peinture</u>.*

Adjectif + groupe de mots   *Les <u>peintures</u>* | ***exposées** sur ce mur* | *sont les siennes.*

Attention !

1. La plupart des participes passés utilisés seuls sont considérés comme des adjectifs. Par exemple, dans l'expression « des peintures | **exposées** sur le mur | », le mot *exposées* est un participe passé employé comme adjectif.

2. L'adjectif s'accorde toujours en genre et en nombre avec le nom qu'il accompagne ou avec le sujet s'il est attribut.

LE GROUPE PARTICIPIAL

Le **groupe participial (GPart)** est un groupe de mots dont le noyau est un **participe présent**. Dans un groupe participial, le participe présent est habituellement suivi d'un complément.

Le groupe participial a souvent le même rôle (complément du nom) que le groupe adjectival, car il permet lui aussi d'enrichir ou de préciser le sens d'un nom. Cependant, on n'accorde jamais le participe présent avec le nom qu'il accompagne, car il est invariable.

GPart (compl. du nom *gravures*)

Exemple :   *Ces <u>gravures</u>* | ***représentant** le Yukon* | *sont très connues.*
Nom

FICHE D'ACTIVITÉ

11

MODULE 4

L'ajout d'un groupe adjectival ou d'un groupe participi

Consulte la règle *(suite)*

Le groupe participial peut aussi être précédé de la préposition *en*. Dans ce cas, il est plutôt un complément de phrase (Compl. de P).

GPart (Compl. de P)

Exemples: *Joseph crée des œuvres d'origami en* *utilisant très peu les ciseaux* .

GPart (Compl. de P)

En *peignant ce paysage* , *l'artiste a voulu montrer la beauté du Yukon.*

Le **participe présent** est un temps de conjugaison du verbe. On le forme à partir du radical du verbe à la 1re personne du pluriel, au présent de l'indicatif, auquel on ajoute la terminaison *-ant*.

*Exemples: finir, nous finiss**ons** → finiss**ant**; boire, nous buv**ons** → buv**ant**;*

         *prendre, nous pren**ons** → pren**ant**; découvrir, nous découvr**ons** → découvr**ant**; etc.*

Exerce-toi

1. Dans les phrases ci-dessous, souligne le ou les groupes adjectivaux (GAdj) et encercle chaque adjectif noyau. Indique ensuite si les GAdj sont des compléments du nom ou des attributs du sujet, comme dans l'exemple.

                 Compl. du nom *artiste*   Attribut

Exemple: *Cette artiste* exceptionnelle *est très* connue *dans le monde.*

a) Ces artistes très appréciés par les jeunes sont un groupe franco-ontarien.

b) Leurs chansons accrocheuses et rythmées sont vraiment irrésistibles.

c) Cette grenouille réalisée selon l'art du pliage est très jolie.

d) Gabrielle Roy est la première Canadienne considérée comme une auteure classique.

FICHE D'ACTIVITÉ

11

L'ajout d'un groupe adjectival ou d'un groupe participial *(suite)*

MODULE 4

Exerce-toi *(suite)*

2. Récris les phrases ci-dessous en ajoutant un groupe adjectival (GAdj). Souligne ensuite le GAdj que tu as ajouté et encercle l'adjectif noyau, comme dans l'exemple.

Exemple : *Cette artiste crée des sculptures.*

Cette artiste crée de <u>très</u> belles *sculptures.*

a) Todd utilise des techniques.

_____

b) Swing est un groupe de musique.

_____

c) Cette gravure de Joyce montre un paysage du Yukon.

_____

d) Todd a fabriqué plusieurs canots.

_____

3. Dans les phrases ci-dessous, souligne le groupe participial (GPart) et encercle le participe présent noyau. Indique ensuite si le GPart est complément du nom ou complément de phrase (Compl. de P), comme dans l'exemple.

Compl. du nom *musiciens*

Exemple : *Sur la photo, on voit les musiciens de Swing* jouant *de la guitare.*

a) L'artiste faisant de la poterie est Margo Lagassé.

b) Les personnes s'adonnant à la peinture et au dessin sont des artistes.

c) En construisant des canots, Todd transmet la culture de son peuple.

d) Joseph crée ses œuvres en pliant des feuilles de papier.

Nom : _____   Date : _____

Exerce-toi (*suite*)

4. Récris les phrases ci-dessous en remplaçant le groupe de mots soulignés par un groupe participial (GPart). Souligne ensuite le GPart que tu as écrit et encercle le participe présent noyau, comme dans l'exemple.

Exemple : La chanson <u>qui passe à la radio</u> est celle du groupe Swing.

La chanson ⟨passant⟩ <u>à la radio</u> est celle du groupe Swing.

a) Joyce a réalisé une gravure <u>qui représente des wapitis</u>.

_____

b) Swing est un groupe <u>qui mélange le folklore à une énergie moderne</u>.

_____

c) On appelle « artiste » toute personne <u>qui pratique un art</u>.

_____

d) La personne <u>qui regarde cette peinture</u> semble très impressionnée.

_____

Littératie en action 6 | Guide
11056
Cette fiche accompagne les activités langagières du guide d'enseignement.
71

La position des groupes de mots dans la phrase

Réfléchis

- À quoi sert la phrase de base?

- Quels groupes de mots dois-tu utiliser pour former une phrase déclarative?

- Pourquoi ne peux-tu pas placer les groupes de mots dans n'importe quel ordre dans une phrase?

- Quelles manipulations linguistiques sont utiles pour vérifier la position des mots et des groupes de mots dans une phrase?

Observe

- *Joseph donne des cours d'origami à ses amis en fin de semaine.*
- *Des cours d'origami Joseph donne à ses amis en fin de semaine.*
- *En fin de semaine, Joseph donne à ses amis des cours d'origami.*
- *En fin de semaine, à ses amis, Joseph donne des cours d'origami.*
- *Joseph, en fin de semaine, à ses amis, donne des cours d'origami.*

a) D'après toi, laquelle des cinq phrases ci-dessus est la plus facile à comprendre? Pourquoi?

b) Dans la phrase que tu as choisie:
- Quel mot ou quel groupe de mots est le sujet?
- Quels mots font partie du groupe verbal?
- Dans quel ordre sont placés les groupes de mots (sujet, verbe, compléments du verbe et complément de phrase)?

c) La phrase que tu as choisie est-elle construite sur le modèle de la phrase de base?

d) D'après toi, pourquoi les autres phrases sont-elles moins faciles à comprendre que la phrase choisie?

Nom : _____   Date : _____

Consulte la règle

La **phrase de base** est composée de trois groupes fonctionnels.

- Elle a deux groupes obligatoires : le **groupe nominal sujet** (GNs) et le **groupe verbal prédicat** (GVp).

- Elle peut aussi avoir un groupe facultatif et mobile : le **complément de phrase** (Compl. de P).

- Elle sert de modèle pour construire la **phrase déclarative**.

	Groupes obligatoires		Groupe facultatif et mobile
	Groupe nominal sujet (GNs)	Groupe verbal prédicat (GVp)	Complément de phrase (Compl. de P)
Exemple :	*Mon amie /*	*suit son cours de peinture /*	*le lundi matin.*

Lorsqu'on révise une phrase, il faut d'abord vérifier si sa construction est correcte.
Voici quelques constructions de phrases déclaratives souvent utilisées.

GNs   + GVp

Exemples :   *Mon amie / suit son cours de peinture.*

GNs   + GVp   + Compl. de P

Mon amie / suit son cours de peinture / le lundi matin.

Compl. de P   + GNs   + GVp

Le lundi matin, / mon amie / suit son cours de peinture.

Compl. de P   + GNs   + GVp   + Compl. de P

Le lundi matin, / mon amie / suit son cours de peinture / avec moi.

GNs   + GVp   + Compl. de P   + Compl. de P

Mon amie / suit son cours de peinture / le lundi matin / avec moi.

GNs   + GVp   + Compl. de P   + Compl. de P

Mon amie / suit son cours de peinture / avec moi / le lundi matin.

FICHE D'ACTIVITÉ
12
MODULE 4

La position des groupes de mots dans la phrase (suite)

Consulte la règle (suite)

Voici un résumé des **manipulations linguistiques** qu'on peut utiliser pour vérifier la position des groupes fonctionnels dans une phrase ou pour améliorer et enrichir une phrase.

1. **Pour vérifier la position du groupe nominal sujet (GNs)**

   - On encadre le GNs par l'expression *C'est… qui* ou *Ce sont… qui.*

   Exemple :   <u>Gabrielle</u> *donne des cours de poésie aux élèves le vendredi.*

   → **C'est** <u>Gabrielle</u> **qui** *donne des cours de poésie aux élèves le vendredi.*

   - On remplace le GNs par les pronoms sujets *il, elle, ils, elles* ou *cela.*

   Exemple :   <u>Gabrielle</u> *donne des cours de poésie aux élèves le vendredi.*

   → **Elle** *donne des cours de poésie aux élèves le vendredi.*

2. **Pour vérifier la position du groupe verbal prédicat (GVp)**

   - On encadre le verbe du GVp par l'expression *ne / n'… pas.*

   Exemple :   *Gabrielle* <u>donne</u> *des cours de poésie aux élèves le vendredi.*

   → *Gabrielle* **ne** <u>donne</u> **pas** *des cours de poésie aux élèves le vendredi.*

   - On remplace le verbe du GVp par un autre verbe.

   Exemple :   *Gabrielle* <u>donne</u> *des cours de poésie aux élèves le vendredi.*

   → *Gabrielle* **offre** *des cours de poésie aux élèves le vendredi.*

   - On remplace le complément direct (CD) par les pronoms *le, la, les, cela* ou *en* et on déplace le pronom devant le verbe.

   Exemple :   *Gabrielle donne* <u>des cours de poésie</u> *aux élèves le vendredi.*

   → *Gabrielle* **les** *donne aux élèves le vendredi.*

   - On remplace le complément indirect (CI) par les pronoms *lui, leur, en* ou *y* et on déplace le pronom devant le verbe.

   Exemple :   *Gabrielle donne des cours de poésie* <u>aux élèves</u> *le vendredi.*

   → *Gabrielle* **leur** *donne des cours de poésie le vendredi.*

Nom : _____   Date : _____

Consulte la règle (*suite*)

3. **Pour vérifier la position du ou des compléments de phrase (Compl. de P)**

   - On efface ou on déplace le Compl. de P.

   Exemples :   Gabrielle donne des cours de poésie aux élèves <u>le vendredi</u>.

   → Gabrielle donne des cours de poésie aux élèves ~~le vendredi~~.

   → **Le vendredi**, Gabrielle donne des cours de poésie aux élèves.

4. **Pour améliorer et enrichir la phrase**

   - On ajoute un adjectif ou un complément du nom dans un GN.

   Exemple :   <u>Gabrielle</u> donne <u>des cours</u> aux élèves.

   → <u>La **jeune** Gabrielle</u> donne <u>des cours **de poésie**</u> aux élèves.

   - On remplace un mot ou un groupe de mots pour éviter les répétitions.

   Exemple :   Elle donne un cours de poésie <u>aux élèves</u> et donne des conseils <u>aux élèves</u>.

   → Elle donne un cours de poésie <u>aux élèves</u> et **leur** donne des conseils.

   - On remplace un mot ou un groupe de mots par un autre plus précis ou évocateur.

   Exemple :   Gabrielle <u>donne des cours</u> aux élèves.

   → Gabrielle **enseigne** aux élèves.

   - On ajoute un complément de phrase.

   Exemple :   Gabrielle donne des cours de poésie aux élèves.

   → Gabrielle donne des cours de poésie aux élèves **le vendredi**.

Littératie en action 6 / Guide
11056
Cette fiche accompagne les activités langagières du guide d'enseignement.
75

FICHE D'ACTIVITÉ

12

MODULE 4

La position des groupes de mots dans la phrase (suite)

Exerce-toi

1. Écris le nom de la manipulation linguistique (addition, effacement, encadrement, déplacement ou remplacement) effectuée dans les phrases suivantes.

Manipulation

a) En 2005, Margo a reçu un prix.

→ En 2005, Margo a reçu une récompense.

_____

b) Elle est reconnue partout dans le monde pour ses poteries.

→ Elle est reconnue partout dans le monde.

_____

c) La musique de Swing plaît à la foule.

→ C'est la musique de Swing qui plaît à la foule.

_____

d) Dès son premier roman, Gabrielle Roy est devenue très célèbre.

→ Gabrielle Roy est devenue très célèbre dès son premier roman.

_____

e) Todd fabrique des canots.

→ Todd fabrique des canots en écorce de bouleau.

_____

2. Enrichis et récris les phrases suivantes à l'aide de l'addition.

a) Margo est une artiste de Saint-Paul.

_____

b) Les origamis sont beaux.

_____

c) Les canots de Todd sont faits en écorce.

_____

3. Corrige et récris les phrases suivantes à l'aide de l'effacement.

a) Todd transmet ses connaissances et ses traditions ancestrales aux jeunes de sa région.

_____

b) Pour faire un chef-d'œuvre en papier, un maître de l'origami n'utilise ni colle ni ciseaux.

_____

FICHE D'ACTIVITÉ
12
MODULE 4

La position des groupes de mots dans la phrase (*suite*)

Exerce-toi (*suite*)

4. Dans les phrases suivantes, les verbes précédés d'un astérisque (*) sont mal accordés. Corrige-les en récrivant les phrases à l'aide de l'encadrement.

a) La fabrication de canots *demandent beaucoup d'expérience.

_____

b) Joseph est *reconnus pour ses origamis en forme d'animaux.

_____

c) Les parents de mon amie *adore les gravures de Joyce.

_____

5. Corrige les répétitions en remplaçant les mots soulignés par un mot ou un groupe de mots.

a) Demain, nous irons à Ottawa et nous visiterons Ottawa.

_____

b) Le duo Swing crée des chansons et le duo Swing les joue en spectacle.

_____

c) Gabrielle Roy a écrit plusieurs romans, et ma mère connaît les romans de Gabrielle Roy.

_____

6. Corrige et récris les phrases suivantes à l'aide du déplacement.

a) La nature sauvage du Yukon les gravures de Joyce représentent.

_____

b) Des origamis nous avons fait en arts plastiques.

_____

c) Gabrielle Roy à Saint-Boniface est née.

_____

d) Son roman premier partout dans le monde l'a fait connaître.

_____

FICHE D'ACTIVITÉ
13
MODULE 4

Les groupes fonctionnels de la phrase

Littératie en action 6 / Guide
11056

Réfléchis

- Qu'est-ce que la phrase de base? À quoi sert-elle?

- Quels groupes de mots sont obligatoires pour former une phrase?

- Connais-tu des manipulations qui permettent de trouver le sujet, le verbe ou les compléments dans une phrase? Lesquelles?

Observe

> - *Mandy danse le hip-hop depuis longtemps.*
>
> - *Je pratique mes pas de hip-hop à la maison.*
>
> - *Mes amis dansent le hip-hop pendant la récréation.*
>
> - *J'adore apprendre de nouveaux pas de hip-hop à l'école.*
>
> - *Danser le hip-hop n'est pas difficile si on suit bien les étapes.*

a) Dans les phrases ci-dessus, quel mot ou quel groupe de mots est le sujet? Quels mots font partie du groupe verbal?

b) Quels groupes de mots, à la fin de chaque groupe verbal, peut-on effacer ou déplacer sans modifier le sens des phrases?

c) Dans tes mots, explique comment tu sais si un groupe de mots est obligatoire ou pas dans une phrase.

Nom : _____ Date : _____

Consulte la règle

La **phrase de base** est composée de trois groupes fonctionnels.

- Elle a deux groupes obligatoires : le **groupe nominal sujet** (GNs) et le **groupe verbal prédicat** (GVp).

- Elle peut aussi avoir un groupe facultatif et mobile : le **complément de phrase** (Compl. de P).

	Groupes obligatoires		Groupe facultatif et mobile
	Groupe nominal sujet (GNs)	Groupe verbal prédicat (GVp)	Complément de phrase (Compl. de P)
Exemple :	*Mandy /*	*fait des pas de danse /*	*tous les jours.*

Le **groupe nominal sujet** (GNs) et le **groupe verbal prédicat** (GVp) ne peuvent être ni déplacés ni effacés, sinon la phrase devient incorrecte. Ils sont donc obligatoires.

Exemples :

        GNs   GVp
Mandy / fait des pas de danse.   (phrase correcte)

        GVp   GNs
Fait des pas de danse / Mandy.   (phrase incorrecte)

        GNs
Mandy.   (phrase incorrecte)

        Complément du verbe   GNs   GVp
Des pas de danse / Mandy / fait.   (phrase incorrecte)

Le **complément de phrase** peut être déplacé et effacé sans rendre la phrase incorrecte. Il est donc facultatif et mobile.

Exemples :

        GNs   GVp   Compl. de P
Mandy / fait des pas de danse / tous les jours.

Mandy / fait des pas de danse / ~~tous les jours~~.
        Effacement du Compl. de P

Tous les jours, */ Mandy / fait des pas de danse ~~tous les jours~~.*
Déplacement du Compl. de P

Les groupes fonctionnels de la phrase (suite)

Consulte la règle (suite)

Voici un résumé des **manipulations linguistiques** qu'on peut utiliser pour trouver les groupes fonctionnels dans une phrase.

1. **Pour trouver le groupe nominal sujet (GNs)**

   - On encadre le GNs par l'expression *C'est… qui* ou *Ce sont… qui*.

   Exemple : *Le professeur donne des cours de danse aux élèves le vendredi.*

   → ***C'est*** *le professeur* **qui** *donne des cours de danse aux élèves le vendredi.*

   - On remplace le GNs par les pronoms sujets *il*, *elle*, *ils*, *elles* ou *cela*.

   Exemple : *Le professeur donne des cours de danse aux élèves le vendredi.*

   → ***Il*** *donne des cours de danse aux élèves le vendredi.*

2. **Pour trouver le groupe verbal prédicat (GVp)**

   - On encadre le verbe du GVp par l'expression *ne / n'… pas*.

   Exemple : *Le professeur donne des cours de danse aux élèves le vendredi.*

   → *Le professeur* **ne** donne **pas** *des cours de danse aux élèves le vendredi.*

   - On remplace le verbe du GVp par un autre verbe.

   Exemple : *Le professeur donne des cours de danse aux élèves le vendredi.*

   → *Le professeur* **propose** *des cours de danse aux élèves le vendredi.*

   - On remplace le complément direct (CD) par les pronoms *le*, *la*, *les*, *cela* ou *en* et on déplace le pronom devant le verbe.

   Exemple : *Le professeur donne des cours de danse aux élèves le vendredi.*

   → *Le professeur* **les** *donne aux élèves le vendredi.*

   - On remplace le complément indirect (CI) par les pronoms *lui*, *leur*, *en* ou *y* et on déplace le pronom devant le verbe.

   Exemple : *Le professeur donne des cours de danse aux élèves le vendredi.*

   → *Le professeur* **leur** *donne des cours de danse le vendredi.*

3. **Pour trouver le complément de phrase (Compl. de P)**

   - On efface ou on déplace le complément de phrase.

   Exemples : *Le professeur donne des cours de danse aux élèves le vendredi.*

   → *Le professeur donne des cours de danse aux élèves ~~le vendredi~~.*

   → **Le vendredi**, *le professeur donne des cours de danse aux élèves.*

FICHE D'ACTIVITÉ
13
MODULE 4

Les groupes fonctionnels de la phrase (suite)

Exerce-toi

Dans les phrases ci-dessous :

- sépare chaque groupe fonctionnel à l'aide d'un trait oblique (/) ;
- indique le nom de chaque groupe fonctionnel (GNs, GVp et Compl. de P), comme dans l'exemple.

N'oublie pas d'utiliser différentes manipulations linguistiques pour trouver les groupes fonctionnels et pour vérifier tes réponses.

GNs   GVp

Exemple :   *Plusieurs élèves / aiment beaucoup le hip-hop.*

a) Demain, nous apprendrons un nouveau pas de danse.

b) Mes camarades de classe gardent bien le rythme.

c) Vous avez besoin de vêtements confortables pour danser.

d) Vendredi, nous ferons une fête à l'école.

e) Les élèves de la classe pourront présenter un spectacle à la fin de l'année.

f) Mon amie n'aime pas danser avec les autres élèves.

g) Hier matin, elles ont répété les pas.

h) L'amie de Mandy a lacé ses chaussures avant de commencer.

i) Hier, j'ai perdu le rythme après l'étape 3.

j) Vendredi midi, mes amis et moi avons décoré le gymnase pour le spectacle.

Littératie en action 6 / Guide
11056
   Cette fiche accompagne les activités langagières du guide d'enseignement.   81

Les expressions figurées, les comparaisons et les métaphores

Réfléchis

- Que connais-tu à propos du sens propre et du sens figuré des mots?

- Que connais-tu à propos des expressions figurées, des comparaisons et des métaphores?
  À quoi servent-elles dans un texte?

Observe

- *Ce skieur est passé à côté de nous comme une fusée.*
- *Vue d'en haut, ma mitaine était pareille à une petite tache bleue sur la neige.*
- *Cette montagne est un immense géant de pierre.*
- *Le sommet de cette montagne chatouille les nuages.*

a) Dans les phrases ci-dessus, à quoi compare-t-on le skieur, la mitaine et la montagne?

b) Dans deux de ces phrases, quels mots indiquent qu'il s'agit de comparaisons?

c) Dans la quatrième phrase, quel mot est utilisé au sens figuré?

- *Dominic voulait terminer la journée en ayant tous ses morceaux à la bonne place.*
- *Après, les élèves se sont fondus dans la masse pour rejoindre leurs amis.*

d) Dans les deux phrases ci-dessus, quelles expressions ont un sens figuré ou imagé?

e) Que veulent dire ces expressions? Pour répondre, reformule chaque phrase dans
tes propres mots comme si tu expliquais le sens de cette phrase.

f) Dans tes mots, explique pourquoi toutes ces phrases créent des images et quel effet
cela produit dans un texte.

Les expressions figurées, les comparaisons et les métaphores (suite)

Consulte la règle

Le **sens propre** est le sens concret d'un mot et souvent son sens le plus courant.
Le **sens figuré** est le sens plus imagé et plus expressif d'un mot.

Exemples :	**Sens propre**	*La neige **tombe** au sommet de la montagne.*

Signification : elle descend vers le sol.

Sens figuré   *Quelle catastrophe nous **tombera dessus** ?*

Signification : quel malheur nous arrivera-t-il ?

Les **expressions figurées** permettent de créer un effet souvent original, drôle ou poétique
dans une phrase, ou dans un texte, grâce à leur sens imagé.

Exemples :   *Dominic voulait terminer la journée **en ayant tous ses morceaux à la bonne place**.*

Signification : il ne voulait pas avoir d'accident pendant la journée.

*Après, les élèves **se sont fondus dans la masse** pour rejoindre leurs amis.*

Signification : ils ont disparu dans la foule.

La **comparaison** sert à exprimer une ressemblance entre deux choses à l'aide d'un mot
de comparaison : *comme, tel, aussi… que, plus… que, pareil à*, etc.

Exemples :   *Ce skieur est passé à côté de nous **comme** une fusée.*

Signification : il est passé près de nous très rapidement.

*Vue d'en haut, ma mitaine était **pareille à** une petite tache bleue sur la neige.*

Signification : elle était toute petite, éloignée.

La **métaphore** sert à exprimer une ressemblance entre deux choses, sans mot de comparaison.

Exemple :   *Cette montagne est **un immense géant de pierre**.*

Signification : elle est très imposante, très grande.

Certaines **métaphores** décrivent un animal ou une chose avec des caractéristiques humaines
(comme s'il s'agissait d'une personne). Ces métaphores s'appellent des **personnifications**.

Exemple :   *Le sommet de la montagne **chatouille les nuages**.*

Signification : elle est très haute, comme une personne
qui pourrait toucher les nuages.

FICHE D'ACTIVITÉ
14
MODULE 4

Les expressions figurées, les comparaisons et les métaphores (suite)

Exerce-toi

1. Indique si les expressions soulignées dans les phrases suivantes sont une comparaison, une métaphore ou une expression figurée.

a) Sortir du chalet a été <u>une véritable épreuve</u>.   _____

b) Avec tes bottes de ski, tu marches <u>comme un pingouin</u>.   _____

c) Je crois que <u>mon heure est venue</u>.   _____

d) La montagne s'élève <u>tel un immense mur</u>.   _____

e) Il est temps de <u>passer aux choses sérieuses</u>.   _____

f) Les arbres sont couverts <u>d'une guirlande de givre</u>.   _____

2. Dans tes mots, explique ce que signifient les comparaisons et les métaphores suivantes.

a) Quand il s'est relevé, Dominic était comme un bonhomme de neige.

_____

b) Dévaler cette piste de ski dangereuse a été une véritable descente aux enfers.

_____

c) J'ai descendu la pente telle une boule de neige.

_____

d) Il fait plus froid qu'au pôle Nord dans ces télésièges.

_____

e) Cette piste s'étend à nos pieds comme un défi insurmontable.

_____

f) La pente de ski est pareille à une patinoire.

_____

FICHE D'ACTIVITÉ
14
MODULE 4

Les expressions figurées, les comparaisons et les métaphores (*suite*)

Exerce-toi (*suite*)

3. Relie chaque expression figurée à sa signification.

a) Avoir des sueurs froides •   • Être distrait ou distraite

b) Avoir la tête dans les nuages •   • Tomber sur le dos

c) Être debout sur ses deux jambes •   • Être généreux ou généreuse

d) Avoir les quatre fers en l'air •   • Avoir peur, être angoissé ou angoissée

e) Avoir le cœur sur la main •   • Être rétabli ou rétablie, être sain et sauf ou saine et sauve

f) Décrocher la lune •   • Prendre des risques

g) Jeter un coup d'œil •   • S'évanouir

h) Tomber dans les pommes •   • Réussir ou obtenir l'impossible

i) Jouer avec le feu •   • Regarder

j) Battre le fer quand il est chaud •   • Agir au bon moment

4. Écris un court texte en utilisant au moins quatre expressions figurées de ton choix parmi celles qui apparaissent dans cette fiche d'activité et souligne-les.

_____

_____

_____

_____

_____

_____

_____

_____

_____

_____

Les accords dans le groupe nominal

Réfléchis

- Quelles classes de mots peux-tu trouver dans un groupe nominal?
- Comment repères-tu le nom noyau dans un groupe nominal?
- Avec quoi s'accordent les mots d'un groupe nominal?

Observe

- *J'en ai des sueurs froides.*
- *Il est l'heure de passer aux choses sérieuses.*
- *Ma mitaine est comme une petite tache bleue dans la neige.*
- *Les premiers flocons tombent sur le télésiège suspendu dans le vide.*
- *Ces majestueux arbres recouverts de neige sont féériques.*
- *Ma petite sœur Isabelle avale la dernière gorgée de jus de raisin d'un patient.*

a) Dans les phrases ci-dessus, quels noms sont accompagnés d'un déterminant?
Quel est le genre et le nombre de ces noms et de ces déterminants?

b) Quels noms sont accompagnés d'un adjectif? Quel est le genre et quel est le nombre de ces noms et de ces adjectifs?

c) Dans tes mots, explique la façon d'accorder le déterminant, l'adjectif et le nom dans un groupe nominal.

FICHE D'ACTIVITÉ
15
MODULE 4

Les accords dans le groupe nominal (suite)

Consulte la règle

Le **groupe nominal (GN)** est un groupe de mots dont le noyau est un **nom** ou un **pronom**.
Le nom noyau peut être précédé d'un **déterminant** (Dét.) et accompagné d'un ou de plusieurs **adjectifs** (Adj.).

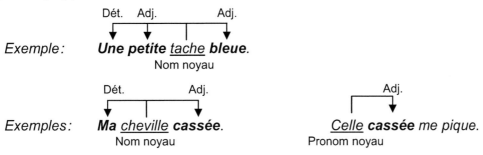

Exemple :

Dét. Adj.   Adj.
Une petite <u>tache</u> **bleue**.
　　　　　 Nom noyau

Exemples :

Dét.   Adj.
Ma <u>cheville</u> **cassée**.
　　 Nom noyau

Adj.
<u>Celle</u> **cassée** me pique.
Pronom noyau

L'ACCORD DU DÉTERMINANT ET DE L'ADJECTIF

Dans le **groupe nominal (GN)**, le déterminant et l'adjectif reçoivent le **genre** (masculin ou féminin) et le **nombre** (singulier ou pluriel) du nom noyau (ou du pronom noyau).

L'accord du déterminant dans le GN	Exemples
Le **déterminant** s'accorde en genre et en nombre avec le nom noyau qu'il précède.	**Le** <u>mont</u> Everest a l'air d'**une** <u>colline</u> à côté. masc. sing.　　　　　　　　fém. sing.
Les déterminants **tout**, **tous**, **toute** et **toutes** s'accordent en genre et en nombre avec le nom noyau (ou le pronom noyau), même s'ils sont placés devant un autre déterminant.	**Toute** <u>pente</u> de ski représente un défi pour Dominic. fém. sing. **Tous** les <u>élèves</u> ont fait du ski. masc. plur.
Certains déterminants comme **quatre**, **cinq**, **sept**, **huit**, **neuf**, **beaucoup de**, **peu de**, **trop de**, etc., sont invariables. On ne les accorde pas.	**Quatre** <u>skieurs</u> ont pris le télésiège. **Beaucoup de** <u>personnes</u> se blessent en skiant.
L'accord de l'adjectif dans le GN	**Exemples**
L'**adjectif** s'accorde en genre et en nombre avec le nom noyau (ou le pronom noyau) qu'il accompagne.	Dominic fait sa **première** <u>descente</u> de ski aujourd'hui. fém. sing.

Les accords dans le groupe nominal (suite)

Consulte la règle (suite)

L'accord de l'adjectif dans le GN (suite)	Exemples
Lorsqu'un adjectif accompagne **plusieurs noms**, il s'accorde au pluriel. Lorsque tous les noms sont de genre féminin, on accorde l'adjectif au **féminin pluriel**. Dans tous les autres cas, on accorde l'adjectif au **masculin pluriel**.	Les <u>arbres</u> et les <u>branches</u> **enneigés** font peur masc. plur. fém. plur. masc. plur. à Dominic. La <u>mitaine</u> et la <u>tuque</u> **perdues** ont été retrouvées. fém. sing. fém. sing. fém. plur.

Attention! La plupart des participes passés utilisés seuls sont considérés comme des adjectifs. Par exemple, dans l'expression « La mitaine et la tuque **perdues** », le mot *perdues* est un participe passé employé comme adjectif.

LA FORMATION DU FÉMININ ET DU PLURIEL DES NOMS

La formation du féminin des noms			
Règle générale		**Exemples**	
On forme habituellement le **féminin** des noms en ajoutant un -**e** au nom au masculin.		*un ami → une amie* *un cousin → une cousine*	
QUELQUES CAS PARTICULIERS			
Masc.	**Fém.**	**Exemples**	**Exceptions**
-*e*	-*e*	*un élève → une élève*	*un maître → une maîtresse, etc.*
-*el*	-*elle*	*un criminel → une criminelle*	
-*et*	-*ette*	*un cadet → une cadette*	Pour certains noms, on ne double pas la dernière consonne. *Exemples: un avocat → une avocate* *un démon → une démone, etc.*
-*at*	-*atte*	*un chat → une chatte*	
-*en*	-*enne*	*un Canadien → une Canadienne*	
-*on*	-*onne*	*un lion → une lionne*	
-*if*	-*ive*	*un sportif → une sportive*	
-*er*	-*ère*	*un ouvrier → une ouvrière*	
-*x*	-*se*	*un paresseux → une paresseuse*	
-*eur*	-*euse*	*un nageur → une nageuse*	Certains noms en -**eur** font -**eure** au féminin. *Exemple: un professeur → une professeure, etc.*
-*teur*	-*teuse*	*un conteur → une conteuse*	
-*teur*	-*trice*	*un acteur → une actrice*	
Plusieurs noms au masculin ont des formes particulières au féminin. *Exemples: un homme → une femme; un héros → une héroïne;* *un loup → une louve; un jumeau → une jumelle, etc.*			

FICHE D'ACTIVITÉ
15
MODULE 4

Les accords dans le groupe nominal (suite)

Consulte la règle (suite)

La formation du pluriel des noms	
Règle générale	**Exemples**
On forme généralement le **pluriel** des noms en ajoutant un **-s** au nom au singulier.	un ami → des ami**s** une cousine → des cousine**s**

QUELQUES CAS PARTICULIERS			
Sing.	**Plur.**	**Exemples**	**Exceptions**
-a**il**	-a**ils**	un chand**ail** → des chand**ails**	trav**ail** → trav**aux**; b**ail** → b**aux**; cor**ail** → cor**aux**; ém**ail** → ém**aux**; soupir**ail** → soupir**aux**; vitr**ail** → vitr**aux**
-**ou**	-**ous**	un bamb**ou** → des bamb**ous**	bij**ou** → bij**oux**; caill**ou** → caill**oux**; ch**ou** → ch**oux**; gen**ou** → gen**oux**; hib**ou** → hib**oux**; jouj**ou** → jouj**oux**; p**ou** → p**oux**
-**au**	-**aux**	un noy**au** → des noy**aux**	
-**eau**	-**eaux**	un chap**eau** → des chap**eaux**	
-**eu**	-**eux**	un chev**eu** → des chev**eux**	pn**eu** → pn**eus**; ém**eu** → ém**eus**; bl**eu** → bl**eus**
-**al**	-**aux**	un mét**al** → des mét**aux**	Certains noms en -**al** font -**als** au pluriel. *Exemple : un festiv**al** → des festiv**als**, etc.*
Plusieurs noms ont la même forme au singulier et au pluriel, alors que d'autres ont des formes plurielles particulières. *Exemples : un prix → des prix; une souris → des souris; un œil → des yeux; monsieur → messieurs, etc.*			

LA FORMATION DU FÉMININ ET DU PLURIEL DES ADJECTIFS

La formation du féminin des adjectifs	
Règle générale	**Exemples**
On forme généralement le **féminin** des adjectifs en ajoutant un **-e** à l'adjectif au masculin.	grand → grand**e** amical → amical**e**

QUELQUES CAS PARTICULIERS			
Masc.	**Fém.**	**Exemples**	**Exceptions**
-**e**	-**e**	jeune → jeune	
-**el**	-**elle**	cru**el** → cru**elle**	
-**et** -**ot**	-**ette** -**otte**	coqu**et** → coqu**ette** s**ot** → s**otte**	compl**et** → compl**ète**; concr**et** → concr**ète**; dés**uet** → dés**uète**; discr**et** → discr**ète**; inqui**et** → inqui**ète**; secr**et** → secr**ète**; idi**ot** → idi**ote**
-**en** -**on**	-**enne** -**onne**	anci**en** → anci**enne** b**on** → b**onne**	

Les accords dans le groupe nominal (suite)

Consulte la règle (suite)

QUELLES CAS PARTICULIERS (suite)			
-as	*-asse*	bas → basse	Certains adjectifs en *-is* font *-ise* au féminin.
-is	*-isse*	épais → épaisse	*Exemples : gris → grise ; pris → prise, etc.*
-os	*-osse*	gros → grosse	
-if	*-ive*	attentif → attentive	
-er	*-ère*	dernier → dernière	
-eau	*-elle*	beau → belle	
-x	*-se*	heureux → heureuse	
-eur	*-euse*	moqueur → moqueuse	Certains adjectifs en *-eur* font *-eure* au féminin.
-teur	*-teuse*	menteur → menteuse	*Exemple : meilleur → meilleure, etc.*
-teur	*-trice*	protecteur → protectrice	

Plusieurs adjectifs au masculin ont des formes particulières au féminin.
Exemples : frais → fraîche ; fou → folle ; vieux → vieille ; favori → favorite, etc.

La formation du pluriel des adjectifs	
Règle générale	**Exemple**
On forme généralement le **pluriel** des adjectifs en ajoutant un *-s* à l'adjectif au singulier.	*un bon ami → de bons amis*

QUELLES CAS PARTICULIERS			
Sing.	**Plur.**	**Exemples**	**Exceptions**
-s	*-s*	gris → gris	
-x	*-x*	doux → doux	
-eau	*-eaux*	beau → beaux	
-al	*-aux*	spécial → spéciaux	Certains adjectifs en *-al* font *-als* au pluriel : banal → banals ; bancal → bancals ; fatal → fatals ; natal → natals ; naval → navals. Les adjectifs idéal, final, glacial, causal, pascal, austral et boréal font *-als* ou *-aux* au pluriel : idéal → idéals ou idéaux

Les accords dans le groupe nominal (suite)

Exerce-toi

1. Dans les phrases ci-dessous :

- souligne le nom noyau de chaque groupe nominal et écris son genre et son nombre ;
- indique l'accord des déterminants et des adjectifs des groupes nominaux, comme dans l'exemple.

Exemple : La <u>leçon</u> de ski aurait dû commencer dès notre <u>arrivée</u>.
fém. sing.   fém. sing.

a) Dans cette forêt enneigée, il y a des sapins et des épinettes.

b) Le vent glacial provoque le balancement inquiétant des télésièges.

c) Xavier craint les crevasses, comme dans ce documentaire télévisé sur l'alpinisme.

d) Devant cette immense montagne, Dominic a les jambes molles.

e) Il remercie Sophie de lui donner sa belle mitaine rose.

f) Dominic s'est retrouvé les quatre fers en l'air.

g) Tous les élèves participent à une classe de neige organisée par l'enseignante.

Littératie en action 6 / Guide
11056
Cette fiche accompagne les activités langagières du guide d'enseignement.
91

Les accords dans le groupe nominal (suite)

Exerce-toi (suite)

2. Récris au féminin les groupes nominaux ci-dessous. Pour t'aider, utilise les tableaux de *Consulte la règle*.

Exemple : De bons skieurs   De bonnes skieuses _____

a) Le jeune moniteur de ski   _____

b) Des élèves très attentifs   _____

c) Le petit frère de mon ami   _____

d) Un nouvel enseignant   _____

e) Un infirmier compétent   _____

f) Un patient endormi   _____

g) Neuf garçons nerveux   _____

h) Mon professeur préféré   _____

i) Tous les sportifs professionnels   _____

3. Récris au pluriel les groupes nominaux suivants.

Exemple : Un genou abîmé   Des genoux abîmés _____

a) Un chapeau idéal   _____

b) Un saut dangereux et fatal   _____

c) Le bandeau égaré   _____

d) Un chandail bleu très chaud   _____

e) Un œil larmoyant   _____

f) Le plongeon final   _____

g) Un festival international   _____

Nom : _____ Date : _____

Observations continues

Nom de l'élève	Communication orale	Lecture	Écriture	Littératie médiatique
	L'élève : • exprime clairement ses idées • écoute activement • tient compte de son auditoire et adapte ses propos au besoin • vérifie sa compréhension des propos des autres • applique les stratégies apprises en communication orale	L'élève : • précise son intention de lecture • pose des questions • vérifie sa compréhension • fait un résumé • réfléchit aux stratégies et à leur efficacité • applique les stratégies apprises en lecture	L'élève : • détermine l'intention et le public cible • planifie et organise les idées • choisit bien ses mots et ses expressions • utilise les commentaires et les critères pour réviser • applique les règles et les conventions apprises dans ses textes	L'élève : • reconnaît le sujet • reconnaît l'intention • reconnaît le public cible • crée des messages visuels • applique les techniques médiatiques apprises • détermine la fiabilité des sources consultées

Note : Les comportements décrits sont donnés à titre d'exemples et ne constituent pas une liste exhaustive. Les ajuster en fonction de ce qu'on veut observer. Utiliser le symbole de notation en usage dans chaque région ou province : notes, codes, symboles.

Nom : _____   Date : _____

Grille d'évaluation de la section « À l'œuvre ! »

	Niveau 1	Niveau 2	Niveau 3	Niveau 4
Connaissance et compréhension	limitées	partielles	bonnes	approfondies
• Comprend la façon d'effectuer une recherche et de présenter un article pour un journal scolaire	☐ connaît les techniques et les éléments utilisés pour effectuer une recherche et préparer un article pour un journal scolaire	☐ connaît les techniques et les éléments utilisés pour effectuer une recherche et préparer un article pour un journal scolaire	☐ connaît les techniques et les éléments utilisés pour effectuer une recherche et préparer un article pour un journal scolaire	☐ connaît les techniques et les éléments utilisés pour effectuer une recherche et préparer un article pour un journal scolaire
Habiletés de la pensée	efficacité limitée	certaine efficacité	efficacité	grande efficacité
• Détermine l'intention et le public cible	☐ détermine l'intention et le public cible	☐ détermine l'intention et le public cible	☐ détermine l'intention et le public cible	☐ détermine l'intention et le public cible
• Utilise des critères pour s'autoévaluer et réviser son travail	☐ utilise des critères pour s'autoévaluer et réviser son travail	☐ utilise des critères pour s'autoévaluer et réviser son travail	☐ utilise des critères pour s'autoévaluer et réviser son travail	☐ utilise des critères pour s'autoévaluer et réviser son travail
Communication	efficacité limitée	certaine efficacité	efficacité	grande efficacité
• Joue efficacement son rôle dans la présentation	☐ participe à la recherche, la préparation et la présentation du journal scolaire	☐ participe à la recherche, la préparation et la présentation du journal scolaire	☐ participe à la recherche, la préparation et la présentation du journal scolaire	☐ participe à la recherche, la préparation et la présentation du journal scolaire
• Utilise des stratégies appropriées pour plaire au public cible	☐ capte l'attention du public cible	☐ capte l'attention du public cible	☐ capte l'attention du public cible	☐ capte l'attention du public cible
• Travaille bien en groupe	☐ travaille en groupe	☐ travaille en groupe	☐ travaille en groupe	☐ travaille en groupe
• Fait preuve de créativité en ajoutant des éléments visuels (illustrations et photos)	☐ utilise des éléments visuels qui améliorent la présentation	☐ utilise des éléments visuels qui améliorent la présentation	☐ utilise des éléments visuels qui améliorent la présentation	☐ utilise des éléments visuels qui améliorent la présentation
Mise en application	efficacité limitée	certaine efficacité	efficacité	grande efficacité
• Applique les connaissances et les stratégies apprises pour effectuer une recherche et écrire un article d'un journal scolaire	☐ applique les connaissances et les stratégies apprises	☐ applique les connaissances et les stratégies apprises	☐ applique les connaissances et les stratégies apprises	☐ applique les connaissances et les stratégies apprises

Voir aussi les grilles en lien avec les programmes dans le Compagnon Web de *Littératie en action 6*, à l'adresse suivante : [www.erpi.com/litteratie.cw].

Nom : _____ Date : _____

À ton tour !

Nom de l'élève	Présentation			Écoute	
	Présente une critique	Appuie son opinion sur des faits	Lit clairement les questions et parle assez fort pour se faire comprendre	Utilise des stratégies d'écoute active	Montre de l'intérêt envers les présentations des autres élèves

Note : Utiliser cet aide-mémoire pour évaluer le travail des élèves. Les élèves peuvent se servir de ces critères pour l'autoévaluation. Utiliser le symbole de notation en usage dans chaque région ou province : notes, codes, symboles.

FICHE D'ÉVALUATION

4

MODULE 4

Gros plan sur tes apprentissages

1. Fais un retour sur les objectifs d'apprentissage de ce module.
   - Choisis deux travaux montrant que tu as atteint les objectifs.
   - Décris ce que chaque travail indique au sujet de tes apprentissages.
   - Écris les raisons pour lesquelles tu ajoutes ces travaux à ton portfolio.

Tes choix de travaux et ce qu'ils indiquent sur tes apprentissages	Tes raisons d'ajouter ces travaux à ton portfolio

2. Écris une ou deux choses importantes que tu as apprises sur la façon de présenter une critique.

_____

_____

_____

_____

_____

3. Écris une découverte importante que tu as faite au sujet des divertissements des jeunes.

_____

_____

_____

Nom : _____   Date : _____

Grille d'évaluation du module

	Niveau 1	Niveau 2	Niveau 3	Niveau 4
Connaissance et compréhension	limitées	partielles	bonnes	approfondies
• Connaît les caractéristiques et la structure du texte d'opinion	☐ utilise ses connaissances sur les caractéristiques et la structure du texte d'opinion	☐ utilise ses connaissances sur les caractéristiques et la structure du texte d'opinion	☐ utilise ses connaissances sur les caractéristiques et la structure du texte d'opinion	☐ utilise ses connaissances sur les caractéristiques et la structure du texte d'opinion
• Connaît les stratégies de compréhension (utiliser ses connaissances, visualiser, faire une synthèse)	☐ connaît les stratégies de compréhension ciblées	☐ connaît les stratégies de compréhension ciblées	☐ connaît les stratégies de compréhension ciblées	☐ connaît les stratégies de compréhension ciblées
• Connaît et comprend le vocabulaire lié aux textes à l'étude	☐ démontre sa compréhension du vocabulaire lié aux textes à l'étude	☐ démontre sa compréhension du vocabulaire lié aux textes à l'étude	☐ démontre sa compréhension du vocabulaire lié aux textes à l'étude	☐ démontre sa compréhension du vocabulaire lié aux textes à l'étude
Habiletés de la pensée	efficacité limitée	certaine efficacité	efficacité	grande efficacité
• Utilise les stratégies de planification et les organisateurs graphiques pour rédiger ses textes	☐ utilise les stratégies de planification et les organisateurs graphiques	☐ utilise les stratégies de planification et les organisateurs graphiques	☐ utilise les stratégies de planification et les organisateurs graphiques	☐ utilise les stratégies de planification et les organisateurs graphiques
• Fait un raisonnement critique pour analyser l'efficacité d'un texte	☐ analyse des textes d'opinion ☐ évalue l'efficacité de ses textes	☐ analyse des textes d'opinion ☐ évalue l'efficacité de ses textes	☐ analyse des textes d'opinion ☐ évalue l'efficacité de ses textes	☐ analyse des textes d'opinion ☐ évalue l'efficacité de ses textes
Communication	efficacité limitée	certaine efficacité	efficacité	grande efficacité
• Exprime et organise ses idées et l'information présentée	☐ exprime et organise ses idées et l'information en : – écrivant des textes d'opinion – participant à des discussions – participant à des jeux de rôles – effectuant un sondage	☐ exprime et organise ses idées et l'information en : – écrivant des textes d'opinion – participant à des discussions – participant à des jeux de rôles – effectuant un sondage	☐ exprime et organise ses idées et l'information en : – écrivant des textes d'opinion – participant à des discussions – participant à des jeux de rôles – effectuant un sondage	☐ exprime et organise ses idées et l'information en : – écrivant des textes d'opinion – participant à des discussions – participant à des jeux de rôles – effectuant un sondage

Grille d'évaluation du module (suite)

	Niveau 1	**Niveau 2**	**Niveau 3**	**Niveau 4**
Communication	efficacité limitée	certaine efficacité	efficacité	grande efficacité
• Prend en considération les destinataires visés et l'intention de communication	☐ prend en considération les destinataires visés et l'intention pour : – participer à une discussion – présenter une critique – écrire un texte d'opinion	☐ prend en considération les destinataires visés et l'intention pour : – participer à une discussion – présenter une critique – écrire un texte d'opinion	☐ prend en considération les destinataires visés et l'intention pour : – participer à une discussion – présenter une critique – écrire un texte d'opinion	☐ prend en considération les destinataires visés et l'intention pour : – participer à une discussion – présenter une critique – écrire un texte d'opinion
• Utilise les codes et les conventions de communication orale (expression, volume) et écrite (ponctuation, orthographe)	☐ utilise les codes et les conventions de communication orale et écrite	☐ utilise les codes et les conventions de communication orale et écrite	☐ utilise les codes et les conventions de communication orale et écrite	☐ utilise les codes et les conventions de communication orale et écrite
Mise en application	efficacité limitée	certaine efficacité	efficacité	grande efficacité
• Applique ses connaissances et ses habiletés pour lire une variété de textes	☐ lit une variété de textes de manière autonome	☐ lit une variété de textes de manière autonome	☐ lit une variété de textes de manière autonome	☐ lit une variété de textes de manière autonome
• Applique ses connaissances et ses habiletés pour rédiger une variété de textes	☐ rédige une variété de textes	☐ rédige une variété de textes	☐ rédige une variété de textes	☐ rédige une variété de textes
• Fait des liens avec ses expériences personnelles et les textes lus et écrits	☐ fait des liens	☐ fait des liens	☐ fait des liens	☐ fait des liens

Cette fiche accompagne la leçon 15 du guide d'enseignement.

Nom : _____   Date : _____

Bilan des apprentissages

Données sur le rendement et les progrès de l'élève :

☐ Entrevue individuelle

   (date : _____)

☐ Journal de bord (réponses, réflexions)

☐ Productions technologiques ou médiatiques

☐ Productions écrites (p. ex. : « À l'œuvre ! »)

☐ Communication orale

☐ Révision du portfolio (« Gros plan sur tes apprentissages »)

☐ Autoévaluation

☐ Évaluation continue (p. ex. : fiche d'évaluation 2 ; notes anecdotiques)

☐ Tâche d'évaluation de la compréhension en lecture

☐ Autre : _____

Domaine	Commentaire	Niveau
Communication orale		
Lecture		
Écriture		
Littératie médiatique		

Remarque : Pour formuler des commentaires et déterminer le niveau de rendement de l'élève, consulter la fiche d'évaluation **5 : Grille d'évaluation du module** et la grille d'évaluation du rendement publiée par le ministère de l'Éducation de la province.

Forces
Besoins
Prochaines étapes

Littératie en action 6 / Guide
11056
Cette fiche accompagne la leçon 15 du guide d'enseignement.
99

Corrélations avec les autres disciplines

LI = Liens interdisciplinaires   ALL = Activités en lien avec les leçons   AL = Activités langagières

	LI	ALL	AL	1	2	3	4	5	6	7	8	9	10	11	12	13	14	15
ÉTUDES SOCIALES (SCIENCES HUMAINES)																		
LE MULTICULTURALISME CANADIEN																		
Connaissance et compréhension																		
Comprendre ses origines et préciser son identité.	•																	
Reconnaître les traits de l'identité canadienne.	•		•															
Reconnaître la présence de francophones dans différentes régions du Canada.	•		•							•	•	•			•	•		
Répertorier des francophones du Canada qui se sont distingués dans divers domaines et tracer le portrait de certains d'entre eux.	•									•	•			•				
Démontrer, à l'aide d'exemples ou par d'autres moyens, l'influence naturelle entre la société canadienne et d'autres pays et cultures.	•									•	•	•		•				
Comprendre la portée des événements qui se produisent dans l'actualité ainsi que les changements qui s'opèrent dans la société.	•				•	•	•			•	•	•		•				
Connaître et comprendre les concepts de base sur les secteurs de la production, de la distribution et de la consommation des biens.	•																	
Comprendre les institutions, les composantes des cultures et le fonctionnement des groupes.	•																	
Connaître et comprendre les facteurs de continuité ou de changement.	•				•	•	•			•	•		•					
Connaître et comprendre les structures et les systèmes mis en place par les humains pour gérer l'organisation naturelle ou sociale.	•																	
Questionnement, recherche et communication																		
Formuler des questions qui orientent son enquête.	•				•				•	•	•			•	•		•	
S'appuyer sur des documents de sources primaires et secondaires pour effectuer une enquête.	•						•		•	•	•	•	•	•	•		•	

	LI	ALL	AL	1	2	3	4	5	6	7	8	9	10	11	12	13	14	15
Questionnement, recherche et communication (*suite*)																		
Se servir d'organisateurs graphiques pour transmettre l'information.	•						•	•	•	•		•	•	•		•	•	
Communiquer les résultats de son enquête en utilisant différents supports visuels.	•												•			•	•	
Transmettre des idées et de l'information selon différentes formes et divers moyens.	•				•		•		•	•	•	•	•	•	•	•	•	
Utiliser le vocabulaire approprié pour communiquer les résultats de son enquête.	•		•									•	•				•	
Utilisation des cartes géographiques et des éléments graphiques									•			•						
Représenter l'information à l'aide de cartes, de tableaux, de diagrammes et de graphiques.									•			•						
Application																		
Mettre en application, dans des contextes familiers, les concepts, les connaissances et les habiletés qui lui ont été présentés et les transférer à des contextes nouveaux.	•									•			•				•	
Mettre en application le vocabulaire approprié au sujet à l'étude (p. ex. : populations francophones, différences culturelles, ressemblances culturelles, francophonie, multiculturalisme, équité, racisme).	•									•	•		•					
SCIENCES ET TECHNOLOGIE																		
L'ESPACE																		
Compréhension des concepts																		
Identifier des composantes du système solaire incluant le Soleil, la Terre, les autres planètes, les satellites naturels, les comètes, les astéroïdes, les météoroïdes et décrire leurs caractéristiques physiques.																		
Expliquer comment les humains répondent à leurs besoins de base dans l'espace.																		
Identifier l'équipement et les outils technologiques utilisés pour l'exploration spatiale.																		
Décrire des effets du mouvement et de la position de la Terre, de la Lune et du Soleil.																		
Décrire qualitativement la relation entre la masse et le poids.																		

CORRÉLATIONS AVEC LES AUTRES DISCIPLINES (*suite*)

LI = Liens interdisciplinaires   ALL = Activités en lien avec les leçons   AL = Activités langagières

	LI	ALL	AL							LEÇONS								
				1	2	3	4	5	6	7	8	9	10	11	12	13	14	15
Acquisition d'habiletés en recherche scientifique, en conception et en communication																		
Utiliser le processus de résolution de problèmes technologiques pour concevoir, construire et tester un objet qui utilise ou simule le mouvement des corps dans le système solaire.																		
Utiliser la démarche de recherche pour explorer les percées scientifiques et technologiques qui permettent aux humains de vivre et de s'adapter dans l'espace.																		
Utiliser les termes justes pour décrire ses activités de recherche, d'expérimentation, d'exploration et d'observation (p. ex. : planète, Lune, étoile, comète, éclipse, phase, astéroïde, météoroïde).																		
Communiquer oralement et par écrit en se servant d'aides visuelles dans le but d'expliquer les méthodes utilisées et les résultats obtenus lors de ses recherches, ses expérimentations, ses explorations ou ses observations.																		
Rapprochement entre les sciences, la technologie, la société et l'environnement																		
Évaluer la contribution des Canadiens et des Canadiennes dans l'exploration spatiale et le progrès scientifique.																		
Évaluer les avantages et les inconvénients de l'exploration spatiale pour la société et l'environnement.																		
MATHÉMATIQUES																		
Traitement des données et probabilités																		
Démontrer comment la grandeur de l'échantillon peut influencer la nature des résultats d'une enquête.					●													
Prédire, à partir de ses connaissances générales ou de diverses sources d'informations, les résultats possibles d'un sondage avant de recueillir les données.					●													
Concevoir et effectuer un sondage, recueillir les données et les enregistrer selon des catégories et des intervalles appropriés.					●													
Construire, à la main ou à l'ordinateur, divers diagrammes (p. ex. : diagramme à bandes horizontales, verticales ou doubles et diagramme à ligne brisée).					●													
Formuler, oralement ou par écrit, des inférences ou des arguments à la suite de l'analyse et de la comparaison de données présentées dans un tableau ou dans un diagramme.					●													

Traitement des données et probabilités (suite)

	LI	ALL	AL	1	2	3	4	5	6	7	8	9	10	11	12	13	14	15
Comparer et choisir, à l'aide d'un logiciel de graphiques, le genre de diagramme qui représente le mieux un ensemble de données.					•													

ÉDUCATION ARTISTIQUE

ART DRAMATIQUE

	LI	ALL	AL	1	2	3	4	5	6	7	8	9	10	11	12	13	14	15
Produire plusieurs formes de représentation (p. ex. : monologue, improvisation, création collective) pour communiquer un message à partir d'une situation dramatique donnée.			•							•	•	•	•	•				
Créer plusieurs courtes productions pour un auditoire spécifique en utilisant un appui technique.			•									•	•	•	•		•	
Décrire comment l'art dramatique contribue à son propre développement et à celui de la communauté.			•								•			•				

ARTS VISUELS

	LI	ALL	AL	1	2	3	4	5	6	7	8	9	10	11	12	13	14	15
Recourir au processus de création artistique pour réaliser diverses œuvres d'art.			•								•	•	•	•				

MUSIQUE

	LI	ALL	AL	1	2	3	4	5	6	7	8	9	10	11	12	13	14	15
Recourir au processus d'analyse critique pour analyser et apprécier diverses œuvres musicales.																		
Composer un message publicitaire et le mettre en musique.																		
Exprimer son appréciation d'une composition musicale dans diverses formes de représentation (p. ex. : danse, dessin).			•											•				

CORRÉLATIONS AVEC LES AUTRES DISCIPLINES (*suite*)

LI = Liens interdisciplinaires ALL = Activités en lien avec les leçons AL = Activités langagières

										LEÇONS								
	LI	ALL	AL	1	2	3	4	5	6	7	8	9	10	11	12	13	14	15
ÉDUCATION PHYSIQUE ET SANTÉ																		
HABILETÉS PERSONNELLES ET SOCIALES																		
Communiquer oralement et par écrit en français pour s'affirmer sur le plan culturel et linguistique.	●								●		●	●	●				●	
Utiliser des habiletés personnelles pour développer son autonomie et un concept de soi positif.	●										●	●	●	●			●	
Utiliser des habiletés interpersonnelles pour communiquer et interagir avec les autres de manière positive et constructive.	●											●					●	
Utiliser la pensée critique et créative pour développer la capacité d'analyse et de discernement nécessaires pour se fixer des objectifs personnels, prendre des décisions éclairées et résoudre des problèmes.	●											●					●	

Guide d'enseignement

MODULE **5**

Quelque chose à raconter...

PEARSON
ERPI

11056

POUR L'ÉDITION FRANÇAISE

Directrice à l'édition
Monique Daigle

Traductrice
Monique Lanouette

Rédacteurs (fiches d'activités 11 à 15)
Virginie Krysztofiak
Paul Ste-Marie

Chargée de projet
Lina Binet

Réviseure linguistique
Annick Loupias

Correctrices d'épreuves
Lina Binet
Sabine Cerboni

Coordonnatrice à l'édition Web
Jeannette Lafontaine

Couverture (reliure à anneaux)
Édiflex inc.

Édition électronique
La Plume Virtu-Elle enr.

POUR L'ÉDITION ORIGINALE

Chef d'équipe
Anita Borovilos

Consultantes nationales en littératie
Beth Ecclestone
Norma MacFarlane

Éditrices
Susan Green
Elynor Kagan

Chef de produit
Paula Smith

Directrice de rédaction
Monica Schwalbe

Directrices de la recherche et du développement
Carol Wells
Mariangela Gentile
Rena Sutton

Coordonnatrice de la production
Alison Dale

Directrice artistique
Zena Denchik

Graphiste
David Cheung

Vice-président, édition et marketing
Mark Cobham

Littératie en action 6, Guide d'enseignement,
édition française publiée par ERPI (ÉDITIONS
DU RENOUVEAU PÉDAGOGIQUE INC.)
© 2008 Pearson Canada Inc.
© 2010 ERPI pour l'édition française.

Traduction et adaptation autorisées de *Literacy in Action 6,*
Teacher's Guide, par Jeroski et autres, publié par Pearson
Canada Inc.
© 2008 Pearson Education Canada, une division de Pearson
Canada Inc.

Littératie en action 6, Guide d'enseignement,
French language edition, published by ERPI
(ÉDITIONS DU RENOUVEAU PÉDAGOGIQUE INC.)
© 2008 Pearson Canada Inc.

Authorized translation and adaptation from the English
language edition, entitled *Literacy in Action 6, Teacher's*
Guide, by Jeroski *et al.*, published by Pearson Education
Canada, a division of Pearson Canada Inc.

Tous droits réservés.
On ne peut reproduire aucun extrait de ce livre
sous quelque forme ou par quelque procédé que
ce soit – sur une machine électronique, mécanique, à photocopier ou à enregistrer, ou
autrement – sans avoir obtenu, au préalable, la permission écrite de Pearson Canada Inc. Pour toute demande
à ce sujet, veuillez vous adresser à Pearson Canada Inc.,
Rights and Permissions Department, 26 Prince Andrew Place,
Don Mills, Ontario M3C 2T8 Canada.

Pearson® est une marque déposée de Pearson plc.

All rights reserved. This publication is protected by copyright.
No part of this book may be reproduced or transmitted in any
form or by any means, electronic or mechanical, including
photocopying, recording, or by any information storage
retrieval system, without permission from Pearson Canada
Inc. For information regarding permission(s), please submit
your request to: Pearson Canada Inc., Rights and Permissions
Department, 26 Prince Andrew Place, Don Mills, Ontario
M3C 2T8 Canada.

Pearson® is a registered trademark of Pearson plc.

Dépôt légal – Bibliothèque et Archives nationales du Québec,
2010
Dépôt légal – Bibliothèque et Archives Canada, 2010

Imprimé au Canada   1234567890 TRN 13 12 11 10
ISBN 978-2-7613-2595-0   11056   OF10

POUR L'ÉDITION FRANÇAISE

Directeurs de collection
Léo-James Lévesque
Johanne Proulx

REMERCIEMENTS

L'éditeur remercie les personnes suivantes pour leurs commentaires judicieux au cours de l'élaboration de la collection *Littératie en action 6* :

Johanne Austin, N.-B.
Joanne Cameron, N.-É.
Alicia Logie, C.-B.
Karen Olsen, Sask.
Brian Svenningsen, Ont.
Diane Tijman, C.-B.
Nathalie Wall, Ont.

POUR L'ÉDITION ORIGINALE

Auteurs et consultants
Dr Sharon Jeroski

Andrea Bishop
Jean Bowman
Anne Boyd
Lynn Bryan
Linda Charko
Marla Ciccotelli
Susan Clarke
Alisa Dewald
Maureen Dockendorf
Ken Ealey
Susan Elliott
Christine Finochio
Patricia Gough
Jo Ann Grime
Doug Herridge
Patricia Horstead
Don Jones
Joanne Leblanc-Haley
Marg Lysecki
Jill Maar
Deidre McConnell
Carol Munro
Cathie Peters
Sue Pleli
Lorraine Prokopchuk
Joanne Rowlandson
Carole Stickley
Arnold Toutant
Kim Webber
Iris Zammit
Beth Zimmerman

Table des matières

---

* Cette fiche a été conçue pour répondre aux attentes en ce qui concerne les connaissances et habiletés grammaticales du programme-cadre de français (6e année) du curriculum de l'Ontario. À titre d'enrichissement, toutefois, elle peut être aussi proposée aux élèves en immersion.

Module 5: Quelque chose à raconter...

Dans ce module, les élèves écouteront, liront et écriront des récits. Ils seront amenés à faire des prédictions, des inférences et des liens pendant la lecture d'une variété de textes, dont des pages d'un journal personnel, un récit d'aventures, une critique, une chanson, un récit fantastique, une intrigue policière et un récit de science-fiction. Ils écriront une page du journal personnel d'un personnage du récit de leur choix. Finalement, ils écriront et présenteront un récit dans le cadre d'une soirée villageoise d'antan.

LES OBJECTIFS DE L'ENSEIGNEMENT

Stratégies	Faire des prédictions ; faire des inférences ; faire des liens
Littératie critique	Analyser la vraisemblance des personnages d'un récit
Forme de texte	Récit : le journal personnel
Éléments d'écriture	Comprendre la structure du journal personnel ; distinguer le journal personnel du journal de bord ; reconnaître l'importance d'utiliser des mots ou des groupes de mots substituts pour éviter la répétition des idées
Communication orale	Discuter ; réagir ; lire la page d'un journal personnel avec expression
Littératie médiatique	Comprendre la façon dont les médias captent l'attention de leur public

L'ÉVALUATION AU SERVICE DE L'APPRENTISSAGE

Évaluation diagnostique	Évaluation formative	Évaluation sommative
• Présentation du module (L : 1)	• Observations, interventions pédagogiques (L : 1 à 3, 5 à 14) • Évaluation par les élèves (L : 2, 4, 10, 11, 14) • Création de tableaux de référence (L : 1 à 3, 6, 8, 10, 11) • Réflexion des élèves (toutes les leçons) • Tâche d'évaluation « À l'œuvre ! » (L : 10) • À ton tour ! (L : 14)	• Ton portfolio (L : 15) • Entrevues individuelles (L : 15) • Réflexion des élèves (L : 15) • Tâche d'évaluation de la compréhension en lecture (L : 15)

LE CADRE D'ENSEIGNEMENT

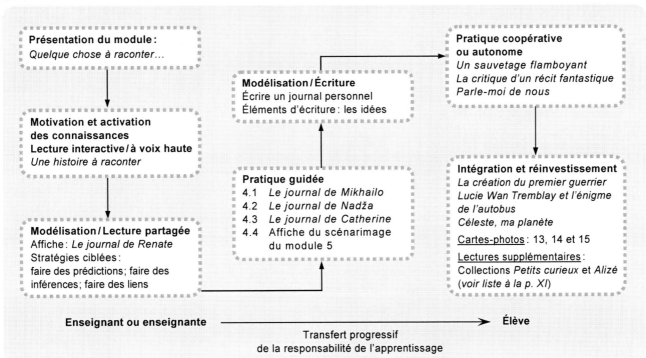

CONTENUS D'APPRENTISSAGE

Littératie en action est un outil d'enseignement qui vise à répondre aux attentes des programmes d'études[1] de l'ensemble des provinces et régions du Canada en matière de littératie. L'apprentissage des habiletés reliées à la littératie amène les élèves à utiliser l'écoute, l'expression orale, la lecture et l'écriture pour communiquer en français.

Le tableau intitulé « Corrélations avec les autres disciplines », aux pages 76 à 80 du présent fascicule, donne un aperçu des liens possibles avec les autres disciplines.

COMMUNICATION ORALE (écoute et expression)

	LEÇONS
Écoute	
• Déterminer l'intention de la situation d'écoute.	1, 2, 3, 4, 5, 7, 8, 9, 10, 11, 12, 13, 14, 15
• Mettre en pratique l'écoute active.	1, 2, 3, 4, 5, 7, 8, 9, 10, 11, 12, 13, 14, 15
• Faire des inférences.	1, 2, 3, 4, 7, 8, 9, 11, 12, 13
• Reconnaître les indices non verbaux et les interpréter.	1, 2, 3, 4, 5, 7, 8, 11, 12, 13
• Se concentrer et retenir les éléments importants.	1, 2, 3, 4, 5, 7, 8, 9, 10, 11, 12, 13, 14
• Faire la synthèse des renseignements.	1, 2, 3, 4, 8, 9, 10, 12
Expression	
• Participer à une discussion en posant des questions, en répondant à des questions et en exprimant son point de vue.	1, 2, 3, 4, 5, 7, 8, 9, 10, 11, 12, 13, 14
• S'exprimer oralement de façon efficace en tenant compte du contexte.	1, 2, 3, 4, 5, 7, 8, 9, 10, 11, 12, 13, 14, 15
• Communiquer clairement ses idées.	1, 2, 3, 4, 5, 7, 8, 9, 10, 11, 12, 13, 14, 15
• Recourir à divers supports visuels pour appuyer son message.	1, 4, 5, 6, 7, 8, 9, 10, 11, 12, 13, 14
Réflexion	
• Reconnaître l'aide des habiletés en lecture et en écriture dans la communication orale.	1, 2, 3, 4, 6, 10, 14

LECTURE (et observation)

	LEÇONS
Préparation à la lecture	
• Déterminer l'intention de lecture.	2, 3, 4, 7, 8, 9, 10, 11, 12, 13
• Choisir ses textes selon diverses intentions.	2, 3, 4, 7, 8, 9, 10, 11, 12, 13
Lecture	
• Lire différents types de textes.	2, 3, 4, 6, 7, 8, 9, 10, 11, 12, 13
• Connaître et utiliser diverses stratégies de compréhension.	2, 3, 4, 7, 8, 9, 10, 11, 12, 13
• Ajuster ses stratégies et son rythme de lecture selon le genre de texte et l'intention de lecture.	2, 3, 4, 7, 8, 9, 10, 11, 12, 13
• Faire appel à un répertoire de mots connus.	2, 3, 4, 7, 8, 9, 10, 11, 12, 13
• Connaître et utiliser des stratégies de résolution de problèmes.	2, 3, 4, 5, 7, 8, 9, 10, 11, 12, 13
• Connaître et utiliser les conventions linguistiques pour mieux comprendre le texte.	2, 3, 4, 6, 7, 8, 9, 10, 11, 12, 13
• Utiliser les éléments visuels pour soutenir sa compréhension.	2, 3, 4, 7, 8, 9, 10, 11, 12, 13
• Connaître et utiliser les caractéristiques des divers genres de textes pour mieux comprendre le texte.	2, 3, 4, 7, 8, 9, 10, 11, 12, 13
• Analyser les idées, les renseignements et les points de vue contenus dans le texte.	2, 3, 4, 7, 8, 9, 10, 11, 12, 13
• Réagir de diverses manières aux textes lus.	2, 3, 4, 7, 8, 9, 10, 11, 12, 13
Réflexion	
• Démontrer une réflexion métacognitive face à son processus et à ses stratégies de lecture.	2, 3, 4, 5, 7, 8, 10, 11, 12, 13, 14, 15
• Reconnaître l'aide des habiletés en communication orale et en écriture dans la lecture.	2, 3, 4, 5, 7, 8, 10, 11, 12, 13, 14, 15

---

1. Pour les corrélations précises avec les programmes d'études, consulter les tableaux contenus dans le Compagnon Web de *Littératie en action 6* à l'adresse suivante : [www.erpi.com/litteratie.cw]. Le nom d'utilisateur et le mot de passe pour y accéder figurent sur le carton de présentation inséré au début du classeur à anneaux.

ÉCRITURE (et représentation)

Planificateur : En un coup d'œil

A = fiches d'activités du présent fascicule
É = fiches d'évaluation du présent fascicule

AM = fiches d'activités modèles du fascicule *Guide d'enseignement de la littératie*[1]
ÉM = fiches d'évaluation modèles du fascicule *Guide d'enseignement de la littératie*

RESSOURCES DE L'ÉLÈVE	APPRENTISSAGES CIBLÉS	DURÉE PRÉVUE	GUIDE D'ENSEIGNEMENT	RESSOURCES SUPPLÉMENTAIRES	DIFFÉRENCIATION / INTERVENTIONS PÉDAGOGIQUES
Motivation et activation des connaissances					
1. Présentation du module (manuel, pages 184 et 185)	Faire des liens avec ses connaissances et ses expériences ; communiquer ses opinions et ses idées en tenant compte du contexte ; participer et s'exprimer en français lors du travail en groupes.	De 40 à 60 min	Leçon 1	**A 1 :** Lettre à l'intention des parents / Home Connection Letter **A 2 :** Un survol du module **É 1 :** Observations continues	Modéliser la façon de faire des liens entre ses connaissances et ses expériences. Inviter les élèves à faire part de leurs commentaires à leurs camarades. Expliquer l'importance de tenir compte du contexte au moment de communiquer ses idées.
Lecture interactive / à voix haute					
2. Une histoire à raconter (manuel, pages 186 à 189)	Pratiquer l'écoute active ; participer à une discussion ; effectuer un sondage.	De 40 à 60 min	Leçon 2	**A 11 :** La construction du groupe nominal **É 1 :** Observations continues **Coffret audio**	Revoir avec les élèves les façons de réagir au message entendu. Les inviter à exprimer leurs idées, leurs opinions ou leurs sentiments. Rappeler les principales techniques de prise de parole. Modéliser la façon de formuler des questions pour un sondage. Fournir des exemples de sondages et comparer l'efficacité de divers diagrammes.

1. Ce fascicule présente des stratégies d'enseignement fondées sur les plus récentes recherches en littératie. S'y trouvent également des fiches d'activités modèles à adapter ou à utiliser telles quelles.

RESSOURCES DE L'ÉLÈVE	APPRENTISSAGES CIBLÉS	DURÉE PRÉVUE	GUIDE D'ENSEIGNEMENT	RESSOURCES SUPPLÉMENTAIRES	DIFFÉRENCIATION / INTERVENTIONS PÉDAGOGIQUES
Modélisation / lecture partagée					
3. Lire un récit (manuel, pages 190 et 191). 3.1 Lis avec habileté : Précise ton intention 3.2 Lis avec habileté : Décode le texte 3.3 Lis avec habileté : Construis le sens du texte – Fais des prédictions, fais des inférences et fais des liens 3.4 Lis avec habileté : Analyse le texte	Préciser son intention de lecture ; reconnaître l'utilité des expressions figurées dans un texte ; comprendre et évaluer les stratégies de lecture utilisées ; analyser un personnage ; analyser des textes pour comprendre leur structure et améliorer ses écrits ; reconnaître l'utilité des habiletés en communication orale et en lecture pour mieux écrire.	De 90 à 120 min (2 à 4 séances)	Leçons 3.1, 3.2, 3.3 et 3.4	**Affiche de lecture partagée (transparent 18) :** *Le journal de Renate* **A 3 :** Fais des prédictions et des inférences **A 4 :** Fais des liens **É1 :** Observations continues	Travailler avec un petit groupe d'élèves pour trouver des expressions figurées dans divers textes. Raconter des histoires connues des élèves et ajouter des expressions figurées. Demander aux élèves d'illustrer des expressions figurées. Modéliser la façon d'appliquer des stratégies. Modéliser la façon de déterminer les caractéristiques d'un personnage à l'aide d'histoires connues des élèves.
Pratique guidée					
4.1 Le journal de Mikhailo (manuel, pages 192 et 193) 4.2 Le journal de Nadža (manuel, pages 194 et 195) 4.3 Le journal de Catherine (manuel, pages 196 et 197) 4.4 Affiche du scénarimage du module 5	Mettre en application les stratégies : faire des prédictions, faire des inférences et faire des liens.	De 40 à 60 min	Leçons 4.1, 4.2, 4.3 et 4.4	**Affiche de lecture partagée (transparent 18) :** *Le journal de Renate* **Affiche du scénarimage du module 5 (transparent 24)** **A 3 :** Fais des prédictions et des inférences **A 4 :** Fais des liens **Coffret audio**	Chaque texte présente un niveau de difficulté différent[1]. Attribuer un texte à chaque élève selon ses habiletés et ses préférences. Pour les élèves ayant des habiletés de lecture limitées, utiliser l'affiche du scénarimage afin de les aider à développer leur maîtrise de la langue et des concepts.

1. Niveau de lecture des textes : texte **4.1** : U-V, DRA 54-58 ; texte **4.2** : S-T, DRA 48-50 ; texte **4.3** : V-W, DRA 58-60.

PLANIFICATEUR: EN UN COUP D'ŒIL (SUITE)

A = fiches d'activités du présent fascicule
É = fiches d'évaluation du présent fascicule

AM = fiches d'activités modèles du fascicule *Guide d'enseignement de la littératie*
ÉM = fiches d'évaluation modèles du fascicule *Guide d'enseignement de la littératie*

RESSOURCES DE L'ÉLÈVE	APPRENTISSAGES CIBLÉS	DURÉE PRÉVUE	GUIDE D'ENSEIGNEMENT	RESSOURCES SUPPLÉMENTAIRES	DIFFÉRENCIATION / INTERVENTIONS PÉDAGOGIQUES
Pratique guidée (suite)					
5. Fais un retour sur tes apprentissages (manuel, page 198)	Raconter une histoire au moyen d'un jeu de rôle; utiliser des stratégies d'écoute et de prise de parole; comprendre et évaluer les stratégies utilisées.	De 40 à 60 min	Leçon 5	**Affiche de lecture partagée (transparent 18):** *Le journal de Renate* **AM 33 à 38** sur les stratégies de lecture **É 1:** Observations continues	Modéliser la façon de raconter une histoire au moyen d'un jeu de rôle. Revoir les stratégies d'écoute active. Animer une discussion à l'aide des fiches d'activités modèles sur les stratégies de lecture.
6. Écris avec habileté (manuel, page 199)	Comprendre comment écrire un extrait d'un journal personnel; dégager la structure d'un journal personnel; comparer le journal personnel avec le journal de bord; écrire un extrait d'un journal personnel.	De 40 à 60 min	Leçon 6	**Affiche de lecture partagée (transparent 18):** *Le journal de Renate* **Affiche de modélisation en écriture 5 (transparent 37):** Écrire un journal personnel **A 5:** Compare la structure de différents textes **É 1:** Observations continues	Mettre à la disposition des élèves des extraits qui serviront de modèles. Leur faire écouter des extraits afin de les amener à faire des liens entre la langue parlée et la langue écrite. Modéliser la façon de dégager la structure d'un journal personnel. Présenter un journal de bord et modéliser à voix haute la façon de comparer un journal de bord avec un journal personnel. Faire les activités d'enrichissement.

Pratique coopérative ou autonome

RESSOURCES DE L'ÉLÈVE	APPRENTISSAGES CIBLÉS	DURÉE PRÉVUE	GUIDE D'ENSEIGNEMENT	RESSOURCES SUPPLÉMENTAIRES	DIFFÉRENCIATION / INTERVENTIONS PÉDAGOGIQUES
7. Un sauvetage flamboyant (manuel, pages 200 à 204)	Faire des liens avec ses connaissances et ses expériences; appliquer des stratégies de lecture; réagir à un texte lu.	De 80 à 120 min (2 ou 3 séances)	Leçon 7	**A 6:** Fais des inférences à partir de citations **A 7:** Le profil d'un personnage **A 12:** Les verbes pronominaux **A 13:** L'emploi des signes de ponctuation **A 14:** La conjugaison du verbe *aller* **É 1:** Observations continues **Coffret audio**	Aux élèves ayant de la difficulté à faire des prédictions, suggérer de travailler en dyades, ou avec l'enseignant ou l'enseignante, afin de concevoir des activités de prédictions pour les élèves plus jeunes. Modéliser à voix haute la façon d'utiliser les stratégies ciblées pour comprendre un texte. Avant de rédiger, demander aux élèves de jouer les personnages. Modéliser la façon de faire des liens entre ses connaissances et ses expériences.
8. La critique d'un récit fantastique (manuel, pages 205 à 207)	Faire des liens avec ses connaissances et ses expériences; appliquer des stratégies de lecture; écrire une référence bibliographique, un court résumé et une appréciation personnelle.	De 60 à 90 min (2 séances)	Leçon 8	**Affiche de modélisation en écriture 7 (transparent 39):** Écrire un résumé **Coffret audio**	Modéliser la façon d'appliquer les stratégies ciblées. Fournir des exemples de références bibliographiques. Modéliser la façon d'écrire un résumé et une appréciation personnelle. Faire les activités d'enrichissement[1]. Livrets de la collection *Petits curieux*[2] suggérés: • *Des prix canadiens!* • *Grands voyageurs* • *Des symboles canadiens* • *À la découverte des explorateurs* • *Passer à l'action* • *Machines volantes* Livrets de la collection *Alizé* suggérés: • *Les dragons galactiques* • *La loi de la jungle* • *Un froid polaire* • *Cadeau* • *L'attente*
Option: Choisir parmi les livrets des collections *Petits curieux* et *Alizé* (*voir les titres suggérés dans la dernière colonne*).	Appliquer les stratégies de lecture.	Variable	Prendre pour modèle les leçons 7 et 8	Choisir parmi les fiches d'activités modèles se rapportant au journal personnel. **É 1:** Observations continues	

1. Noter que les activités des rubriques **Va plus loin** et **Enrichissement** s'appuient sur différents types d'intelligence: verbale, logique, visuelle, interpersonnelle et intrapersonnelle.
2. Pour plus d'information, consulter le site [www.erpi.com].

PLANIFICATEUR : EN UN COUP D'ŒIL (SUITE)

A = fiches d'activités du présent fascicule
É = fiches d'évaluation du présent fascicule

AM = fiches d'activités modèles du fascicule *Guide d'enseignement de la littératie*
ÉM = fiches d'évaluation modèles du fascicule *Guide d'enseignement de la littératie*

RESSOURCES DE L'ÉLÈVE	APPRENTISSAGES CIBLÉS	DURÉE PRÉVUE	GUIDE D'ENSEIGNEMENT	RESSOURCES SUPPLÉMENTAIRES	DIFFÉRENCIATION / INTERVENTIONS PÉDAGOGIQUES
Pratique coopérative ou autonome (*suite*)					
9. Parle-moi de nous (manuel, pages 208 et 209)	Utiliser ses connaissances ; reconnaître des éléments de la culture francophone ; effectuer une recherche sur un ou une artiste ou un groupe musical francophone.	De 60 à 90 min (2 séances)	Leçon 9	**É 1 :** Observations continues	Modéliser la façon d'utiliser ses connaissances pour interpréter et comprendre les paroles d'une chanson. Faire écouter des chansons d'artistes francophones. Parler d'artistes ou de groupes musicaux francophones. Parler de l'existence de la musique francophone contemporaine, telle que le slam. Modéliser la façon d'effectuer une recherche dans Internet.
Intégration et réinvestissement					
10. À l'œuvre ! (manuel, pages 210 et 211) **Remarque :** Cette leçon est une tâche d'évaluation qui peut être faite à tout moment après la pratique coopérative ou autonome.	Écrire une page fictive d'un journal personnel ; suivre des directives pour effectuer une tâche.	De 80 à 120 min (2 ou 3 séances)	Leçon 10	**AM 26 :** Retour sur ta présentation **É 1 :** Observations continues **É 2 :** Grille d'évaluation de la section « À l'œuvre ! »	Aux élèves ayant besoin d'être guidés tout au long de cette tâche, accorder assez de temps pour accomplir le travail. Les inviter à expliquer la tâche à faire afin de s'assurer qu'ils l'ont bien comprise et qu'ils sont sur la bonne voie. Au besoin, travailler avec de petits groupes.

RESSOURCES DE L'ÉLÈVE	APPRENTISSAGES CIBLÉS	DURÉE PRÉVUE	GUIDE D'ENSEIGNEMENT	RESSOURCES SUPPLÉMENTAIRES	DIFFÉRENCIATION / INTERVENTIONS PÉDAGOGIQUES
Intégration et réinvestissement (*suite*)					
11. La création du premier guerrier (manuel, pages 212 à 215)	Faire des liens ; faire des prédictions ; résumer un texte à l'aide d'un schéma ; adapter une histoire ; lire avec expression et fluidité.	De 40 à 80 min (2 séances)	Leçon 11	**AM 2 (transparent 2 et organisateur graphique 2) :** Faire le schéma du récit **A 8 :** Le bingo de lecture **A 15 :** Les pronoms possessifs **Affiche de modélisation en écriture 8 (transparent 40) :** Écrire un récit **É 1 :** Observations continues **Coffret audio**	Discuter de l'importance de faire des prédictions vraisemblables. Expliquer aux élèves que les lecteurs efficaces font des prédictions d'après leurs expériences et leurs connaissances et qu'ils cherchent également des indices dans un texte (titre, illustrations) pour appuyer leurs prédictions. À l'aide de papillons adhésifs, noter les idées principales d'un texte. Modéliser la façon d'écrire un résumé et de remplir le schéma du récit. Modéliser la façon de lire avec expression et fluidité. Faire écouter des textes.
12. Lucie Wan Tremblay et l'énigme de l'autobus (manuel, pages 216 à 221)	Reconnaître la structure d'un récit d'intrigue policière ; observer l'emploi du tiret dans les dialogues ; imaginer le lieu d'une histoire.	De 40 à 80 min (2 séances)	Leçon 12	**A 9 :** La structure du récit **É 1 :** Observations continues **Coffret audio**	Lire et faire écouter des récits d'intrigue policière pour en dégager la structure. Rappeler aux élèves d'utiliser des tirets dans les dialogues de leurs écrits. Présenter des illustrations et des photos et demander aux élèves de s'imaginer qu'une histoire se déroule dans ces lieux. Discuter avec la classe en quoi le choix d'un lieu peut avoir une influence sur le cours d'une histoire.

PLANIFICATEUR : EN UN COUP D'ŒIL (SUITE)

A = fiches d'activités du présent fascicule   AM = fiches d'activités modèles du fascicule *Guide d'enseignement de la littératie*
É = fiches d'évaluation du présent fascicule   ÉM = fiches d'évaluation modèles du fascicule *Guide d'enseignement de la littératie*

RESSOURCES DE L'ÉLÈVE	APPRENTISSAGES CIBLÉS	DURÉE PRÉVUE	GUIDE D'ENSEIGNEMENT	RESSOURCES SUPPLÉMENTAIRES	DIFFÉRENCIATION / INTERVENTIONS PÉDAGOGIQUES
Intégration et réinvestissement *(suite)*					
13. Céleste, ma planète (manuel, pages 222 à 225)	Lire avec fluidité et précision ; mettre en pratique des stratégies de compréhension en lecture ; dégager la structure d'un récit de science-fiction ; présenter un récit sous la forme d'une bande dessinée.	De 40 à 60 min	Leçon 13	**A 9 :** La structure du récit **É 1 :** Observations continues **Coffret audio**	Modéliser la façon de lire un texte avec expression. Inviter les élèves à enregistrer un texte pour un ou une élève plus jeune. À l'aide de divers textes, modéliser la façon de mettre en pratique les stratégies de compréhension en lecture. Mettre à la disposition des élèves des récits de science-fiction comme modèles pour dégager la structure d'un récit. Mettre à la disposition des élèves des bandes dessinées comme modèles. Revoir le vocabulaire propre à la bande dessinée.
14. À ton tour ! (manuel, page 226)	Rédiger un récit ; réfléchir et se fixer des objectifs.	De 40 à 80 min (2 séances)	Leçon 14	**Affiche de modélisation en écriture 8 (transparent 40) :** Écrire un récit **A 10 :** Planifie ton récit **É 1 :** Observations continues **É 3 :** À ton tour !	Aux élèves ayant de la difficulté à avoir des idées, fournir des illustrations ou des scénarimages susceptibles de servir de base à leur histoire. Aider les élèves à choisir un exemple de travail correspondant aux objectifs à atteindre.

Réflexion et bilan

RESSOURCES DE L'ÉLÈVE	APPRENTISSAGES CIBLÉS	DURÉE PRÉVUE	GUIDE D'ENSEIGNEMENT	RESSOURCES SUPPLÉMENTAIRES	DIFFÉRENCIATION / INTERVENTIONS PÉDAGOGIQUES
15. Ton portfolio : Gros plan sur tes apprentissages (manuel, page 227)	Sélectionner les éléments destinés au portfolio ; réfléchir à ses apprentissages et en discuter.	De 40 à 60 min	Leçon 15	Ensemble des travaux **É 4 :** Gros plan sur tes apprentissages	Proposer aux élèves qui ont de la difficulté à commenter leurs choix par écrit de vous les présenter oralement. Leur proposer aussi des modèles pour les aider à le faire (p. ex. voir les fiches AM du *Guide d'enseignement de la littératie*).
Tâche d'évaluation de la compréhension en lecture		De 60 à 90 min	Leçon 15	Fascicule *Évaluation de la compréhension en lecture*	Deux niveaux de difficulté sont proposés pour le texte.
Bilan des apprentissages		Variable	Leçon 15	**É 1 :** Observations continues **É 5 :** Grille d'évaluation du module **É 6 :** Bilan des apprentissages	Tenir compte des données d'évaluation sous différentes formes : participation de l'élève, expression orale, tâche d'évaluation de la compréhension en lecture, travaux divers.

Planificateur : Liens interdisciplinaires

Remarque : Les idées présentées dans cette section peuvent servir de minileçon au cours du module.

Sciences et technologie

Le ciel nocturne fascine les êtres humains depuis des milliers d'années. Les scientifiques et autres personnages de l'histoire se sont servis de leur imagination et des caractéristiques des objets observables dans le firmament pour les nommer. Mars est appelée la Planète rouge, tandis que les groupes d'étoiles, ou constellations, portent des noms descriptifs (p. ex. : la Grande Ourse). Après la lecture du récit *Céleste, ma planète*, demander aux élèves de travailler avec un ou une camarade pour :

- chercher l'origine des noms des planètes et découvrir les histoires qui se cachent derrière ces appellations ;
- découvrir l'histoire des différentes constellations et comment leurs formes ont été intégrées à l'histoire des civilisations.

Santé, développement personnel et social

Mode de vie sain

Revoir le texte *Un sauvetage flamboyant*, aux pages 200 à 204. En groupe-classe, discuter de la réaction de la famille devant l'incendie. Demander aux élèves d'effectuer une des activités ci-dessous et d'expliquer comment ils présenteraient leur travail à une classe d'élèves du primaire afin de les renseigner sur la sécurité en cas d'incendie.

- Créer une affiche contenant un message percutant sur la sécurité incendie.
- Concevoir un plan d'évacuation pour leur maison ou leur appartement, et expliquer pourquoi tous les enfants devraient faire ce genre de plan pour leur famille.
- Dresser une liste de vérification à utiliser pour détecter les risques concernant la sécurité à la maison.
- Concevoir une bande dessinée avec un personnage faisant la promotion de la sécurité incendie et de la marche à suivre en cas d'incendie.

Le cas échéant, s'assurer que les élèves puissent présenter leur travail à une classe du primaire.

Études sociales (sciences humaines)

Chaque année, environ 200 000 immigrants choisissent de s'établir au Canada en raison de la qualité de vie de ce pays, de son ouverture et de sa réputation de société accueillante qui valorise la diversité.

Dès les premières semaines, les immigrants doivent trouver un logement, se familiariser avec un nouveau système de transports publics et s'habituer à une nourriture différente. Cet apprentissage est encore plus complexe quand ces gens arrivent au Canada avec leur famille.

Demander aux élèves de se mettre dans la peau d'un jeune immigrant ou d'une jeune immigrante et d'envoyer un courriel à une personne restée dans le pays d'origine (ami ou amie, parent, enseignante, voisin). Les inviter à décrire leurs réactions face aux différences entre les deux pays. Leur proposer de lire ces textes en classe, de les publier dans le journal de l'école ou de créer un petit fascicule.

Éducation artistique

Arts plastiques

Demander aux élèves d'examiner les esquisses, aux pages 193, 195 et 197. Leur poser les questions suivantes :

- Quelles techniques les artistes ont-ils utilisées ?
- Quelles couleurs pourrait-on employer pour terminer ces esquisses ?

Afin d'illustrer la page de journal qu'ils auront rédigée, inviter les élèves à créer un dessin en se servant des mêmes techniques de lignes et de couleurs.

Art dramatique

Demander aux élèves de présenter un jeu de rôle inspiré d'un texte de la section « Une page du passé » (*voir pages 192 à 197 du manuel*).

Musique

Trouver deux pièces musicales différentes, par exemple, l'une interprétée au violoncelle et l'autre, à l'harmonica. Remettre une feuille à chaque élève. Faire jouer le morceau de violoncelle. Demander aux élèves de fermer les yeux et de dessiner en laissant leurs mains bouger avec la musique. Répéter l'exercice avec une autre feuille et le morceau d'harmonica. Inviter les élèves à se montrer leurs dessins et à discuter de leurs diverses réactions pendant l'écoute musicale.

Planificateur : Activités en lien avec les leçons

Remarque : Les idées présentées dans cette section peuvent servir de minileçon au cours du module.

Utilisation des ressources

Dictionnaire
Rappeler aux élèves l'utilité d'un dictionnaire pour explorer les choix de mots. Leur souligner l'importance de choisir la classe de mots appropriée (ou d'utiliser le mot-racine et de créer la forme adéquate). Pendant leur révision, les inviter à consulter un dictionnaire pour explorer le langage figuratif et améliorer leurs descriptions. Proposer aux élèves de travailler en dyades pour effectuer les activités suivantes :
- Choisir un court passage et supprimer cinq à dix mots descriptifs. Leur demander de réfléchir à des mots susceptibles de combler les espaces en blanc. Leur proposer ensuite de consulter un dictionnaire pour affiner leur choix.
- Choisir un passage contenant des verbes précis et les remplacer par des verbes passe-partout (p. ex. : *dire*, *aller*, *faire*). Sans permettre aux élèves de lire le texte original, leur demander de se servir d'un dictionnaire pour trouver des verbes créant l'effet descriptif désiré. Les inviter ensuite à comparer leur choix avec la version originale.

Journal de bord

Demander aux élèves de tenir un journal de bord afin de prolonger leur réflexion, de clarifier certaines idées et de réfléchir aux connaissances acquises au cours des activités du module.

Utilisation des technologies

Utilisation de la fonction Tableau
Demander aux élèves d'utiliser la fonction Tableau d'un logiciel de traitement de texte afin de créer des tableaux pour noter leurs observations.

Utilisation d'Internet
Inviter les élèves à trouver des légendes et des récits dans Internet et à les présenter à la classe.

Remarque :
Les recherches dans Internet doivent se faire sous la supervision des parents ou des enseignants et des enseignantes. Rappeler aux élèves de ne jamais divulguer de renseignements personnels dans Internet.

Écrire des histoires
Expliquer aux élèves que des technologies simples peuvent les aider à lire, à écouter et à écrire des histoires. Dans le cadre d'un jeu intitulé Réalité ou fiction, demander aux élèves d'écrire une histoire d'une page sous forme de prose (chanson ou poème), puis de la présenter par écrit ou oralement. Les inviter à faire attention aux idées, au ton et au point de vue afin de deviner si l'histoire racontée par leurs camarades est réelle ou fictive. Le cas échéant, enregistrer les histoires pour évaluer les élèves ou bien pour leur permettre de les présenter à d'autres classes, aux membres de leur famille ou dans un café contes.

Noter leurs réflexions :
- au sujet des stratégies utiles pour lire des récits et d'autres textes ;
- sur les différentes méthodes utilisées (discussion, observation et représentation de messages médiatiques) pour mieux comprendre l'intention des médias.

Au besoin, utiliser certaines fiches d'activités modèles fournies dans le *Guide d'enseignement de la littératie*.

Planificateur : Activités langagières

Remarque : Les idées présentées dans cette section peuvent servir de minileçon au cours du module.

Esprit créatif

Discuter avec le groupe-classe des œuvres d'auteurs et d'illustrateurs, des séries, des collections, des maisons d'édition et des prix littéraires jeunesse. Demander aux élèves d'inventer un prix pour souligner la contribution d'un auteur ou d'une auteure, d'un illustrateur ou d'une illustratrice au développement et à l'évolution de la littérature jeunesse. Les inviter à choisir une personne susceptible de mériter ce prix et de justifier leur choix. Leur proposer de préparer une bande-annonce pour faire connaître davantage cette personne.

Étude de mots

Le radical et la terminaison des verbes

Rappeler aux élèves les notions de *radical* et de *terminaison* des verbes. Le radical du verbe est l'élément qui contient le sens du verbe ; la terminaison est la partie qu'on ajoute au radical et qui se conjugue, donc qui varie selon le mode, le temps et la personne. Cependant, certains verbes (*être*, *aller*, *tenir*, *finir*, *recevoir*, etc.) possèdent plusieurs radicaux. Demander aux élèves de relever des verbes dans un texte, d'en déterminer le radical et la terminaison, puis de préciser la personne, le temps et le mode de conjugaison.

Jeux de mots

Avec des mots

Demander aux élèves de former un cercle. Leur distribuer une feuille et les inviter à y écrire un nom et son déterminant, ou un verbe et son sujet. Ensuite, leur demander de passer cette feuille à leur voisin ou voisine de droite qui écrira un adjectif, puis qui fera circuler la feuille de nouveau vers la droite, où un ou une autre élève écrira un adverbe. À partir des mots écrits sur la feuille qu'ils ont en mains, proposer aux élèves d'inventer une histoire (oralement ou par écrit) et de la présenter à la classe.

Page de dictionnaire

Écrire au tableau une lettre de l'alphabet. Demander aux élèves de dresser une liste de mots commençant par cette lettre, puis de les classer selon l'ordre alphabétique. Les inviter ensuite à échanger leur liste avec un ou une camarade qui devra écrire la définition de chaque mot.

Écriture

Écrire un journal personnel

À l'aide du transparent **37 : Écrire un journal personnel** (*voir aussi affiche de modélisation en écriture 5*), revoir avec les élèves les étapes à suivre pour écrire un journal personnel. Pour les aider, mettre à leur disposition un tableau de référence contenant les caractéristiques d'un journal personnel.

Écrire un récit

À partir d'une réflexion sur la structure d'un récit, dégager avec les élèves tous les points importants et les questions à se poser au cours de la rédaction d'un récit et les disposer dans une grille.

- Le lieu : où l'histoire se passe-t-elle ?
- Le temps : quand a-t-elle lieu ?
- Le héros ou l'héroïne : qui est-il ou qui est-elle ?
- Le but : quel est l'objectif de ce personnage principal ?
- Les difficultés, obstacles ou oppositions : qu'est-ce qui empêche ce personnage d'atteindre son objectif ?
- La solution : comment l'obstacle est-il écarté ?
- Le résultat : quelle est la fin de l'histoire ?

Distribuer un ou plusieurs magazines aux élèves en leur demandant de réaliser un collage de photos correspondant aux questions posées dans la grille établie ensemble et d'inscrire au-dessous de chaque photo une brève légende répondant à la question illustrée. Inviter les élèves à se servir de leur collage pour écrire un récit.

Éléments d'écriture

Préciser aux élèves l'importance d'utiliser des mots ou des groupes de mots substituts pour éviter la répétition des idées dans un texte et le rendre plus intéressant. Demander aux élèves de relever les mots ou les groupes de mots substituts employés dans un des textes de ce module.

Grammaire

Les participes passés employés comme adjectifs

À l'aide d'un texte du module, faire ressortir les participes passés employés comme adjectifs. Demander ensuite aux élèves de relier les participes passés employés comme adjectifs aux noms qu'ils complètent, de déterminer le genre et le nombre de ces noms et d'expliquer l'accord des participes passés.

Les types de phrases et la ponctuation

Amener les élèves à réviser les quatre types de phrases : déclarative, interrogative, exclamative et impérative, et à y remarquer l'utilisation de la ponctuation. Les inviter à étudier différentes manipulations permettant de transformer une phrase déclarative en un autre type de phrase. À l'aide du texte *Lucie Wan Tremblay et l'énigme de l'autobus*, inciter les élèves à observer divers types de phrases, puis les inviter à les transformer.

La priorité des personnes dans l'accord du verbe avec son sujet

Le verbe reçoit la personne et le nombre du noyau du groupe nominal sujet (GNs). Si ce noyau est composé de plusieurs noms ou pronoms appartenant à la 3e personne, on conjugue le verbe à la 3e personne du pluriel. Si le noyau du GN est composé de noms et de pronoms appartenant à des personnes grammaticales différentes, on conjugue le verbe au pluriel, selon la priorité des personnes. La 1re personne a priorité sur les 2e et 3e personnes. La 2e personne a priorité sur la 3e personne. Demander aux élèves de relever des exemples dans les textes de ce module, tels que : «Ma famille et moi sommes arrivés à Yorkton le 12 août 1896 (*voir* Le journal de Mikhailo, *page 193 du manuel*), «Ours, Cerf et Hibou décident...» (*voir* La création du premier guerrier, *page 213 du manuel*).

Enrichissement du vocabulaire

Rappeler aux élèves que, pour rendre un texte plus intéressant à lire et pour amener les lecteurs et les lectrices à mieux imaginer l'histoire, les auteurs et les auteures utilisent des verbes précis. Dans le texte *Lucie Wan Tremblay et l'énigme de l'autobus*, inviter les élèves à relever les mots employés à la place du verbe *dire*.

1 Présentation du module

(manuel, pages 184 et 185)

Apprentissages ciblés
- Faire des liens avec ses connaissances et ses expériences.
- Communiquer ses opinions et ses idées en tenant compte du contexte.
- Participer et s'exprimer en français lors du travail en groupes.

Activer ses connaissances

AVANT

Inviter les élèves à observer la photo des pages 184 et 185 du manuel. Leur poser les questions suivantes :

- Quelles photos ou quels lieux cette photo vous rappelle-t-elle ?
- Comment cette photo illustre-t-elle le thème de ce module ?
- En quoi cette photo est-elle intéressante ?
- Comment cette photo pourrait-elle vous inspirer à écrire une histoire ?
- Quels éléments rendent une histoire intéressante ?
- Préférez-vous les histoires fictives ou les histoires vraies ? Pourquoi ?

Amener les élèves à concevoir un tableau de leurs genres de récits préférés. Par exemple : récits d'intrigue policière, de science-fiction, d'aventures ou fantastiques. Inviter les élèves à discuter de leur choix avec un ou une camarade avant d'en parler en groupe-classe.

Prendre connaissance des objectifs d'apprentissage

PENDANT

Présenter aux élèves les objectifs d'apprentissage de la page 184 du manuel. Créer un tableau en les reformulant avec les mots des élèves. Inviter ces derniers à parler des activités qu'ils aimeraient faire afin d'atteindre ces objectifs.

Pour stimuler la discussion, poser les questions suivantes :

- Qu'avez-vous déjà appris ou fait susceptible de vous aider à atteindre ces objectifs ?
- Quels sont, pour vous, les nouveaux objectifs ?
- Quel support vous permettrait de les atteindre ?
- Que ferez-vous une fois ces objectifs atteints ?

Soutien (étayage)

Pour aider les élèves, nommer des activités leur permettant d'atteindre les objectifs d'apprentissage visés (p. ex. : lire un journal personnel, écouter des récits, lire et comparer différents genres de récits).

Remettre aux élèves la fiche d'activité **1 : Lettre à l'intention des parents / Home Connection Letter**. Cette lettre a pour but de faire connaître aux parents ou tuteurs le contenu du présent module et d'encourager leur participation aux apprentissages des élèves.

Lire les termes et les expressions de la page 185 du manuel. Inciter les élèves à faire des liens entre ces formulations, puis à énoncer ce qu'elles évoquent pour eux. Former des équipes de trois ou quatre élèves. Leur remettre une grande feuille comprenant, au centre, un des termes ou une des expressions de la page 185. Demander aux élèves d'y noter leurs connaissances au sujet de ce mot ou de cette expression. Ensuite, leur faire échanger leurs feuilles jusqu'à ce que toutes les équipes aient noté leurs réponses pour chaque terme.

Inviter les élèves à dresser une liste de mots ou d'expressions liés au thème et à l'améliorer au cours du module.

APRÈS

Survoler le module avec les élèves. Leur rappeler que cette activité consistant à se faire une idée des sujets aide à comprendre le thème. Leur remettre la fiche d'activité **2 : Un survol du module** et leur proposer d'y inscrire leurs réponses. Proposer aux élèves de discuter de leurs résultats avec un ou une camarade ou en petits groupes.

Expliquer aux élèves que, la plupart du temps, les histoires se transmettent de bouche à oreille, de génération en génération. Inviter les élèves à effectuer une recherche à la bibliothèque ou dans Internet sur les soirées villageoises d'antan. Grâce à un diagramme de Venn, leur demander de comparer leur quotidien avec celui des gens de cette époque-là. Par exemple : quels moyens utilisaient-ils pour se loger, se nourrir, se vêtir, se divertir ? Lancer une discussion sur les facteurs qui ont changé le mode de vie, et sur les avantages et les désavantages de vivre au 21e siècle.

Survoler le module et faire des prédictions

RÉFLEXION

Inviter les élèves à rédiger une brève réflexion dans leur journal de bord en répondant à l'une des questions suivantes :

- Pourquoi les gens ressentent-ils le besoin de conter des histoires ?
- Pourquoi les gens aiment-ils lire des récits ?
- Quelles émotions la lecture d'un journal personnel peut-elle susciter ?
- À quelle époque aimeriez-vous vivre et pourquoi ?
- En quoi est-il important de conserver la tradition orale ?

ÉVALUATION AU SERVICE DE L'APPRENTISSAGE *(voir fiche d'évaluation 1 : Observations continues)*

Observations	Interventions pédagogiques
Noter si les élèves peuvent : • faire des liens avec leurs connaissances et leurs expériences ;	Modéliser la façon de faire des liens entre ses connaissances et ses expériences (p. ex. : *Quand j'étais plus jeune, je…*).
• communiquer leurs opinions et leurs idées en tenant compte du contexte ;	Faire des pauses pendant les discussions et inviter les élèves à faire part de leurs commentaires à leurs camarades. Expliquer l'importance de tenir compte du contexte au moment de communiquer ses idées.
	Au besoin, modéliser le travail en groupes et proposer des stratégies de dépannage. Par exemple, poser la question suivante : En quoi paraphraser est-il une bonne stratégie de communication orale ?
• participer et s'exprimer en français lors du travail en groupes.	Féliciter les élèves qui parlent en français pendant le travail en groupes.

Niveau de lecture V-W, DRA 58-60

Une histoire à raconter

(manuel, pages 186 à 189)

Apprentissages ciblés
- Pratiquer l'écoute active.
- Participer à une discussion.
- Effectuer un sondage.

AVANT

Faire des liens avec ses expériences

Poser la question de départ (*voir page 186 du manuel*): Quelle histoire pourrais-tu inventer à partir de ton vécu?

Inviter les élèves à en discuter avec un ou une camarade, puis avec la classe.

Lire le titre de l'histoire: *Une histoire à raconter* et poser les questions suivantes:
- Avez-vous déjà entendu une personne raconter une histoire? Avez-vous aimé l'expérience?
- Connaissez-vous un conteur ou une conteuse?
- Quelle est l'importance de transmettre une histoire d'une génération à l'autre?

Analyser les photos

Inviter les élèves à observer et à analyser les photos de la page 187 du manuel. Préciser que les photos fournissent de l'information aux historiens et enrichissent la compréhension du passé. Inciter les élèves à formuler leurs observations. Pour les aider, leur poser des questions telles que les suivantes:
- Que voyez-vous sur ces photos?
- Que font les personnes?
- Où se trouvent-elles? Que voyez-vous à l'arrière-plan?
- Les gens posent-ils ou sont-ils photographiés dans leur état naturel?
- Pour quelles raisons a-t-on pris ces photos?
- Quel message le photographe voulait-il transmettre?
- Quelles légendes pourraient accompagner ces photos?

PENDANT

Lire ou faire écouter (*voir coffret audio*) le texte « Une histoire à raconter » en demandant aux élèves de noter les éléments qui captent leur attention. S'arrêter pendant la lecture pour questionner les élèves ou pour répondre à leurs questions.

Pour susciter la discussion, poser les questions suivantes:
- En quoi la façon de vivre est-elle différente aujourd'hui? En quoi est-elle semblable?
- Quels seraient les avantages et les désavantages de vivre à cette époque? Aimeriez-vous cela?
- Connaissez-vous des *chansons à répondre*?
- Selon l'auteur, les histoires sont des trésors à partager. Êtes-vous d'accord? Expliquez pourquoi.
- D'après le texte, quelles sont les qualités requises pour bien conter des histoires?
- Aimeriez-vous participer à une soirée villageoise? Expliquez pourquoi.
- Avez-vous d'autres questions à propos du texte?

Conseil

Modéliser la façon de lire en insistant sur l'importance de la fluidité, de l'expression et du rythme, ni trop lent ni trop rapide. Préciser que la lecture à voix haute suit le rythme du langage parlé et que la ponctuation permet de faire des pauses pendant la lecture.

APRÈS

Demander aux élèves de travailler en dyades pour nommer les stratégies qu'ils ont appliquées pour comprendre le texte (p. ex.: imaginer l'histoire, faire des liens avec ses connaissances et ses expériences).

Inviter les élèves à discuter des stratégies d'écoute en posant des questions comme les suivantes:

- Quelles stratégies d'écoute avez-vous utilisées? (p. ex.: *Faire des liens, Faire des prédictions*)
- Comment vos prédictions ont-elles changé tout au long de la lecture ou de l'écoute du texte?
- Quelles stratégies avez-vous appliquées pour rester à l'écoute et vous assurer de bien comprendre le texte? (p. ex.: *Vérifier ses prédictions*)

Demander aux élèves de relever une phrase du texte qui est, à leurs yeux, particulièrement intéressante. Les inviter à justifier leur choix auprès d'un ou d'une camarade.

Proposer aux élèves de faire les deux activités de la rubrique **Parlons-en!** (*voir page 189 du manuel*).

- Pour la première activité, leur rappeler de faire des inférences afin de déterminer les qualités d'un conteur ou d'une conteuse habile.
- Pour la seconde activité, expliquer la façon d'effectuer un sondage, de formuler des questions et de présenter les résultats dans un diagramme. Discuter de l'efficacité de certains diagrammes pour représenter les résultats d'un sondage.

Marginalia : Discuter des stratégies d'écoute

Marginalia : Participer à une discussion

Marginalia : Effectuer un sondage

OBSERVATION GRAMMATICALE EN CONTEXTE

Modéliser la façon de remplir la fiche d'activité **11 : La construction du groupe nominal.**

RÉFLEXION

Après l'échange d'idées, demander aux élèves de discuter avec un ou une camarade sur l'efficacité du sondage pour se renseigner sur les goûts ou les champs d'intérêt des gens. Inviter les élèves à écrire leur réflexion dans leur journal de bord.

Marginalia : Réfléchir à l'efficacité d'un sondage

ÉVALUATION AU SERVICE DE L'APPRENTISSAGE *(voir fiche d'évaluation 1: Observations continues)*

Observations	Interventions pédagogiques
Noter si les élèves peuvent: • pratiquer l'écoute active; • participer à une discussion;	Pour les élèves ayant des besoins particuliers, modéliser la façon d'écouter attentivement et de prendre des notes afin de retenir les propos d'une personne. Revoir avec les élèves les façons de réagir au message entendu. Les inviter à exprimer leurs idées, leurs opinions ou leurs sentiments. Par exemple: • *Cela m'a fait penser à…* • *J'ai aimé quand…* • *Je ne pense pas que…* Rappeler les principales techniques de prise de parole. Par exemple: articuler et s'exprimer clairement, contrôler le volume de la voix, ajuster le ton de la voix, contrôler la vitesse d'élocution, exploiter les silences et les bruits, garder le contact visuel, accorder l'expression faciale aux émotions, adopter une position pour capter l'attention de l'auditoire.
• effectuer un sondage.	Modéliser la façon de formuler des questions pour un sondage. Fournir des exemples de sondages et comparer l'efficacité de divers diagrammes.

3 Lire un récit

(manuel, pages 190 et 191)

Apprentissages ciblés
- Préciser son intention de lecture.
- Reconnaître l'utilité des expressions figurées dans un texte.
- Comprendre et évaluer les stratégies de lecture utilisées.
- Analyser un personnage.
- Analyser des textes pour comprendre leur structure et améliorer ses écrits.
- Reconnaître l'utilité des habiletés en communication orale et en lecture pour mieux écrire.

Affiche : **Le journal de Renate** *(voir aussi transparent 18)*.

Note : Cette leçon de **lecture partagée** pourrait être enseignée sur une période de deux à quatre séances, selon les besoins des élèves.

3.1 Lis avec habileté : Précise ton intention *(manuel, page 191)*

AVANT

Se familiariser avec le genre de texte

Expliquer aux élèves qu'un récit est une communication orale ou écrite, réelle ou fictive. Leur parler des divers types de récits (p. ex. : récits fantastique, d'aventures, de science-fiction et d'intrigue policière). Lire l'introduction de la page 190 du manuel.

Lire avec les élèves les questions de la rubrique **Exprime-toi !** *(voir page 190 du manuel)*.

PENDANT

Faire des liens avec ses expériences

Demander aux élèves de parler des personnages de récits qu'ils ont déjà lus. Leur poser les questions suivantes :

- Pensez à une de vos lectures. Quel est votre personnage préféré et quelles sont ses caractéristiques ?
- En quoi un personnage peut-il améliorer l'intérêt d'un récit ?
- À votre avis, certains personnages sont-ils plus vraisemblables que d'autres ? Expliquez pourquoi.
- Dans vos textes, comment pourriez-vous rendre un personnage plus réel ?

Créer un tableau

Inviter les élèves à travailler en dyades pour remplir un tableau identique à celui au bas de la page 190 du manuel. Avant qu'ils inscrivent les caractéristiques de leurs personnages préférés, leur demander de noter le titre des récits et de rédiger une courte description du personnage principal. Les inviter à discuter des similitudes et des différences entre les personnages choisis.

APRÈS

Inviter les élèves à réfléchir aux raisons qui incitent les gens à lire ou à écouter des récits en posant la question suivante : Pourquoi lit-on des récits ?

Discuter avec les élèves de ce qu'on peut apprendre en lisant ou en écoutant un récit. Leur rappeler que la plupart des récits sont divertissants.

Préciser son intention de lecture

RÉFLEXION

Inviter les élèves à réfléchir sur ce qu'ils pourraient apprendre en lisant des récits et à discuter de l'utilité de lire divers types de récits.

Modéliser la réflexion à voix haute pour les élèves (p. ex. : *Lire des récits me permettra…*).

Réfléchir à l'intention de sa lecture

3.2 Lis avec habileté : Décode le texte *(manuel, page 191)*

Note : Cette leçon pourrait facilement s'intégrer à la leçon 3.3.

AVANT

Reconnaître des expressions figurées

Expliquer aux élèves que les auteurs et les auteures de récits utilisent souvent des expressions figurées pour amener les lecteurs et les lectrices à mieux visualiser l'histoire. Évoquer les diverses figures de style, comme les comparaisons, les métaphores et les expressions figurées. Préciser l'importance de prêter attention au contexte pour comprendre le sens d'une expression figurée, c'est-à-dire de s'attarder au sens global de l'expression et non au sens de chacun des mots qui la composent. Lire avec les élèves la rubrique **Décode le texte** *(voir page 191 du manuel)*.

PENDANT

Discuter des expressions figurées

Avec les élèves, relire à voix haute le texte « Une histoire à raconter » *(voir pages 186 à 189 du manuel)*. S'arrêter aux moments opportuns pour parler des expressions qui permettent de visualiser l'histoire. Inviter les élèves à expliquer comment la compréhension de ces figures de style peut servir à lire d'autres textes.

Pour stimuler la discussion, demander aux élèves ce qu'ils ressentent en lisant les phrases suivantes, aux pages 186 et 188 :

- « Ces histoires sont le spectacle de ma vie et le récit de mes rides, de mes larmes et de mes sourires. »
- « L'argent manquait parfois, mais les idées abondaient. »
- « Les vieux manches à balai se transformaient vite en épées ou en baguettes de tambours. »
- « Le grenier de la vieille grange abandonnée était notre jardin secret. »
- « Il savait tenir son auditoire en haleine. On était suspendu à ses lèvres ! »

APRÈS

Relever des expressions figurées

Inviter les élèves à trouver dans des textes d'autres expressions figurées et à s'en servir pour créer un tableau. Les encourager à utiliser ce dernier, au besoin, pour construire d'autres expressions figurées.

RÉFLEXION

Réfléchir aux transferts des connaissances

Inviter les élèves à écrire, dans leur journal de bord, les expressions figurées qui pourraient servir dans leurs productions écrites.

ÉVALUATION AU SERVICE DE L'APPRENTISSAGE *(voir fiche d'évaluation 1 : Observations continues)*

Observations	Interventions pédagogiques
Noter si les élèves peuvent : • reconnaître l'utilité des expressions figurées dans un texte.	Travailler avec un petit groupe d'élèves pour trouver des expressions figurées dans divers textes. Raconter des histoires connues des élèves et ajouter des expressions figurées. Demander aux élèves d'illustrer des expressions figurées. Par exemple, les inviter à trouver le plus grand nombre possible d'expressions figurées à partir du mot *cœur*.

3.3 Lis avec habileté : Construis le sens du texte — Fais des prédictions, fais des inférences et fais des liens

(manuel, page 191)

AVANT

Rappeler aux élèves que les lecteurs efficaces choisissent et appliquent des stratégies pour mieux comprendre le texte, par exemple en utilisant leurs connaissances afin de déterminer les points importants. Installer l'affiche **Le journal de Renate** (*voir aussi transparent 18*) et poser les questions suivantes :

- Quels indices laissent croire qu'il s'agit d'un récit ?
- Quelles stratégies pourraient vous aider à comprendre le texte ?

Inviter les élèves à lire la rubrique **Construis le sens du texte** (*voir page 191 du manuel*). Modéliser les trois stratégies de lecture qui permettent de comprendre efficacement un récit.

- *Faire des prédictions :* Survoler le texte avant de commencer à lire.
- *Faire des inférences :* Lire « entre les lignes » pour trouver l'information en cherchant des indices dans l'histoire.
- *Faire des liens :* S'appuyer sur ses expériences pour les comparer avec celles du personnage.

> **Soutien (étayage)**
>
> À ce niveau, la plupart des élèves peuvent utiliser plusieurs stratégies de lecture à la fois, mais il importe de continuer à modéliser le choix et l'intégration des stratégies pour qu'ils deviennent des lecteurs efficaces. Ajuster la leçon pour les élèves ayant davantage besoin de soutien.

Survoler les stratégies

Modéliser les stratégies ciblées

Faire des prédictions

Faire des inférences

Faire des liens

PENDANT

Lire ou faire écouter le texte de l'affiche **Le journal de Renate** (*voir aussi transparent 18*). Faire des pauses afin de vérifier la compréhension des élèves, de les inciter à faire des liens avec leurs expériences et, au besoin, de leur expliquer certains mots de vocabulaire. À l'aide de la fiche d'activité **3 : Fais des prédictions et des inférences**, modéliser la façon de se servir de son expérience pour faire des prédictions. Par exemple :

En regardant le texte, je constate qu'il s'agit du journal personnel d'une fille nommée Renate. Pour m'aider à faire mes prédictions, je vais me poser deux questions et tenter de prévoir les réponses sans lire le texte :

- *Quel sera le sujet de ce journal personnel ?*
- *Qu'arrivera-t-il ?*

En observant l'illustration et en lisant le titre, je peux prédire qu'il s'agit d'un journal personnel d'une jeune fille nommée Renate et que l'histoire se passe dans une école.

Commencer la lecture partagée

Inviter les élèves à remplir le premier tableau de la fiche d'activité. Leur demander de répondre aux questions et de faire des prédictions. Leur indiquer de les écrire dans la deuxième colonne et de fournir les indices qui les ont aidés à faire ces prédictions. Puis, les inviter à lire le texte pour vérifier leurs prédictions et à noter leurs découvertes dans la troisième colonne.

Ensuite, à l'aide du deuxième tableau, modéliser la façon de faire des inférences en demandant aux élèves d'écrire les renseignements utiles pour faire des inférences sur le personnage principal de ce récit. Pour chaque renseignement, les inviter à faire une inférence et à expliquer ce qui a permis de la faire.

À l'aide de la fiche d'activité **4 : Fais des liens**, modéliser la façon de résumer un texte, de faire des liens et de comparer ses expériences avec celles du personnage d'un texte.

APRÈS

Avec les élèves, revoir la fiche d'activité **4 : Fais des liens** et leur demander comment cette information peut les aider à lier l'information du texte à leurs expériences. Leur poser la question suivante : Quels renseignements et quels indices, dans le texte, vous permettent de faire ces liens ?

Inviter les élèves à comparer, dans leur journal de bord, leurs expériences avec celles de Renate. Poser les questions suivantes : En quoi vos expériences sont-elles semblables à celles de Renate ? En quoi sont-elles différentes ?

RÉFLEXION

Animer une discussion sur l'utilité des stratégies de lecture.

Réfléchir aux stratégies utilisées

ÉVALUATION AU SERVICE DE L'APPRENTISSAGE (voir fiche d'évaluation **1 : Observations continues**)

Observations	Interventions pédagogiques
Noter si les élèves peuvent : • préciser leur intention de lecture ; • comprendre et évaluer les stratégies de lecture utilisées.	Modéliser la façon de mettre en application des stratégies. Pour les élèves ayant davantage besoin de soutien, demander à un ou une camarade de modéliser à voix haute une stratégie.

3.4 Lis avec habileté : Analyse le texte (manuel, page 191)

AVANT

Inviter les élèves à relire le texte de l'affiche **Le journal de Renate** avec un ou une camarade.

Relire le texte

PENDANT

Lire la première question de la rubrique **Analyse le texte** (*voir page 191 du manuel*) : Que fait-on pour rendre les personnages vraisemblables dans un récit ?

Laisser quelques minutes aux élèves pour discuter de leurs réponses en dyades. Faire ensuite une mise en commun en groupe-classe.

Animer une discussion sur l'importance des caractéristiques des personnages dans un récit. Poser la question suivante aux élèves : Si on changeait les caractéristiques de Renate (par exemple, celles d'une personne âgée), l'histoire serait-elle différente ?

Inviter les élèves à lire la deuxième question de la rubrique **Analyse le texte** : Comment peut-on capter l'attention des lecteurs et lectrices dans un récit ? Élaborer une réponse en groupe-classe.

Poser aux élèves la question suivante : En quoi la lecture de récits peut-elle améliorer l'écriture ?

Expliquer que les habiletés en communication orale et en lecture aident à l'écriture.

Analyser un personnage

APRÈS

Inviter les élèves à discuter des diverses intentions d'écrire un journal personnel. Leur demander de relever les points qui rendent la lecture d'un journal personnel intéressante en s'appuyant sur des exemples.

Discuter des intentions d'écrire un journal personnel

RÉFLEXION

Inviter les élèves à réfléchir aux stratégies utilisées pour lire un journal personnel. Leur demander de noter, dans leur journal de bord, la stratégie la plus pertinente, à leur avis, et de justifier leur choix auprès d'un ou une camarade.

Réfléchir aux stratégies utilisées

ÉVALUATION AU SERVICE DE L'APPRENTISSAGE (voir fiche d'évaluation 1 : Observations continues)

Observations	Interventions pédagogiques
Noter si les élèves peuvent : • analyser un personnage ; • analyser des textes pour comprendre leur structure et améliorer ses écrits ; • reconnaître l'utilité des habiletés en communication orale et en lecture pour mieux écrire.	Au besoin, modéliser la façon de déterminer les caractéristiques d'un personnage à l'aide d'histoires connues des élèves. Leur demander de préparer une fiche descriptive d'un personnage et de la présenter à un ou une camarade.

4 **La pratique guidée**

(*manuel, pages 192 à 197*)

Apprentissages ciblés

Mettre en application les stratégies :
Faire des prédictions, *Faire des inférences*
et *Faire des liens*.

4.1 Le journal de Mikhailo (niveau de lecture U-V, DRA 54-58)

4.2 Le journal de Nadža (niveau de lecture S-T, DRA 48-50)

4.3 Le journal de Catherine (niveau de lecture V-W, DRA 58-60)

4.4 Affiche du scénarimage du module 5

4.1 Le journal de Mikhailo (*manuel, pages 192 et 193*)

AVANT

Revoir les stratégies modélisées et expérimentées lors des leçons précédentes : *Faire des prédictions*, *Faire des inférences* et *Faire des liens*. Inviter les élèves qui liront le texte « Le journal de Mikhailo » à se regrouper. Afin de modéliser le travail à faire en groupe de lecture guidée, utiliser les outils suivants :

- Fiche d'activité **3 : Fais des prédictions et des inférences** ;
- Fiche d'activité **4 : Fais des liens** ;
- Affiche de lecture partagée (*ou transparent 18*) : **Le journal de Renate.**

> **Conseil**
>
> Rappeler aux élèves que toutes les stratégies sont interdépendantes et que les lecteurs efficaces appliquent, au besoin, plus d'une stratégie à la fois. Par exemple, lorsqu'ils déterminent les caractéristiques d'un personnage, ils font aussi des inférences et posent des questions.

PENDANT

Demander aux élèves de compléter le premier tableau de la fiche d'activité **3 : Fais des prédictions et des inférences**, tel que modélisé au cours de la séance de lecture partagée (*voir page 9 du présent document*). Les inviter à survoler le texte pour répondre aux questions et faire des prédictions. Leur demander de les écrire dans la deuxième colonne et de fournir les indices qui les ont aidés à faire ces prédictions. Ensuite, les inviter à lire le texte pour vérifier leurs prédictions et à noter leurs découvertes dans la troisième colonne.

Demander aux élèves de faire des inférences en lisant le texte. Pour cela, les inviter à compléter le deuxième tableau de la fiche d'activité **3 : Fais des prédictions et des inférences**, tel que modélisé au cours de la séance de lecture partagée (*voir page 9 du présent document*). Dans la première colonne, leur demander d'écrire les renseignements qui leur permettent de faire des inférences. Pour chaque renseignement, les inviter à faire une inférence, à l'écrire dans la deuxième colonne et à expliquer, dans la troisième colonne, ce qui a permis de faire ces inférences.

Enseignement différencié

Assigner aux élèves un des trois textes proposés selon leur niveau de lecture. Avec de l'aide, les élèves lisent le texte en groupes de quatre à six. Pendant ce temps, certains élèves peuvent travailler de façon autonome (p. ex. : à l'aide des cartes-photos) ou avec l'enseignant ou l'enseignante.

Niveau de lecture U-V, DRA 54-58

Revoir les stratégies

Faire des prédictions

Faire des inférences

APRÈS

Demander aux élèves de remplir la fiche d'activité **4 : Fais des liens**, tel que modélisé au cours de la séance de lecture partagée (*voir page 10 du présent document*). Inciter les élèves à expliquer comment résumer un texte permet de le comprendre et de retenir l'information. S'assurer de leur compréhension ainsi que de la logique et de la justification de leurs liens. Demander aux élèves de comparer leurs expériences avec celles de Mikhailo.

OBSERVATION GRAMMATICALE EN CONTEXTE

Demander aux élèves d'observer la terminaison des verbes et de faire l'activité langagière : **La priorité des personnes dans l'accord du verbe avec son sujet** (*voir page XIX du présent document*).

RÉFLEXION

Inviter les élèves à discuter avec un ou une camarade des stratégies ciblées dans cette leçon. Leur demander de trouver une façon de les utiliser dans une autre situation de lecture et d'écrire, dans leur journal de bord, ce qu'ils ont appris sur ces stratégies.

Faire des liens

Critères d'évaluation :
- faire des prédictions et les vérifier ;
- faire des inférences ;
- faire des liens avec ses expériences et les comparer avec celles du personnage d'un texte ;
- comprendre le texte lu.

Réfléchir aux stratégies utilisées

Niveau de lecture S-T, DRA 48-50

Revoir les stratégies

4.2 Le journal de Nadža *(manuel, pages 194 et 195)*

AVANT

Revoir les stratégies modélisées et expérimentées lors des leçons précédentes : *Faire des prédictions*, *Faire des inférences* et *Faire des liens*. Inviter les élèves qui liront le texte « Le journal de Nadža » à se regrouper. Afin de modéliser le travail à faire en groupe de lecture guidée, utiliser les outils suivants :

- Fiche d'activité **3 : Fais des prédictions et des inférences** ;
- Affiche de lecture partagée (*ou transparent 18*) : **Le journal de Renate**.

> ### Conseil
> Rappeler aux élèves que toutes les stratégies sont interdépendantes et que les lecteurs efficaces appliquent, au besoin, plus d'une stratégie à la fois. Par exemple, lorsqu'ils déterminent les caractéristiques d'un personnage, ils font aussi des inférences et posent des questions.

PENDANT

Faire des prédictions

Demander aux élèves de compléter le premier tableau de la fiche **3 : Fais des prédictions et des inférences**, tel que modélisé au cours de la séance de lecture partagée (*voir page 9 du présent document*). Les inviter à survoler le texte pour répondre aux questions et faire des prédictions. Leur demander de les écrire dans la deuxième colonne et de fournir les indices qui les ont aidés à faire ces prédictions. Ensuite, les inviter à lire le texte pour vérifier leurs prédictions et à noter leurs découvertes dans la troisième colonne.

Faire des inférences

Demander aux élèves de faire des inférences en lisant le texte. Pour cela, les inviter à compléter le deuxième tableau de la fiche **3 : Fais des prédictions et des inférences**, tel que modélisé au cours de la séance de lecture partagée (*voir page 9 du présent document*). Dans la première colonne, leur demander d'écrire les renseignements qui permettent de faire des inférences. Pour chaque renseignement, les inviter à faire une inférence, à l'écrire dans la deuxième colonne et à expliquer, dans la troisième colonne, ce qui a permis de faire ces inférences.

APRÈS

Faire des liens

Demander aux élèves de remplir la fiche d'activité **4 : Fais des liens**, tel que modélisé au cours de la séance de lecture partagée (*voir page 10 du présent document*). Inciter les élèves à expliquer comment résumer un texte permet de le comprendre et de retenir l'information. S'assurer de leur compréhension ainsi que de la logique et de la justification de leurs liens. Demander aux élèves de comparer leurs expériences avec celles de Nadža.

OBSERVATION GRAMMATICALE EN CONTEXTE

Demander aux élèves d'observer la terminaison des verbes et de faire l'activité langagière : **La priorité des personnes dans l'accord du verbe avec son sujet** (*voir page XIX du présent document*).

RÉFLEXION

Inviter les élèves à discuter avec un ou une camarade des stratégies ciblées dans cette leçon. Leur demander de trouver une façon de les utiliser dans une autre situation de lecture et d'écrire, dans leur journal de bord, ce qu'ils ont appris sur ces stratégies.

Critères d'évaluation :
• faire des prédictions et les vérifier ;
• faire des inférences ;
• faire des liens avec ses expériences et les comparer avec celles du personnage d'un texte ;
• comprendre le texte lu.

Réfléchir aux stratégies utilisées

Niveau de lecture V-W, DRA 58-60

4.3 Le journal de Catherine *(manuel, pages 196 et 197)*

AVANT

Revoir les stratégies

Revoir les stratégies modélisées et expérimentées lors des leçons précédentes : *Faire des prédictions*, *Faire des inférences* et *Faire des liens*. Inviter les élèves qui liront le texte « Le journal de Catherine » à se regrouper. Afin de modéliser le travail à faire en groupe de lecture guidée, utiliser les outils suivants :

- Fiche d'activité **3 : Fais des prédictions et des inférences** ;
- Fiche d'activité **4 : Fais des liens** ;
- Affiche de lecture partagée (*ou transparent 18*) : **Le journal de Renate**.

> **Conseil**
>
> Rappeler aux élèves que toutes les stratégies sont interdépendantes et que les lecteurs efficaces appliquent, au besoin, plus d'une stratégie à la fois. Par exemple, lorsqu'ils déterminent les caractéristiques d'un personnage, ils font aussi des inférences et posent des questions.

PENDANT

Faire des prédictions

Demander aux élèves de compléter le premier tableau de la fiche **3 : Fais des prédictions et des inférences**, tel que modélisé au cours de la séance de lecture partagée (*voir page 9 du présent document*). Les inviter à survoler le texte pour répondre aux questions et faire des prédictions. Leur demander de les écrire dans la deuxième colonne et de fournir les indices qui les ont aidés à faire ces prédictions. Ensuite, les inviter à lire le texte pour vérifier leurs prédictions et à noter leurs découvertes dans la troisième colonne.

Faire des inférences

Demander aux élèves de faire des inférences en lisant le texte. Pour cela, les inviter à compléter le deuxième tableau de la fiche **3 : Fais des prédictions et des inférences**, tel que modélisé au cours de la séance de lecture partagée (*voir page 9 du présent document*). Dans la première colonne, leur demander d'écrire les renseignements qui permettent de faire des inférences. Pour chaque renseignement, les inviter à faire une inférence, à l'écrire dans la deuxième colonne et à expliquer, dans la troisième colonne, ce qui a permis de faire ces inférences.

APRÈS

Faire des liens

Demander aux élèves de remplir la fiche d'activité **4 : Fais des liens**, tel que modélisé au cours de la séance de lecture partagée (*voir page 10 du présent document*). Inciter les élèves à expliquer comment résumer un texte permet de le comprendre et de retenir l'information. S'assurer de leur compréhension ainsi que de la logique et de la justification de leurs liens. Demander aux élèves de comparer leurs expériences avec celles de Catherine.

OBSERVATION GRAMMATICALE EN CONTEXTE

Demander aux élèves d'observer la terminaison des verbes et de faire l'activité langagière : **La priorité des personnes dans l'accord du verbe avec son sujet** (*voir page XIX du présent document*).

RÉFLEXION

Inviter les élèves à discuter avec un ou une camarade des stratégies ciblées dans cette leçon. Leur demander de trouver une façon de les utiliser dans une autre situation de lecture et d'écrire, dans leur journal de bord, ce qu'ils ont appris sur ces stratégies.

Critères d'évaluation :
• faire des prédictions et les vérifier ;
• faire des inférences ;
• faire des liens avec ses expériences et les comparer avec celles du personnage d'un texte ;
• comprendre le texte lu.

Réfléchir aux stratégies utilisées

4.4 Affiche du scénarimage du module 5

Remarque : Pour les élèves ayant besoin de plus de soutien, utiliser le scénarimage avant les textes de la pratique guidée. Cette activité les aidera à développer le vocabulaire correspondant au module.

AVANT

Revoir le vocabulaire et les notions

Survoler le scénarimage

Revoir les deux pages d'introduction du module (*voir « Leçon 1 »*), ainsi que les listes de mots créées lors de leçons précédentes.

Installer l'affiche du **scénarimage du module 5** (*voir aussi transparent 24*).

Expliquer aux élèves que, pour comprendre et décrire les images de l'affiche, ils devront :

- faire des prédictions ;
- faire des inférences ;
- faire des liens ;
- évaluer le message.

Demander aux élèves de poser des questions telles que les suivantes à un ou une camarade pour connaître son histoire préférée.

- Quelle est ton histoire préférée ?
- Qu'aimes-tu dans cette histoire ?
- Qui sont les personnages ?
- En quoi le personnage principal te ressemble-t-il ? En quoi est-il différent ?
- Comment l'histoire débute-t-elle ?
- Comment l'histoire se termine-t-elle ?

Inviter les élèves à regarder attentivement les photos dans chaque case. Pendant qu'ils observent le scénarimage, leur poser les questions suivantes :

- Que voit-on sur cette affiche ?
- Où cette histoire pourrait-elle avoir lieu ?
- Quel est le problème ?
- À quoi ces images vous font-elles penser ?
- Avez-vous déjà vécu une situation semblable ?

Faire des liens avec ses connaissances

Diviser le groupe-classe en dyades. Demander aux élèves d'observer les cases une à une et de continuer la discussion en établissant des liens avec leurs expériences. Au besoin, modéliser la bonne formulation. Leur poser les questions suivantes :

- À quoi ces images vous font-elles penser ?
- Connaissez-vous une histoire semblable à celle-ci ?
- Avez-vous déjà fait du ski ? Si oui, parlez de votre expérience.

PENDANT

Demander aux élèves d'échanger leurs idées concernant chaque case et de relever les idées principales, les phrases ou les mots clés. Leur poser les questions suivantes :

- Comment cette histoire pourrait-elle commencer ?
- Comment décririez-vous l'action ?
- Qui serait le personnage principal ? Quel serait son nom ?
- Comment le décririez-vous ?
- En quoi ce personnage vous ressemblerait-il ? En quoi serait-il différent ?

> ### Soutien (étayage)
> Utiliser un langage simple et concret. Tout en écrivant, lire chaque phrase à voix haute. Relire ensuite l'histoire avec les élèves. Leur allouer plus de temps pour réfléchir avant de répondre à une question.

Créer des légendes

Inviter les élèves, à tour de rôle, à raconter l'histoire dans leurs propres mots à un ou une camarade. Après la discussion, poser la question suivante : Comment résumeriez-vous cette histoire ?

Raconter l'histoire à un ou une camarade

APRÈS

Préciser aux élèves que voir, parler et écrire au sujet des illustrations du scénarimage les aident à mieux raconter leur récit. Leur expliquer la tâche qui consiste à écrire en groupe-classe un extrait du journal personnel du personnage principal, en se servant des éléments visuels du scénarimage. Les aider à clarifier leurs idées en reformulant leurs phrases et en les notant comme légendes en dessous des cases ou sur des bandes de papier séparées. Une fois toutes les cases remplies, lire le texte entier avec les élèves. Leur poser les questions suivantes :

- Le texte a-t-il du sens ?
- Est-ce bien ce que vous voulez dire ? Votre texte est-il clair ?
- Devriez-vous y apporter des changements ?
- Voulez-vous ajouter d'autres idées ?

Une fois la révision du texte terminée, relire l'histoire avec les élèves.

Participer à une séance d'écriture partagée

Faire une lecture partagée

RÉFLEXION

Demander aux élèves de discuter de ce qu'ils ont appris. Leur poser la question suivante : Comment la discussion sur les illustrations vous a-t-elle permis de mieux élaborer vos idées ?

Leur proposer d'écrire dans leur journal de bord ce qu'ils ont appris en travaillant avec le scénarimage. Certains préféreront peut-être dessiner leurs réponses. Les inviter à communiquer leur réflexion à un ou une camarade.

Réfléchir à la communication orale

5 Fais un retour sur tes apprentissages

(manuel, page 198)

Apprentissages ciblés
- Raconter une histoire au moyen d'un jeu de rôle.
- Utiliser des stratégies d'écoute et de prise de parole.
- Comprendre et évaluer les stratégies utilisées.

AVANT

Revoir le vocabulaire et les stratégies

Demander aux élèves de lire la section « Tu as… » (*voir page 198 du manuel*). Les inciter à échanger leurs réflexions sur ce qu'ils ont appris en donnant des exemples concrets. Leur poser les questions suivantes :

- Qu'avez-vous appris sur la rédaction d'un journal personnel ?
- Quels nouveaux mots ou nouvelles expressions avez-vous découverts ?
- Comment expliqueriez-vous à une personne la façon d'utiliser la stratégie *Faire des inférences* ?

Animer une discussion sur les mots et les expressions liés aux textes de la lecture guidée (*voir page 198 du manuel*). Inviter les élèves à composer une phrase pour chaque terme ou expression et les noter au tableau. S'assurer que chaque phrase proposée démontre leur compréhension du nouveau vocabulaire.

Lire la bulle de la page 198 avec les élèves. Leur demander de travailler en dyades pour répondre à la question du garçon. Les inviter à discuter des réponses possibles avec la classe.

Inviter les élèves à lire les stratégies utilisées dans la section « Tu as aussi… » (*voir page 198 du manuel*). Leur rappeler qu'elles leur ont permis de mieux lire, comprendre et apprécier les textes lus.

Conseil

Revoir les stratégies d'écoute active avec les élèves. Leur demander de modéliser les comportements à adopter quand ils écoutent une autre personne ou posent des questions pour clarifier une idée. Au tableau, dresser une liste d'expressions à utiliser.

PENDANT

Raconter au moyen d'un jeu de rôle

Former des équipes de deux ou trois élèves ayant lu le même texte ou travaillé ensemble sur l'affiche du scénarimage. Les inviter à raconter le texte lu en préparant un jeu de rôle. Dans chaque groupe, les élèves doivent :

- répartir les rôles (au besoin, il peut y avoir un narrateur ou une narratrice, et deux élèves peuvent se partager un rôle) ;
- s'exercer à jouer leur personnage ;
- rassembler les accessoires utiles au personnage ;
- parler fort et clairement ;
- jouer de manière expressive (ton, gestes et expressions faciales) ;
- communiquer le sens de l'histoire aux autres élèves.

Demander aux équipes de présenter leur jeu de rôle à une autre équipe. S'assurer que chacune présente son jeu de rôle à deux autres équipes, et que tous les élèves assistent aux présentations de leurs camarades. Pour cela, les inviter à présenter le jeu sous la forme d'un carrousel.

APRÈS

Demander aux élèves de dresser une liste des caractéristiques des personnages présents dans les textes de lecture guidée. Leur poser les questions suivantes :

- En quoi ces personnages sont-ils semblables ou différents ?
- Connaissez-vous des personnages qui ont vécu une expérience identique ? Si oui, racontez-la.
- À votre avis, qu'est-ce qui rend un journal personnel intéressant à lire ? En quoi est-il un bon moyen de raconter sa vie ?

Échanger des idées

RÉFLEXION

Demander aux élèves de faire l'activité de l'encadré « Réfléchis à ta démarche de lecture » (*voir page 198 du manuel*). Les inviter à écrire leur réflexion dans leur journal de bord.

Réfléchir aux stratégies utilisées

ÉVALUATION AU SERVICE DE L'APPRENTISSAGE (*voir fiche d'évaluation 1 : Observations continues*)

Observations	Interventions pédagogiques
Noter si les élèves peuvent : • raconter une histoire au moyen d'un jeu de rôle ;	À l'aide de l'affiche de lecture partagée (*ou transparent 18*) : **Le journal de Renate**, modéliser la façon de raconter une histoire au moyen d'un jeu de rôle. Poser les questions suivantes aux élèves : • Que feriez-vous pour raconter l'histoire de Renate ? • De quoi auriez-vous besoin ?
• utiliser des stratégies d'écoute et de prise de parole ;	Revoir les stratégies d'écoute active avec les élèves.
• comprendre et évaluer les stratégies utilisées.	Pour les élèves susceptibles de tirer profit des réflexions de leurs camarades, animer une discussion à l'aide des fiches d'activités modèles **33** à **38** sur les stratégies de lecture (*voir* Guide d'enseignement de la littératie). Poser les questions suivantes : • Qu'est-ce qui vous aide à faire des liens ? • Qu'est-ce qui vous aide à faire des inférences ? • Comment pouvez-vous résumer une histoire ?

6 Écris avec habileté

(manuel, page 199)

Apprentissages ciblés
- Comprendre comment écrire un extrait d'un journal personnel.
- Dégager la structure d'un journal personnel.
- Comparer le journal personnel avec le journal de bord.
- Écrire un extrait d'un journal personnel.

AVANT

Dégager la structure d'un journal personnel

Rappeler aux élèves qu'ils ont lu un extrait d'un journal personnel. En profiter pour aborder le sujet des blogues et d'autres moyens technologiques pour raconter sa vie ainsi que de l'efficacité de ces nouveaux médias. Amener les élèves à dégager la structure d'un extrait d'un journal personnel. Leur poser les questions de la rubrique **Exprime-toi!** (*voir page 199 du manuel*). Noter leurs réponses au tableau ou sur une grande feuille afin de créer une liste de référence qui servira au moment de la rédaction de leur extrait. Inviter les élèves à revoir la structure d'un journal personnel en lisant l'information au bas de la page 199 du manuel.

Analyser la structure d'un journal personnel

Analyser, pour les élèves, le texte de l'affiche de lecture partagée (*ou transparent 18*): **Le journal de Renate** en s'attardant avec eux sur la présence des éléments de la structure présentée à la page 199 du manuel. Au besoin, les inviter à ajouter des idées. Rappeler l'importance d'utiliser des mots ou des groupes de mots substituts pour éviter la répétition des idées.

PENDANT

Rédiger un extrait d'un journal personnel

Revoir avec les élèves la liste de référence créée précédemment. Leur préciser qu'ils vont écrire un extrait du journal personnel d'une personne connue ou d'un personnage fictif de leur choix, ou même, s'ils le désirent, de leur animal préféré! À l'aide du transparent **37**: **Écrire un journal personnel** (*ou affiche de modélisation en écriture 5*), expliquer aux élèves les étapes à suivre pour écrire leur extrait. Les encourager à choisir une personne ou un personnage intéressant. Modéliser, au besoin, la façon d'écrire un extrait. Comme modèle, les inviter à se servir du texte lu en lecture guidée. Aider et soutenir les élèves durant tout le processus d'écriture.

ENRICHISSEMENT

Pour parler de l'importance d'écrire un journal, présenter le livret *Écris ton journal!* de Liz Stenson, coll. *Petits curieux*, Saint-Laurent, ERPI, 2006. Proposer également comme lecture supplémentaire le livre d'Anne Fine, *Journal d'un chat assassin*, coll. Mouche, Paris, L'école des loisirs, 1997. Ce livre est également disponible en version audio à l'adresse suivante: [http://chut.ecoledesloisirs.fr/direct_001.html].

Après la lecture, travailler des expressions idiomatiques avec les élèves: *comme chien et chat*; *avoir un chat dans la gorge*; *avoir d'autres chats à fouetter*; *quand le chat n'est pas là, les souris dansent*; *appeler un chat un chat*; *donner sa langue au chat*; *il n'y a pas un chat*; *une toilette de chat*; *chat échaudé craint l'eau froide*; *la nuit, tous les chats sont gris*.

Demander aux élèves de présenter leur extrait de journal personnel à un ou une camarade.

Les inviter à remplir la fiche d'activité **5 : Compare la structure de différents textes** pour distinguer les similitudes et les différences entre le journal personnel et le journal de bord. Leur proposer d'effectuer cette activité en dyades avant de la faire en groupe-classe.

Présenter l'extrait d'un journal personnel

OBSERVATION GRAMMATICALE EN CONTEXTE

Revoir la façon de construire différents types et diverses formes de phrases dans un texte. Attirer l'attention des élèves sur les phrases à la forme impersonnelle et l'accord du participe passé avec le verbe *être* dans des cas particuliers, notamment l'utilisation du pronom *on* à la place de *nous* pour désigner des personnes de sexe féminin. Par exemple : *On est rentrées d'Europe satisfaites d'avoir effectué ce trajet en avion.*

APRÈS

Inviter les élèves à discuter avec un ou une camarade des stratégies utilisées pour planifier et écrire leur extrait de journal personnel. Leur proposer de commenter l'extrait de leur camarade et de lui fournir une rétroaction. Pour amener les élèves à faire des commentaires constructifs, leur apprendre à suivre la démarche suivante :

Fournir une rétroaction

- complimenter ;
- questionner ;
- suggérer.

RÉFLEXION

Proposer aux élèves de s'interroger sur la façon d'améliorer leur rédaction d'un journal personnel et de noter leur réflexion dans leur journal de bord.

ÉVALUATION AU SERVICE DE L'APPRENTISSAGE *(voir fiche d'évaluation 1 : Observations continues)*

Observations	Interventions pédagogiques
Noter si les élèves peuvent : • comprendre comment écrire un extrait d'un journal personnel ;	Mettre à la disposition des élèves des extraits de journal personnel qui serviront de modèles aux élèves. Leur faire écouter des extraits (*voir coffret audio*) afin de les amener à faire le lien entre la langue parlée et la langue écrite.
• dégager la structure d'un journal personnel ;	Modéliser la façon de dégager la structure d'un journal personnel.
• comparer le journal personnel avec le journal de bord ;	Présenter un journal de bord aux élèves et modéliser à voix haute la façon de comparer un journal de bord avec un journal personnel.
• écrire un extrait d'un journal personnel.	Inviter les élèves à travailler avec un ou une camarade pour écrire leur extrait. Les encourager et leur fournir une rétroaction continue.

Niveau de lecture V-W, DRA 58-60

Un sauvetage flamboyant

(manuel, pages 200 à 204)

Apprentissages ciblés
- Faire des liens avec ses connaissances et ses expériences.
- Appliquer des stratégies de lecture.
- Réagir à un texte lu.

Remarque : Le niveau de lecture du texte « Un sauvetage flamboyant » devrait convenir à la plupart des élèves. Selon leurs besoins, proposer d'autres textes pour leur faire appliquer l'une ou l'autre des stratégies de lecture. Le tableau suivant suggère des lectures supplémentaires.

Lectures supplémentaires

Stratégies	Livrets de la collection *Petits curieux*	Niveaux de lecture
Faire des prédictions	*Des prix canadiens !* *Grands voyageurs*	T-U, DRA 50-54 X-Y, DRA 64-70
Faire des inférences	*Des symboles canadiens* *À la découverte des explorateurs*	S-T, DRA 48-50 W-X, DRA 60-64
Faire des liens	*Passer à l'action* *Machines volantes*	Q-R, DRA 40-44 X-Y, DRA 64-70

AVANT

Utiliser ses connaissances

Poser la question de départ (*voir page 200 du manuel*) : Comment un chat peut-il devenir un héros ?, et amener les élèves à parler d'une situation dans laquelle un animal ou une personne a fait des gestes héroïques. Lire aux élèves la rubrique **Observe le texte** (*voir page 201 du manuel*) et y répondre.

Rappeler aux élèves le rôle de la ponctuation dans un dialogue.

Faire des prédictions et des inférences

En dyades, les élèves vont faire des prédictions à propos de l'histoire en lisant des citations tirées du texte. Distribuer la fiche d'activité **6 : Fais des inférences à partir de citations**, et modéliser la façon d'utiliser ces informations pour faire des prédictions pertinentes.

PENDANT

Lire en dyades ou de façon autonome

Revoir les stratégies ciblées. Demander aux élèves de lire l'histoire de façon autonome ou avec l'aide d'un ou d'une camarade. Après une première lecture, les faire travailler en dyades pour sélectionner quatre citations clés. Leur demander d'en choisir une au début de l'histoire, deux au milieu et une à la fin. Les inviter à les noter dans la première colonne d'un tableau et,

Soutien (étayage)

Aux élèves ayant besoin de plus de soutien, suggérer d'écouter l'histoire (*voir coffret audio*) en faisant une pause à la fin de chaque section pour valider leur compréhension.

dans la deuxième colonne, d'expliquer leur choix. Leur rappeler qu'il n'y a pas de « bons » choix et de se concentrer sur leurs motifs.

APRÈS

Pour lancer une discussion, poser les questions suivantes :
- Quel est le problème dans cette histoire ? Comment se résout-il ? De quel type de conflit s'agit-il ?
- À quel point l'histoire est-elle vraisemblable ? Pourrait-elle vraiment arriver ?
- À votre avis, comment le père va-t-il traiter Sardine après cet événement ?

Média action

Inviter les élèves à lire la rubrique **Média action** (*voir page 204 du manuel*). Modéliser la façon de tirer des conclusions sur ce qui rend un sauvetage « intéressant pour les médias ».

Participer à une discussion

Réagir au texte lu

VA PLUS LOIN

1. *Faire des inférences au sujet du narrateur.* Rappeler aux élèves que les propos et les gestes des personnages révèlent leur personnalité. Quand un personnage est le narrateur, il est aussi possible de savoir ce qu'il pense. Demander aux élèves, en équipes, de se rappeler les traits de caractère et les éléments de preuve observés dans des histoires qu'ils ont lues, ou des émissions ou des films qu'ils ont vus, puis de remplir la fiche d'activité **7 : Le profil d'un personnage.**

2. *Comparer des formes de textes.* Suggérer aux élèves, pour réécrire l'histoire, de penser à des émissions de télévision précises afin de les aider à réfléchir aux éléments qui changeraient et à ceux qui resteraient identiques.

Faire des inférences au sujet du narrateur

Comparer des formes de textes

ENRICHISSEMENT

Demander aux élèves :
- de choisir un des personnages pour raconter une partie de l'histoire ;
- de dresser une liste des traits de la personnalité de ce personnage ;
- de raconter un événement de l'histoire (deux ou trois paragraphes) du point de vue de ce personnage, en prêtant attention au genre de voix à utiliser.

Inviter les élèves à former des équipes pour lire leur travail à voix haute, en utilisant le ton, la voix et l'expression appropriés.

Considérer d'autres points de vue

OBSERVATION GRAMMATICALE EN CONTEXTE

Modéliser la façon de remplir les fiches d'activités suivantes : **12 : Les verbes pronominaux ; 13 : L'emploi des signes de ponctuation ; 14 : La conjugaison du verbe aller.**

RÉFLEXION

Inviter les élèves à écrire dans leur journal de bord en quoi faire des prédictions à partir des éléments et des illustrations a modifié leur première lecture de l'histoire.

Réfléchir aux stratégies utilisées

ÉVALUATION AU SERVICE DE L'APPRENTISSAGE (*voir fiche d'évaluation 1 : Observations continues*)

Observations	Interventions pédagogiques
Noter si les élèves peuvent : • faire des liens avec leurs connaissances et leurs expériences ;	Suggérer de travailler en dyades, ou avec l'enseignant ou l'enseignante, afin de concevoir des activités de prédiction, à l'aide d'histoires simples et faciles à lire.
• appliquer des stratégies de lecture ;	Modéliser à voix haute la façon d'utiliser les stratégies ciblées pour comprendre un texte.
• réagir à un texte lu.	Avant qu'ils rédigent leur texte, demander aux élèves de jouer le rôle d'un ou d'une journaliste qui pose des questions aux élèves jouant le rôle d'un personnage de l'histoire.

8 **La critique d'un récit fantastique**

(manuel, pages 205 à 207)

Apprentissages ciblés
- Faire des liens avec ses connaissances et ses expériences.
- Appliquer des stratégies de lecture.
- Écrire une référence bibliographique, un court résumé et une appréciation personnelle.

Niveau de lecture S-T, DRA 48-50

Remarque : Le niveau de lecture du texte « La critique d'un récit fantastique » devrait convenir à la plupart des élèves. Selon leurs besoins, proposer d'autres textes pour leur permettre d'appliquer l'une ou l'autre des stratégies de lecture. Le tableau suivant suggère des lectures supplémentaires.

Lectures supplémentaires

Stratégies	Livrets de la collection *Petits curieux*	Niveaux de lecture
Faire des prédictions	*Des prix canadiens !* *Grands voyageurs*	T-U, DRA 50-54 X-Y, DRA 64-70
Faire des inférences	*Des symboles canadiens* *À la découverte des explorateurs*	S-T, DRA 48-50 W-X, DRA 60-64
Faire des liens	*Passer à l'action* *Machines volantes*	Q-R, DRA 40-44 X-Y, DRA 64-70

AVANT

Survoler le texte et activer ses connaissances

Inviter les élèves à survoler le texte et à observer les photos et les illustrations. Leur demander s'ils ont déjà lu une critique. Leur poser les questions suivantes :
- À quoi une critique de livre sert-elle ?
- Lisez-vous des critiques avant de choisir un livre ou d'aller voir un film ?
- Connaissez-vous les parties d'un livre ?

Poser la question de départ (*voir page 205 du manuel*) : Comment la jaquette d'un livre peut-elle attirer ton attention ?

Annoncer aux élèves qu'ils liront une critique du livre *Aux portes de l'Orientie*, de l'auteur Alain Beaulieu. Le titre suggère qu'il s'agit d'un récit fantastique. Poser les questions suivantes :
- Qu'est-ce qu'un récit fantastique ?
- En quoi le récit fantastique est-il différent des autres récits ?

Au tableau, dresser une liste des récits connus par les élèves.

PENDANT

Lire en dyades ou de façon autonome

Lire la page 205 du manuel avec les élèves. Les inviter à nommer les parties de leur manuel ou d'un roman. Leur demander de lire la rubrique **Le savais-tu ?** Poser la question suivante : À quoi peut-on comparer les parties d'un livre ? (p. ex. : *à un repas, aux étages d'un gâteau*)

Inviter les élèves à lire le texte en dyades ou de façon autonome. Leur rappeler les stratégies utilisées lors de la séance de lecture guidée. Au besoin, leur demander de faire des pauses pour vérifier leur compréhension et relever les idées importantes. Encourager les élèves à se servir de leurs connaissances pour mieux comprendre le texte.

APRÈS

Après avoir lu le texte, poser aux élèves la question de la rubrique **Observe le texte** (*voir page 206 du manuel*). Les inviter à relever les techniques utilisées par l'auteure pour présenter sa critique.

Observer le texte

VA PLUS LOIN

1. *Préparer une fiche descriptive.* Modéliser la façon de rédiger une référence bibliographique, un court résumé et une appréciation personnelle.

Préparer une fiche descriptive

2. *Dresser une liste de romans jeunesse.* Diviser la classe en petites équipes et inviter les élèves à dresser une liste de suggestions de romans en justifiant leur choix.

Dresser une liste de romans jeunesse

ENRICHISSEMENT

Proposer aux élèves de faire une recherche à la bibliothèque, en librairie ou dans Internet pour trouver des romans concernant la communauté francophone, d'en choisir un et de le résumer. À l'aide du transparent **39 : Écrire un résumé** (*voir aussi affiche de modélisation en écriture 7*), expliquer les étapes à suivre pour écrire un résumé. Inviter les élèves à présenter leur résumé à la classe. Le cas échéant, placer les résumés à la bibliothèque afin d'aider d'autres élèves à choisir des romans.

Écrire un résumé

OBSERVATION GRAMMATICALE EN CONTEXTE

Saisir l'occasion pour parler de l'utilisation de comparaisons, de métaphores et d'expressions figurées dans les textes et expliquer pourquoi ces figures de style aident les lecteurs et les lectrices à imaginer une histoire. Faire remarquer aux élèves l'emploi de synonymes et d'antonymes afin de rendre un texte plus riche et intéressant. Encourager les élèves à utiliser des comparaisons, des métaphores et des expressions figurées dans la rédaction de leur appréciation personnelle.

RÉFLEXION

Demander aux élèves d'écrire leur opinion, dans leur journal de bord, sur l'expérience consistant à préparer une liste de suggestions de romans pour la bibliothèque.

Réfléchir au processus utilisé

ÉVALUATION AU SERVICE DE L'APPRENTISSAGE *(voir fiche d'évaluation 1 : Observations continues)*

Observations	Interventions pédagogiques
Noter si les élèves peuvent : • faire des liens avec leurs connaissances et leurs expériences ;	Modéliser ou demander à certains élèves de modéliser la façon de faire des liens avec ses connaissances et ses expériences.
• appliquer des stratégies de lecture ;	Lors d'une lecture partagée, modéliser la façon d'appliquer les stratégies ciblées.
• écrire une référence bibliographique, un court résumé et une appréciation personnelle.	Fournir aux élèves des exemples de références bibliographiques. Modéliser la façon d'écrire un résumé à l'aide du transparent **39 : Écrire un résumé** (*voir aussi affiche de modélisation en écriture 7*) et d'écrire une appréciation personnelle.

9 Parle-moi de nous

(manuel, pages 208 et 209)

Apprentissages ciblés

- Utiliser ses connaissances.
- Reconnaître des éléments de la culture francophone.
- Effectuer une recherche sur un ou une artiste ou un groupe musical francophone.

> Inviter les élèves à lire la rubrique **Observe le texte** (*voir page 209 du manuel*). Dresser avec eux une liste de mots décrivant des émotions. Inciter les élèves à s'y référer pour enrichir leurs textes.

Reconnaître des éléments de la culture francophone

AVANT

Poser la question de départ (*voir page 208 du manuel*): Quel genre de musique préfères-tu? Expliquer que le texte de la page 209 est celui d'une chanson interprétée par Véronic Dicaire. Préciser que cette chanteuse et imitatrice franco-ontarienne est née à Embrun, en Ontario, en décembre 1976.

Demander aux élèves de survoler le texte de la page 209 du manuel. Faire remarquer que le refrain de la chanson est écrit en caractères plus foncés.

Lire ensemble

PENDANT

Présenter la chanson dans une séance de lecture à voix haute ou la faire écouter. Discuter avec les élèves de ce qu'ils aiment dans cette chanson.

Interpréter les paroles d'une chanson

APRÈS

Demander aux élèves d'expliquer, selon eux, le sens des phrases suivantes (*voir page 209 du manuel*):

- «Il tombe des poussières de toi.»
- «Mais je veux que le vent / Nous sème du temps, comme avant.»
- «J'ai cherché tes réponses / Et tous tes messages.»

Soutien (étayage)

Modéliser à voix haute la façon de lire les paroles d'une chanson. Pour aider les élèves à trouver le sens de la chanson et à l'exprimer, les inviter à en discuter d'abord avec un ou une camarade.

Demander aux élèves de choisir deux exemples de chansons de l'artiste ou du groupe choisi. Poser les questions suivantes:

- Quel est le style de musique?
- Quel est le sujet de ces deux chansons?
- Qu'appréciez-vous ou qu'aimez-vous moins dans les chansons choisies?

Inviter les élèves à faire jouer un petit extrait de la chanson.

VA PLUS LOIN

1. *Discuter de l'histoire racontée par la chanson.* Pour stimuler la discussion, demander aux élèves de convaincre un ou une camarade que leur version de l'histoire est la meilleure.

2. *Effectuer une recherche.* Expliquer aux élèves que des auteurs-compositeurs se servent de leurs chansons pour parler de leur vécu, de leurs expériences, de leur vision du monde. Inviter les élèves à trouver des extraits de vidéoclips ou de clips audio de chanteurs et de chanteuses francophones. Ensuite, leur demander d'effectuer une recherche pour présenter l'artiste ou le groupe choisi. Pour aider les élèves à effectuer leur recherche, poser les questions suivantes:

   - Qui est le groupe ou l'artiste?
   - D'où vient le groupe ou l'artiste?
   - S'il s'agit d'un groupe, quel est le nom de ses membres et depuis quand sont-ils ensemble?
   - Quels albums le groupe ou l'artiste a-t-il enregistrés?
   - Quels messages les chansons du groupe ou de l'artiste transmettent-elles?

Discuter de l'histoire racontée par la chanson

Effectuer une recherche

ENRICHISSEMENT

Inviter les élèves à décrire à quoi ressemblerait cette chanson en vidéoclip. Proposer aux élèves intéressés de tourner un vidéoclip illustrant une chanson française de leur choix.

OBSERVATION GRAMMATICALE EN CONTEXTE

Expliquer aux élèves que les poètes utilisent souvent des expressions figurées dans leurs textes. Poser la question suivante: L'artiste ou le groupe utilise-t-il des figures de style dans les paroles de ses chansons? Si tel est le cas, demander aux élèves d'en citer quelques-unes.

RÉFLEXION

Demander aux élèves de réfléchir à la façon de visualiser les paroles d'une chanson. Les inviter à écrire leur réflexion dans leur journal de bord en notant deux des images qu'ils ont vues en lisant les paroles de cette chanson.

Réfléchir à la façon d'interpréter les paroles d'une chanson

ÉVALUATION AU SERVICE DE L'APPRENTISSAGE *(voir fiche d'évaluation 1: Observations continues)*

Observations	Interventions pédagogiques
Noter si les élèves peuvent: • utiliser leurs connaissances;	Lors d'une séance de lecture partagée, modéliser la façon d'utiliser ses connaissances pour interpréter et comprendre les paroles d'une chanson.
• reconnaître des éléments de la culture francophone;	Faire écouter des chansons d'artistes francophones. Parler de l'existence de la chanson francophone contemporaine, par exemple le slam. Faire écouter des extraits du slameur français Grand corps malade.
• effectuer une recherche sur un ou une artiste ou un groupe musical francophone.	Parler d'artistes ou de groupes musicaux francophones. Inviter les élèves à établir le palmarès des meilleures chansons francophones actuelles. Modéliser la façon d'effectuer une recherche dans Internet.

À l'œuvre !

(manuel, pages 210 et 211)

Apprentissages ciblés
- Écrire une page fictive d'un journal personnel.
- Suivre des directives pour effectuer une tâche.

Remarque : Cette leçon est une tâche d'évaluation comportant une production dans laquelle les élèves appliquent les connaissances acquises et les habiletés développées dans ce module. Noter qu'elle fait appel à des contenus d'apprentissage liés à l'écriture et à la littératie médiatique. Proposer cette tâche à tout moment après la pratique coopérative ou autonome.

AVANT

Effectuer une recherche

Lire les consignes de la page 210 du manuel avec les élèves en s'assurant de leur compréhension. Leur demander d'effectuer une recherche pour écrire une page fictive du journal personnel d'un personnage de récit, de roman ou d'événement historique.

Lire la rubrique **Quelques conseils** (*voir page 210 du manuel*) pour s'assurer que les élèves trouvent des modèles pour accomplir la tâche demandée. Distribuer aux élèves la fiche d'évaluation **2 : Grille d'évaluation de la section « À l'œuvre ! »** pour leur faire part des critères d'évaluation du travail à produire. Présenter et discuter des critères d'évaluation en notant sur une grande feuille quoi faire pour y répondre. Poser des questions aux élèves afin de s'assurer de leur compréhension de la tâche.

PENDANT

Préparer une page de journal personnel

Modéliser la façon d'écrire une page de journal personnel. Poser les questions suivantes :
- Selon vous, pourquoi est-ce important de rendre son texte vraisemblable ?
- Pourquoi faut-il écrire à la première personne du singulier ?
- Que pourriez-vous faire pour vous assurer de respecter les critères d'évaluation ?
- Quelle illustration pourrait accompagner votre texte ?
- Pourquoi est-il important de s'exercer à lire son texte avant de le présenter à un groupe ?

Lire ou faire écouter (*voir coffret audio*) des journaux personnels aux élèves afin de leur fournir de bons modèles.

APRÈS

Présenter une page de journal personnel

Lire avec les élèves la section « Présentez votre page de journal personnel », à la page 211 du manuel. Après leur avoir accordé du temps pour effectuer la tâche demandée, les inviter à présenter leur travail à la classe ou à un petit groupe d'élèves. Rappeler aux spectateurs et aux spectatrices de se comporter de façon appropriée pendant la présentation. Pour les encourager à écouter, les inviter à écrire leurs commentaires et à les remettre à l'enseignant ou l'enseignante à la fin de chaque présentation. Préciser que ces commentaires peuvent servir de rétroaction et d'évaluation du travail.

RÉFLEXION

Demander aux élèves de remplir une feuille de réflexion pour s'autoévaluer. Par exemple, les inviter à se servir de la fiche d'activité modèle **26 : Retour sur ta présentation** (*voir* Guide d'enseignement de la littératie). Utiliser la fiche d'évaluation **2 : Grille d'évaluation de la section «À l'œuvre !»** pour évaluer le travail des élèves et fournir une rétroaction. Discuter de l'efficacité de leur présentation. Poser les questions de la section «Faites un retour sur votre travail», à la page 211 du manuel.

Réfléchir au travail réalisé et s'autoévaluer

Demander aux élèves d'écrire dans leur journal de bord une réflexion sur leur travail et leur présentation. Pour les guider, poser des questions telles que les suivantes :
- Qu'avez-vous fait pour bien réussir votre travail ?
- Que feriez-vous différemment la prochaine fois ?

Faire un retour sur son travail

ÉVALUATION AU SERVICE DE L'APPRENTISSAGE *(voir fiche d'évaluation 1 : Observations continues)*

Observations	Interventions pédagogiques
Noter si les élèves peuvent : • écrire une page fictive d'un journal personnel ;	Aux élèves ayant besoin d'être guidés tout au long de cette tâche, accorder assez de temps pour accomplir le travail. Les inviter à expliquer la tâche à faire afin de s'assurer qu'ils l'ont bien comprise et qu'ils sont sur la bonne voie. Au besoin, travailler avec de petits groupes.
• suivre des directives pour effectuer une tâche.	Modéliser la façon de lire et de suivre les directives pour effectuer une tâche. Discuter des stratégies de dépannage (p. ex. : relire les directives, poser des questions, comparer son travail).

Niveau de lecture U-V, DRA 54-58

11 La création du premier guerrier

(manuel, pages 212 à 215)

Apprentissages ciblés
- Faire des liens.
- Faire des prédictions.
- Résumer un texte à l'aide d'un schéma.
- Adapter une histoire.
- Lire avec expression et fluidité.

AVANT

Faire des liens

Survoler le texte et faire des prédictions

Inviter les élèves à observer les illustrations, puis leur poser la question de départ (*voir page 212 du manuel*) : Comment un récit peut-il stimuler ton imaginaire ? Leur demander de communiquer leurs réponses en dyades avant de les présenter à la classe et, tout en regardant les illustrations et en faisant appel à leur imagination, de faire des prédictions sur le texte à lire. Transcrire leurs prédictions dans un tableau collectif. Pour stimuler la réflexion, poser les questions suivantes :
- D'après le titre et les illustrations, quel est le sujet du texte ?
- D'après vous, à qui ce texte s'adresse-t-il ?
- À votre avis, pourquoi le premier paragraphe est-il en italique ?
- Comment l'histoire vous paraît-elle ?

PENDANT

Réfléchir aux mots et aux expressions

Demander aux élèves de travailler de façon autonome ou en dyades pour lire et noter les éléments merveilleux contenus dans ce récit. Expliquer qu'il s'agit d'une légende et préciser que ce genre de texte fait partie du discours narratif.

Faire lire ou écouter le texte (*voir coffret audio*). Rappeler aux élèves de faire des pauses pour vérifier leur compréhension et visualiser les actions de l'histoire. S'ils lisent en dyades, leur suggérer de s'arrêter à la fin de chaque page pour valider mutuellement leur compréhension.

Inviter les élèves à remplir la fiche d'activité modèle **2 : Faire le schéma du récit** (*voir* Guide d'enseignement de la littératie *et organisateur graphique 2 ou transparent 2*). Revoir chaque section de la fiche en incitant les élèves à parler de leurs notes.

> Inviter les élèves à lire la rubrique **Observe le texte** (*voir page 213 du manuel*). Discuter de la question avec les élèves.

APRÈS

Réagir au texte

Pour permettre aux élèves de réagir sur le sujet du texte, les inviter à participer au bingo de lecture à l'aide de la fiche d'activité **8 : Le bingo de lecture**. Distribuer aux élèves une photocopie du bingo de lecture et les inviter à choisir une ligne à compléter (p. ex. : horizontale, verticale ou oblique). Leur demander ensuite d'écrire leurs réactions dans les cases déterminées.

Les inviter à faire part de leurs réactions à un ou une camarade. Leur poser les questions suivantes :
- En quoi votre réaction était-elle semblable ? En quoi était-elle différente ?
- Avez-vous changé d'idée après la discussion avec votre camarade ? Expliquez pourquoi.

VA PLUS LOIN

1. *Adapter une histoire.* Encourager les élèves à donner libre cours à leur imagination. À l'aide du transparent **40 : Écrire un récit** (*voir aussi affiche de modélisation en écriture 8*), rappeler aux élèves les étapes à suivre pour rédiger un récit. Leur demander de se servir du texte qu'ils viennent de lire comme modèle pour leur rédaction et d'utiliser correctement les pronoms possessifs. Leur donner le temps nécessaire pour s'exercer à lire leur récit avant de le lire à voix haute à la classe. Leur préciser l'importance de l'intonation et de la fluidité dans la lecture d'un texte à voix haute.

Adapter une histoire

2. *Effectuer une recherche.* Modéliser la façon de trouver des légendes autochtones dans Internet. Demander aux élèves d'interroger des adultes afin de savoir s'ils connaissent des récits au sujet de leur région. Prévoir du temps pour permettre aux élèves de présenter leurs découvertes.

Effectuer une recherche

ENRICHISSEMENT

Demander aux élèves d'illustrer l'histoire de la création du premier enseignant ou de la première enseignante.

OBSERVATION GRAMMATICALE EN CONTEXTE

Présenter l'utilisation des pronoms possessifs en contexte. Faire remplir la fiche d'activité **15 : Les pronoms possessifs.**

RÉFLEXION

Demander aux élèves de répondre dans leur journal de bord à l'une des questions suivantes :

Réfléchir aux stratégies de lecture

- En quoi l'activité d'aujourd'hui vous servira-t-elle pour lire un autre texte ?
- Qu'est-ce qui vous a permis de mieux comprendre ce texte ?
- Auriez-vous pu utiliser des stratégies de dépannage pour résoudre un problème de compréhension ? Si oui, nommez le problème et la stratégie pertinente.
- Quel a été l'exercice le plus facile ? Quel a été le plus difficile ?

ÉVALUATION AU SERVICE DE L'APPRENTISSAGE (*voir fiche d'évaluation 1 : Observations continues*)

Observations	Interventions pédagogiques
Noter si les élèves peuvent : • faire des liens ;	Modéliser la façon de faire des liens avec ses connaissances et ses expériences. Inviter les élèves à discuter de cette stratégie en petits groupes afin de fournir des pistes de dépannage aux élèves ayant besoin de soutien.
• faire des prédictions ;	Discuter de l'importance de faire des prédictions vraisemblables. Expliquer aux élèves que les lecteurs efficaces font des prédictions d'après leurs expériences et leurs connaissances et qu'ils cherchent également des indices dans un texte (titre, illustrations) pour appuyer leurs prédictions.
• résumer un texte à l'aide d'un schéma ; • adapter une histoire ;	À l'aide de papillons adhésifs, noter les idées principales d'un texte et, grâce à elles, modéliser la façon d'écrire un résumé. Modéliser aussi la façon de remplir le schéma du récit.
• lire avec expression et fluidité.	Écouter les élèves lire à voix haute. Modéliser la façon de lire avec expression et fluidité. Faire écouter des textes (*voir coffret audio*).

Niveau de lecture V-W, DRA 58-60

12 Lucie Wan Tremblay et l'énigme de l'autobus

(manuel, pages 216 à 221)

Apprentissages ciblés
- Reconnaître la structure d'un récit d'intrigue policière.
- Observer l'emploi du tiret dans les dialogues.
- Imaginer le lieu d'une histoire.

AVANT

Activer ses connaissances

Poser la question de départ (*voir page 216 du manuel*) : Quelles sont les qualités d'un bon enquêteur ?

Pour encourager la discussion, poser les questions suivantes :
- Que connaissez-vous au sujet des récits d'intrigue policière ?
- Que veut dire le mot *énigme* ?
- En quoi un récit d'intrigue policière est-il semblable à un récit d'aventures ? En quoi est-il différent ?
- Pourquoi est-ce important de choisir des personnages intéressants dans un récit d'intrigue policière ?

Expliquer aux élèves qu'ils auront à faire des inférences en lisant le texte. Leur demander de prendre en note, au cours de leur lecture, les renseignements permettant de faire ces inférences et de trouver le coupable.

PENDANT

Reconnaître la structure d'un récit d'intrigue policière

Lire ou faire écouter (*voir coffret audio*) les deux premières parties du texte. Inciter les élèves à faire des liens et des inférences en posant les questions suivantes :
- Pourquoi la première partie du texte est-elle écrite en caractère gras ? (*pour situer les lecteurs et les lectrices, car il s'agit d'un extrait*)
- Qui est le personnage principal ? Comment le savez-vous ?
- D'après vous, Lucie Wan Tremblay résout-elle sa toute première énigme ? Sur quoi appuyez-vous votre réponse ?
- Le scénario proposé par Lucie était-il vraisemblable ? Pourquoi ?
- Pourquoi est-ce important de réexaminer des indices et d'imaginer de nouveaux scénarios ?

Demander aux élèves de proposer des scénarios vraisemblables pour la suite de l'histoire et de les comparer avec ceux d'un ou d'une camarade.

> Rappeler aux élèves que la recherche d'indices oblige à faire une lecture approfondie. Les inviter à lire la rubrique **Observe le texte** (*voir page 216 du manuel*) et discuter de la question avec les élèves.

APRÈS

Réagir au texte

Amener les élèves à justifier leur appréciation du texte en leur posant les questions suivantes sur les éléments d'écriture.

Les idées :
- Quelles sont les idées importantes présentées dans le texte ?
- Les idées étaient-elles présentées clairement ? Pourquoi ?

La structure et l'organisation :
- Comment l'auteure a-t-elle capté votre attention dans l'introduction ?
- La conclusion était-elle prévisible ? Pourquoi ?

Le choix de mots :
- Est-ce facile de visualiser cette histoire ? Expliquez votre réponse.

La fluidité des phrases :
- Que pensez-vous des dialogues ?

Le style et la voix de l'auteure :
- Liriez-vous une autre histoire de cette auteure ? Pourquoi ?

Les conventions linguistiques :
- En quoi la ponctuation est-elle efficace ?

La présentation :
- Quels éléments visuels préférez-vous ?

VA PLUS LOIN

1. *Dégager la structure du récit.* À l'aide de la fiche d'activité **9 : La structure du récit**, inviter les élèves à dégager la structure de ce récit et à comparer leurs réponses.

2. *Recréer le lieu du récit.* Discuter des parties du texte permettant de recréer le lieu de ce récit.

Dégager la structure du récit

Recréer le lieu du récit

ENRICHISSEMENT

Installer une pochette par élève sur une grande affiche (sans oublier l'enseignant ou l'enseignante). Elle servira à communiquer avec leurs pairs ou à leur recommander des livres.

OBSERVATION GRAMMATICALE

Saisir l'occasion de faire l'activité langagière : **Enrichissement du vocabulaire** (*voir page XIX du présent document*).

RÉFLEXION

Demander aux élèves de répondre aux questions suivantes dans leur journal de bord :
- Qu'avez-vous appris sur les récits d'intrigue policière ?
- En quoi le personnage principal est-il important ?

Réfléchir sur son apprentissage

ÉVALUATION AU SERVICE DE L'APPRENTISSAGE *(voir fiche d'évaluation 1 : Observations continues)*

Observations	Interventions pédagogiques
Noter si les élèves peuvent : • reconnaître la structure d'un récit d'intrigue policière ;	Lire et faire écouter (*voir coffret audio*) des récits d'intrigue policière pour en dégager la structure.
• observer l'emploi du tiret dans les dialogues ;	Rappeler aux élèves d'utiliser des tirets dans les dialogues de leurs écrits.
• imaginer le lieu d'une histoire.	Présenter des illustrations et des photos et demander aux élèves de s'imaginer qu'une histoire se déroule dans ces lieux. Discuter avec la classe en quoi le choix d'un lieu peut avoir une influence sur le cours d'une histoire.

Niveau de lecture T-U, DRA 50-54

13 Céleste, ma planète

(manuel, pages 222 à 225)

Apprentissages ciblés
- Lire avec fluidité et précision.
- Mettre en pratique des stratégies de compréhension en lecture.
- Dégager la structure d'un récit de science-fiction.
- Présenter un récit sous la forme d'une bande dessinée.

Activer ses connaissances

Inviter les élèves à lire la rubrique **Observe le texte** (*voir page 222 du manuel*). Leur demander de relever, en petits groupes, les éléments qui rendent ce récit de science-fiction crédible. Mettre en commun les éléments et discuter des idées présentées dans le texte.

AVANT

Poser la question de départ (*voir page 222 du manuel*): Qu'est-ce qui rend un récit captivant?

Lire le titre du texte avec les élèves, les inviter à observer les images et à faire des prédictions. Leur poser les questions suivantes:
- Que voyez-vous dans l'illustration de la page 222? Qui sont les personnages? Que font-ils? Comment sont-ils?
- Que voyez-vous dans l'illustration de la page 224?
- Quelles prédictions pouvez-vous faire en observant ces illustrations?

Noter les réponses des élèves au tableau ou sur une grande feuille. Les inviter à s'en servir pour formuler des prédictions et déterminer une intention de lecture.

Lire l'introduction à la page 222 du manuel. Après cette lecture, inviter les élèves à faire d'autres prédictions et les ajouter à la liste dressée précédemment.

Lire de manière autonome

PENDANT

Demander aux élèves de lire l'histoire silencieusement. Ensuite, les inviter à l'écouter (*voir coffret audio*) et à vérifier leurs prédictions et leur compréhension.

Réagir au texte

APRÈS

Pour vérifier la compréhension des élèves et les amener à réagir au texte, poser les questions suivantes:
- «Si la planète était une personne, on ferait tout pour la sauver.» Êtes-vous d'accord avec cette affirmation? Que ferait-on de différent?
- Que veut dire le jeune homme quand il affirme: «Il y a des phrases toutes simples qui changent des vies.» Certaines phrases ont-elles changé votre façon de voir les choses? Expliquez votre réponse.
- D'après l'information dans le texte, que pourrait faire l'adolescent pour sauver Céleste?
- Quel message ce récit de science-fiction veut-il transmettre?

VA PLUS LOIN

1. *Dégager la structure du récit*. Revoir avec les élèves la structure du récit. À l'aide de la fiche d'activité **9 : La structure du récit**, les inviter à dégager la structure de ce récit et à comparer leurs réponses.

2. *Effectuer une recherche*. Inviter les élèves à trouver des récits de science-fiction. Au besoin, modéliser la façon de transformer un récit en une bande dessinée. Rappeler aux élèves la terminologie associée à la création d'une bande dessinée (planche, plan américain, phylactère, etc.).

Dégager la structure du récit

Effectuer une recherche

ENRICHISSEMENT

En s'inspirant de cette histoire, inviter les élèves à inventer un nouveau personnage et à préparer une fiche descriptive afin de le présenter à la classe.

OBSERVATION GRAMMATICALE EN CONTEXTE

Parler du rôle des synonymes et des antonymes dans un texte (p. ex. : pour assurer la fluidité, pour éviter les répétitions, pour nuancer un verbe ou apporter des précisions).

Revoir avec les élèves les types et les formes de phrases employés dans le texte (p. ex. : la phrase impersonnelle).

Saisir l'occasion pour discuter de l'emploi, dans un texte, du passé composé et du plus-que-parfait à la première personne du singulier.

RÉFLEXION

Demander aux élèves de répondre aux questions suivantes dans leur journal de bord :

- Quels liens pouvez-vous faire entre ce texte et vos expériences ?
- En quoi la structure de ce récit est-elle semblable à d'autres récits (p. ex. : récits d'aventures, d'intrigue policière, de journal personnel) ?

Réfléchir aux stratégies de lecture

ÉVALUATION AU SERVICE DE L'APPRENTISSAGE *(voir fiche d'évaluation 1 : Observations continues)*

Observations	Interventions pédagogiques
Noter si les élèves peuvent : • lire avec fluidité et précision ;	Modéliser la façon de lire un texte avec expression. Demander à certains élèves de s'exercer et de lire un texte avec expression. Inviter les élèves à enregistrer un texte pour un ou une élève plus jeune.
• mettre en pratique des stratégies de compréhension en lecture ;	À l'aide de divers textes, modéliser la manière d'appliquer les stratégies de compréhension en lecture.
• dégager la structure d'un récit de science-fiction ;	Mettre à la disposition des élèves des récits de science-fiction comme modèles pour dégager la structure d'un récit.
• présenter un récit sous la forme d'une bande dessinée.	Mettre à la disposition des élèves des bandes dessinées comme modèles. Revoir le vocabulaire propre à la bande dessinée.

14 À ton tour!

(manuel, page 226)

Apprentissages ciblés
- Rédiger un récit.
- Réfléchir et se fixer des objectifs.

AVANT

Présenter et modéliser la tâche finale

Revoir avec les élèves ce qu'ils ont appris sur la structure du récit. Lire avec eux les consignes de la page 226 du manuel. Leur expliquer qu'ils vont écrire un récit et le présenter à la manière des conteurs et des conteuses lors d'une soirée villageoise d'antan. Faire un remue-méninges concernant les différentes tâches à accomplir :

- préparer le récit ;
- présenter le récit.

PENDANT

Planifier son travail

Aider les élèves à planifier leur travail et à élaborer un plan de rédaction. À l'aide du transparent **40 : Écrire un récit** (*voir aussi affiche de modélisation en écriture 8*), leur rappeler les étapes à suivre pour écrire un récit. Distribuer la fiche d'activité **10 : Planifie ton récit**, et inviter les élèves à l'utiliser pour planifier leur travail. Les encourager à se servir des récits qu'ils ont lus pour réaliser cette tâche.

APRÈS

Participer à une soirée villageoise d'antan

Demander aux élèves de présenter leur récit. Noter les observations sur certains élèves en utilisant la fiche d'évaluation **3 : À ton tour !** Au cours d'entrevues individuelles, amener les élèves à déterminer leurs forces concernant la création et la présentation de leur travail, et leurs points à améliorer.

OBSERVATION GRAMMATICALE EN CONTEXTE

Lors de l'étape de la révision de texte, revoir avec les élèves les manipulations linguistiques pour varier les structures des phrases (addition, déplacement, effacement, remplacement).

Rappeler aux élèves l'importance d'accorder en genre et en nombre le noyau et les expansions dans le groupe nominal.

Préciser de nouveau que les comparaisons, les métaphores et les expressions figurées permettent aux lecteurs et aux lectrices de mieux visualiser le texte. Encourager les élèves à réutiliser les expressions apprises pendant la lecture des textes de ce module.

RÉFLEXION

Inviter les élèves à réfléchir à leur travail et à décrire leur expérience dans leur journal de bord. Pour les aider, leur poser les questions suivantes :

- Quelle tâche d'écriture avez-vous trouvée facile ?
- Laquelle avez-vous trouvée difficile ?

Demander aux élèves de se fixer des objectifs pour leur prochain travail d'écriture de récit.

**Réfléchir
à son travail**

ÉVALUATION AU SERVICE DE L'APPRENTISSAGE *(voir fiche d'évaluation 1 : Observations continues)*

Observations	Interventions pédagogiques
Noter si les élèves peuvent : • rédiger un récit ; • réfléchir et se fixer des objectifs.	Aux élèves ayant de la difficulté à avoir des idées, fournir des illustrations ou des scénarimages susceptibles de servir de base à leur histoire. Aider les élèves à choisir un exemple de travail correspondant aux objectifs à atteindre. Les guider en donnant des conseils. Poser des questions qui incitent à la réflexion.

15 Ton portfolio : Gros plan sur tes apprentissages

(manuel, page 227)

Apprentissages ciblés
- Sélectionner les éléments destinés au portfolio.
- Réfléchir à ses apprentissages et en discuter.

AVANT

Revoir les apprentissages

Former de petits groupes et demander à chacun d'inscrire les apprentissages importants réalisés au cours du module, par exemple dans un tableau, une liste, un diagramme, etc. Suggérer de regrouper les éléments en différentes catégories : des structures (d'un journal personnel, d'un récit) ; des moyens d'expression (communication orale, lecture, écriture, littératie médiatique) ; de l'information ; des habiletés et des stratégies ; des productions.

Une fois le travail terminé, demander à chaque groupe de déterminer les deux ou trois apprentissages les plus importants parmi ceux qu'il a notés. Au cours d'une mise en commun, discuter de ces choix. Afficher les tableaux (listes, diagrammes, etc.) pour permettre aux élèves de les consulter en faisant le retour sur leur travail dans ce module.

Rassembler les travaux

Demander aux élèves de rassembler tous les travaux qu'ils ont réalisés au cours du module.

PENDANT

Revoir les objectifs d'apprentissage

Lire les consignes de la page 227 avec les élèves. Ils pourront noter leurs observations dans leur journal de bord ou sur la fiche d'évaluation **4 : Gros plan sur tes apprentissages**.

Revoir avec les élèves les objectifs d'apprentissage présentés au début du module, à la page 184 du manuel, et ceux qu'ils ont écrits dans leurs mots, en les mettant en parallèle avec les tableaux (listes, diagrammes, etc.) réalisés au début de cette leçon. Réunir ensuite les élèves en dyades pour leur permettre d'effectuer leurs choix parmi les travaux qu'ils ont rassemblés.

Choisir les travaux et parler de ses choix

Aider les élèves à faire leurs choix, à en discuter et à noter leurs réflexions. Leur rappeler de faire ces choix de manière réfléchie et de donner des exemples précis lorsqu'ils les justifient.

APRÈS

Former des groupes de quatre en réunissant deux dyades. À tour de rôle, chaque élève présente ses choix et les justifie. Pendant ce temps, observer un ou deux groupes plus attentivement ou mener des entrevues individuelles avec quelques élèves.

RÉFLEXION

Répondre individuellement

Lorsque les élèves ont terminé la présentation de leurs choix à leur équipe, leur demander de répondre individuellement aux trois questions de la rubrique **Réfléchis** (*voir page 227 du manuel*), soit dans le cadre d'une entrevue individuelle, soit en remettant à l'enseignant ou l'enseignante la fiche d'évaluation **4 : Gros plan sur tes apprentissages**, soit dans le journal de bord dans lequel ils auront noté leurs choix de travaux et leurs justifications.

TÂCHE D'ÉVALUATION DE LA COMPRÉHENSION EN LECTURE

Une tâche d'évaluation de la compréhension en lecture est proposée pour ce module (*voir fascicule* Évaluation de la compréhension en lecture). Elle est constituée d'un texte et d'un questionnaire qui visent à vérifier le niveau de compréhension des élèves et à évaluer leurs progrès en lecture. Deux versions du texte sont proposées, chacune correspondant à un niveau de difficulté. Cette tâche d'évaluation peut être donnée à n'importe quel moment après l'exploitation des textes de lecture guidée.

BILAN DES APPRENTISSAGES

Revoir la page V du présent document pour faire le point sur les apprentissages des élèves. Recueillir des données reliées à la communication orale, à la lecture, à l'écriture et à la littératie médiatique.

Prendre en considération les différents domaines de la littératie

Les données pour l'évaluation peuvent être recueillies parmi les éléments suivants :

- le journal de bord des élèves et les autres traces de leurs réflexions ;
- les réponses aux questions des rubriques du manuel (p. ex. : **Va plus loin**) ;
- les productions écrites ;
- les productions médiatiques ou technologiques ;
- les observations notées en cours d'apprentissage (p. ex. : avec la fiche d'évaluation **1 : Observations continues**) ;
- les tâches des différentes sections du manuel (p. ex. : **À l'œuvre !**) ;
- la tâche d'évaluation de la compréhension en lecture en fin de module.

Les outils d'évaluation tels que la fiche d'évaluation **1 : Observations continues** et la fiche d'évaluation **5 : Grille d'évaluation du module** garantissent une évaluation qui repose sur des observations liées directement aux objectifs d'apprentissage du module. Joindre aux dossiers des élèves divers éléments probants, ainsi que des notes anecdotiques afin de mieux planifier les futures entrevues avec eux, individuellement ou en groupes. S'assurer que tous les travaux portent la date de réalisation.

Faire le bilan des apprentissages

Utiliser la fiche d'évaluation **6 : Bilan des apprentissages** pour préparer les communications aux parents ou aux tuteurs, et fournir des rétroactions précises et utiles aux élèves.

Lettre à l'intention des parents

Chers parents,
Cher tuteur, chère tutrice,

Dans le présent module, intitulé Quelque chose à raconter…, *les élèves écouteront, liront et écriront des récits. Ils liront une variété de textes dont des pages d'un journal personnel, un récit d'aventures, une critique, une chanson, un récit fantastique, un récit d'intrigue policière et un récit de science-fiction.*

Vous êtes invités à accompagner votre enfant dans son apprentissage de différentes manières. Par exemple, vous pouvez :

- *lui demander de vous raconter certaines histoires que nous avons lues en classe ;*

- *lui proposer une discussion sur la vie des gens d'autrefois ;*

- *chercher en sa compagnie, dans des journaux ou des magazines, des images ou des textes qui illustrent des histoires de sauvetage ;*

- *l'inviter à discuter de légendes autochtones ou de récits au sujet de votre région ;*

- *échanger des propos sur la façon dont chaque personne raconte quelque chose.*

À la fin du module, les élèves montreront ce qu'ils ont appris en écrivant un récit qu'ils présenteront lors d'une soirée villageoise. Ils appliqueront ainsi les stratégies apprises en lecture, en écriture, en communication orale et en littératie médiatique.

Vous pouvez soutenir votre enfant dans son apprentissage en discutant du sujet du module ou en l'amenant à vous parler des habiletés et des stratégies mises en application en classe.

C'est avec plaisir que nous entreprenons ce module.

L'enseignant ou l'enseignante

Littératie en action 6 / Guide
11056
Cette fiche accompagne la leçon 1 du guide d'enseignement.
43

Home Connection Letter

Dear Parents and Caregivers:

We are starting a new unit called Quelque chose à raconter… *In this unit, students will read and write stories. Furthermore, they will read a variety of texts, among other, a personal entry, various stories (i.e. adventure, fictional, science-fiction, police), a song, and a book review.*

You are invited to be part of our unit in a variety of ways. For example:

- *Invite your child to retell some of the stories we read at school.*

- *Talk about how people lived long ago.*

- *Look through newspapers and magazines together for stories that deal with real life stories such as stories involving rescue.*

- *Talk about legends and stories from your area.*

- *Discuss how every person has a story to tell.*

At the end of the unit, students will show what they have learned by writing a story that they will read or tell during a storytelling event. They will use reading, writing, oral, and media skills and strategies to complete the task.

You can support the learning goals for this unit at home by discussing the unit topic, as well as the unit skills and strategies presented in this unit.

We're looking forward to an exciting unit!

Sincerely,

Teacher

Nom : _____   Date : _____

Un survol du module

Survole le module *Quelque chose à raconter…* Note les éléments suivants et réponds aux questions.

1. Trouve un titre qui t'intéresse. Pourquoi ce titre capte-t-il ton attention?

_____

_____

_____

2. Trouve une chose que tu connais ou que tu as l'impression de connaître. Qu'est-ce que cela te rappelle?

_____

_____

_____

3. Trouve une photo que tu aimes. Pourquoi l'aimes-tu?

_____

_____

_____

4. Trouve un texte qui te semble intéressant à lire ou une activité qui te paraît intéressante à faire. Explique ton choix.

_____

_____

_____

5. Lis les objectifs d'apprentissage de la page 184 du manuel. Lequel te semble le plus intéressant? Explique pourquoi.

_____

_____

_____

_____

Littératie en action 6 / Guide
11056
Cette fiche accompagne la leçon 1 du guide d'enseignement.
45

FICHE D'ACTIVITÉ
3
MODULE 5

Fais des prédictions et des inférences

1. Dans le tableau ci-dessous, réponds aux questions posées en survolant le texte. Indique tes prédictions en fournissant l'indice qui t'a permis de faire ces prédictions.

Ensuite, lis attentivement le texte pour vérifier tes prédictions et note ce que tu as découvert.

Questions	Tes prédictions et les indices qui ont permis de les faire	Tes découvertes au fil du texte
Quel est le sujet de ce journal personnel ?		
Qu'arrivera-t-il ?		

2. Dans le tableau ci-dessous, écris deux renseignements qui te permettent de faire des inférences sur le personnage principal de ce récit, puis indique tes inférences.

Explique ensuite ce qui permet de faire ces inférences.

Renseignements sur le personnage principal	Inférences	Explications

Cette fiche accompagne les leçons 3 et 4 du guide d'enseignement. *Littératie en action 6* / Guide 11056

Nom : _____ Date : _____

Fais des liens

Résume le texte dans l'organisateur graphique suivant. Ensuite, fais des liens avec
tes expériences et compare-les avec celles du personnage. En quoi sont-elles semblables ?
En quoi sont-elles différentes ?

a) Résumé du texte

b) Liens avec tes expériences

c) En quoi tes expériences sont-elles semblables à celles de l'auteur ou l'auteure de cette page de journal personnel ?

d) En quoi tes expériences sont-elles différentes de celles de l'auteur ou l'auteure de cette page de journal personnel ?

Littératie en action 6 / Guide
11056

Cette fiche accompagne les leçons 3 et 4 du guide d'enseignement.

47

FICHE D'ACTIVITÉ
5
MODULE 5

Compare la structure de différents textes

À l'aide de l'organisateur graphique ci-dessous, compare le journal personnel avec le journal de bord. En quoi sont-ils semblables ? En quoi sont-ils différents ?

Le journal personnel

Ce qui est semblable

Le journal de bord

_____
_____
_____
_____
_____

Ce qui est différent

_____	_____
_____	_____
_____	_____
_____	_____
_____	_____
_____	_____
_____	_____
_____	_____

FICHE D'ACTIVITÉ

6

MODULE 5

Fais des inférences à partir de citations

Fais des inférences à partir des citations ci-dessous, tirées du texte « Un sauvetage flamboyant », aux pages 200 à 204 du manuel.

Citations	Inférences
« [...] j'ai été réveillé soudainement par un puissant miaulement à ma fenêtre. » (*p. 200*)	
« Soudain, j'ai vu une lumière provenant de la grange. » (*p. 201*)	
« Je voyais la silhouette de papa contre la grange, un seau d'eau dans chaque main. » (*p. 201*)	
« Soudainement, la cour était remplie de camions, de voitures et de gens. » (*p. 203*)	
« Mes mains me faisaient mal et j'avais de la difficulté à m'endormir. » (*p. 204*)	
« Son ronronnement est devenu encore plus fort. » (*p. 204*)	

FICHE D'ACTIVITÉ
7
MODULE 5

Le profil d'un personnage

Nom du personnage

_____

Traits de caractère	Caractéristiques physiques	Rôle
_____	_____	_____
_____	_____	_____
_____	_____	_____
_____	_____	_____
_____	_____	_____
_____	_____	_____
_____	_____	_____

Je peux faire des inférences sur le personnage grâce à ses…

Actions	Pensées	Paroles
_____	_____	_____
_____	_____	_____
_____	_____	_____
_____	_____	_____
_____	_____	_____
_____	_____	_____
_____	_____	_____

FICHE D'ACTIVITÉ

8   *Le bingo de lecture*

MODULE 5

Écris tes réactions dans les cases que tu as choisies.

Ce que j'ai le plus aimé dans ce texte :	Je préfère ce personnage parce qu'il…	Je recommande ce texte à… parce que…
Si j'avais été le personnage principal, j'aurais…	Je donne… étoiles à ce texte parce que…	J'aurais aimé avoir plus d'information à propos…
Ce texte est un bon modèle pour mes écrits parce que…	Ce que j'ai moins aimé dans ce texte :	Ce récit me fait penser à…

Nom : _____ Date : _____

La structure du récit

Dégage la structure du récit à l'aide de la fiche suivante.

Structure	Titre du récit: _____
Une situation de départ	
Un élément déclencheur	
Des péripéties	
Un dénouement	
Une situation finale	

Cette fiche accompagne les leçons 12 et 13 du guide d'enseignement.

Nom : _____   Date : _____

Planifie ton récit

Planifie ton récit à l'aide de la fiche suivante.

Planification de ton récit	
La situation de départ À quel endroit et à quel moment l'histoire se passe-t-elle ?	_____ _____ _____
Le contexte Qui sont les personnages et quelles sont leurs caractéristiques ?	_____ _____ _____ _____
L'élément déclencheur Quel événement modifie la situation de départ ?	_____ _____ _____
Les péripéties Quels événements importants surviennent à la suite de ce changement ?	_____ _____ _____ _____ _____ _____
Le dénouement Que se produit-il après ces événements ?	_____ _____ _____ _____
La situation finale Comment l'histoire se termine-t-elle ?	_____ _____ _____ _____

FICHE D'ACTIVITÉ
11
MODULE 5

La construction du groupe nominal

Réfléchis

- Quelles classes de mots peux-tu trouver dans un groupe nominal?

- Que connais-tu sur le nom noyau d'un groupe nominal?

- Comment repères-tu un groupe nominal dans une phrase?

Observe

> - *Cette histoire est captivante.*
>
> - *Cette longue histoire est captivante.*
>
> - *Cette longue histoire de mon père est captivante.*
>
> - *Cette longue histoire de mon fabuleux père est captivante.*
>
> - *Cette très longue histoire de mon fabuleux père est captivante.*

a) Lorsque tu compares toutes les phrases ci-dessus, que remarques-tu?

b) Selon toi, laquelle est la plus précise, la plus descriptive? Pourquoi?

c) Un ou plusieurs mots ont été ajoutés à chaque phrase. Quels sont ces mots? Dans quel groupe de mots les a-t-on ajoutés : dans un groupe nominal ou dans un groupe verbal?

d) Dans tes mots, explique comment enrichir un groupe nominal pour le rendre plus précis ou plus descriptif.

FICHE D'ACTIVITÉ

11

La construction du groupe nominal (*suite*)

MODULE 5

Consulte la règle

Le **groupe nominal (GN)** est un groupe de mots dont le noyau est un **nom** ou un **pronom**.
Le groupe nominal peut être composé d'un nom, d'un nom précédé d'un déterminant
ou d'un pronom.

	GN	GN		GN	GN
Exemples :	*Angèle* est *une conteuse.*			*Elle* adore raconter *des histoires.*	
	Nom	Dét. + Nom		Pron.	Dét. + Nom

Le **groupe nominal (GN)** peut également contenir d'autres groupes de mots qui enrichissent
ou précisent le sens du nom noyau. Ces groupes de mots ont le rôle de **complément du nom**
et s'appellent des **expansions**. Voici des exemples d'expansions du groupe nominal.

Exemples :

Dét. + nom **+ groupe adjectival**	*C'est* une artiste **talentueuse**.
Dét. **+ groupe adjectival** + nom	*C'est* une **formidable** conteuse.
Dét. + nom **+ préposition + un autre GN**	*C'est* une conteuse **de légendes**.
Dét. + nom **+ groupe participial**	*C'est* une artiste **racontant des légendes**.
Dét. + nom **+ subordonnée relative**	*C'est* une artiste **qui raconte des légendes**.

FICHE D'ACTIVITÉ
11
MODULE 5

La construction du groupe nominal (*suite*)

Exerce-toi

1. Dans chaque groupe nominal souligné, encercle le pronom ou le nom noyau, comme dans l'exemple.

Exemple : [Je] conte les [histoires] de mon père à ma [manière].

a) Les parents et les invités se réunissaient dans notre grande maison.

b) Les vieux manches à balai se transformaient en épées.

c) Mon père racontait des histoires et des légendes de notre pays.

d) Ils racontaient leurs histoires après leurs longues journées de travail.

e) Les histoires que mon père nous racontait étaient formidables.

f) Il y avait des trésors cachés dans la mémoire de mon père.

2. Dans les phrases suivantes, souligne deux groupes nominaux et encercle le pronom ou le nom noyau de ces groupes, comme dans l'exemple.

Exemple : Mon [père] racontait des [histoires] venues d'ailleurs.

a) Angèle raconte des histoires inoubliables.

b) Les histoires d'Angèle sont le spectacle de sa vie et le récit de ses rides.

c) Quand Angèle était petite, les familles avaient beaucoup d'enfants.

FICHE D'ACTIVITÉ
11

MODULE 5

La construction du groupe nominal (*suite*)

Exerce-toi (*suite*)

d) Mes frères et moi aimons nous cacher dans le grenier de la vieille grange.

e) Les histoires de mon père étaient extraordinaires.

f) Les histoires racontées lors de la veillée étaient mon moment favori.

3. Dans les phrases ci-dessous, indique si chaque expansion en gras du groupe nominal souligné est : un groupe participial ; une préposition suivie d'un GN ; une subordonnée relative ; ou un groupe adjectival. Indique tes réponses comme dans l'exemple.

Groupe adjectival   Groupe adjectival

Exemple : Nous aimons nous cacher dans <u>ce **vieux** grenier **plein de poussière**</u>.

a) <u>Les histoires **racontées par mon père**</u> étaient fantastiques.

b) <u>Cette légende **racontant l'histoire d'un pêcheur**</u> est formidable.

c) <u>Les bûcherons **qui travaillaient avec mon père**</u> étaient de bons conteurs.

d) <u>Ces histoires **venues d'ailleurs**</u> étaient fabuleuses.

e) Les bûcherons racontaient des histoires après <u>leurs **dures** journées **de travail**</u>.

Littératie en action 6 / Guide
11056
Cette fiche accompagne les activités langagières du guide d'enseignement.
57

FICHE D'ACTIVITÉ
12
Les verbes pronominaux
MODULE 5

Réfléchis

- D'après toi, le verbe *lever* et le verbe *se lever* ont-ils le même sens ?

- Conjugue ces deux verbes au passé composé. Quelle différence remarques-tu ?

- À quelle classe appartiennent les mots *me*, *te*, *se*, *nous* et *vous* ? Est-ce que ce sont des prépositions, des pronoms ou des adjectifs ?

Observe

> - *Sardine **s'est réveillée** pendant la nuit.*
> - *Mes parents **se** couchent tôt d'habitude.*
> - *Il est minuit, je **me** réveille en sursaut et je **m'**habille le plus vite possible.*
> - *Nous **nous** levons tous en même temps, puis nous **nous** précipitons dehors.*
> - *Dans la cuisine, je **me** lave les mains.*
> - *À cause de l'incendie, vous **vous** êtes endormis à l'aube.*

a) Dans les phrases ci-dessus, quel est le sujet des verbes soulignés ?

b) Que remarques-tu lorsque tu compares les sujets et les mots en gras placés devant les verbes ? À quelle personne (1re, 2e, 3e personne du singulier ou du pluriel) sont les mots en gras ?

c) Quelles phrases ont des verbes conjugués au passé composé ? Avec quel auxiliaire (*être* ou *avoir*) ces verbes sont-ils conjugués ?

d) Dans tes mots, explique comment tu conjugues le verbe *se lever* au présent de l'indicatif et au passé composé.

Les verbes pronominaux (*suite*)

Consulte la règle

Les **verbes pronominaux** sont toujours accompagnés du pronom personnel *se* ou *s'* à l'infinitif, comme les verbes *se réveiller*, *se lever*, *s'habiller*, *se brosser*, *se coucher* ou *s'endormir*.

Pour conjuguer les verbes pronominaux, on fait varier le pronom personnel qui les accompagne selon la personne et le nombre du sujet, comme dans l'exemple suivant.

*Exemple: **se réveiller**.*

	Présent de l'indicatif			Passé composé		
1re pers. sing.	*Je*	**me**	*réveille*	*Je*	**me**	*suis réveillé(e)*
2e pers. sing.	*Tu*	**te**	*réveilles*	*Tu*	**t'**	*es réveillé(e)*
3e pers. sing.	*Il ou elle*	**se**	*réveille*	*Il ou elle*	**s'**	*est réveillé(e)*
1re pers. plur.	*Nous*	**nous**	*réveillons*	*Nous*	**nous**	*sommes réveillé(e)s*
2e pers. plur.	*Vous*	**vous**	*réveillez*	*Vous*	**vous**	*êtes réveillé(e)s*
3e pers. plur.	*Ils ou elles*	**se**	*réveillent*	*Ils ou elles*	**se**	*sont réveillé(e)s*

Attention! Aux temps composés, comme au passé composé, les verbes pronominaux se conjuguent toujours avec l'auxiliaire *être*, et le participe passé s'accorde en genre et en nombre avec le sujet.

*Exemples: Je me **suis** réveillé; Tu t'**es** assise; Ma mère s'**est** levée; Elles se **sont** endormies.*

Les verbes pronominaux (suite)

Exerce-toi

Le texte suivant est écrit au temps présent. Souligne les verbes pronominaux. Ensuite, transforme le texte en l'écrivant au temps passé. Pour t'aider, consulte des tableaux de conjugaison.

LE SAMEDI MATIN

J'aime le matin. Dès le lever du soleil, ma chambre est remplie de lumière. Il n'y a aucune agitation. Je peux entendre le chant des oiseaux, car ils se sont réveillés avant moi. Quand je vais à l'école, je règle mon réveil pour qu'il sonne à 6 h 30. Je me lève. Je me lave le visage avec de l'eau chaude et du savon. Je me brosse les dents, je me peigne, je m'habille. Je me retourne pour caresser le chat, mais il se sauve ! Puis, je me précipite à la cuisine et je mange le bon déjeuner que ma mère m'a préparé. Quand je vois l'autobus scolaire au coin de la rue, je me dépêche et je sors le plus vite possible.

Le samedi matin, tout se passe autrement. Je me réveille doucement. Parfois, je ne me lève pas tout de suite, je reste au lit à rêver. Je m'imagine dans un autre monde. J'ai tout mon temps, c'est samedi matin et je me sens bien.

LE SAMEDI MATIN

Quand j'étais plus jeune, j'aimais le matin. Dès le lever du soleil, ma chambre...

_____

_____

_____

_____

_____

_____

_____

_____

_____

_____

FICHE D'ACTIVITÉ
13
MODULE 5

L'emploi des signes de ponctuation

Réfléchis

- Quels signes de ponctuation peux-tu utiliser à la fin d'une phrase?
- Quels signes de ponctuation peux-tu utiliser à l'intérieur d'une phrase?
- Quels signes de ponctuation dois-tu utiliser lorsque, dans un texte, tu veux montrer qu'une personne prononce des paroles ou qu'elle participe à un dialogue?

Observe

- *Pourquoi Sardine a-t-elle réveillé Sam?*
- *Comme tu as été chanceux que Sardine te réveille!*
- *Ma salopette, ma chemise, mes bottes et ma veste étaient noires de suie.*
- *J'ai aperçu, du coin de l'œil, des lumières au loin.*
- *Mon père m'a dit: « Sam, cours à la rivière et va chercher de l'eau. »*
- *L'instant d'après, j'étais assis dans la cuisine et mes mains trempaient dans l'eau froide.*

a) À la fin des phrases ci-dessus, quel signe de ponctuation t'indique s'il s'agit d'une phrase déclarative, interrogative ou exclamative?

b) Quelle phrase contient un signe de ponctuation utilisé pour faire une énumération?

c) Quelle phrase contient des signes de ponctuation employés pour rapporter les paroles d'une personne?

d) Quelles phrases contiennent un signe de ponctuation qui permet d'isoler un complément de phrase au début ou au milieu de la phrase?

FICHE D'ACTIVITÉ
13
MODULE 5

L'emploi des signes de ponctuation (suite)

Consulte la règle

Le tableau suivant montre comment utiliser les principaux signes de ponctuation.

Signe	Exemples
LE POINT `.`	
Il marque la fin d'une phrase déclarative ou d'une phrase impérative.	*Ma chatte Sardine miaulait toujours.* *Viens, Sardine, mais reste tranquille.*
LE POINT D'INTERROGATION `?`	
Il marque la fin d'une phrase interrogative.	*Qu'est-ce qui se passe ?*
LE POINT D'EXCLAMATION `!`	
Il marque la fin d'une phrase exclamative.	*Comme Sam a été courageux !*
Il marque la fin d'une phrase déclarative ou d'une phrase impérative exprimant une émotion forte ou une réaction.	*Il était minuit !* *Monte sur le tas de foin !*
LA VIRGULE `,`	
Elle sépare les éléments d'une énumération.	*La cour était remplie <u>de voitures</u>, <u>de camions</u>, <u>de gens</u>, etc.*
Elle isole ou encadre un complément de phrase (Compl. de P) lorsqu'il est placé au début ou au milieu d'une phrase.	*<u>Plus tard</u>, ma mère a soigné mes brûlures.* *Ma mère, <u>plus tard</u>, a soigné mes brûlures.*
Elle introduit les coordonnants *car, alors, pourtant, donc, puis, c'est-à-dire* et *mais* dans une phrase.	*Il faisait froid dans la chambre, <u>car</u> j'avais laissé la fenêtre ouverte.*
LES GUILLEMETS `« »`	
Ils servent à rapporter les paroles d'une personne.	*« Tu aurais dû mettre des gants. »*
LE DEUX-POINTS `:`	
Il annonce qu'on rapporte les paroles d'une personne.	*Ma mère m'a dit : <u>« Tu aurais dû mettre des gants. »</u>*
Il annonce une énumération.	*Les personnes qui sont venues nous aider sont : <u>Pierre, Joseph, d'autres voisins et les pompiers.</u>*
Il annonce une explication.	*Je savais à quoi il pensait : <u>comment trouver de l'argent pour acheter un nouveau tracteur.</u>*
LE TIRET `–`	
Il annonce une réplique dans un dialogue entre deux ou plusieurs personnes.	*– Tu aurais dû mettre des gants, a-t-elle marmonné.* *– Tout ira mieux bientôt, lui ai-je répondu.*

FICHE D'ACTIVITÉ
13
MODULE 5

L'emploi des signes de ponctuation (*suite*)

Exerce-toi

1. Ajoute le signe de ponctuation qui convient à la fin des phrases suivantes.

a) Je n'ai pas entendu la porte s'ouvrir

b) Comme Sam et son père ont été courageux

c) Comment un chat peut-il devenir un héros

d) Va t'habiller, Sam

2. Dans les phrases suivantes, ajoute la ou les virgules manquantes.

a) Peu après les voisins sont repartis chez eux.

b) Le toit de la grange un peu plus tard s'est effondré.

c) Le feu a ravagé la grange les meules de foin et le tracteur.

d) J'ai dû m'endormir car je n'ai pas entendu mon père entrer dans ma chambre.

e) Papa a mis sa salopette ses bottes son manteau et son chapeau puis il est sorti avec moi.

3. Dans les phrases suivantes, ajoute le deux-points ou les guillemets manquants.

a) Pierre et Joseph sont arrivés et Joseph a crié à mon père : Va chercher de l'eau !

b) Maman m'a dit « C'est l'heure de te coucher » .

c) Que se passe-t-il ? , ai-je marmonné en me rendant à la fenêtre .

4. Écris un court dialogue de trois répliques en utilisant les signes de ponctuation appropriés.

_____

_____

_____

_____

_____

_____

FICHE D'ACTIVITÉ
14
MODULE 5

La conjugaison du verbe **aller**

Réfléchis

- Quelle est la différence entre un verbe régulier et un verbe irrégulier ?

- Le verbe *aller* se conjugue-t-il comme le verbe *aimer* ? Qu'est-ce qui est différent ? Explique ta réponse.

Observe

*Aim**er***	*All**er***
*J'aim**e**, nous aim**ons***	*Je va**is**, nous all**ons***
*J'aim**ais**, nous aim**ions***	*J'all**ais**, nous all**ions***
*J'ai aim**é**, nous avons aim**é***	*Je suis all**é(e)**, nous sommes all**é(e)s***
*J'aim**erai**, nous aim**erons***	*J'**irai**, nous **irons***
*Aim**e**, aim**ons**, aim**ez***	*Va, all**ons**, all**ez***

a) Dans les verbes ci-dessus, comment distingues-tu les radicaux et les terminaisons ?

b) À quel temps de conjugaison (présent de l'indicatif, futur simple, passé composé, présent de l'impératif ou imparfait) chaque verbe est-il conjugué ?

c) Que remarques-tu à propos des radicaux et des terminaisons des verbes de gauche et des verbes de droite ? Qu'est-ce qui est semblable ? Qu'est-ce qui est différent ?

d) Dans tes mots, explique pourquoi le verbe *aimer* est un verbe régulier et le verbe *aller*, un verbe irrégulier.

Nom : _____   Date : _____

Consulte la règle

Le verbe *aller* est un verbe irrégulier, car il a **différents radicaux** selon le temps conjugué.

Exemples :	**Présent de l'indicatif**	*Ils v**ont** à la rivière.* (v + **ont**)
	Futur simple	*Tout i**ra** mieux bientôt.* (i + **ra**)
	Imparfait	*Nous all**ions** peut-être gagner la bataille.* (all + **ions**)
	Présent de l'impératif	*V**a** chercher de l'eau ! All**ons** chercher de l'eau.* (V + **a**) (All + **ons**)

Aux temps composés, le verbe *aller* se conjugue avec l'**auxiliaire *être***.

Exemple :	**Passé composé**	*Ce matin, Sam **est** **allé** réveiller son papa.* (auxiliaire *être* + participe passé *allé*)

Exerce-toi

Conjugue le verbe *aller* au temps approprié dans les phrases suivantes, inspirées du texte *Un sauvetage flamboyant*, aux pages 200 à 204 du manuel.

a) Nous _____ tout de suite à la rivière afin de remplir nos seaux.

b) Le toit de la grange _____ s'effondrer quand j'ai grimpé sur le tas de foin.

c) Hier, des bardeaux enflammés _____ atterrir sur la meule de foin.

d) Nous _____ gagner la bataille, c'était certain.

e) _____ voir la vieille grange dès que vous le pourrez.

f) Demain, Sam _____ au magasin s'acheter des vêtements.

g) « J'ai vu une lueur qui vacillait, et je _____ vous réveiller », a dit Sam.

h) Dans trois jours, nous _____ chez les voisins pour les remercier.

i) Sardine _____ s'endormir quand mon père est venu la caresser.

Littératie en action 6 / Guide
11056
Cette fiche accompagne les activités langagières du guide d'enseignement.

65

FICHE D'ACTIVITÉ
15
MODULE 5

Les pronoms possessifs

Réfléchis

- Quelles sortes de pronoms connais-tu ? À quoi servent-ils ?

- Dans les phrases « J'ai beaucoup aimé ton histoire. As-tu aimé <u>mon histoire</u> ? », par quel pronom peux-tu remplacer « <u>mon histoire</u> » : *le mien*, *le tien*, *la mienne* ou *la sienne* ?

Observe

> — *Comme tes dents et tes griffes ? demande Coyote à Ours.*
> — *Bien sûr, comme **les miennes**, répond Ours.*
>
> — *Comme tes oreilles et tes yeux ? demande Ours à Cerf.*
> — *Bien sûr, comme **les miens**, répond Cerf.*
>
> — *Il lui faut une intelligence qui surpasse toutes les autres, dit Coyote à Hibou.*
> — *Comme **la tienne** ? demande Hibou.*

a) Dans les répliques ci-dessus, à quel interlocuteur appartiennent les éléments de dialogue suivants : « tes dents et tes griffes », « tes oreilles et tes yeux » et « une intelligence » ?

b) Dans ces phrases, par quels mots pourrais-tu remplacer les pronoms en gras ?

c) Quel est le genre et quel est le nombre de ces pronoms ?

d) Dans tes mots, explique pourquoi on les appelle des *pronoms possessifs*.

Les pronoms possessifs (*suite*)

Consulte la règle

Les **pronoms possessifs** indiquent un lien de possession entre des personnes, des choses, des idées, etc. Les pronoms possessifs prennent le genre et le nombre des noms qu'ils remplacent.

Exemple :   *Le premier guerrier doit avoir une intelligence comme **mon intelligence**.*

               *Le premier guerrier doit avoir une intelligence comme **la mienne**.*

Le tableau suivant montre les différents pronoms possessifs.

		Singulier		Pluriel	
		Masculin	**Féminin**	**Masculin**	**Féminin**
1re pers. du singulier mon… ma… mes…	→	le mien	la mienne	les miens	les miennes
2e pers. du singulier ton… ta… tes…	→	le tien	la tienne	les tiens	les tiennes
3e pers. du singulier son… sa… ses…	→	le sien	la sienne	les siens	les siennes
1re pers. du pluriel notre… nos…	→	le nôtre	la nôtre	les nôtres	
2e pers. du pluriel votre… vos…	→	le vôtre	la vôtre	les vôtres	
3e pers. du pluriel leur… leurs…	→	le leur	la leur	les leurs	

Exerce-toi

1. Voici des phrases inspirées du texte *La création du premier guerrier*, aux pages 212 à 215 du manuel. Afin d'éviter les répétitions, remplace chaque groupe de mots en gras par un pronom possessif, comme dans l'exemple.

	Pronom possessif
Exemple : *Les griffes de l'ours servent à déchirer la viande ;* ***ses griffes** lui serviront aussi à déchirer la viande.*	Les siennes.
a) Tout le monde a ses idées, dit Coyote. Vous avez vos idées, j'ai mes idées et les autres animaux ont **leurs idées**.	_____

Les pronoms possessifs (*suite*)

Exerce-toi (*suite*)

	Pronom possessif

b) Au lieu de te moquer des défauts des autres, corrige
tes défauts.

_____

c) Construis ton animal, je construirai **mon animal**.

_____

d) Occupe-toi de ta création et il s'occupera de **sa création**.

_____

e) J'ai créé mon premier guerrier. As-tu créé **ton
premier guerrier**?

_____

f) Ses oreilles n'ont pas à être aussi grandes que **tes oreilles**,
dit Coyote à Cerf.

_____

g) Nous avons écouté vos demandes, disent les animaux.
Pourquoi n'écoutez-vous pas **nos demandes**?

_____

h) Il doit posséder une intelligence comme **mon intelligence**,
dit Coyote.

_____

i) Les recommandations du guerrier sont aussi bonnes
que **les recommandations de tous les animaux**.

_____

j) Quand j'aurai raconté mon histoire, elle racontera
son histoire.

_____

2. Écris une phrase qui contient le pronom possessif indiqué.

a) Le mien : _____

b) Le sien : _____

c) Le tien : _____

d) La mienne : _____

e) La vôtre : _____

Nom : _____   Date : _____

Nom de l'élève	Communication orale	Lecture	Écriture	Littératie médiatique
	L'élève : • exprime clairement ses idées • écoute activement • tient compte de son auditoire et adapte ses propos au besoin • vérifie sa compréhension des propos des autres • applique les stratégies apprises en communication orale	L'élève : • précise son intention de lecture • fait des prédictions • vérifie ses prédictions et en fait de nouvelles • fait des liens • réfléchit aux stratégies et à leur efficacité • applique les stratégies apprises en lecture	L'élève : • détermine l'intention et le public cible • planifie et organise les idées • choisit bien ses mots et ses expressions • utilise les commentaires et les critères pour réviser • applique les règles et les conventions apprises dans ses textes	L'élève : • reconnaît le sujet • reconnaît l'intention • reconnaît le public cible • crée des messages visuels • applique les techniques médiatiques apprises • analyse les personnes représentées dans les médias

Note : Les comportements décrits sont donnés à titre d'exemples et ne constituent pas une liste exhaustive. Les ajuster en fonction de ce qu'on veut observer. Utiliser le symbole de notation en usage dans chaque région ou province : notes, codes, symboles.

Littératie en action 6 / Guide
11056
Cette fiche accompagne toutes les leçons du guide d'enseignement.
69

Nom : _____   Date : _____

Grille d'évaluation de la section « À l'œuvre ! »

	Niveau 1	Niveau 2	Niveau 3	Niveau 4
Connaissance et compréhension	limitées	partielles	bonnes	approfondies
• Comprend la façon de concevoir une page fictive d'un journal personnel	☐ connaît les éléments et les techniques utilisés dans la rédaction d'une page de journal personnel	☐ connaît les éléments et les techniques utilisés dans la rédaction d'une page de journal personnel	☐ connaît les éléments et les techniques utilisés dans la rédaction d'une page de journal personnel	☐ connaît les éléments et les techniques utilisés dans la rédaction d'une page de journal personnel
Habiletés de la pensée	efficacité limitée	certaine efficacité	efficacité	grande efficacité
• Détermine l'intention et le public cible	☐ détermine l'intention et le public cible	☐ détermine l'intention et le public cible	☐ détermine l'intention et le public cible	☐ détermine l'intention et le public cible
• Utilise des critères pour réviser et évaluer son travail	☐ utilise des critères pour réviser et évaluer son travail	☐ utilise des critères pour réviser et évaluer son travail	☐ utilise des critères pour réviser et évaluer son travail	☐ utilise des critères pour réviser et évaluer son travail
Communication	efficacité limitée	certaine efficacité	efficacité	grande efficacité
• Présente et explique le contexte d'une page de journal personnel	☐ présente et explique le contexte	☐ présente et explique le contexte	☐ présente et explique le contexte	☐ présente et explique le contexte
• Utilise des stratégies appropriées pour plaire au public cible	☐ capte l'attention du public cible	☐ capte l'attention du public cible	☐ capte l'attention du public cible	☐ capte l'attention du public cible
• Lit avec expression	☐ capte l'attention de son auditoire en lisant	☐ capte l'attention de son auditoire en lisant	☐ capte l'attention de son auditoire en lisant	☐ capte l'attention de son auditoire en lisant
• Fait preuve de créativité en utilisant des effets améliorant la présentation (p. ex. : musique)	☐ utilise des effets améliorant la présentation	☐ utilise des effets améliorant la présentation	☐ utilise des effets améliorant la présentation	☐ utilise des effets améliorant la présentation
• Invite son auditoire à donner une rétroaction	☐ invite son auditoire à donner une rétroaction	☐ invite son auditoire à donner une rétroaction	☐ invite son auditoire à donner une rétroaction	☐ invite son auditoire à donner une rétroaction
Mise en application	efficacité limitée	certaine efficacité	efficacité	grande efficacité
• Applique les connaissances et les stratégies apprises pour écrire une page fictive d'un journal personnel	☐ applique les connaissances et les stratégies apprises	☐ applique les connaissances et les stratégies apprises	☐ applique les connaissances et les stratégies apprises	☐ applique les connaissances et les stratégies apprises

Voir aussi les grilles en lien avec les programmes dans le Compagnon Web de *Littératie en action 6*, à l'adresse suivante : [www.erpi.com/litteratie.cw].

Nom : _____   Date : _____

À ton tour !

Nom de l'élève	Présentation			Écoute	
	Raconte son récit avec expression	Parle clairement et capte l'attention de son auditoire	Demande une rétroaction de son auditoire	Utilise des stratégies d'écoute active	Montre de l'intérêt envers les présentations des autres élèves

Note : Utiliser cet aide-mémoire pour évaluer le travail des élèves. Les élèves peuvent se servir de ces critères pour l'autoévaluation. Utiliser le symbole de notation en usage dans chaque région ou province : notes, codes, symboles.

FICHE D'ÉVALUATION

4

MODULE 5

Gros plan sur tes apprentissages

1. Fais un retour sur les objectifs d'apprentissage de ce module.
- Choisis deux travaux montrant que tu as atteint les objectifs.
- Décris ce que chaque travail indique au sujet de tes apprentissages.
- Écris les raisons pour lesquelles tu ajoutes ces travaux à ton portfolio.

Tes choix de travaux et ce qu'ils indiquent sur tes apprentissages	Tes raisons d'ajouter ces travaux à ton portfolio

2. Écris une ou deux choses importantes que tu as apprises sur la façon de présenter une page de journal personnel.

_____
_____
_____
_____
_____

3. Écris une découverte importante que tu as faite au sujet des récits.

_____
_____
_____

Nom : _____ Date : _____

Grille d'évaluation du module

	Niveau 1	Niveau 2	Niveau 3	Niveau 4
Connaissance et compréhension	limitées	partielles	bonnes	approfondies
• Connaît les caractéristiques et la structure du texte d'un journal personnel	☐ utilise ses connaissances sur les caractéristiques et la structure d'un journal personnel	☐ utilise ses connaissances sur les caractéristiques et la structure d'un journal personnel	☐ utilise ses connaissances sur les caractéristiques et la structure d'un journal personnel	☐ utilise ses connaissances sur les caractéristiques et la structure d'un journal personnel
• Connaît les stratégies de compréhension (faire des prédictions, faire des inférences et faire des liens)	☐ connaît les stratégies de compréhension ciblées	☐ connaît les stratégies de compréhension ciblées	☐ connaît les stratégies de compréhension ciblées	☐ connaît les stratégies de compréhension ciblées
• Connaît et comprend le vocabulaire des textes étudiés	☐ démontre sa compréhension	☐ démontre sa compréhension	☐ démontre sa compréhension	☐ démontre sa compréhension
Habiletés de la pensée	efficacité limitée	certaine efficacité	efficacité	grande efficacité
• Utilise les stratégies de planification et les organisateurs graphiques pour rédiger ses textes	☐ utilise les stratégies de planification et les organisateurs graphiques	☐ utilise les stratégies de planification et les organisateurs graphiques	☐ utilise les stratégies de planification et les organisateurs graphiques	☐ utilise les stratégies de planification et les organisateurs graphiques
• Fait un raisonnement critique pour analyser l'efficacité d'un texte	☐ analyse des journaux personnels ☐ évalue l'efficacité de ses textes	☐ analyse des journaux personnels ☐ évalue l'efficacité de ses textes	☐ analyse des journaux personnels ☐ évalue l'efficacité de ses textes	☐ analyse des journaux personnels ☐ évalue l'efficacité de ses textes
Communication	efficacité limitée	certaine efficacité	efficacité	grande efficacité
• Exprime et organise ses idées et l'information présentée	☐ exprime et organise des idées et de l'information dans les contextes suivants : – les textes narratifs à l'écrit et à l'oral – les discussions – les jeux de rôles – la présentation orale	☐ exprime et organise des idées et de l'information dans les contextes suivants : – les textes narratifs à l'écrit et à l'oral – les discussions – les jeux de rôles – la présentation orale	☐ exprime et organise des idées et de l'information dans les contextes suivants : – les textes narratifs à l'écrit et à l'oral – les discussions – les jeux de rôles – la présentation orale	☐ exprime et organise des idées et de l'information dans les contextes suivants : – les textes narratifs à l'écrit et à l'oral – les discussions – les jeux de rôles – la présentation orale

Littératie en action 6 / Guide
11056
Cette fiche accompagne la leçon 15 du guide d'enseignement.
73

Nom : _____   Date : _____

Grille d'évaluation du module (suite)

	Niveau 1	Niveau 2	Niveau 3	Niveau 4
Communication	**efficacité limitée**	**certaine efficacité**	**efficacité**	**grande efficacité**
• Prend en considération les destinataires visés et l'intention de communication	☐ prend en considération les destinataires visés et l'intention pour : – rédiger ses textes – participer à une discussion – raconter un récit	☐ prend en considération les destinataires visés et l'intention pour : – rédiger ses textes – participer à une discussion – raconter un récit	☐ prend en considération les destinataires visés et l'intention pour : – rédiger ses textes – participer à une discussion – raconter un récit	☐ prend en considération les destinataires visés et l'intention pour : – rédiger ses textes – participer à une discussion – raconter un récit
• Utilise les codes et les conventions de communication orale (expression, volume) et écrite (ponctuation, orthographe)	☐ utilise les codes et les conventions de communication orale et écrite	☐ utilise les codes et les conventions de communication orale et écrite	☐ utilise les codes et les conventions de communication orale et écrite	☐ utilise les codes et les conventions de communication orale et écrite
Mise en application	**efficacité limitée**	**certaine efficacité**	**efficacité**	**grande efficacité**
• Applique ses connaissances et ses habiletés pour lire une variété de textes	☐ lit une variété de textes de manière autonome	☐ lit une variété de textes de manière autonome	☐ lit une variété de textes de manière autonome	☐ lit une variété de textes de manière autonome
• Applique ses connaissances et ses habiletés pour rédiger une variété de textes	☐ rédige une variété de textes	☐ rédige une variété de textes	☐ rédige une variété de textes	☐ rédige une variété de textes
• Fait des liens avec ses expériences personnelles et les textes lus et écrits	☐ fait des liens	☐ fait des liens	☐ fait des liens	☐ fait des liens

Nom : _____ Date : _____

Bilan des apprentissages

Données sur le rendement et les progrès de l'élève :

☐ Entrevue individuelle

  (date : _____)

☐ Journal de bord (réponses, réflexions)

☐ Productions technologiques ou médiatiques

☐ Productions écrites (p. ex. : « À l'œuvre ! »)

☐ Communication orale

☐ Révision du portfolio (« Gros plan sur tes apprentissages »)

☐ Autoévaluation

☐ Évaluation continue (p. ex. : fiche d'évaluation 2 ; notes anecdotiques)

☐ Tâche d'évaluation de la compréhension en lecture

☐ Autre : _____

Domaine	Commentaire	Niveau
Communication orale		
Lecture		
Écriture		
Littératie médiatique		

Remarque : Pour formuler des commentaires et déterminer le niveau de rendement de l'élève, consulter la fiche d'évaluation **5 : Grille d'évaluation du module** et la grille d'évaluation du rendement publiée par le ministère de l'Éducation de la province.

Forces	
Besoins	
Prochaines étapes	

Littératie en action 6 / Guide
11056
Cette fiche accompagne la leçon 15 du guide d'enseignement.
75

Corrélations avec les autres disciplines

LI = Liens interdisciplinaires ALL = Activités en lien avec les leçons AL = Activités langagières

									LEÇONS								
	LI	ALL	AL	1	2	3	4	5	6	7	8	9	10	11	12	13	14	15
ÉTUDES SOCIALES (SCIENCES HUMAINES)																		
LE MULTICULTURALISME CANADIEN																		
Connaissance et compréhension																		
Comprendre ses origines et préciser son identité.	•				•	•	•											
Reconnaître les traits de l'identité canadienne.	•				•	•	•							•	•			
Reconnaître la présence de francophones dans différentes régions du Canada.	•				•	•	•				•	•			•			
Répertorier des francophones du Canada qui se sont distingués dans divers domaines et tracer le portrait de certains d'entre eux.	•					•					•	•			•			
Démontrer, à l'aide d'exemples ou par d'autres moyens, l'influence naturelle entre la société canadienne et d'autres pays et cultures.	•				•	•	•					•				•		
Comprendre la portée des événements qui se produisent dans l'actualité ainsi que les changements qui s'opèrent dans la société.	•				•	•	•				•	•				•		
Connaître et comprendre les concepts de base sur les secteurs de la production, de la distribution et de la consommation des biens.	•																	
Comprendre les institutions, les composantes des cultures et le fonctionnement des groupes.	•				•	•	•					•				•		
Connaître et comprendre les facteurs de continuité ou de changement.	•				•	•	•							•	•			
Connaître et comprendre les structures et les systèmes mis en place par les humains pour gérer l'organisation naturelle ou sociale.	•						•											
Questionnement, recherche et communication																		
Formuler des questions qui orientent son enquête.	•				•	•	•	•	•	•					•	•		
S'appuyer sur des documents de sources primaires et secondaires pour effectuer une enquête.	•					•	•	•							•		•	

	LI	ALL	AL	1	2	3	4	5	6	7	8	9	10	11	12	13	14	15

Questionnement, recherche et communication (suite)

	LI	ALL	AL	1	2	3	4	5	6	7	8	9	10	11	12	13	14	15
Se servir d'organisateurs graphiques pour transmettre l'information.	•						•	•	•	•	•	•	•	•	•	•		
Communiquer les résultats de son enquête en utilisant différents supports visuels.	•												•		•		•	
Transmettre des idées et de l'information selon différentes formes et divers moyens.			•		•		•		•	•	•	•	•	•		•	•	
Utiliser le vocabulaire approprié pour communiquer les résultats de son enquête.			•	•				•							•		•	

Utilisation des cartes géographiques et des éléments graphiques

	LI	ALL	AL	1	2	3	4	5	6	7	8	9	10	11	12	13	14	15
Représenter l'information à l'aide de cartes, de tableaux, de diagrammes et de graphiques.									•				•				•	

Application

	LI	ALL	AL	1	2	3	4	5	6	7	8	9	10	11	12	13	14	15
Mettre en application, dans des contextes familiers, les concepts, les connaissances et les habiletés qui lui ont été présentés et de les transférer à des contextes nouveaux.			•										•			•		
Mettre en application le vocabulaire approprié au sujet à l'étude (p. ex.: populations francophones, différences culturelles, ressemblances culturelles, francophonie, multiculturalisme, équité, racisme).			•							•	•						•	

SCIENCES ET TECHNOLOGIE

L'ESPACE

Compréhension des concepts

	LI	ALL	AL	1	2	3	4	5	6	7	8	9	10	11	12	13	14	15
Identifier des composantes du système solaire incluant le Soleil, la Terre, les autres planètes, les satellites naturels, les comètes, les astéroïdes, les météoroïdes et décrire leurs caractéristiques physiques.																		
Expliquer comment les humains répondent à leurs besoins de base dans l'espace.																		
Identifier l'équipement et les outils technologiques utilisés pour l'exploration spatiale.																		
Décrire des effets du mouvement et de la position de la Terre, de la Lune et du Soleil.																		
Décrire qualitativement la relation entre la masse et le poids.																		

CORRÉLATIONS AVEC LES AUTRES DISCIPLINES (*suite*)

LI = Liens interdisciplinaires   ALL = Activités en lien avec les leçons   AL = Activités langagières

	LI	ALL	AL	1	2	3	4	5	6	7	8	9	10	11	12	13	14	15
Acquisition d'habiletés en recherche scientifique, en conception et en communication																		
Utiliser le processus de résolution de problèmes technologiques pour concevoir, construire et tester un objet qui utilise ou simule le mouvement des corps dans le système solaire.																		
Utiliser la démarche de recherche pour explorer les percées scientifiques et technologiques qui permettent aux humains de vivre et de s'adapter dans l'espace.																		
Utiliser les termes justes pour décrire ses activités de recherche, d'expérimentation, d'exploration et d'observation (p. ex. : planète, Lune, étoile, comète, éclipse, phase, astéroïde, météoroïde).																		
Communiquer oralement et par écrit en se servant d'aides visuelles dans le but d'expliquer les méthodes utilisées et les résultats obtenus lors de ses recherches, ses expérimentations, ses explorations ou ses observations.																		
Rapprochement entre les sciences, la technologie, la société et l'environnement																		
Évaluer la contribution des Canadiens et des Canadiennes dans l'exploration spatiale et le progrès scientifique.																		
Évaluer les avantages et les inconvénients de l'exploration spatiale pour la société et l'environnement.																		
MATHÉMATIQUES																		
Traitement des données et probabilités																		
Démontrer comment la grandeur de l'échantillon peut influencer la nature des résultats d'une enquête.																		
Prédire, à partir de ses connaissances générales ou de diverses sources d'informations, les résultats possibles d'un sondage avant de recueillir les données.											•	•						
Concevoir et effectuer un sondage, recueillir les données et les enregistrer selon des catégories et des intervalles appropriés.											•	•						
Construire, à la main ou à l'ordinateur, divers diagrammes (p. ex. : diagramme à bandes horizontales, verticales ou doubles et diagramme à ligne brisée).											•	•						
Formuler, oralement ou par écrit, des inférences ou des arguments à la suite de l'analyse et de la comparaison de données présentées dans un tableau ou dans un diagramme.											•	•						

	LEÇONS																	
	LI	ALL	AL	1	2	3	4	5	6	7	8	9	10	11	12	13	14	15
Traitement des données et probabilités (*suite*)																		
Comparer et choisir, à l'aide d'un logiciel de graphiques, le genre de diagramme qui représente le mieux un ensemble de données.											•	•						
ÉDUCATION ARTISTIQUE																		
ART DRAMATIQUE																		
Produire plusieurs formes de représentation (p. ex.: monologue, improvisation, création collective) pour communiquer un message à partir d'une situation dramatique donnée.			•		•		•			•		•		•	•	•	•	
Créer plusieurs courtes productions pour un auditoire spécifique en utilisant un appui technique.			•		•		•			•		•		•	•	•	•	
Décrire comment l'art dramatique contribue à son propre développement et à celui de la communauté.			•							•				•	•	•		
ARTS VISUELS																		
Recourir au processus de création artistique pour réaliser diverses œuvres d'art.			•				•		•			•	•				•	
MUSIQUE																		
Recourir au processus d'analyse critique pour analyser et apprécier diverses œuvres musicales.												•						
Composer un message publicitaire et le mettre en musique.																		
Exprimer son appréciation d'une composition musicale dans diverses formes de représentation (p. ex.: danse, dessin).			•									•					•	

CORRÉLATIONS AVEC LES AUTRES DISCIPLINES (*suite*)

LI = Liens interdisciplinaires ALL = Activités en lien avec les leçons AL = Activités langagières

ÉDUCATION PHYSIQUE ET SANTÉ

HABILETÉS PERSONNELLES ET SOCIALES

	LI	ALL	AL	1	2	3	4	5	6	7	8	9	10	11	12	13	14	15
																	LEÇONS	
Communiquer oralement et par écrit en français pour s'affirmer sur le plan culturel et linguistique.	•								•		•	•	•				•	
Utiliser des habiletés personnelles pour développer son autonomie et un concept de soi positif.	•								•		•	•	•				•	
Utiliser des habiletés interpersonnelles pour communiquer et interagir avec les autres de manière positive et constructive.	•									•		•	•				•	
Utiliser la pensée critique et créative pour développer la capacité d'analyse et de discernement nécessaires pour se fixer des objectifs personnels, prendre des décisions éclairées et résoudre des problèmes.	•												•				•	

Littératie en action

Guide d'enseignement

MODULE **6**

Le Canada, notre héritage

PEARSON
ERPI

11056

POUR L'ÉDITION FRANÇAISE

Directrice à l'édition
Monique Daigle

Traductrice
Monique Lanouette

Rédacteurs (fiches d'activités 8 à 14)
Virginie Krysztofiak
Paul Ste-Marie

Chargée de projet
Lina Binet

Réviseure linguistique
Annick Loupias

Correctrices d'épreuves
Lina Binet
Sabine Cerboni

Coordonnatrice à l'édition Web
Jeannette Lafontaine

Couverture (reliure à anneaux)
Édiflex inc.

Édition électronique
La Plume Virtu-Elle enr.

POUR L'ÉDITION ORIGINALE

Chef d'équipe
Anita Borovilos

Consultantes nationales en littératie
Beth Ecclestone
Norma MacFarlane

Éditrices
Susan Green
Elynor Kagan

Chef de produit
Paula Smith

Directrice de rédaction
Monica Schwalbe

Directrices de la recherche et du développement
Carol Wells
Mariangela Gentile
Rena Sutton

Coordonnatrice de la production
Alison Dale

Directrice artistique
Zena Denchik

Graphiste
David Cheung

Vice-président, édition et marketing
Mark Cobham

Littératie en action 6, Guide d'enseignement,
édition française publiée par ERPI (ÉDITIONS
DU RENOUVEAU PÉDAGOGIQUE INC.)
© 2008 Pearson Canada Inc.
© 2010 ERPI pour l'édition française.

Traduction et adaptation autorisées de *Literacy in Action 6, Teacher's Guide*, par Jeroski et autres, publié par Pearson Canada Inc.
© 2008 Pearson Education Canada, une division de Pearson Canada Inc.

Tous droits réservés.
On ne peut reproduire aucun extrait de ce livre sous quelque forme ou par quelque procédé que ce soit – sur une machine électronique, mécanique, à photocopier ou à enregistrer, ou autrement – sans avoir obtenu, au préalable, la permission écrite de Pearson Canada Inc. Pour toute demande à ce sujet, veuillez vous adresser à Pearson Canada Inc., Rights and Permissions Department, 26 Prince Andrew Place, Don Mills, Ontario M3C 2T8 Canada.

Pearson® est une marque déposée de Pearson plc.

Dépôt légal – Bibliothèque et Archives nationales du Québec, 2010
Dépôt légal – Bibliothèque et Archives Canada, 2010

Imprimé au Canada   1234567890 TRN 13 12 11 10
ISBN 978-2-7613-2595-0   11056   OF10

Littératie en action 6, Guide d'enseignement,
French language edition, published by ERPI
(ÉDITIONS DU RENOUVEAU PÉDAGOGIQUE INC.)
© 2008 Pearson Canada Inc.

Authorized translation and adaptation from the English language edition, entitled *Literacy in Action 6, Teacher's Guide*, by Jeroski *et al.*, published by Pearson Education Canada, a division of Pearson Canada Inc.

All rights reserved. This publication is protected by copyright. No part of this book may be reproduced or transmitted in any form or by any means, electronic or mechanical, including photocopying, recording, or by any information storage retrieval system, without permission from Pearson Canada Inc. For information regarding permission(s), please submit your request to: Pearson Canada Inc., Rights and Permissions Department, 26 Prince Andrew Place, Don Mills, Ontario M3C 2T8 Canada.

Pearson® is a registered trademark of Pearson plc.

POUR L'ÉDITION FRANÇAISE

Directeurs de collection
Léo-James Lévesque
Johanne Proulx

REMERCIEMENTS

L'éditeur remercie les personnes suivantes pour leurs commentaires judicieux au cours de l'élaboration de la collection *Littératie en action 6* :

Johanne Austin, N.-B.
Joanne Cameron, N.-É.
Alicia Logie, C.-B.
Karen Olsen, Sask.
Brian Svenningsen, Ont.
Diane Tijman, C.-B.
Nathalie Wall, Ont.

POUR L'ÉDITION ORIGINALE

Auteurs et consultants
Dr Sharon Jeroski

Andrea Bishop
Jean Bowman
Anne Boyd
Lynn Bryan
Linda Charko
Marla Ciccotelli
Susan Clarke
Alisa Dewald
Maureen Dockendorf
Ken Ealey
Susan Elliott
Christine Finochio
Patricia Gough
Jo Ann Grime
Doug Herridge
Patricia Horstead
Don Jones
Joanne Leblanc-Haley
Marg Lysecki
Jill Maar
Deidre McConnell
Carol Munro
Cathie Peters
Sue Pleli
Lorraine Prokopchuk
Joanne Rowlandson
Carole Stickley
Arnold Toutant
Kim Webber
Iris Zammit
Beth Zimmerman

Table des matières

---

* Ces fiches ont été conçues pour répondre aux attentes en ce qui concerne les connaissances et habiletés grammaticales du programme-cadre de français (6ᵉ année) du curriculum de l'Ontario. À titre d'enrichissement, toutefois, elles peuvent être aussi proposées aux élèves en immersion.

Module 6 : Le Canada, notre héritage

Dans ce module, les élèves écouteront, liront et écriront des textes informatifs et narratifs. Ils seront amenés à utiliser leurs connaissances, à déterminer ce qui est important et à faire un résumé d'une variété de textes sur le patrimoine canadien, dont des récits historiques, des dépliants touristiques, une chanson et un extrait d'un journal personnel. Les élèves présenteront un site historique du Canada sous la forme d'un dépliant touristique. Finalement, ils rédigeront et présenteront une page du journal personnel d'un personnage historique.

LES OBJECTIFS DE L'ENSEIGNEMENT

Stratégies	Utiliser ses connaissances ; déterminer ce qui est important ; faire un résumé
Littératie critique	Analyser l'efficacité de dépliants touristiques
Genre de texte	Textes informatifs : dépliants touristiques
Éléments d'écriture	Comprendre la structure du dépliant touristique ; comparer le dépliant touristique avec une affiche ; reconnaître l'importance de varier la longueur et la structure des phrases dans un texte informatif
Communication orale	Discuter, échanger des idées, réagir et présenter ; apprendre à mettre de l'intonation dans sa voix en lisant
Littératie médiatique	Comprendre la façon des médias de présenter l'information

L'ÉVALUATION AU SERVICE DE L'APPRENTISSAGE

Évaluation diagnostique	Évaluation formative	Évaluation sommative
• Présentation du module (L : 1)	• Observations, interventions pédagogiques (L : 1 à 3, 5 à 14) • Évaluation par les élèves (L : 2, 4, 10, 11, 14) • Création de tableaux de référence (L : 1 à 3, 6, 8, 10, 11) • Réflexion des élèves (toutes les leçons) • Tâche d'évaluation « À l'œuvre ! » (L : 10) • À ton tour ! (L : 14)	• Ton portfolio (L : 15) • Entrevues individuelles (L : 15) • Réflexion des élèves (L : 15) • Tâche d'évaluation de la compréhension en lecture (L : 15)

LE CADRE D'ENSEIGNEMENT

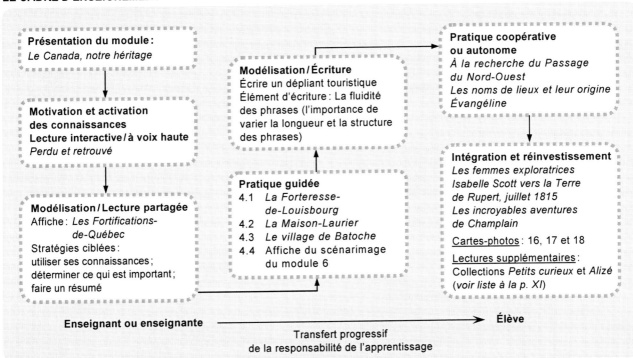

CONTENUS D'APPRENTISSAGE

Littératie en action est un outil d'enseignement qui vise à répondre aux attentes des programmes d'études[1] de l'ensemble des provinces et régions du Canada en matière de littératie. L'apprentissage des habiletés reliées à la littératie amène les élèves à utiliser l'écoute, l'expression orale, la lecture et l'écriture pour communiquer en français.

Le tableau intitulé « Corrélations avec les autres disciplines », aux pages 87 à 91 du présent fascicule, donne un aperçu des liens possibles avec les autres disciplines.

COMMUNICATION ORALE (écoute et expression)

	LEÇONS
Écoute	
• Déterminer l'intention de la situation d'écoute.	1, 2, 3, 4, 5, 7, 8, 9, 11, 12, 13, 14, 15
• Mettre en pratique l'écoute active.	1, 2, 3, 4, 5, 7, 8, 9, 11, 12, 13, 14, 15
• Faire des inférences.	1, 2, 3, 4, 7, 8, 9, 11, 12, 13
• Reconnaître les indices non verbaux et les interpréter.	1, 2, 3, 4, 5, 7, 8, 11, 12, 13
• Se concentrer et retenir les éléments importants.	1, 2, 3, 4, 5, 7, 8, 9, 10, 11, 12, 13, 14
• Faire la synthèse des renseignements.	1, 2, 3, 4, 7, 8, 9, 10, 11, 12, 13
Expression	
• Participer à une discussion en posant des questions, en répondant à des questions et en exprimant son point de vue.	1, 2, 3, 4, 5, 7, 8, 9, 10, 11, 12, 13, 14
• S'exprimer oralement de façon efficace en tenant compte du contexte.	1, 2, 3, 4, 5, 7, 8, 9, 10, 11, 12, 13, 14, 15
• Communiquer clairement ses idées.	1, 2, 3, 4, 5, 7, 8, 9, 10, 11, 12, 13, 14, 15
• Recourir à divers supports visuels pour appuyer son message.	1, 4, 5, 6, 7, 8, 10, 11, 12, 13, 14
Réflexion	
• Reconnaître l'aide des habiletés en lecture et en écriture dans la communication orale.	1, 2, 3, 4, 5, 6, 10, 14

LECTURE (et observation)

	LEÇONS
Préparation à la lecture	
• Déterminer l'intention de lecture.	2, 3, 4, 7, 8, 9, 10, 11, 12, 13
• Choisir ses textes selon diverses intentions.	2, 3, 4, 7, 8, 9, 10, 11, 12, 13
Lecture	
• Lire différents types de textes.	2, 3, 4, 6, 7, 8, 9, 10, 11, 12, 13
• Connaître et utiliser diverses stratégies de compréhension.	2, 3, 4, 7, 8, 9, 10, 11, 12, 13
• Ajuster ses stratégies et son rythme de lecture selon le genre de texte et l'intention de lecture.	2, 3, 4, 7, 8, 9, 10, 11, 12, 13
• Faire appel à un répertoire de mots connus.	2, 3, 4, 7, 8, 9, 10, 11, 12, 13
• Connaître et utiliser des stratégies de résolution de problèmes.	2, 3, 4, 5, 7, 8, 9, 10, 11, 12, 13
• Connaître et utiliser les conventions linguistiques pour mieux comprendre le texte.	2, 3, 4, 6, 7, 8, 9, 10, 11, 12, 13
• Utiliser les éléments visuels pour soutenir sa compréhension.	2, 3, 4, 7, 8, 9, 10, 11, 12, 13
• Connaître et utiliser les caractéristiques des divers genres de textes pour mieux comprendre le texte.	2, 3, 4, 7, 8, 9, 10, 11, 12, 13
• Analyser les idées, les renseignements et les points de vue contenus dans le texte.	2, 3, 4, 7, 8, 9, 10, 11, 12, 13
• Réagir de diverses manières aux textes lus.	2, 3, 4, 7, 8, 9, 10, 11, 12, 13
Réflexion	
• Démontrer une réflexion métacognitive face à son processus et à ses stratégies de lecture.	2, 3, 4, 5, 7, 8, 10, 11, 12, 13, 14, 15
• Reconnaître l'aide des habiletés en communication orale et en écriture dans la lecture.	2, 3, 4, 5, 7, 8, 10, 11, 12, 13, 14, 15

1. Pour les corrélations précises avec les programmes d'études, consulter les tableaux contenus dans le Compagnon Web de *Littératie en action 6* à l'adresse suivante : [www.erpi.com/litteratie.cw]. Le nom d'utilisateur et le mot de passe pour y accéder figurent sur le carton de présentation inséré au début du classeur à anneaux.

ÉCRITURE (et représentation)

LITTÉRATIE MÉDIATIQUE

LITTÉRATIE CRITIQUE

CULTURE

Planificateur : En un coup d'œil

A = fiches d'activités du présent fascicule
É = fiches d'évaluation du présent fascicule

AM = fiches d'activités modèles du fascicule *Guide d'enseignement de la littératie*[1]
ÉM = fiches d'évaluation modèles du fascicule *Guide d'enseignement de la littératie*

RESSOURCES DE L'ÉLÈVE	APPRENTISSAGES CIBLÉS	DURÉE PRÉVUE	GUIDE D'ENSEIGNEMENT	RESSOURCES SUPPLÉMENTAIRES	DIFFÉRENCIATION / INTERVENTIONS PÉDAGOGIQUES
Motivation et activation des connaissances					
1. Présentation du module (manuel, pages 228 et 229)	Faire des liens avec ses connaissances ; reformuler des objectifs d'apprentissage ; participer et s'exprimer en français.	De 40 à 60 min	Leçon 1	**A 1 :** Lettre à l'intention des parents / Home Connection Letter **A 2 :** Un survol du module **É 1 :** Observations continues	Modéliser la façon de faire des liens avec ses connaissances. Demander à certains élèves d'expliquer, dans leurs mots, les objectifs d'apprentissage. Féliciter les élèves qui communiquent en français. Modéliser les structures et les expressions nécessaires à la situation de communication. Au besoin, enseigner des stratégies de dépannage.
Lecture interactive / à voix haute					
2. Perdu et retrouvé (manuel, pages 230 à 233)	Écouter activement ; approfondir sa compréhension par la discussion.	De 40 à 60 min	Leçon 2	**A 8 :** Le plus-que-parfait de l'indicatif et le présent du subjonctif **A 9 :** L'accord du verbe et la conjugaison **É 1 :** Observations continues **Coffret audio**	Proposer une activité structurée. Demander aux élèves de travailler avec un ou une camarade sur de petites parties de matériel en leur donnant une directive précise. Animer une discussion sur les stratégies à utiliser pour mieux comprendre le sujet de la discussion. Créer et afficher un tableau de référence. Après la discussion, inviter les élèves à réfléchir quelques instants à leur compréhension du sujet.

1. Ce fascicule présente des stratégies d'enseignement fondées sur les plus récentes recherches en littératie. S'y trouvent également des fiches d'activités modèles à adapter ou à utiliser telles quelles.

RESSOURCES DE L'ÉLÈVE	APPRENTISSAGES CIBLÉS	DURÉE PRÉVUE	GUIDE D'ENSEIGNEMENT	RESSOURCES SUPPLÉMENTAIRES	DIFFÉRENCIATION / INTERVENTIONS PÉDAGOGIQUES
Modélisation / lecture partagée					
3. Lire un dépliant touristique (manuel, pages 234 et 235) 3.1 Lis avec habileté : Précise ton intention 3.2 Lis avec habileté : Décode le texte 3.3 Lis avec habileté : Construis le sens du texte – Utilise tes connaissances, détermine ce qui est important et fais un résumé 3.4 Lis avec habileté : Analyse le texte	Préciser son intention de lecture d'un dépliant touristique ; utiliser des mots de la même famille, des préfixes et des suffixes pour connaître le sens d'un mot nouveau ; comprendre et évaluer les stratégies de lecture utilisées ; analyser des textes pour comprendre leur structure et améliorer ses écrits ; reconnaître l'aide des habiletés en communication orale et en lecture pour écrire.	De 60 à 120 min (2 à 4 séances)	Leçons 3.1, 3.2, 3.3 et 3.4	**Affiche de lecture partagée (transparent 19) :** *Les Fortifications-de-Québec* **A 3 :** Utilise tes connaissances, détermine ce qui est important et fais un résumé **É1 :** Observations continues	Afficher dans la classe une liste de préfixes et de suffixes les plus communs pour permettre aux élèves de s'y référer pendant leurs lectures. Modéliser la façon d'appliquer les stratégies de lecture utilisées. Demander aux élèves ayant besoin de soutien d'observer un ou une élève qui modélisera à voix haute la mise en application d'une stratégie. Modéliser la façon de déterminer ce qui est important dans un texte et de résumer l'information en vue d'une évaluation en études sociales.
Pratique guidée					
4.1 La Forteresse-de-Louisbourg (manuel, pages 236 et 237) 4.2 La Maison-Laurier (manuel, pages 238 et 239) 4.3 Le village de Batoche (manuel, pages 240 et 241) 4.4 Affiche du scénarimage du module 6	Mettre en application les stratégies : utiliser ses connaissances, déterminer ce qui est important et faire un résumé.	De 40 à 60 min	Leçons 4.1, 4.2, 4.3 et 4.4	**Affiche de lecture partagée (transparent 19) :** *Les Fortifications-de-Québec* **Affiche du scénarimage du module 6 (transparent 25)** **A 3 :** Utilise tes connaissances, détermine ce qui est important et fais un résumé **Coffret audio**	Chaque texte présente un niveau de difficulté différent[1]. Attribuer un texte à chaque élève selon ses habiletés et ses préférences. Utiliser l'affiche du scénarimage pour aider les élèves ayant des habiletés de lecture limitées à développer leur maîtrise de la langue et des concepts.

1. Niveau de lecture des textes : texte **4.1** : W-X, DRA 60-64 ; texte **4.2** : V-W, DRA 58-60 ; texte **4.3** : U-V, DRA 54-58.

PLANIFICATEUR: EN UN COUP D'ŒIL (SUITE)

A = fiches d'activités du présent fascicule
É = fiches d'évaluation du présent fascicule
AM = fiches d'activités modèles du fascicule *Guide d'enseignement de la littératie*
ÉM = fiches d'évaluation modèles du fascicule *Guide d'enseignement de la littératie*

Pratique guidée (*suite*)

RESSOURCES DE L'ÉLÈVE	APPRENTISSAGES CIBLÉS	DURÉE PRÉVUE	GUIDE D'ENSEIGNEMENT	RESSOURCES SUPPLÉMENTAIRES	DIFFÉRENCIATION / INTERVENTIONS PÉDAGOGIQUES
5. Fais un retour sur tes apprentissages (manuel, page 242)	Utiliser des stratégies d'écoute et de prise de parole; utiliser un organisateur graphique pour résumer l'information; comprendre et évaluer les stratégies utilisées.	De 40 à 60 min	Leçon 5	**Affiche de lecture partagée (transparent 19):** *Les Fortifications-de-Québec* **AM 5 (transparent 5 ou organisateur graphique 5):** Résumer l'information **É 1:** Observations continues	Revoir avec les élèves les stratégies d'écoute active et les comportements appropriés de prise de parole. À l'aide de l'affiche de lecture partagée (*ou transparent 19*): **Les Fortifications-de-Québec,** modéliser la façon de résumer l'information au moyen d'un organisateur graphique.
6. Écris avec habileté (manuel, page 243)	Comprendre comment écrire un dépliant touristique; dégager la structure d'un dépliant touristique; comparer le dépliant touristique avec l'affiche.	De 40 à 60 min	Leçon 6	**Affiche de lecture partagée (transparent 19):** *Les Fortifications-de-Québec* **Affiche de modélisation en écriture 6 (transparent 38):** Écrire un dépliant touristique **A 4:** Compare la structure de différents textes **É 1:** Observations continues	Mettre à la disposition des élèves des dépliants touristiques qui leur serviront de modèles. Leur faire écouter les textes (*voir coffret audio*) afin de les amener à faire le lien entre la langue parlée et la langue écrite. Modéliser la façon de dégager la structure d'un dépliant touristique. Présenter une affiche publicitaire aux élèves et modéliser à voix haute la façon de comparer une affiche publicitaire avec un dépliant touristique.

Pratique coopérative ou autonome

RESSOURCES DE L'ÉLÈVE	APPRENTISSAGES CIBLÉS	DURÉE PRÉVUE	GUIDE D'ENSEIGNEMENT	RESSOURCES SUPPLÉMENTAIRES	DIFFÉRENCIATION / INTERVENTIONS PÉDAGOGIQUES
7. À la recherche du Passage du Nord-Ouest (manuel, pages 244 à 246)	Choisir et appliquer des stratégies de lecture; réagir à un texte lu.	De 80 à 120 min (2 ou 3 séances)	Leçon 7	**AM 13:** Organiser l'information sur une ligne du temps **A 5:** Le tableau SVA Plus **A 9:** L'accord du verbe et la conjugaison **É 1:** Observations continues **Coffret audio**	Modéliser à voix haute la façon d'utiliser les stratégies ciblées pour comprendre un texte. Au besoin, choisir un texte plus facile. En effet, les textes trop difficiles obligent les élèves à se concentrer sur le décodage et les empêchent de développer leurs stratégies de lecture. Modéliser ou demander à certains élèves de modéliser la façon de lire et de classer l'information. Faire les activités d'enrichissement[1]. Livrets de la collection *Petits curieux*[2] suggérés: • *Des traces du passé* • *La construction d'un hôtel de glace* • *La traite des fourrures* • *Le Canada, un grand pays* • *À la découverte des explorateurs* Livrets de la collection *Alizé* suggérés: • *L'île Fantasio* • *L'école Lajoie*
8. Les noms de lieux et leur origine (manuel, pages 247 à 249)	Lire et classer de l'information; analyser et créer des textes publicitaires; trouver des noms de lieux au Canada qui sont intéressants.	De 60 à 90 min (2 séances)	Leçon 8	**A 10:** Les pronoms relatifs **A 11:** Les groupes fonctionnels et la phrase de base **É 1:** Observations continues **Coffret audio**	
Option: Choisir parmi les livrets des collections *Petits curieux* et *Alizé* (*voir les titres suggérés dans la dernière colonne*)	Appliquer les stratégies de lecture.	Variable	Prendre pour modèle les leçons 7 et 8	Choisir parmi les fiches d'activités modèles se rapportant au dépliant touristique. **É 1:** Observations continues	

1. Noter que les activités des rubriques **Va plus loin** et **Enrichissement** s'appuient sur différents types d'intelligence: verbale, logique, visuelle, interpersonnelle et intrapersonnelle.
2. Pour plus d'information, consulter le site [www.erpi.com].

PLANIFICATEUR : EN UN COUP D'ŒIL (*SUITE*)

A = fiches d'activités du présent fascicule
É = fiches d'évaluation du présent fascicule

AM = fiches d'activités modèles du fascicule *Guide d'enseignement de la littératie*
ÉM = fiches d'évaluation modèles du fascicule *Guide d'enseignement de la littératie*

RESSOURCES DE L'ÉLÈVE	APPRENTISSAGES CIBLÉS	DURÉE PRÉVUE	GUIDE D'ENSEIGNEMENT	RESSOURCES SUPPLÉMENTAIRES	DIFFÉRENCIATION / INTERVENTIONS PÉDAGOGIQUES
Pratique coopérative ou autonome (*suite*)					
9. Évangéline (manuel, pages 250 et 251)	Utiliser ses connaissances ; reconnaître des éléments de la culture francophone ; présenter une lecture en chœur d'une chanson.	De 40 à 60 min	Leçon 9	**É 1 :** Observations continues	Pendant une séance de lecture partagée, modéliser la façon d'utiliser ses connaissances pour interpréter et comprendre les paroles d'une chanson. Faire écouter des chansons d'artistes francophones.
Intégration et réinvestissement					
10. À l'œuvre ! (manuel, pages 252 et 253) **Remarque :** Cette leçon est une tâche d'évaluation qui peut être faite à tout moment après la pratique coopérative ou autonome.	Écrire un dépliant touristique ; suivre des directives pour effectuer une tâche.	De 80 à 120 min (2 ou 3 séances)	Leçon 10	**AM 26 :** Retour sur ta présentation **É 1 :** Observations continues **É 2 :** Grille d'évaluation de la section « À l'œuvre ! »	Accorder assez de temps aux élèves ayant besoin d'être guidés tout au long de cette tâche. Les inviter à expliquer la tâche à faire afin de s'assurer qu'ils l'ont bien comprise et qu'ils sont sur la bonne voie. Au besoin, travailler avec de petits groupes. Fournir des modèles de dépliants touristiques. Discuter des stratégies de dépannage.

Intégration et réinvestissement (suite)

RESSOURCES DE L'ÉLÈVE	APPRENTISSAGES CIBLÉS	DURÉE PRÉVUE	GUIDE D'ENSEIGNEMENT	RESSOURCES SUPPLÉMENTAIRES	DIFFÉRENCIATION / INTERVENTIONS PÉDAGOGIQUES
11. Les femmes exploratrices (manuel, pages 254 à 259)	Utiliser des stratégies de lecture ; résumer l'information ; exprimer son point de vue par l'écriture ou un jeu de rôle.	De 40 à 60 min	Leçon 11	**AM 11 (transparent 11) :** Le tableau des questions **A 6 :** Le tableau des questions **A 12 :** Les déterminants indéfinis **A 13 :** Les synonymes et les antonymes **É 1 :** Observations continues **Coffret audio**	Modéliser la façon de faire des liens avec ses connaissances et ses expériences. Inviter les élèves à discuter des stratégies de lecture en petits groupes afin de fournir des pistes aux élèves ayant besoin de soutien. Beaucoup d'élèves répètent l'histoire au lieu de résumer l'information. Utiliser l'image de l'entonnoir afin de les aider à se concentrer sur quelques idées principales. Lancer une discussion sur les sentiments et le point de vue de chaque personne dans une telle situation (p. ex. : répéter le secret qu'un ami nous avait confié). Demander aux élèves de faire un jeu de rôle à partir de ce scénario, puis de le rédiger.
12. Isabelle Scott vers la Terre de Rupert, juillet 1815 (manuel, pages 260 à 263)	Reconnaître la structure d'un journal personnel ; observer l'emploi de mots connotés ; lire avec expression.	De 40 à 80 min (2 séances)	Leçon 12	**Affiche de modélisation en écriture 5 (transparent 37) :** Écrire un journal personnel **A 5 :** Le tableau SVA Plus **A 14 :** Les comparatifs et les superlatifs **É 1 :** Observations continues **Coffret audio**	Lire et faire écouter des extraits d'un journal personnel pour en dégager la structure. Expliquer que les mots provoquent une réaction différente selon l'expérience et les connaissances des lecteurs et des lectrices. Relever des mots ou des expressions qui expriment des sentiments, des doutes ou des jugements. Modéliser la façon de lire avec expression.

PLANIFICATEUR: EN UN COUP D'ŒIL (SUITE)

A = fiches d'activités du présent fascicule
É = fiches d'évaluation du présent fascicule

AM = fiches d'activités modèles du fascicule *Guide d'enseignement de la littératie*
ÉM = fiches d'évaluation modèles du fascicule *Guide d'enseignement de la littératie*

RESSOURCES DE L'ÉLÈVE	APPRENTISSAGES CIBLÉS	DURÉE PRÉVUE	GUIDE D'ENSEIGNEMENT	RESSOURCES SUPPLÉMENTAIRES	DIFFÉRENCIATION / INTERVENTIONS PÉDAGOGIQUES
Intégration et réinvestissement (suite)					
13. Les incroyables aventures de Champlain (manuel, pages 264 à 269)	Comparer des formes de texte; utiliser la voix pour raconter et rendre une histoire vivante.	De 60 à 90 min (2 séances)	Leçon 13	**AM 2 (organisateur graphique 2 et transparent 2):** Faire le schéma du récit **AM 6 (organisateur graphique 6 et transparent 6):** Comparer **É 1:** Observations continues **Coffret audio**	Sélectionner un livre de fiction sur le même sujet. Souligner les différences entre l'histoire choisie et celle de la leçon en invitant les élèves à lire le titre et à regarder l'image de la couverture. Les amener ensuite à examiner les indices textuels pour déterminer la forme du texte.
14. À ton tour! (manuel, page 270)	Rédiger un extrait d'un journal personnel; réfléchir et se fixer des objectifs.	De 60 à 80 min (2 séances)	Leçon 14	**Affiche de modélisation en écriture 5 (transparent 37):** Écrire un journal personnel **A 7:** Planifie la rédaction d'un extrait du journal personnel d'un personnage historique **É 1:** Observations continues **É 3:** À ton tour!	Fournir des livres sur des personnages historiques susceptibles d'intéresser les élèves ayant de la difficulté à trouver des idées. Aider les élèves à choisir un exemple de travail correspondant aux objectifs à atteindre. Les guider en donnant des conseils. Poser des questions qui incitent à la réflexion.

Réflexion et bilan

RESSOURCES DE L'ÉLÈVE	APPRENTISSAGES CIBLÉS	DURÉE PRÉVUE	GUIDE D'ENSEIGNEMENT	RESSOURCES SUPPLÉMENTAIRES	DIFFÉRENCIATION / INTERVENTIONS PÉDAGOGIQUES
15. Ton portfolio : Gros plan sur tes apprentissages (manuel, page 271)	Sélectionner les éléments destinés au portfolio ; réfléchir à ses apprentissages et en discuter.	De 40 à 60 min	Leçon 15	Ensemble des travaux **É 4 :** Gros plan sur tes apprentissages	Inviter les élèves ayant de la difficulté à commenter leurs choix par écrit à les présenter oralement. Leur proposer au besoin des modèles pour les aider.
Tâche d'évaluation de la compréhension en lecture		De 60 à 90 min	Leçon 15	Fascicule *Évaluation de la compréhension en lecture*	Deux niveaux de difficulté sont proposés pour le texte.
Bilan des apprentissages		Variable	Leçon 15	**É 1 :** Observations continues **É 5 :** Grille d'évaluation du module **É 6 :** Bilan des apprentissages	Tenir compte des données d'évaluation sous différentes formes : participation de l'élève, expression orale, tâche d'évaluation de la compréhension en lecture, travaux divers.

Planificateur : Liens interdisciplinaires

Remarque : Les idées présentées dans cette section peuvent servir de minileçon au cours du module.

Sciences et technologie

Inviter les élèves à faire une recherche sur les maladies qui existaient au temps des premiers explorateurs. Discuter de l'impact de la colonisation sur la santé des autochtones.

Études sociales (sciences humaines)

Inviter les élèves à choisir un explorateur ou une exploratrice parmi ceux présentés dans ce module, puis à faire une recherche dans Internet et des ouvrages imprimés pour trouver d'autres renseignements sur cette personne. Leur demander de créer une ligne du temps montrant les principaux événements de la vie de l'explorateur ou de l'exploratrice de leur choix et de rédiger une fiche fournissant d'autres informations intéressantes, comme son lieu de naissance, sa destination, le but et l'issue de son expédition, ainsi que ses réalisations. Proposer aux élèves d'illustrer le pourtour de la fiche avec des dessins représentant le drapeau du pays commanditaire, un grand voilier ou la première vision de la Terre. Permettre aux élèves d'afficher le fruit de leur recherche sur un tableau d'affichage et d'en discuter.

Leur demander de tracer les routes suivies par trois explorateurs ou exploratrices sur une carte du monde. Les inviter à marquer les principaux plans d'eau et les territoires importants, à identifier chaque explorateur ou exploratrice, en indiquant sa route et les dates de son expédition.

Santé, développement personnel et social

Mode de vie sain

Demander aux élèves de relire « Les incroyables aventures de Champlain » et de créer une affiche illustrant un aspect de la sécurité sur l'eau que Samuel de Champlain et ses camarades auraient eu intérêt à connaître.

Éducation artistique

Arts plastiques

Après avoir lu le texte « Perdu et retrouvé », inviter les élèves à trouver à la maison un objet unique ou d'allure inusitée qui n'est ni fragile ni précieux et, afin de l'étudier, de l'apporter en classe dans un sac scellé. Demander de l'aide pour cacher les objets dans la cour de l'école ou le parc. À chaque objet trouvé, demander aux élèves d'en déterminer l'usage et de le représenter par un dessin ou une peinture.

Art dramatique

Demander à la moitié des élèves de parler des trésors trouvés et à l'autre moitié d'agir en tant qu'experts pour confirmer ou contester les explications et à donner des détails sur l'usage des objets. Inviter les élèves à penser rapidement à d'autres utilisations possibles et à appuyer leurs idées sur des exemples. Demander ensuite aux élèves d'inverser les rôles.

Musique

Faire écouter des chansons parlant d'événements historiques. Inviter les élèves à comparer la musique d'autrefois avec celle d'aujourd'hui. En quoi les chansons sont-elles semblables ? En quoi sont-elles différentes ?

Planificateur: Activités en lien avec les leçons

Remarque: Les idées présentées dans cette section peuvent servir de minileçon au cours du module.

Utilisation des ressources

Dictionnaire des cooccurrences

Rappeler aux élèves l'utilité d'un dictionnaire pour explorer les choix de mots.

Préparer avec les élèves une liste de mots descriptifs qui leur servira éventuellement pour rédiger leur texte. Enseigner la façon de se servir d'un dictionnaire des cooccurrences. Faire remarquer que, dans ce genre d'ouvrage, les mots sont classés dans l'ordre alphabétique et écrits en lettres majuscules. Chaque mot est suivi d'une liste d'adjectifs servant à le décrire. Ensuite est fournie une liste de verbes susceptibles d'accompagner ce mot dans une phrase. Enfin sont citées des expressions dans lesquelles il est possible d'utiliser le mot. Un dictionnaire des cooccurrences est un outil indispensable pour les élèves désireux d'améliorer leurs compétences en français à l'écrit et à l'oral.

Choisir un court extrait et supprimer cinq à dix mots descriptifs. Demander aux élèves de réfléchir à des mots pour combler les espaces en blanc, puis les inviter ensuite à consulter un dictionnaire des cooccurrences pour raffiner leur choix.

Journal de bord

Demander aux élèves de tenir un journal de bord afin de prolonger leur réflexion, de clarifier certaines idées et de réfléchir aux connaissances acquises au cours des activités du module.

Noter leurs réflexions:
- au sujet des stratégies utiles pour lire des dépliants touristiques et d'autres textes;
- sur les différentes méthodes employées (discussion, observation et représentation de messages médiatiques) pour mieux comprendre l'intention des médias.

Au besoin, utiliser certaines fiches d'activités modèles fournies dans le *Guide d'enseignement de la littératie*.

Utilisation des technologies

Demander aux élèves d'utiliser un logiciel pour dessiner une carte géographique montrant le voyage d'un explorateur ou d'une exploratrice de leur choix.

Recherche dans Internet

Inviter les élèves à trouver des légendes et des récits dans Internet et à les présenter à la classe.

Remarque: Les recherches dans Internet doivent se faire sous la supervision des parents ou des enseignants. Rappeler aux élèves de ne jamais divulguer de renseignements personnels dans Internet.

Écrire des histoires

Choisir un roman assez long susceptible de plaire aux élèves et le diviser en épisodes (le nombre d'épisodes doit égaler le nombre d'élèves plus l'enseignant ou l'enseignante – au besoin, choisir deux romans). Le premier jour, faire la lecture à voix haute du premier épisode. Ensuite, remettre le roman à un ou une élève et l'inviter à lire le prochain épisode à la maison. Le lendemain, lui demander de résumer oralement l'épisode qu'il ou elle a lu, puis, à son tour, de donner le roman à un ou une autre élève qui lira le prochain épisode à la maison. Et ainsi de suite jusqu'à la fin du roman. Consacrer quelques minutes par jour à cette activité. Après avoir terminé la lecture du roman, amener les élèves à reconstituer l'histoire et à réagir au texte lu.

Inviter les élèves à lire des romans en version électronique. Discuter des similitudes et des différences entre les lectures d'un roman en version électronique et en version papier.

Planificateur : Activités langagières

Remarque : Les idées présentées dans cette section peuvent servir de minileçon au cours du module.

Esprit créatif

Le timbre
Examiner avec les élèves les éléments visuels et langagiers des timbres et en discuter. Inviter chaque élève à dessiner son propre timbre représentant un site historique canadien ou bien un lieu important dans un récit qu'il ou elle a lu.

Le jeu de société
Inviter les élèves à inventer un jeu de société sur l'origine des noms de lieux au Canada en y intégrant, au besoin, des faits tirés du texte « Les noms de lieux et leur origine », ou d'autres renseignements qu'ils auront trouvés. Leur demander de fabriquer leur jeu sur un grand carton qu'ils pourraient ensuite faire laminer. Leur demander également de préparer des cartes « Chance » et des cartes « Malchance » à utiliser, selon le cas, pendant une partie. Fournir aux élèves des dés et des jetons. Mettre les jeux à la disposition des élèves afin de leur permettre d'y jouer pendant leur temps libre.

Étude de mots

Les mots génériques et les mots spécifiques
Expliquer aux élèves que les mots sont interreliés. Par exemple, certains mots ont un sens général qui englobe plusieurs idées, êtres ou objets. Les mots génériques désignent une catégorie entière d'idées, d'êtres ou d'objets, et les mots spécifiques, les éléments appartenant à cette catégorie (p. ex. : fruit : mot générique ; pomme, banane, orange : mots spécifiques). Inviter les élèves à trouver des mots génériques et spécifiques dans les textes de ce module.

Le schéma conceptuel
Expliquer aux élèves qu'un schéma conceptuel est un ensemble de mots se rapportant à un même thème. Ajouter qu'en écriture, construire un schéma conceptuel aide à développer le sujet traité, éviter les répétitions des mêmes mots et décrire les idées à l'aide de mots plus précis et riches. En lecture, construire un schéma conceptuel permet de mieux cerner le sujet traité.

Jeux de mots

Mots cachés
Demander à chaque élève de relever, au cours de sa lecture d'un texte, des mots susceptibles de servir à décrire un site historique de son choix. L'inviter à créer une grille pour y placer ces mots à l'horizontale, à la verticale et en diagonale, et à en dresser la liste sur une feuille à part. Une fois les mots inscrits dans la grille, l'élève remplit les cases vides par des lettres prises au hasard. Ensuite, l'élève échange avec un ou une camarade de classe sa grille de mots cachés et la liste de mots à trouver. L'élève qui découvre le mot caché doit ensuite désigner le site historique à partir des indices fournis par les mots cachés dans la grille.

Prédiction de mots
Présenter un texte aux élèves et leur demander de dresser une liste de cinq à six mots qu'ils s'attendent à y trouver. Écrire leurs prédictions au tableau ou sur une grande feuille. Pendant la lecture, inviter les élèves à cocher les mots de la liste présents dans le texte. À la fin de la séance de lecture, vérifier les prédictions des élèves.

Écriture

Écrire un dépliant touristique

Modéliser la façon d'écrire un dépliant touristique. À l'aide du transparent **38 : Écrire un dépliant touristique** (*voir aussi affiche de modélisation en écriture 6*), revoir avec les élèves les étapes du processus d'écriture d'un dépliant touristique. Mettre un tableau de référence à leur disposition pour les aider à se rappeler les caractéristiques d'un dépliant touristique.

La carte postale

La carte postale contient une lettre dont les traits langagiers sont particuliers. Elle sert surtout aux gens en vacances. Inviter les élèves à se mettre dans la peau d'un ou d'une touriste qui visite un site historique canadien et à écrire une carte postale à une personne de leur choix.

Qui suis-je ?

Inviter les élèves à rédiger une devinette au sujet d'un explorateur ou d'une exploratrice. Diviser les élèves en petits groupes. À tour de rôle, demander aux élèves de lire leur devinette à leur équipe afin qu'elle identifie le personnage. Leur suggérer aussi d'écrire des paroles prononcées par l'explorateur ou l'exploratrice qui serviraient à son identification. Par exemple : *J'ai fait quatre tentatives pour trouver le Passage du Nord-Ouest. Qui suis-je ?* (*Henry Hudson*)

Grammaire

L'accord du verbe avec le sujet

Faire remarquer aux élèves que le verbe s'accorde en personne (3e) et en nombre avec le nom noyau du GN sujet, et en personne et en nombre avec le pronom sujet. Pour aider les élèves à accorder correctement le verbe avec le sujet, leur rappeler les cas particuliers suivants :

- Si le sujet est formé de plusieurs pronoms sujets ou encore d'un groupe nominal et d'un pronom sujet, on doit trouver le pronom qui convient pour désigner l'ensemble de ces personnes. On accorde le verbe avec ce pronom. Par exemple : *Toi et moi **voulons** visiter l'intérieur de la Maison-Laurier. Jérémy et toi **connaissez** bien ces lieux.*
- Si le sujet est formé de plusieurs groupes nominaux, le verbe reçoit la 3e personne du pluriel. Par exemple : *Jacques et Sacha **visitent** la Forteresse-de-Louisbourg.*
- Si un écran, c'est-à-dire un mot ou un groupe de mots, sépare le sujet du verbe, on accorde le verbe avec le nom ou le pronom sujet, jamais avec l'écran. Par exemple : *Les sites historiques nous **renseignent** au sujet de notre histoire.*
- Si le sujet est un nom collectif, c'est-à-dire qu'il désigne un ensemble de personnes ou de choses (*un groupe, une collection, une équipe, une foule, tout le monde*), le verbe reçoit la 3e personne du singulier. Par exemple : *Le groupe **était** heureux de visiter ces lieux.*
- Si le sujet est *personne, rien, tout, aucun / aucune* ou *chacun / chacune*, le verbe reçoit la 3e personne du singulier. Par exemple : *Personne n'est présent.*
- Si le sujet est *plusieurs, la plupart, beaucoup, certains / certaines* ou *quelques*, le verbe reçoit la 3e personne du pluriel. Par exemple : *Plusieurs **viendront** voir le spectacle.*

La position des groupes de mots dans la phrase

Faire remarquer aux élèves la position des groupes de mots dans la phrase au moment de la révision des textes en se servant de la phrase de base et des différentes manipulations linguistiques (addition, déplacement, effacement, encadrement et remplacement).

Enrichissement du vocabulaire

Expliquer aux élèves que les auteurs et les auteures emploient un vocabulaire **dénoté** ou **connoté**, selon l'effet désiré. Par exemple, des mots ou des groupes de mots neutres qui n'expriment ni sentiments ni opinions sont désignés comme vocabulaire dénoté. Généralement, dans les textes comportant un tel vocabulaire, l'auteur ou l'auteure utilise des phrases de type déclaratif et des phrases impersonnelles sans aucun élément subjectif. Par contre, des mots ou des groupes de mots qui expriment des sentiments, des doutes ou des jugements sont désignés comme vocabulaire connoté. Inviter les élèves à trouver des exemples de vocabulaire dénoté et connoté dans les textes qu'ils ont lus.

1 Présentation du module

(manuel, pages 228 et 229)

Apprentissages ciblés
- Faire des liens avec ses connaissances.
- Reformuler des objectifs d'apprentissage.
- Participer et s'exprimer en français.

AVANT

Activer ses connaissances

Inviter les élèves à observer la photo des pages 228 et 229 du manuel. Leur poser les questions suivantes :
- Dans quel contexte avez-vous vu une photo semblable ?
- Comment cette photo illustre-t-elle le thème du module ?
- En quoi cette photo est-elle intéressante ?
- Comment cette photo pourrait-elle vous inspirer la visite d'un endroit semblable ?
- Quelles images vous viennent à l'esprit lorsque vous entendez les mots *expédition, explorateur, exploratrice, site historique* ?

Créer un schéma conceptuel

Inviter les élèves à former de petits groupes et à faire un remue-méninges de mots ou d'expressions liés au mot *exploration*. Après quelques minutes, demander aux élèves de présenter leurs résultats. Écrire ces mots ou expressions au tableau ou sur une grande feuille à afficher en classe. Créer un schéma conceptuel avec le mot *exploration*. Poser ensuite les questions suivantes :

> **Conseil**
>
> Écrire les mots ou les expressions sur des feuillets autocollants, afin de rendre le regroupement des mots plus flexible.

- Quel est le concept présenté ?
- Quels mots ou quelles expressions ont un lien avec ce concept ?
- Quelles relations peut-on établir entre ces mots et ces expressions ?

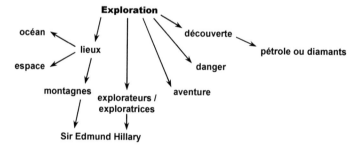

Remettre aux élèves la fiche d'activité **1** : **Lettre à l'intention des parents / Home Connection Letter**. Cette lettre a pour but de faire connaître aux parents ou tuteurs le contenu du présent module et d'encourager leur participation aux apprentissages des élèves.

PENDANT

Lire avec les élèves les objectifs d'apprentissage de la page 228. Discuter avec eux des types d'activités susceptibles de les aider à atteindre ces objectifs. Créer un tableau des objectifs reformulés par les élèves pour leur permettre de s'y référer au besoin.

Pour stimuler la discussion, poser les questions suivantes :
- Qu'avez-vous déjà appris ou fait susceptible de vous aider à atteindre ces objectifs ?
- Quels sont, pour vous, les nouveaux objectifs ?
- Quel support vous permettrait de les atteindre ?
- Que ferez-vous une fois ces objectifs atteints ?

Prendre connaissance des objectifs d'apprentissage

Lire les termes et les expressions de la page 229 du manuel. Inciter les élèves à faire des liens entre ces formulations, puis à énoncer ce qu'elles évoquent pour eux.

Inviter les élèves à dresser une liste de mots ou d'expressions liés au thème et à l'améliorer au cours du module.

APRÈS

Survoler le module avec les élèves. Leur rappeler que cette activité qui consiste à se faire une idée des sujets abordés aide à en comprendre le thème. Leur remettre la fiche d'activité **2 : Un survol du module** et leur demander d'y inscrire leurs réponses. Proposer aux élèves de discuter de leurs résultats avec un ou une camarade ou en petits groupes.

Revoir avec les élèves le schéma conceptuel et relever les mots liés aux tâches du module.

Survoler le module et faire des prédictions

RÉFLEXION

Inviter les élèves à noter une brève réflexion dans leur journal de bord. Pour les guider, leur proposer de répondre aux questions suivantes :

- Comment le schéma conceptuel peut-il vous aider à développer une idée générale sur un sujet ?
- Dans quelle autre situation pourriez-vous vous servir d'un schéma conceptuel ?

ÉVALUATION AU SERVICE DE L'APPRENTISSAGE *(voir fiche d'évaluation 1 : Observations continues)*

Observations	Interventions pédagogiques
Noter si les élèves peuvent : • faire des liens avec leurs connaissances ;	Modéliser la façon de faire des liens avec ses connaissances en disant, par exemple : *J'ai déjà lu au sujet…*
• reformuler des objectifs d'apprentissage ;	Demander à certains élèves d'expliquer, dans leurs mots, les objectifs d'apprentissage.
• participer et s'exprimer en français.	Féliciter les élèves qui communiquent en français. Modéliser les structures et les expressions nécessaires à la situation de communication. Au besoin, enseigner des stratégies de dépannage aux élèves. Par exemple, leur poser la question suivante : Quelles stratégies pourriez-vous employer si vous ne connaissez pas le mot précis à utiliser ?

Niveau de lecture U-V, DRA 54-58

2 Perdu et retrouvé

(manuel, pages 230 à 233)

Apprentissages ciblés
- Écouter activement.
- Approfondir sa compréhension par la discussion.

AVANT

Faire des liens avec ses expériences

Présenter le titre du texte « Perdu et retrouvé ». Demander aux élèves s'ils ont déjà perdu un objet ou trouvé un objet perdu par une autre personne.

Les inviter, en petits groupes, à raconter leurs histoires d'objet perdu et leur demander ce qui a éveillé leur intérêt en les écoutant (objet inusité, circonstances amusantes). Proposer à chaque groupe de choisir une des histoires pour en faire part à la classe et d'expliquer ce choix.

Poser la question de départ (*voir page 230 du manuel*): Comment les objets peuvent-ils raconter le passé? puis inviter les élèves à faire des liens entre cette question et les histoires qu'ils viennent d'écouter.

Survoler le texte et faire des prédictions

Survoler le texte avec les élèves en regardant les illustrations et en lisant à voix haute les légendes et les titres. Les inviter à faire des prédictions. Pour les aider, poser les questions suivantes:

- Comment l'objet perdu a-t-il pu être retrouvé?
- À votre avis, l'histoire est-elle réelle ou fictive? Précisez votre pensée.
- Quels liens peut-on faire entre ce texte et le sujet du module: l'exploration?

Conseil

Revoir les stratégies d'écoute active avec la classe. Dresser une liste de conseils, y compris les suivants: regarder la personne qui parle, se concentrer sur ce qu'elle dit, faire des liens et poser des questions.

PENDANT

Lire le texte

Lire le texte « Perdu et retrouvé » à voix haute ou inviter les élèves à l'écouter (*voir coffret audio*). Faire des pauses pendant la lecture pour les questionner ou pour répondre à leurs questions. Après avoir lu les pages 230 et 231 aux élèves, leur demander de noter les éléments qui ont capté leur attention. Pour stimuler la discussion, leur poser les questions suivantes en les invitant à appuyer leurs réponses sur des éléments du texte:

- Comment la découverte de l'astrolabe a-t-elle été possible?
- Selon Edward, cet objet était peut-être précieux. Pourquoi son père et lui l'ont-ils vendu?
- Dans quelle mesure vos prédictions à propos de l'objet perdu étaient-elles exactes?
- Faites une prédiction sur la suite de l'histoire et communiquez-la à un ou une camarade.

Faire des inférences et des prédictions

Lire la section « Quelque temps plus tard » (*voir page 232 du manuel*) et poser les questions suivantes aux élèves:

- Votre prédiction était-elle exacte? Avez-vous trouvé certains renseignements surprenants?
- Qu'ignorez-vous à propos de l'objet trouvé par Edward?
- Comment l'astrolabe a-t-il pu être perdu? Faites une prédiction et communiquez-la au camarade ou à la camarade de classe à côté de vous.

Lire la section «Un retour dans le passé» (*voir pages 232 et 233 du manuel*) et poser les questions suivantes aux élèves :

- Dans quelle mesure vos prédictions sur la perte de l'astrolabe étaient-elles exactes ?
- Qu'avez-vous appris d'important au sujet de l'astrolabe ?

Lire la section «De retour au bercail» (*voir page 233 du manuel*) et poser les questions suivantes aux élèves :

- S'agit-il de l'astrolabe de Champlain ? Justifiez votre point de vue.
- Sur quelles preuves se base-t-on pour connaître l'histoire d'un objet ?

Modéliser une réponse, puis discuter avec la classe.

APRÈS

Attirer l'attention des élèves sur l'activité de l'encadré « Parlons-en ! » (*voir page 233 du manuel*). Lire le premier point avec les élèves. Discuter de l'importance de préserver des objets du passé. Poser la question suivante : Quelle est la valeur d'un objet historique ?

Lire le deuxième point avec les élèves. Les inviter, en équipes, à dresser une liste d'objets modernes susceptibles d'intriguer les gens qui les découvriraient dans le futur. Ensuite, leur demander de mettre en commun leurs idées pour créer une liste de classe. Leur suggérer d'inclure les idées du texte «Perdu et retrouvé» dans leur jeu de rôle : l'endroit où ils se trouvent au moment de la découverte de l'objet, l'apparence de cet objet, leurs sentiments devant cette découverte, ce qu'est cet objet, à leur avis, et son utilité. Inviter les élèves à choisir un objet de la liste, puis à préparer leur jeu de rôle, de façon autonome ou en dyades. Leur allouer du temps pour répéter et recevoir les commentaires de leurs pairs avant de présenter le jeu de rôle à la classe.

Participer à une discussion

Préparer un jeu de rôle

OBSERVATION GRAMMATICALE EN CONTEXTE

Inviter les élèves à observer dans le texte les nombreux verbes conjugués à l'imparfait, au plus-que-parfait et au passé composé. Faire remarquer l'accord des verbes avec le sujet.

Modéliser la façon de remplir les fiches d'activités **8 : Le plus-que-parfait de l'indicatif et le présent du subjonctif** et **9 : L'accord du verbe et la conjugaison**.

RÉFLEXION

Demander aux élèves d'expliquer, dans leur journal de bord, leur façon d'utiliser deux des stratégies d'écoute pour mieux comprendre le texte.

Réfléchir sur les stratégies d'écoute

ÉVALUATION AU SERVICE DE L'APPRENTISSAGE (*voir fiche d'évaluation 1 : Observations continues*)

Observations	Interventions pédagogiques
Noter si les élèves peuvent : • écouter activement ; • approfondir leur compréhension par la discussion.	Proposer une activité structurée aux élèves ayant de la difficulté à écouter activement. Leur demander de travailler avec un ou une camarade sur de petites parties de matériel en leur donnant une directive précise (p. ex. : écouter pour cerner deux idées importantes). Animer une discussion sur les stratégies à utiliser pour mieux comprendre le sujet de la discussion. Créer et afficher un tableau de référence incluant, par exemple, les stratégies suivantes : vérifier sa compréhension, poser des questions, examiner les différentes idées, faire des liens entre les nouvelles idées et les siennes. Après la discussion, inviter les élèves à réfléchir quelques instants à leur compréhension du sujet.

3 Lire un dépliant touristique

(manuel, pages 234 et 235)

Apprentissages ciblés
- Préciser son intention de lecture d'un dépliant touristique.
- Utiliser des mots de la même famille, des préfixes et des suffixes pour connaître le sens d'un mot nouveau.
- Comprendre et évaluer les stratégies de lecture utilisées.
- Analyser des textes pour comprendre leur structure et améliorer ses écrits.
- Reconnaître l'aide des habiletés en communication orale et en lecture pour écrire.

Affiche : **Les Fortifications-de-Québec** *(voir aussi transparent 19)*.

Note : Cette leçon de **lecture partagée** pourrait être enseignée sur une période de deux à quatre séances, selon les besoins des élèves.

3.1 Lis avec habileté : Précise ton intention *(manuel, page 235)*

AVANT

Se familiariser avec le genre de texte

Expliquer aux élèves qu'un dépliant touristique est un texte informatif qui fournit des renseignements sur des faits, des événements ou des endroits réels. Ajouter qu'il sert à inciter les gens à visiter un endroit et à leur fournir des renseignements au sujet de notre histoire.

Lire avec les élèves les questions de la rubrique **Exprime-toi !** *(voir page 234 du manuel)*.

PENDANT

Faire des liens avec ses expériences

Inviter les élèves à parler de voyage. Poser les questions suivantes :
- Avez-vous déjà fait un voyage ? Si oui, quelle était votre destination ?
- Avez-vous déjà utilisé un dépliant touristique ?
- À quoi ressemble un dépliant touristique ? À quoi sert-il ?
- Où pouvez-vous trouver des renseignements sur des personnages ou des sites historiques du Canada ?
- Pourquoi voudriez-vous vous informer sur un personnage ou un site historique du Canada ?

Créer un tableau

Demander aux élèves de travailler en dyades pour concevoir un tableau semblable à celui de la page 234 du manuel. Les inviter à inscrire le titre des textes qu'ils ont lus ou des émissions qu'ils ont vues concernant des personnages ou des sites historiques, et à discuter de ce qu'ils y ont appris. Proposer aux élèves de comparer leur liste.

APRÈS

Inviter les élèves à réfléchir aux raisons qui incitent les gens à lire des textes ou à écouter des émissions au sujet de personnages ou de sites historiques. Poser la question suivante : Pourquoi lit-on des dépliants touristiques?

Discuter de ce qu'on apprend en lisant un dépliant touristique. Rappeler aux élèves de garder un esprit critique à la lecture d'un tel document, car le but du dépliant touristique est non seulement d'informer, mais aussi d'inciter les touristes à visiter les lieux. Pour stimuler la discussion, poser les questions suivantes :

- Pourquoi devriez-vous avoir un esprit critique en lisant un dépliant touristique?

- En quoi un tel dépliant peut-il être à la fois informatif et incitatif?

Préciser son intention

RÉFLEXION

Amener les élèves à réfléchir à ce qu'ils pourraient apprendre en lisant des dépliants touristiques et à discuter de l'utilité d'une telle lecture.

Modéliser la réflexion à voix haute pour les élèves. Par exemple : *Lire des dépliants touristiques me permet de…*

Réfléchir à son intention de lecture

3.2 Lis avec habileté : Décode le texte *(manuel, page 235)*

Note : Cette leçon pourrait facilement s'intégrer à la leçon 3.3.

AVANT

Comprendre le sens des mots nouveaux

Lire avec les élèves la rubrique **Décode le texte** (*voir page 235 du manuel*). Leur faire remarquer que cette stratégie incite à observer les préfixes et les suffixes des mots afin de mieux décoder et comprendre un mot nouveau. Demander aux élèves d'examiner le mot *explorateur* et de penser à d'autres mots de la même catégorie. Par exemple : *explorer, exploratrice, exploration…* Leur mentionner que les lecteurs efficaces tentent de découvrir le sens d'un mot nouveau en faisant des liens avec des mots semblables.

PENDANT

Modéliser la stratégie

Relire le texte « Perdu et retrouvé » à voix haute avec les élèves. S'arrêter aux moments opportuns pour parler des mots nouveaux et des stratégies possibles à utiliser pour trouver leur signification. Par exemple, choisir le mot *agenouillant* et demander aux élèves :

- Quel autre mot pouvez-vous voir dans ce nouveau mot ? (*genou*)
- Comment le mot *genou* peut-il vous aider à connaître le sens du mot *agenouillant* ?

APRÈS

Relever des mots nouveaux

Inviter les élèves à relever d'autres mots nouveaux et à expliquer comment ils ont trouvé leur sens. Parler de l'utilité du dictionnaire pour vérifier la signification d'un mot nouveau.

RÉFLEXION

Réfléchir aux transferts des connaissances

Demander aux élèves d'expliquer, dans leur journal de bord, les possibles façons d'utiliser cette stratégie dans d'autres situations d'écriture.

ÉVALUATION AU SERVICE DE L'APPRENTISSAGE *(voir fiche d'évaluation 1 : Observations continues)*

Observations	Interventions pédagogiques
Noter si les élèves peuvent : • utiliser des mots de la même famille, des préfixes et des suffixes pour connaître le sens d'un mot nouveau.	Modéliser la façon d'utiliser cette stratégie dans plusieurs contextes. Afficher dans la classe une liste de préfixes et de suffixes les plus communs pour permettre aux élèves de s'y référer pendant leurs lectures.

3.3 Lis avec habileté : Construis le sens du texte — Utilise tes connaissances, détermine ce qui est important et fais un résumé *(manuel, page 235)*

AVANT

Rappeler aux élèves que, pour lire de manière efficace, ils devront choisir et mettre en application des stratégies. Par exemple : *Utiliser ses connaissances, Déterminer ce qui est important* et *Faire un résumé*. Installer l'affiche **Les Fortifications-de-Québec** (*voir aussi transparent 19*).

Inviter les élèves à lire la rubrique **Construis le sens du texte** (*voir page 235 du manuel*). Modéliser les trois stratégies de lecture pour mieux comprendre un dépliant touristique.

> **Soutien (étayage)**
>
> Pour amener les élèves à devenir des lecteurs efficaces, modéliser le choix et l'intégration des stratégies. Adapter la leçon pour les élèves ayant besoin de soutien pour utiliser plus d'une stratégie à la fois.

Survoler les stratégies

PENDANT

Demander aux élèves de survoler le texte de l'affiche, de lire les titres et d'observer les images. Poser la question suivante : Que connaissez-vous du sujet présenté ?

Rappeler aux élèves qu'en utilisant leurs connaissances, les lecteurs efficaces rendent l'information nouvelle plus facile à comprendre et à retenir. De plus, ils notent les renseignements importants pour mieux dégager les idées principales et faire un résumé de leur lecture.

Lire le texte de l'affiche à voix haute et inviter les élèves à modéliser les stratégies ciblées. Par exemple :

- *Avant de commencer à lire, je survole le texte. Je regarde les photos et je lis les intertitres. Je sais qu'il s'agit d'un dépliant touristique qui me renseignera sur un lieu historique national du Canada.*

- *En lisant le titre, je comprends que le texte va m'informer sur les Fortifications-de-Québec. Je fais alors des liens avec ce que je connais sur Québec et sur une fortification : Québec est la capitale de la province de Québec et, dans le mot* fortification, *je vois le mot* fort. *Un fort est un endroit construit pour protéger un site lors d'une bataille. Je lis ensuite le texte.*

- *Tout au long de ma lecture, je fais des pauses pour m'assurer de ma compréhension. Je note les idées importantes de chaque paragraphe. De cette façon, je résumerai plus facilement dans mes mots l'information contenue dans le texte.*

Pendant la lecture, faire des pauses pour permettre aux élèves de discuter, en dyades, des stratégies utilisées pour comprendre ce texte. Modéliser la façon de remplir la fiche d'activité **3 : Utilise tes connaissances, détermine ce qui est important et fais un résumé**.

Modéliser les stratégies ciblées

Utiliser ses connaissances

Déterminer ce qui est important

Faire un résumé

Réfléchir aux stratégies utilisées

APRÈS

Après la lecture de l'affiche, poser les questions suivantes :

- En lisant le dépliant touristique, qu'avez-vous appris au sujet des fortifications de la ville de Québec ?
- Quelles stratégies ont été les plus efficaces pour comprendre le texte ?
- Dans quelles situations pourrait-on vous demander de résumer un texte lu ?
- En quoi un organisateur graphique peut-il vous aider à présenter l'information d'un texte ?

Expliquer aux élèves que, même si plusieurs personnes lisent un texte identique, chacune utilise différentes stratégies, selon ses besoins. Leur poser la question suivante : Si vous aviez lu ce texte individuellement, quelles autres stratégies auriez-vous utilisées ?

Modéliser la façon de distinguer dans un texte les renseignements importants et de résumer l'information.

RÉFLEXION

Demander aux élèves de discuter de l'utilité de dégager les idées importantes d'un texte et de faire un résumé. Les amener à écrire leur réflexion dans leur journal de bord.

ÉVALUATION AU SERVICE DE L'APPRENTISSAGE *(voir fiche d'évaluation 1 : Observations continues)*

Observations	Interventions pédagogiques
Noter si les élèves peuvent : • comprendre et évaluer les stratégies de lecture utilisées.	Modéliser la façon d'appliquer les stratégies de lecture utilisées. Demander aux élèves ayant besoin de soutien d'observer un élève qui modélisera à voix haute la mise en application d'une stratégie. Modéliser la façon de déterminer ce qui est important dans un texte et de résumer l'information en vue d'une évaluation en études sociales.

3.4 Lis avec habileté : Analyse le texte *(manuel, page 235)*

AVANT

À l'aide de l'affiche **Les Fortifications-de-Québec** (*voir aussi transparent 19*), revoir l'intention d'un dépliant touristique. Animer une discussion sur l'intention d'écriture et le point de vue adopté dans un dépliant touristique en posant les questions suivantes :

- À votre avis, en quoi un dépliant touristique est-il un bon moyen de s'informer sur un site historique canadien ?
- Quels renseignements un dépliant touristique présente-t-il ?

Relire le texte

PENDANT

Lire la deuxième question du premier point de la rubrique **Analyse le texte** (*voir page 235 du manuel*) : Une autre personne aurait-elle pu présenter l'information d'une autre façon ? Poser les questions suivantes :

- Comment auriez-vous pu présenter l'information ?
- Pourquoi choisir les photos d'un dépliant touristique est-il si important ?

Demander aux élèves de discuter de leurs réponses en dyades. Les mettre en commun.
Animer une discussion sur l'importance de vérifier l'exactitude des renseignements dans un texte. Poser les questions suivantes :

- Les renseignements contenus dans un dépliant touristique devraient-ils toujours être exacts ? Expliquez votre réponse.
- En quoi la lecture de dépliants touristiques peut-elle améliorer l'écriture ?

Expliquer que les habiletés en communication orale et en lecture aident à l'écriture.

Analyser le texte

APRÈS

Inviter les élèves à discuter des diverses intentions d'écrire un dépliant touristique. Leur demander de relever les points qui rendent la lecture d'un dépliant touristique intéressante en s'appuyant sur des exemples. Poser les questions suivantes :

- Pourquoi est-ce important de capter l'attention des lecteurs et des lectrices ?
- Comment pouvez-vous vous assurer de l'exactitude de l'information présentée ?

Inviter les élèves à réfléchir aux stratégies utilisées dans cette leçon. Leur demander de noter dans leur journal de bord la stratégie la plus pertinente à leurs yeux.

Discuter de l'intention d'écrire un texte

Réfléchir aux stratégies utilisées

ÉVALUATION AU SERVICE DE L'APPRENTISSAGE *(voir fiche d'évaluation 1 : Observations continues)*

Observations	Interventions pédagogiques
Noter si les élèves peuvent : • analyser des textes pour comprendre leur structure et améliorer leurs écrits ; • reconnaître l'aide des habiletés en communication orale et en lecture pour écrire.	Au besoin, modéliser la façon de déterminer les renseignements importants dans un dépliant touristique à l'aide d'autres dépliants. Amener les élèves à comparer divers dépliants.

4 La pratique guidée

(manuel, pages 236 à 241)

Apprentissages ciblés

Mettre en application les stratégies :
Utiliser ses connaissances, Déterminer ce qui est important et *Faire un résumé*.

4.1 La Forteresse-de-Louisbourg (niveau de lecture W-X, DRA 60-64)

4.2 La Maison-Laurier (niveau de lecture V-W, DRA 58-60)

4.3 Le village de Batoche (niveau de lecture U-V, DRA 54-58)

4.4 Affiche du scénarimage du module 6

4.1 La Forteresse-de-Louisbourg *(manuel, pages 236 et 237)*

AVANT

Revoir les stratégies modélisées et expérimentées lors des leçons précédentes : *Utiliser ses connaissances, Déterminer ce qui est important* et *Faire un résumé*. Inviter les élèves qui liront le texte « La Forteresse-de-Louisbourg » à se regrouper. Utiliser les outils suivants pour modéliser le travail de lecture guidée à faire en groupe.

- Fiche d'activité **3 : Utilise tes connaissances, détermine ce qui est important et fais un résumé** ;
- Affiche de lecture partagée (*ou transparent 19*) : **Les Fortifications-de-Québec**.

> **Conseil**
>
> Rappeler aux élèves que toutes les stratégies sont interdépendantes et que les lecteurs efficaces appliquent, au besoin, plus d'une stratégie à la fois. Par exemple, lorsqu'ils déterminent ce qui est important, ils font aussi des inférences et posent des questions.

PENDANT

Avant la lecture du texte, rappeler aux élèves les quatre points suivants :
1) survoler le texte avant de commencer à le lire ;
2) prêter attention au titre, aux intertitres et aux éléments visuels ;
3) appliquer les stratégies de compréhension ciblées ;
4) formuler des réponses complètes et précises.

Demander aux élèves de faire le numéro 1 de la fiche d'activité **3 : Utilise tes connaissances, détermine ce qui est important et fais un résumé**, tel que modélisé au cours de la séance de lecture partagée (*voir page 9 du présent document*).

Rappeler aux élèves de se poser la question suivante pour déterminer ce qui est important : *Quels renseignements devrais-je retenir dans le texte que je lis ?* Leur demander de faire le numéro 2 de la fiche d'activité **3 : Utilise tes connaissances, détermine ce qui est important et fais un résumé**, tel que modélisé au cours de la séance de lecture partagée (*voir page 9 du présent document*).

Enseignement différencié

Assigner aux élèves un des trois textes proposés selon leur niveau de lecture. Avec de l'aide, les élèves lisent le texte en groupes de quatre à six. Pendant ce temps, certains élèves peuvent travailler de façon autonome (p. ex. : à l'aide des cartes-photos) ou avec l'enseignant ou l'enseignante.

Niveau de lecture W-X, DRA 60-64

Revoir les stratégies

Utiliser ses connaissances

Déterminer ce qui est important

APRÈS

Inviter les élèves à se référer à leur résumé du texte de l'affiche **Les Fortifications-de-Québec**. Leur demander de rédiger, en dyades, un résumé du texte «La Forteresse-de-Louisbourg», au numéro 3 de la fiche d'activité **3 : Utilise tes connaissances, détermine ce qui est important et fais un résumé**, tel que modélisé au cours de la séance de lecture partagée (*voir page 9 du présent document*). Au besoin, guider les élèves pour déterminer ce qu'ils ont appris.

OBSERVATION GRAMMATICALE EN CONTEXTE

Demander aux élèves d'observer la valeur et l'usage de l'impératif dans un dépliant touristique. Faire remarquer l'emploi de la virgule et d'autres signes de ponctuation.

RÉFLEXION

Inviter les élèves à discuter avec un ou une camarade des stratégies ciblées dans cette leçon. Leur demander de trouver une façon de les utiliser dans une autre situation de lecture et d'écrire dans leur journal de bord ce qu'ils ont appris sur ces stratégies.

Faire un résumé

Critères d'évaluation :
- utiliser ses connaissances ;
- déterminer ce qui est important ;
- faire un résumé ;
- comprendre le texte lu.

Réfléchir aux stratégies utilisées

4.2 La Maison-Laurier *(manuel, pages 238 et 239)*

Niveau de lecture V-W, DRA 58-60

AVANT

Revoir les stratégies

Revoir les stratégies modélisées et expérimentées lors des leçons précédentes : *Utiliser ses connaissances, Déterminer ce qui est important* et *Faire un résumé*. Inviter les élèves qui liront le texte « La Maison-Laurier » à se regrouper. Utiliser les outils suivants pour modéliser le travail de lecture guidée à faire en groupe.

- Fiche d'activité **3 : Utilise tes connaissances, détermine ce qui est important et fais un résumé** ;

- Affiche de lecture partagée *(ou transparent 19)* : **Les Fortifications-de-Québec.**

> **Conseil**
>
> Rappeler aux élèves que toutes les stratégies sont interdépendantes et que les lecteurs efficaces appliquent, au besoin, plus d'une stratégie à la fois. Par exemple, lorsqu'ils déterminent ce qui est important, ils font aussi des inférences et posent des questions.

PENDANT

Utiliser ses connaissances

Avant la lecture du texte, rappeler aux élèves les quatre points suivants :
1) survoler le texte avant de commencer à le lire ;
2) prêter attention au titre, aux intertitres et aux éléments visuels ;
3) appliquer les stratégies de compréhension ciblées ;
4) formuler des réponses complètes et précises.

Demander aux élèves de faire le numéro 1 de la fiche d'activité **3 : Utilise tes connaissances, détermine ce qui est important et fais un résumé**, tel que modélisé au cours de la séance de lecture partagée *(voir page 9 du présent document)*.

Déterminer ce qui est important

Rappeler aux élèves de se poser la question suivante pour déterminer ce qui est important : *Quels renseignements devrais-je retenir dans le texte que je lis ?* Leur demander de faire le numéro 2 de la fiche d'activité **3 : Utilise tes connaissances, détermine ce qui est important et fais un résumé**, tel que modélisé au cours de la séance de lecture partagée *(voir page 9 du présent document)*.

APRÈS

Faire un résumé

Inviter les élèves à se référer à leur résumé du texte de l'affiche **Les Fortifications-de-Québec.** Leur demander de rédiger, en dyades, un résumé du texte « La Maison-Laurier » au numéro 3 de la fiche d'activité **3 : Utilise tes connaissances, détermine ce qui est important et fais un résumé**, tel que modélisé au cours de la séance de lecture partagée *(voir page 9 du présent document)*. Au besoin, guider les élèves pour déterminer ce qu'ils ont appris.

Critères d'évaluation :
- utiliser ses connaissances ;
- déterminer ce qui est important ;
- faire un résumé ;
- comprendre le texte lu.

OBSERVATION GRAMMATICALE EN CONTEXTE

Demander aux élèves d'observer la valeur et l'usage de l'impératif dans un dépliant touristique. Faire remarquer l'emploi de la virgule et d'autres signes de ponctuation.

RÉFLEXION

Inviter les élèves à discuter avec un ou une camarade des stratégies ciblées dans cette leçon. Leur demander de trouver une façon de les utiliser dans une autre situation de lecture et d'écrire dans leur journal de bord ce qu'ils ont appris sur ces stratégies.

Réfléchir aux stratégies utilisées

Niveau de lecture U-V, DRA 54-58

4.3 Le village de Batoche *(manuel, pages 240 et 241)*

AVANT

Revoir les stratégies

Revoir les stratégies modélisées et expérimentées lors des leçons précédentes : *Utiliser ses connaissances, Déterminer ce qui est important* et *Faire un résumé*. Inviter les élèves qui liront le texte « Le village de Batoche » à se regrouper. Utiliser les outils suivants pour modéliser le travail de lecture guidée à faire en groupe.

- Fiche d'activité **3 : Utilise tes connaissances, détermine ce qui est important et fais un résumé** ;

- Affiche de lecture partagée (*ou transparent 19*) : **Les Fortifications-de-Québec**.

> ### Conseil
>
> Rappeler aux élèves que toutes les stratégies sont interdépendantes et que les lecteurs efficaces appliquent, au besoin, plus d'une stratégie à la fois. Par exemple, lorsqu'ils déterminent ce qui est important, ils font aussi des inférences et posent des questions.

PENDANT

Utiliser ses connaissances

Avant la lecture du texte, rappeler aux élèves les quatre points suivants :

1) survoler le texte avant de commencer à le lire ;
2) prêter attention au titre, aux intertitres et aux éléments visuels ;
3) appliquer les stratégies de compréhension ciblées ;
4) formuler des réponses complètes et précises.

Demander aux élèves de faire le numéro 1 de la fiche d'activité **3 : Utilise tes connaissances, détermine ce qui est important et fais un résumé**, tel que modélisé au cours de la séance de lecture partagée (*voir page 9 du présent document*).

Déterminer ce qui est important

Rappeler aux élèves de se poser la question suivante pour déterminer ce qui est important : *Quels renseignements devrais-je retenir dans le texte que je lis ?* Leur demander de faire le numéro 2 de la fiche d'activité **3 : Utilise tes connaissances, détermine ce qui est important et fais un résumé**, tel que modélisé au cours de la séance de lecture partagée (*voir page 9 du présent document*).

Faire un résumé

APRÈS

Inviter les élèves à se référer à leur résumé du texte de l'affiche **Les Fortifications-de-Québec**. Leur demander de rédiger, en dyades, un résumé du texte « Le village de Batoche » au numéro 3 de la fiche d'activité **3 : Utilise tes connaissances, détermine ce qui est important et fais un résumé**, tel que modélisé au cours de la séance de lecture partagée (*voir page 9 du présent document*). Au besoin, guider les élèves pour déterminer ce qu'ils ont appris.

Critères d'évaluation :
- utiliser ses connaissances ;
- déterminer ce qui est important ;
- faire un résumé ;
- comprendre le texte lu.

OBSERVATION GRAMMATICALE EN CONTEXTE

Demander aux élèves d'observer la valeur et l'usage de l'impératif dans un dépliant touristique. Faire remarquer l'emploi de la virgule et d'autres signes de ponctuation.

RÉFLEXION

Inviter les élèves à discuter avec un ou une camarade des stratégies ciblées dans cette leçon. Leur demander de trouver une façon de les utiliser dans une autre situation de lecture et d'écrire dans leur journal de bord ce qu'ils ont appris sur ces stratégies.

Réfléchir aux stratégies utilisées

4.4 Affiche du scénarimage du module 6

Remarque : Pour les élèves ayant besoin de plus de soutien, utiliser le scénarimage avant les textes de la pratique guidée. Cette activité les aidera à développer le vocabulaire correspondant au module.

AVANT

Revoir le vocabulaire et les notions

Survoler le scénarimage

Revoir les deux pages d'introduction du module (*voir « Leçon 1 »*), ainsi que les listes de mots créées depuis le début du module.

Installer l'affiche du **scénarimage du module 6** (*voir aussi transparent 25*).
Expliquer aux élèves qu'ils auront à écrire une histoire à partir des images.
Demander aux élèves d'observer le scénarimage et, pendant ce temps, animer une discussion en posant les questions suivantes :
- À quoi pensez-vous lorsque vous entendez les mots *exploration du Canada* ?
- Que représente cette affiche ?
- Où cette histoire pourrait-elle avoir lieu ?
- Quels problèmes les premiers explorateurs ou premières exploratrices ont-ils éprouvés ?
- Quel explorateur présente ce scénarimage ?
- Quelles histoires pourriez-vous raconter à partir de ce scénarimage ?
- Quels indices révèlent que cette histoire se passe à une autre époque ?

Faire des liens avec ses connaissances

Diviser le groupe-classe en dyades. Demander aux élèves d'observer les cases une à une et de continuer la discussion en établissant des liens avec leurs expériences. Au besoin, modéliser la bonne formulation. Leur poser les questions suivantes :
- À quoi ces images vous font-elles penser ?
- Connaissez-vous une histoire semblable à celle-ci ?
- Avez-vous déjà lu ou entendu des histoires sur les voyages de Jacques Cartier ? En quoi ces connaissances peuvent-elles vous aider à rédiger votre histoire ? Faites part de vos connaissances au groupe-classe.

PENDANT

Créer des légendes

Demander aux élèves d'échanger leurs idées concernant chaque case et de relever les idées principales, les phrases ou les mots clés. Leur poser les questions suivantes :
- Comment cette histoire pourrait-elle commencer ?
- Comment décririez-vous l'action ?
- Qui serait le personnage principal ? Quel serait son nom ?
- Comment le décririez-vous ?
- En quoi ce personnage vous ressemblerait-il ? En quoi serait-il différent ?

Inviter les élèves, à tour de rôle, à raconter l'histoire dans leurs propres mots à un ou une camarade. Après la discussion, poser la question suivante : Comment résumeriez-vous cette histoire ?

Raconter l'histoire à un ou une camarade

APRÈS

Soutien (étayage)

Utiliser un langage simple et concret. Tout en écrivant, lire chaque phrase à voix haute. Relire ensuite l'histoire avec les élèves. Leur allouer plus de temps pour réfléchir avant de répondre à une question.

Préciser aux élèves que voir, parler et écrire au sujet des illustrations du scénarimage les aident à mieux raconter leur récit. Leur expliquer la tâche qui consiste à écrire en groupe-classe un résumé des voyages de Jacques Cartier en se servant des éléments visuels du scénarimage. Les aider à clarifier leurs idées en reformulant leurs phrases et en inscrivant celles-ci comme légendes en dessous des cases ou sur des bandes de papier séparées. Une fois toutes les cases remplies, poser les questions suivantes :

Participer à une séance d'écriture partagée

- Le texte a-t-il du sens ?
- Est-ce bien ce que vous voulez dire ? Votre texte est-il clair ?
- Devriez-vous y apporter des changements ?
- Voulez-vous ajouter d'autres idées ?

Une fois la révision du texte terminée, relire l'histoire avec les élèves.

Faire une lecture partagée

RÉFLEXION

Demander aux élèves de discuter de ce qu'ils ont appris. Leur poser la question suivante : Comment la discussion sur les illustrations vous a-t-elle permis de mieux élaborer vos idées ?

Leur proposer d'écrire dans leur journal de bord ce qu'ils ont appris en travaillant avec le scénarimage. Certains préféreront peut-être dessiner leurs réponses. Les inviter à communiquer leur réflexion à un ou une camarade.

Réfléchir à la communication orale

5 Fais un retour sur tes apprentissages

(manuel, page 242)

Apprentissages ciblés
- Utiliser des stratégies d'écoute et de prise de parole.
- Utiliser un organisateur graphique pour résumer l'information.
- Comprendre et évaluer les stratégies utilisées.

AVANT

Revoir le vocabulaire et les stratégies

Demander aux élèves de lire la section «Tu as…» (*voir manuel page 242*). Les inciter à échanger sur ce qu'ils ont appris en citant des exemples concrets. Leur poser les questions suivantes :
- Qu'avez-vous appris sur la rédaction d'un dépliant touristique ?
- Quels nouveaux mots ou nouvelles expressions avez-vous découverts ?
- Comment expliqueriez-vous à une personne la façon de résumer ?

Animer une discussion sur les mots et les expressions liés aux textes de la lecture guidée (*voir page 242 du manuel*). Inviter les élèves à rédiger une phrase pour chaque terme ou expression et à noter leurs réponses. S'assurer que les phrases proposées démontrent une bonne compréhension du nouveau vocabulaire.

Lire la bulle de la page 242 avec les élèves. Leur demander de travailler en dyades pour répondre à la question de la fille. Les inviter à discuter des réponses possibles avec la classe.

Inviter les élèves à lire les stratégies utilisées dans la section «Tu as aussi…» (*voir page 242 du manuel*). Leur rappeler qu'elles leur ont permis de mieux lire, comprendre et apprécier les textes lus.

> **Conseil**
>
> Revoir les stratégies d'écoute active avec les élèves. Leur demander de modéliser les comportements à adopter pour écouter une autre personne ou poser des questions afin de clarifier une idée. Au tableau, dresser une liste d'expressions à utiliser.

PENDANT

Résumer l'information

Former des équipes de deux ou trois élèves ayant lu le même texte ou travaillé ensemble sur l'affiche du scénarimage. Les inviter à raconter le texte lu et à résumer ce qu'ils ont appris en utilisant la fiche d'activité modèle **5 : Résumer l'information** (*voir* Guide d'enseignement de la littératie *et transparent 5 ou organisateur graphique 5*). Commencer l'activité avec les élèves en écrivant le titre «Sites historiques canadiens» dans la première boîte. Dans les trois boîtes en dessous, écrire les sous-titres «Lieu historique», «Renseignements importants» et «Mots ou expressions» (*voir modèle page suivante*). Inviter ensuite les élèves à remplir les ovales avec les renseignements recueillis dans leur texte respectif.

Modéliser la façon de remplir l'organisateur graphique en utilisant l'affiche **Les Fortifications-de-Québec** (*ou transparent 19*).

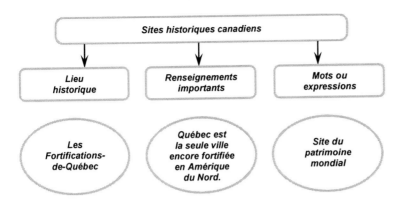

APRÈS

Revenir avec les élèves sur des éléments déjà présentés. Poser les questions suivantes :

- Pourquoi les gens lisent-ils des dépliants touristiques ?
- Où pourriez-vous trouver des renseignements pour préparer un dépliant touristique sur un site historique canadien ?
- Comment pourriez-vous garantir l'exactitude des renseignements présentés dans votre dépliant ?
- En quoi ces dépliants sont-ils semblables ? En quoi sont-ils différents ?

Revoir le genre de texte et l'intention de lecture

RÉFLEXION

Demander aux élèves de faire l'activité de l'encadré « Réfléchis à ta démarche de lecture » (*voir page 242 du manuel*). Les inviter à écrire leur réflexion dans leur journal de bord.

Réfléchir aux stratégies utilisées

ÉVALUATION AU SERVICE DE L'APPRENTISSAGE *(voir fiche d'évaluation 1 : Observations continues)*

Observations	Interventions pédagogiques
Noter si les élèves peuvent : • utiliser des stratégies d'écoute et de prise de parole ;	Revoir avec les élèves les stratégies d'écoute active et les comportements appropriés de prise de parole.
• utiliser un organisateur graphique pour résumer l'information ;	À l'aide de l'affiche de lecture partagée (*ou transparent 19*) : **Les Fortifications-de-Québec**, modéliser la façon de résumer l'information au moyen d'un organisateur graphique. Au besoin, modéliser avec d'autres dépliants touristiques.
• comprendre et évaluer les stratégies utilisées.	Proposer aux élèves d'échanger leurs réflexions avec leurs camarades sur l'efficacité des stratégies et la manière de les utiliser dans d'autres situations.

6 Écris avec habileté

(manuel, page 243)

Apprentissages ciblés
- Comprendre comment écrire un dépliant touristique.
- Dégager la structure d'un dépliant touristique.
- Comparer le dépliant touristique avec l'affiche.

AVANT

Dégager la structure du dépliant touristique

Rappeler aux élèves qu'ils ont lu un dépliant touristique. En profiter pour aborder le sujet des moyens technologiques parfois utilisés pour remplacer les dépliants touristiques, ainsi que de l'efficacité de ces nouvelles techniques. Amener les élèves à dégager la structure d'un dépliant touristique. Leur poser les questions de la rubrique **Exprime-toi!** (*voir page 243 du manuel*). Inscrire leurs réponses au tableau ou sur une grande feuille afin de créer une liste de référence qui servira au moment de la rédaction de leur dépliant. Inviter les élèves à revoir la structure d'un dépliant touristique en lisant l'information au bas de la page 243 du manuel.

Analyser la structure d'un dépliant touristique

Analyser le texte de l'affiche de lecture partagée (*ou transparent 19*): **Les Fortifications-de-Québec** en s'attardant avec les élèves sur la présence des éléments de la structure présentée à la page 243 du manuel. Au besoin, les inviter à ajouter des idées. Rappeler l'importance d'utiliser des mots ou des groupes de mots descriptifs et de varier la longueur et la structure des phrases dans un dépliant touristique.

PENDANT

Rédiger un dépliant touristique

Revoir avec les élèves la liste de référence créée précédemment. Leur préciser qu'ils vont écrire un dépliant touristique sur un site historique de leur choix. À l'aide du transparent **38: Écrire un dépliant touristique** (*voir aussi affiche de modélisation en écriture 6*), expliquer aux élèves les étapes à suivre pour écrire leur dépliant. Les encourager à choisir des sites historiques intéressants. Modéliser, au besoin, la façon d'écrire un dépliant touristique. Comme modèle, inviter les élèves à se servir du texte lu en lecture guidée. Aider et soutenir les élèves durant tout le processus d'écriture.

Comparer le dépliant touristique avec l'affiche

Vérifier la compréhension des élèves en leur demandant de présenter, à un ou une camarade, les étapes à suivre pour rédiger un dépliant touristique.

Les inviter à remplir la fiche d'activité **4: Compare la structure de différents textes** pour distinguer les similitudes et les différences entre le dépliant touristique et l'affiche publicitaire. Leur proposer d'effectuer cette activité en dyades avant de la faire en groupe-classe.

OBSERVATION GRAMMATICALE EN CONTEXTE

Revoir la façon de construire différents types et diverses formes de phrases dans un texte. Attirer l'attention des élèves sur l'utilisation de l'impératif dans un dépliant touristique.

Revoir l'usage des signes de ponctuation dans un dépliant touristique.

Discuter avec les élèves des organisateurs textuels et des marqueurs de relation.

Leur rappeler l'importance de consulter des ouvrages de référence imprimés ou électroniques pour bonifier leur rédaction.

APRÈS

Fournir une rétroaction

Inviter les élèves à discuter avec un ou une camarade des stratégies utilisées pour comprendre les étapes à suivre et rédiger un dépliant touristique. Leur proposer de commenter le travail de leur camarade et de lui fournir une rétroaction. Enseigner la démarche suivante aux élèves pour les amener à faire des commentaires constructifs :

- complimenter ;
- questionner ;
- suggérer.

RÉFLEXION

Proposer aux élèves de s'interroger sur la façon d'assurer la qualité de la rédaction d'un dépliant touristique ou d'un autre texte informatif et de noter leur réflexion dans leur journal de bord.

ÉVALUATION AU SERVICE DE L'APPRENTISSAGE *(voir fiche d'évaluation 1 : Observations continues)*

Observations	Interventions pédagogiques
Noter si les élèves peuvent : • comprendre comment écrire un dépliant touristique ;	Mettre à la disposition des élèves des dépliants touristiques qui leur serviront de modèles. Leur faire écouter les textes *(voir coffret audio)* afin de les amener à faire le lien entre la langue parlée et la langue écrite.
• dégager la structure d'un dépliant touristique ;	Modéliser la façon de dégager la structure d'un dépliant touristique.
• comparer le dépliant touristique avec l'affiche.	Présenter une affiche publicitaire aux élèves et modéliser à voix haute la façon de comparer une affiche publicitaire avec un dépliant touristique.

7 À la recherche du Passage du Nord-Ouest

(manuel, pages 244 à 246)

Niveau de lecture W-X, DRA 60-64

Apprentissages ciblés
- Choisir et appliquer des stratégies de lecture.
- Réagir à un texte lu.

Remarque : Le niveau de lecture du texte « À la recherche du Passage du Nord-Ouest » devrait convenir à la plupart des élèves. Selon leurs besoins, proposer d'autres textes pour leur faire appliquer l'une ou l'autre des stratégies de lecture. Le tableau suivant suggère des lectures supplémentaires.

Lectures supplémentaires

Stratégies	Livrets de la collection *Petits curieux*	Niveaux de lecture
Utiliser ses connaissances	*Des traces du passé* *La construction d'un hôtel de glace*	W-X, DRA 60-64 S-T, DRA 48-50
Déterminer ce qui est important	*La traite des fourrures* *Le Canada, un grand pays*	T-U, DRA 50-54 P-Q, DRA 38-40
Faire un résumé	*À la découverte des explorateurs*	W-X, DRA 60-64

AVANT

Utiliser ses connaissances

Poser la question de départ (*voir page 244 du manuel*) : Pourquoi le Passage du Nord-Ouest est-il si important? et encourager les élèves à y répondre.

Leur expliquer qu'ils vont continuer à mettre en pratique leurs habiletés et leurs stratégies de lecture en lisant d'autres types de textes.

Demander aux élèves de survoler le texte, de lire les titres et les intertitres. Stimuler la discussion en posant la question suivante : D'après vous, que veut dire l'auteur par « La deuxième génération d'expéditeurs »?

Inviter les élèves à remplir la fiche d'activité **5 : Le tableau SVA Plus.**

PENDANT

Lire en dyades ou de façon autonome

Revoir les stratégies appliquées par les élèves : *Utiliser ses connaissances*, *Déterminer ce qui est important* et *Faire un résumé*. Leur demander de lire l'histoire de façon autonome ou avec l'aide d'un ou d'une camarade. Après une première lecture, les faire travailler en dyades pour comparer leur tableau SVA Plus. Modéliser la première partie du texte pour les élèves ayant de la difficulté à remplir ce tableau.

S'assurer que les élèves examinent les éléments visuels avant de lire, parlent des liens qu'ils font avec le texte (utilisent leurs connaissances) et font des pauses pour vérifier leur compréhension.

Soutien (étayage)

Suggérer aux élèves ayant besoin de plus de soutien d'écouter le texte du coffret audio en faisant une pause à la fin de chaque section pour valider leur compréhension.

Lire la rubrique **Observe le texte** (*voir page 245 du manuel*) et en discuter avec les élèves.

APRÈS

Discuter en posant les questions suivantes :

- Que croyaient les premiers explorateurs au sujet de la route vers l'Asie ?
- En quoi l'observation de la carte vous permet-elle de comprendre la difficulté d'atteindre l'Asie par le Nord-Ouest ?
- À votre avis, pourquoi les explorateurs n'ont-ils pas abandonné l'idée de trouver une route à travers les glaces ?
- Qui a été le premier navigateur à traverser le Passage du Nord-Ouest d'est en ouest ?

Demander aux élèves de créer une ligne du temps pour représenter les dates importantes et nommer les explorateurs. Leur distribuer la fiche d'activité modèle **13 : Organiser l'information sur une ligne du temps** (*voir* Guide d'enseignement de la littératie).

Média action

Inviter les élèves à lire la rubrique **Média action** (*voir page 246 du manuel*). Modéliser la façon de compléter le tableau en posant les questions suivantes :

- En quoi les explorateurs et les exploratrices de notre époque sont-ils semblables ou différents de ceux et celles des XVe et XVIe siècles ?
- Quel rôle les médias devraient-ils jouer pour faire connaître les explorateurs et les exploratrices d'aujourd'hui ?
- Est-ce important de continuer à explorer la Terre ? Pourquoi ?

Participer à une discussion

VA PLUS LOIN

1. *Résumer le texte.* Rappeler aux élèves de bien se préparer avant une présentation orale et de ne pas lire leur résumé, mais de le présenter comme un récit.

2. *Rédiger un journal d'exploration.* Fournir aux élèves des noms d'explorateurs ou d'exploratrices d'hier ou d'aujourd'hui. Les inviter à consulter les carnets de voyage de Jean Lemire sur le site [http://sedna.tv]. Accorder du temps aux élèves pour s'exercer avant de présenter leur journal à la classe.

Résumer le texte

Rédiger un journal d'exploration

ENRICHISSEMENT

Demander aux élèves, en équipes, de créer un montage de photos (en papier ou sous forme électronique) représentant un explorateur ou une exploratrice de leur choix.

OBSERVATION GRAMMATICALE EN CONTEXTE

Faire remarquer aux élèves l'accord en genre et en nombre du noyau dans le groupe du nom (GN), ainsi que de ses expansions. Demander aux élèves de relever des marqueurs de relation et des organisateurs textuels. Modéliser la façon de remplir la fiche d'activité **9 : L'accord du verbe et la conjugaison.**

Représenter un explorateur ou une exploratrice à l'aide d'un montage de photos

RÉFLEXION

Inviter les élèves à réfléchir aux stratégies utilisées et à expliquer par écrit l'importance du tableau SVA Plus. Leur suggérer d'écrire leur réflexion dans leur journal de bord.

Réfléchir aux stratégies utilisées

ÉVALUATION AU SERVICE DE L'APPRENTISSAGE (*voir fiche d'évaluation 1 : Observations continues*)

Observations	Interventions pédagogiques
Noter si les élèves peuvent : • choisir et appliquer des stratégies de lecture ;	Modéliser à voix haute la façon d'utiliser les stratégies ciblées pour comprendre un texte. Au besoin, choisir un texte plus facile. En effet, les textes trop difficiles obligent les élèves à se concentrer sur le décodage et les empêchent de développer leurs stratégies de lecture.
• réagir à un texte lu.	Avant de rédiger, proposer aux élèves de travailler avec un ou une camarade, ou modéliser la façon de remplir la fiche d'activité **5 : Le tableau SVA Plus.**

Niveau de lecture T-U, DRA 50-54

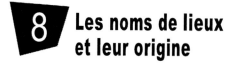

8 Les noms de lieux et leur origine

(manuel, pages 247 à 249)

Apprentissages ciblés
- Lire et classer de l'information.
- Analyser et créer des textes publicitaires.
- Trouver des noms de lieux au Canada qui sont intéressants.

Remarque : Le niveau de lecture du texte « Les noms de lieux et leur origine » devrait convenir à la plupart des élèves. Selon leurs besoins, proposer d'autres textes pour leur permettre d'appliquer l'une ou l'autre des stratégies de lecture. Le tableau suivant suggère des lectures supplémentaires.

Lectures supplémentaires

Stratégies	Livrets de la collection *Petits curieux*	Niveaux de lecture
Utiliser ses connaissances	*Des traces du passé* *La construction d'un hôtel de glace*	W-X, DRA 60-64 S-T, DRA 48-50
Déterminer ce qui est important	*La traite des fourrures* *Le Canada, un grand pays*	T-U, DRA 50-54 P-Q, DRA 38-40
Faire un résumé	*À la découverte des explorateurs*	W-X, DRA 60-64

AVANT

Faire des liens et des prédictions

Inviter les élèves à s'interroger sur la provenance des noms des gens et des lieux. Leur demander de réfléchir à leur propre nom en se posant les questions suivantes : *D'où vient mon nom ? Que signifie-t-il ? M'a-t-on donné ce nom en l'honneur d'une autre personne ?*

Proposer à des volontaires de communiquer ce que leur nom révèle de leur histoire personnelle.

Lire la question de départ (*voir page 247 du manuel*) : Quels secrets les noms de lieux cachent-ils ? Poser ensuite la question suivante aux élèves : Que peut-on apprendre de l'histoire d'un lieu en lisant son nom ?

Les inviter à regarder une carte du Canada ou d'une région du Canada dans un atlas et à réfléchir à l'origine de certains noms de lieux. Modéliser le classement par catégorie en choisissant un ou deux noms (p. ex. : *Ottawa*) et en suggérant des catégories (p. ex. : *mot d'origine autochtone*). Demander ensuite aux élèves de proposer des catégories et des exemples, puis dresser une liste de classe avec leurs réponses.

Inviter les élèves à survoler la carte et ses illustrations, aux pages 248 et 249 du manuel, puis à prédire la catégorie d'un ou de deux noms de lieux.

Soutien (étayage)

Travailler avec les élèves ayant une connaissance limitée de la langue et du Canada. Leur montrer des images des régions et leur expliquer les mots difficiles, les images et les plaisanteries contenus dans les vignettes.

PENDANT

Lire en dyades ou de façon autonome

Inviter les élèves à lire le texte à la page 247 et à faire des liens avec leurs propres noms. En dyades, leur proposer de lire les vignettes aux pages 248 et 249. Les inviter à classer le nom de chaque vignette dans une catégorie (utiliser la liste de catégories de l'activité précédente et, au besoin, en créer de nouvelles) et à expliquer leur choix. Demander aux élèves de créer une liste des noms de lieux et de leurs catégories. Ensuite, inviter les équipes à comparer leurs listes.

Demander aux élèves de prêter attention au nom n° 13, à la page 249, et de discuter avec un ou une camarade de la façon de le prononcer. Leur suggérer de chercher des mots connus dans le nom (p. ex.: *Shuben acadie*) ou de le diviser en syllabes (p. ex.: *Shu/ben/acadie*). Dresser une liste de stratégies, en soulignant les différentes démarches. Répéter le processus avec un autre nom de leur choix.

Réfléchir aux mots et aux expressions

Guide de prononciation: Wetaskiwin (wi-tas-ki-win); Portage la Prairie (prè-ri); Grise Fiord (grisé-fior); Puvirnituq (pou-vir-ni-touq); Portage Kamushkuapetshish-kuakanishit (ka-mouch-qua-pé-tchich-qua-ka-ni-chite).

APRÈS

Reposer la question de départ aux élèves, puis leur poser les questions suivantes:
• Quels noms vous informent le plus sur les lieux? Que révèlent-ils?
• Quels noms et quelles histoires avez-vous trouvé surprenants? Pourquoi?

Après avoir lu le texte, poser aux élèves la question de la rubrique **Observe le texte**.

Observe le texte

VA PLUS LOIN

1. *Concevoir*. À l'aide d'exemples trouvés dans Internet ou de brochures locales, demander aux élèves de combiner des mots pour décrire un lieu.

Concevoir

2. *Faire une recherche*. Inviter les élèves à analyser deux ou trois vignettes, aux pages 248 et 249, en notant les caractéristiques qui les ont intéressés ou aidés à comprendre le nom. Souligner la variété des «histoires» cachées derrière les noms de lieux – la plupart sont basées sur des faits. Leur rappeler de faire une recherche sur l'histoire du nom qu'ils ont choisi. Leur fournir des livres sur les noms de lieux et des sites Internet recommandés (p. ex.: [www.toponymes.rncan.gc.ca]).

Faire une recherche

Rédiger des vignettes

ENRICHISSEMENT

Demander aux élèves de nommer des ouvrages sur l'exploration (films, CD, magazines, livres, etc.) qui éveillent leur intérêt. Leur poser la question suivante: À quoi pensent les créateurs et les créatrices pour trouver un titre (sujet, public cible, intention…)?

Parler de son intérêt

OBSERVATION GRAMMATICALE EN CONTEXTE

Modéliser la façon de remplir les fiches d'activité **10: Les pronoms relatifs** et **11: Les groupes fonctionnels et la phrase de base**.

RÉFLEXION

Demander aux élèves de former de petits groupes pour discuter des problèmes éprouvés lors de leur recherche de noms de lieux et de la façon dont ils les ont résolus.

Réfléchir au processus utilisé

ÉVALUATION AU SERVICE DE L'APPRENTISSAGE *(voir fiche d'évaluation 1: Observations continues)*

Observations	Interventions pédagogiques
Noter si les élèves peuvent: • lire et classer de l'information;	Modéliser ou demander à certains élèves de modéliser la façon de lire et de classer l'information.
• analyser et créer des textes publicitaires;	Pendant une lecture partagée, modéliser la façon d'analyser et de créer des textes publicitaires.
• trouver des noms de lieux au Canada qui sont intéressants.	Placer les élèves nouvellement arrivés au Canada ou dans la région avec des élèves qui connaissent mieux cette partie du pays. Offrir du soutien au besoin.

9 Évangéline

(manuel, pages 250 et 251)

Apprentissages ciblés

- Utiliser ses connaissances.
- Reconnaître des éléments de la culture francophone.
- Présenter une lecture en chœur d'une chanson.

Inviter les élèves à lire la rubrique **Observe le texte** (*voir page 251 du manuel*). Dresser avec eux une liste de mots et d'expressions aidant à visualiser la chanson. Inciter les élèves à s'y référer pour enrichir leurs textes.

Reconnaître des éléments de la culture francophone

Lire ensemble

Interpréter les paroles d'une chanson

AVANT

Poser la question de départ (*voir page 250 du manuel*): Comment une chanson peut-elle transmettre un message sur le passé? Expliquer que le texte des pages 250 et 251 est une chanson racontant la déportation des Acadiens et des Acadiennes.

Inviter les élèves à lire les paroles de la chanson. Leur faire remarquer la répétition des mots *Évangéline, Évangéline*.

PENDANT

Présenter la chanson dans une séance de lecture à voix haute ou la faire écouter (il en existe de nombreuses versions sur le marché). Discuter avec les élèves de ce qu'ils aiment dans cette chanson.

APRÈS

Inviter les élèves à raconter l'histoire d'Évangéline et de Gabriel.

Animer la discussion en leur posant les questions suivantes:

- Est-ce un jour important pour Évangéline et Gabriel? Pourquoi?
- Quelle est la saison?
- Qu'est-il arrivé?
- Quels sentiments les Acadiens et les Acadiennes aux prises avec la déportation ont-ils éprouvés?
- À votre avis, Évangéline aimait-elle Gabriel? Comment le savez-vous? Trouvez des phrases dans le texte pour appuyer votre réponse.
- Quelle était l'occupation d'Évangéline après le départ de Gabriel? (*Infirmière:* « *Tu vécus dans le seul désir de soulager et de guérir ceux qui souffraient plus que toi-même.* »)
- Dans quelles circonstances Évangéline a-t-elle revu Gabriel?
- Quels sentiments éprouvez-vous en écoutant les paroles de cette chanson?
- Qui est Henry Longfellow? À votre avis, pourquoi a-t-il écrit le poème qui a inspiré cette chanson?

Soutien (étayage)

Modéliser à voix haute la façon de lire les paroles d'une chanson. Aider les élèves à trouver le sens de la chanson et à l'exprimer en les invitant à en discuter d'abord avec un ou une camarade.

VA PLUS LOIN

1. *Discuter de l'histoire racontée par la chanson.* Pour stimuler la discussion, demander aux élèves de convaincre un ou une camarade qu'une chanson est un bon moyen de raconter un fait historique.

2. *Présenter une lecture en chœur d'une chanson.* Expliquer aux élèves qu'ils auront à présenter, en équipe, une chanson racontant un fait historique de leur choix. Les inviter à choisir des accessoires pour rendre la présentation plus intéressante. Leur accorder du temps pour répéter.

Discuter de l'histoire racontée par la chanson

Présenter une lecture en chœur d'une chanson

ENRICHISSEMENT

Inviter les élèves à décrire à quoi ressemblerait la chanson *Évangéline* en bande dessinée. Proposer aux élèves intéressés de créer une bande dessinée illustrant une chanson française de leur choix.

OBSERVATION GRAMMATICALE EN CONTEXTE

Expliquer aux élèves que les expressions figurées sont souvent utilisées dans les chansons. Citer quelques exemples tirés d'*Évangéline*.

Faire remarquer les mots qui génèrent une description riche et expressive.

Discuter avec les élèves du rôle des comparaisons, des métaphores et des expressions figurées dans ce texte (p. ex.: «*Même si ton cœur était mort / Ton amour grandissait plus fort.* »).

RÉFLEXION

Demander aux élèves de prendre en note, dans leur journal de bord, deux exemples d'images qu'ils ont vues en lisant les paroles de cette chanson.

Réfléchir à la façon de trouver un sens à une chanson

ÉVALUATION AU SERVICE DE L'APPRENTISSAGE *(voir fiche d'évaluation 1 : Observations continues)*

Observations	Interventions pédagogiques
Noter si les élèves peuvent : • utiliser leurs connaissances ;	Pendant une séance de lecture partagée, modéliser la façon d'utiliser ses connaissances pour interpréter et comprendre les paroles d'une chanson.
• reconnaître des éléments de la culture francophone ;	Faire écouter des chansons d'artistes francophones.
• présenter une lecture en chœur d'une chanson.	Modéliser la façon de lire en chœur une chanson.

À l'œuvre !

(manuel, pages 252 et 253)

Apprentissages ciblés
- Écrire un dépliant touristique.
- Suivre des directives pour effectuer une tâche.

Remarque : Cette leçon est une tâche d'évaluation comportant une production dans laquelle les élèves appliquent les connaissances acquises et les habiletés développées dans ce module. Noter qu'elle fait appel à des contenus d'apprentissage liés à l'écriture et à la littératie médiatique. Proposer cette tâche à tout moment après la modélisation de l'écriture.

AVANT

Effectuer une recherche

Lire avec les élèves à voix haute le paragraphe d'introduction et les consignes de l'activité de la page 252 du manuel, en s'assurant de leur compréhension. Leur demander d'effectuer une recherche pour écrire un dépliant touristique sur un site historique de leur province ou de leur territoire.

Lire la rubrique **Quelques conseils** (*voir page 252 du manuel*) pour déterminer avec les élèves les endroits où trouver des modèles de dépliants touristiques pour accomplir la tâche demandée. Distribuer aux élèves la fiche d'évaluation **2 : Grille d'évaluation de la section «À l'œuvre !»** pour leur faire part des critères d'évaluation du travail à produire. Discuter des critères d'évaluation en notant sur une grande feuille quoi faire pour y répondre. Poser des questions aux élèves afin de s'assurer de leur compréhension de la tâche.

PENDANT

Préparer un dépliant touristique

Modéliser la façon d'écrire un dépliant touristique. Revoir avec les élèves leur travail de la leçon 6 du présent guide. Poser les questions suivantes :
- Selon vous, pourquoi est-il important de recueillir des renseignements exacts ?
- Pourquoi faut-il déterminer vos destinataires ainsi que le mode principal à utiliser pour s'adresser à eux (p. ex. : infinitif, impératif, indicatif) ?
- Quelle sera la forme de votre dépliant (p. ex. : page entière ou pliée, photo ou carte accompagnant une description) ?
- Que pourriez-vous faire pour vous assurer de respecter les critères d'évaluation ?
- Quelle illustration pourrait accompagner vos renseignements ?
- Pourquoi est-il important de s'exercer à lire son texte avant de le présenter à un groupe ? (*Pour éviter de tout lire.*)

Faire lire des dépliants touristiques aux élèves afin de leur fournir de bons modèles.

APRÈS

Présenter un dépliant touristique

Lire avec les élèves les sections «Rédigez votre texte» et «Présentez votre dépliant» (*voir page 253 du manuel*). Les inviter à se référer au besoin à l'exemple du musée de St. Boniface. Après leur avoir accordé du temps pour effectuer la tâche demandée, les inviter à présenter leur travail à la classe ou à un petit groupe d'élèves. Rappeler aux spectateurs et aux spectatrices de se comporter de façon appropriée pendant la présentation. Pour les encourager à écouter, les inviter à écrire leurs commentaires et à les remettre à l'enseignant ou l'enseignante à la fin de chaque présentation. Préciser que ces commentaires peuvent servir de rétroaction et d'évaluation du travail.

RÉFLEXION

Demander aux élèves de remplir une feuille de réflexion pour s'autoévaluer. Par exemple, les inviter à se servir de la fiche d'activité modèle **26 : Retour sur ta présentation** (*voir* Guide d'enseignement de la littératie). Utiliser la fiche d'évaluation **2 : Grille d'évaluation de la section «À l'œuvre!»** pour évaluer le travail des élèves et fournir une rétroaction. Discuter de l'efficacité de leur présentation. Poser les questions de la section «Faites un retour sur votre travail» (*voir page 253 du manuel*).

Inviter les élèves à écrire une réflexion sur leur travail et leur présentation dans leur journal de bord. Les guider en leur posant des questions telles que les suivantes :

- Qu'avez-vous fait pour bien réussir votre dépliant touristique ?
- Quels conseils donneriez-vous à un ou une élève qui aura cette tâche à faire ?

Faire un retour sur son travail

ÉVALUATION AU SERVICE DE L'APPRENTISSAGE *(voir fiche d'évaluation 1 : Observations continues)*

Observations	Interventions pédagogiques
Noter si les élèves peuvent : • écrire un dépliant touristique ;	Accorder assez de temps aux élèves ayant besoin d'être guidés tout au long de cette tâche. Les inviter à expliquer la tâche à faire afin de s'assurer qu'ils l'ont bien comprise et qu'ils sont sur la bonne voie. Au besoin, travailler avec de petits groupes. Fournir des modèles de dépliants touristiques.
• suivre des directives pour effectuer une tâche.	Modéliser la façon de lire et de suivre les directives pour effectuer une tâche. Discuter des stratégies de dépannage (p. ex. : relire les directives, poser des questions, comparer son travail).

11 Les femmes exploratrices

(manuel, pages 254 à 259)

Apprentissages ciblés
- Utiliser des stratégies de lecture.
- Résumer l'information.
- Exprimer son point de vue par l'écriture ou un jeu de rôle.

Niveau de lecture V-W, DRA 58-60

AVANT

Faire des liens

Survoler le texte et faire des prédictions

Inviter les élèves à survoler le texte et à observer les illustrations, puis leur poser la question de départ (*voir page 254 du manuel*) : Quelles femmes exploratrices connais-tu ? Leur demander de communiquer leurs réponses en dyades avant de les présenter à la classe et, tout en observant les illustrations et en faisant appel à leur imagination, de faire des prédictions sur le texte à lire. Transcrire leurs prédictions dans un tableau collectif. Pour stimuler la réflexion, poser les questions suivantes :

- D'après le titre et les illustrations, quel est le sujet du texte ?
- Selon vous, à qui s'adresse ce texte ?
- Quel était le rôle des femmes à l'époque des premiers explorateurs et des premières exploratrices ? En quoi ce rôle a-t-il changé au XXIe siècle ?
- Vous a-t-on déjà interdit de réaliser quelque chose ? De quoi s'agissait-il et pourquoi ne l'avez-vous pas fait ? Que pensiez-vous de cette situation ?

PENDANT

Réfléchir à la structure des phrases

Inviter les élèves à lire la rubrique **Observe le texte** (*voir page 255 du manuel*). Discuter de l'utilisation de différentes longueurs de phrases.

Rappeler aux élèves que les reportages sont classés en catégories selon le sujet principal. Leur distribuer la fiche d'activité **6 : Le tableau des questions** (*voir aussi fiche d'activité modèle 11 du* Guide d'enseignement de la littératie *ou transparent 11*). Modéliser la façon de remplir la fiche. Encourager les élèves à s'exprimer.

Attribuer une exploratrice à chaque élève. Inviter les élèves à lire leur texte respectif de façon autonome ou en dyades. Former des groupes de spécialistes des différentes exploratrices. Demander à ces groupes de discuter des textes lus, de remplir le tableau et de situer l'expédition sur une carte du Canada.

Demander aux groupes de réfléchir à la façon de présenter leur matériel aux autres équipes.

APRÈS

Réagir au texte

Répartir les élèves en équipes de quatre. Demander aux élèves de faire part de l'information obtenue dans leur groupe de spécialistes et inviter les autres membres de l'équipe à réagir.

En groupe-classe, discuter des questions suivantes :
- Au fil du temps, quels changements les exploratrices ont-elles connus ?
- Quelle exploratrice admirez-vous le plus ? Pourquoi ?

VA PLUS LOIN

1. *Faire un résumé.* Inviter les élèves à raconter l'expédition en se mettant à la place de l'explorateur ou l'exploratrice. Leur demander de s'exercer et de varier le ton de leur voix.

2. *Faire un jeu de rôle.* Demander aux élèves de réfléchir aux différences entre un récit personnel et un reportage. Les inviter à se mettre dans la peau d'un explorateur ou une exploratrice et à s'interroger sur les informations que cette personne fournirait à un ou une journaliste. Poser la question suivante aux élèves : En quoi ces renseignements supplémentaires sur les pensées et les sentiments de cette personne vous aident-ils à parler comme elle ? Modéliser en utilisant une courte section du texte. Inviter les équipes à dire dans quelle mesure le ou la journaliste a réussi à saisir le ton de l'explorateur ou l'exploratrice.

Faire un résumé

**Faire un
jeu de rôle**

ENRICHISSEMENT

Expliquer que certains reportages sont organisés selon une séquence ou un ordre chronologique. Une des façons d'exposer ses idées principales est d'utiliser une ligne du temps. Inviter les élèves à en créer une pour les exploratrices de ce reportage et pour les explorateurs sur lesquels ils ont effectué une recherche. Demander aux groupes d'analyser la ligne du temps pour répondre à la question de départ. Leur proposer de réfléchir aux changements survenus au cours des siècles.

OBSERVATION GRAMMATICALE EN CONTEXTE

Présenter en contexte l'utilisation des déterminants indéfinis.
Demander aux élèves de remplir les fiches d'activités **12 : Les déterminants indéfinis** et **13 : Les synonymes et les antonymes**.

RÉFLEXION

Demander aux élèves de discuter des raisons d'examiner les différents points de vue pendant la lecture ou la rédaction d'un texte en études sociales.

**Réfléchir sur
les points de vue**

ÉVALUATION AU SERVICE DE L'APPRENTISSAGE *(voir fiche d'évaluation 1 : Observations continues)*

Observations	Interventions pédagogiques
Noter si les élèves peuvent : • utiliser des stratégies de lecture ;	Modéliser la façon de faire des liens avec ses connaissances et ses expériences. Inviter les élèves à discuter des stratégies de lecture en petits groupes afin de fournir des pistes aux élèves ayant besoin de soutien.
• résumer l'information ;	Beaucoup d'élèves répètent l'histoire au lieu de résumer l'information. Utiliser l'image de l'entonnoir afin de les aider à visualiser le processus qui consiste à retirer les renseignements non pertinents et répétitifs afin de se concentrer sur quelques idées principales.
• exprimer leur point de vue par l'écriture ou un jeu de rôle.	Présenter aux élèves des scénarios simples et représentatifs de leurs expériences personnelles (p. ex. : répéter le secret qu'un ami nous a confié). Lancer une discussion sur les sentiments et le point de vue de chaque personne dans une telle situation. Demander aux élèves de faire un jeu de rôle à partir de ce scénario, puis de le rédiger.

12 Isabelle Scott vers la Terre de Rupert, juillet 1815

(manuel, pages 260 à 263)

Apprentissages ciblés
- Reconnaître la structure d'un journal personnel.
- Observer l'emploi de mots connotés.
- Lire avec expression.

Niveau de lecture T-U, DRA 50-54

AVANT

Activer ses connaissances

Poser la question de départ *(voir page 260 du manuel)* : Comment un journal personnel peut-il constituer une partie de notre histoire ?

Pour stimuler la discussion, poser les questions suivantes :
- Que connaissez-vous au sujet du journal personnel ?
- Quelles sont les caractéristiques d'un journal personnel ?
- Pourquoi liriez-vous un journal personnel ?
- Quel sera le sujet de cet extrait de journal personnel ? Quels indices vous aident à faire ces prédictions ?

Expliquer aux élèves qu'ils auront à appliquer diverses stratégies en lisant le texte.

> Rappeler aux élèves la structure du journal personnel. Au besoin, relire avec eux la page 199 du manuel. Les inviter à lire la rubrique **Observe le texte** *(voir page 261 du manuel)* et discuter de la question avec les élèves.

PENDANT

Reconnaître la structure d'un journal personnel

Demander aux élèves de lire le titre et d'observer les illustrations de ce journal personnel. En groupe-classe, remplir la fiche d'activité **5 : Le tableau SVA Plus**.

Lire ou faire écouter le texte *(voir coffret audio)*. Privilégier l'utilisation du coffret audio pour les élèves ayant besoin de soutien. Inciter les élèves à réagir au texte en posant des questions telles que les suivantes :
- Comment avez-vous réagi en lisant la première phrase de ce texte ?
- Qui est le personnage principal ? Comment le savez-vous ?
- Pourquoi Isabelle a-t-elle commencé à écrire son journal personnel ?
- Comment pourriez-vous en apprendre davantage sur la Terre de Rupert et le comte de Selkirk ?

APRÈS

Réagir au texte

Amener les élèves à justifier leur appréciation du texte en leur posant les questions suivantes sur les éléments d'écriture :

Les idées :
- Quelles sont les idées importantes présentées dans le texte ?
- Comment l'auteure a-t-elle développé ces idées ?
- Les idées étaient-elles présentées clairement ? Pourquoi ?

La structure et l'organisation :
- Comment l'auteure a-t-elle capté votre attention dans l'introduction ?
- La conclusion était-elle prévisible ? Pourquoi ?
- La structure correspond-elle à celle d'un journal personnel ? Expliquez votre réponse.

Le choix de mots :
- Quels mots l'auteure a-t-elle utilisés pour éviter les répétitions ? Lesquels trouvez-vous intéressants ?
- Est-ce facile de visualiser cette histoire ? Expliquez votre réponse.

La fluidité des phrases :
- Que pensez-vous des dialogues ?
- L'auteure a-t-elle utilisé des phrases de différentes longueurs pour exprimer ses idées ?

Le style et la voix de l'auteure :
- Comment l'auteure a-t-elle maintenu votre intérêt ?

Les conventions linguistiques :
- En quoi la ponctuation est-elle efficace ?

La présentation :
- Quels éléments visuels préférez-vous ?

Demander aux élèves de formuler quelques questions pour vérifier la compréhension d'un ou une camarade.

VA PLUS LOIN

1. *Lire avec expression.* Demander aux élèves de relire le texte et de s'exercer à lire avec expression avant de présenter la partie choisie à un ou une camarade.

2. *Formuler des questions.* Encourager les élèves à formuler des questions plausibles. Au besoin, modéliser vos attentes.

Lire avec expression

Formuler des questions

ENRICHISSEMENT

Demander aux élèves d'écrire un autre extrait du journal d'Isabelle Scott. Au besoin, modéliser les étapes à suivre à l'aide du transparent **37 : Écrire un journal personnel** (*ou affiche de modélisation en écriture 5*).

OBSERVATION GRAMMATICALE

Faire l'activité langagière sur l'enrichissement du vocabulaire (*voir page XIX du présent document*). Demander aux élèves de relever, dans ce texte, le vocabulaire connoté (des mots ou des groupes de mots qui expriment des sentiments, des doutes ou des jugements).
Modéliser la façon de remplir la fiche d'activité **14 : Les comparatifs et les superlatifs**.

RÉFLEXION

Demander aux élèves de répondre à la question suivante : En quoi rédiger un extrait de journal personnel peut-il vous aider à mieux comprendre un personnage ?

Réfléchir sur son apprentissage

ÉVALUATION AU SERVICE DE L'APPRENTISSAGE *(voir fiche d'évaluation 1 : Observations continues)*

Observations	Interventions pédagogiques
Noter si les élèves peuvent : • reconnaître la structure d'un journal personnel ;	Lire et faire écouter des extraits d'un journal personnel pour en dégager la structure.
• observer l'emploi de mots connotés ;	Expliquer que les mots provoquent une réaction différente selon l'expérience et les connaissances des lecteurs et des lectrices. Relever des mots ou des expressions qui expriment des sentiments, des doutes ou des jugements.
• lire avec expression.	Modéliser la façon de lire avec expression.

Niveau de lecture W-X, DRA 60-68

 13

Les incroyables aventures de Champlain

(manuel, pages 264 à 269)

Apprentissages ciblés
- Comparer des formes de texte.
- Utiliser la voix pour raconter et rendre une histoire vivante.

AVANT

Activer ses connaissances

Poser la question de départ (*voir page 264 du manuel*): Comment l'humour peut-il rendre une histoire intéressante?

Présenter le texte aux élèves en les amenant à réfléchir à leurs propres aventures ou à celles qu'ils ont lues ou vues à l'écran. En groupes, leur demander de discuter et de dresser une liste des éléments qui rendent une aventure incroyable.

Prendre quelques minutes pour discuter des idées des élèves. Leur demander de survoler le texte des pages 264 à 269 de leur manuel. Leur poser les questions suivantes:
- De quel genre de texte s'agit-il? (*texte narratif, récit d'aventures fictif*)
- Comment le savez-vous?

Inviter les élèves à deviner les incroyables aventures de Champlain. Attirer leur attention sur les illustrations et leur demander ce qui les amène à prédire le côté humoristique du texte. Leur poser la question suivante: Cela vous donne-t-il envie de poursuivre la lecture?

> Inviter les élèves à lire la rubrique **Observe le texte** (*voir page 265 du manuel*). Leur demander de relever, en petits groupes, les phrases qui donnent l'impression de suivre une conversation. Mettre en commun les phrases et discuter de la présentation du texte.

PENDANT

Lire de manière autonome

Demander aux élèves de lire l'histoire silencieusement. Ensuite, les inviter à l'écouter (*voir coffret audio*) et à vérifier leurs prédictions et leur compréhension.

Demander aux élèves de raconter l'histoire à un ou une camarade avec le plus de détails possible. Inviter l'élève qui écoute à apporter des corrections au besoin et à ajouter les renseignements oubliés. Proposer aux élèves de se reporter au texte si nécessaire. Leur demander ensuite d'inverser les rôles.

Inviter les élèves à utiliser l'organisateur graphique **2: Faire le schéma du récit** (*voir aussi transparent 2 et fiche d'activité modèle 2 du* Guide d'enseignement de la littératie) pour résumer l'histoire. Modéliser la façon de remplir l'organisateur en en complétant une partie, puis demander aux élèves de terminer la tâche individuellement, en les guidant au besoin.

APRÈS

Réagir au texte

Reformer les équipes originales et demander aux élèves de revoir les listes des caractéristiques d'un récit d'aventures. Les inviter ensuite à déterminer, à l'aide du schéma du récit, si les aventures de Champlain sont véritablement incroyables, à énoncer leur décision et à la justifier.

Reposer la question de départ aux élèves et les inviter à discuter des passages humoristiques qui, à leur avis, ont rendu l'histoire plus vivante.

VA PLUS LOIN

1. *Créer une bande dessinée.* Fournir des exemples de bandes dessinées aux élèves. Leur rappeler la terminologie associée à la création d'une bande dessinée. Les inviter à former des groupes pour en créer une et à se demander en quoi le fait de raconter l'histoire sous une autre forme a modifié leur compréhension du texte. Proposer aux élèves qui le désirent de fabriquer une bande dessinée sur l'explorateur ou l'exploratrice de leur choix. Au besoin, leur fournir une variété de ressources. Compiler une liste d'explorateurs et d'exploratrices possibles et l'afficher en classe. Modéliser la façon d'utiliser le schéma de ce texte pour créer une bande dessinée. Demander aux élèves de se servir de cette technique pour leur propre création. Une fois les bandes dessinées terminées, les afficher en classe ou les regrouper dans un recueil sur les explorateurs et les exploratrices.

2. *Participer à un débat.* Présenter aux élèves les règles du débat. Leur accorder du temps pour se préparer.

**Créer une
bande dessinée**

**Participer
à un débat**

ENRICHISSEMENT

Demander aux élèves de trouver les similitudes et les différences entre un reportage et un récit. Utiliser l'organisateur graphique **6 : Comparer** (*voir aussi transparent 6 et fiche d'activité modèle 6 du* Guide d'enseignement de la littératie) pour modéliser la façon de comparer deux textes. Inviter les élèves à faire la comparaison, puis leur poser la question suivante : Le texte « Les incroyables aventures de Champlain » pourrait-il être en réalité un reportage écrit dans un style narratif? Leur demander de justifier leur réponse.

OBSERVATION GRAMMATICALE EN CONTEXTE

Faire observer comment des mots servent d'expansion à une phrase de base pour créer une description intéressante.

Mentionner les marqueurs de relation et les organisateurs textuels qui donnent de la fluidité au texte (p. ex. : *parce que, car, donc, en effet, ainsi, de plus, ensuite, cependant* et *puis*).

Revoir avec les élèves l'accord du verbe avec son sujet (p. ex. : avec un nom collectif comme dans la phrase : « Le peuple d'Iroquet ne semblait pas convaincu de l'honnêteté de Champlain. »).

RÉFLEXION

Demander aux élèves de noter dans leur journal de bord en quoi le fait de lire puis de raconter l'histoire les a aidés à développer la fluidité de leur expression orale.

**Réfléchir
aux stratégies
de lecture**

ÉVALUATION AU SERVICE DE L'APPRENTISSAGE *(voir fiche d'évaluation 1 : Observations continues)*

Observations	Interventions pédagogiques
Noter si les élèves peuvent : • comparer des formes de texte ;	Sélectionner un livre de fiction sur le même sujet (p. ex. : un événement historique). Souligner les différences entre l'histoire choisie et celle de la présente leçon en invitant les élèves à lire le titre et à regarder l'image de la page couverture. Les amener ensuite à examiner les indices textuels pour déterminer la forme du texte.
• utiliser la voix pour raconter et rendre une histoire vivante.	Discuter individuellement avec les élèves et leur demander : • de vous montrer un endroit dans leur ouvrage où la voix est évidente et d'en souligner un autre ; • de vous montrer un endroit où il serait possible d'ajouter une voix et d'expliquer une façon de le faire.

14 À ton tour!

(manuel, page 270)

Apprentissages ciblés
- Rédiger un extrait d'un journal personnel.
- Réfléchir et se fixer des objectifs.

AVANT

Présenter et modéliser la tâche finale

Revoir avec les élèves ce qu'ils ont appris sur la structure du journal personnel. Lire avec eux les consignes de la page 270. Leur expliquer leur tâche qui consiste à écrire une page du journal personnel d'un personnage historique de leur choix. Faire un remue-méninges concernant les différentes tâches à accomplir :

- rédiger le journal ;
- présenter le journal.

PENDANT

Planifier son travail

Aider les élèves à planifier leur travail et à élaborer un plan de rédaction. À l'aide du transparent **37 : Écrire un journal personnel** (*ou affiche de modélisation en écriture 5*), leur rappeler les étapes à suivre pour écrire un journal personnel. Distribuer la fiche d'activité **7 : Planifie la rédaction d'un extrait du journal d'un personnage historique** et inviter les élèves à l'utiliser pour planifier leur travail. Les encourager à se servir des extraits de journal personnel qu'ils ont lus pour réaliser cette tâche.

Demander aux élèves d'écrire un paragraphe d'introduction pour présenter le contexte de leur journal personnel. Les inviter à lire la rubrique **Quelques conseils** (*voir page 270 du manuel*) avant de commencer leur travail.

APRÈS

Présenter le journal personnel d'un personnage historique

Demander aux élèves de présenter leur extrait de journal personnel. Noter les observations sur certains élèves en utilisant la fiche d'évaluation **3 : À ton tour !** Au cours d'entrevues individuelles, amener les élèves à déterminer leurs forces concernant la création et la présentation de leur travail, et leurs points à améliorer.

OBSERVATION GRAMMATICALE EN CONTEXTE

Rappeler aux élèves l'importance d'accorder en genre et en nombre le noyau dans le groupe nominal, ainsi que ses expansions.

Pendant l'étape de la révision du texte, revoir avec les élèves les manipulations linguistiques pour varier les structures des phrases (addition, déplacement, effacement, encadrement et remplacement).

Préciser de nouveau que les comparaisons, les métaphores et les expressions figurées permettent aux lecteurs et aux lectrices de mieux visualiser le texte. Encourager les élèves à réutiliser les expressions apprises pendant la lecture des textes de ce module.

RÉFLEXION

Inviter les élèves à réfléchir à leur travail et à décrire leur expérience dans leur journal de bord. Leur poser les questions suivantes : Quelle tâche avez-vous trouvée facile ? Laquelle avez-vous trouvée difficile ? Demander aux élèves de se fixer des objectifs pour leur prochain travail d'écriture de journal personnel ou de récit historique.

ÉVALUATION AU SERVICE DE L'APPRENTISSAGE *(voir fiche d'évaluation 1 : Observations continues)*

Observations	Interventions pédagogiques
Noter si les élèves peuvent : • rédiger un extrait d'un journal personnel ;	Aux élèves ayant de la difficulté à avoir des idées, fournir des livres sur des personnages historiques susceptibles de les intéresser.
• réfléchir et se fixer des objectifs.	Aider les élèves à choisir un exemple de travail correspondant aux objectifs à atteindre. Les guider en donnant des conseils. Poser des questions qui incitent à la réflexion.

15 Ton portfolio : Gros plan sur tes apprentissages

Apprentissages ciblés
- Sélectionner les éléments destinés au portfolio.
- Réfléchir à ses apprentissages et en discuter.

(manuel, page 271)

AVANT

Revoir les apprentissages

Former de petits groupes et demander à chacun d'inscrire les apprentissages importants réalisés au cours du module, par exemple, dans un tableau, une liste, un diagramme. Suggérer de regrouper les éléments en différentes catégories : des structures (d'un journal personnel, d'un récit); des moyens d'expression (communication orale, lecture, écriture, littératie médiatique); de l'information; des habiletés et des stratégies; des productions.

Une fois ce travail terminé, demander à chaque groupe de déterminer les deux ou trois apprentissages les plus importants parmi tous ceux qu'il a notés. Au cours d'une mise en commun, discuter de ces choix. Afficher les tableaux (listes, diagrammes, etc.) pour permettre aux élèves de les consulter pendant qu'ils feront le retour sur leur travail dans ce module.

Rassembler les travaux

Demander aux élèves de rassembler tous les travaux réalisés au cours du module.

PENDANT

Revoir les objectifs d'apprentissage

Lire les consignes de la page 271 du manuel avec les élèves, puis les inviter à noter leurs observations dans leur journal de bord ou sur la fiche d'évaluation **4 : Gros plan sur tes apprentissages**.

Revoir avec les élèves les objectifs d'apprentissage présentés au début du module (*voir page 228 du manuel*) et ceux qu'ils ont écrits dans leurs mots, en les mettant en parallèle avec les tableaux (listes, diagrammes, etc.) réalisés au début de cette leçon. Réunir ensuite les élèves en dyades afin de les laisser choisir parmi les travaux qu'ils ont rassemblés.

Choisir les travaux et parler de ses choix

Aider les élèves à faire leurs choix, à en discuter et à noter leurs réflexions. Leur rappeler de faire ces choix de manière réfléchie et de donner des exemples précis lorsqu'ils les justifient.

APRÈS

Former des groupes de quatre en réunissant deux dyades. À tour de rôle, chaque élève présente ses choix et les justifie. Pendant ce temps, observer un ou deux groupes plus attentivement ou mener des entrevues individuelles avec quelques élèves.

RÉFLEXION

Répondre individuellement

Lorsque les élèves ont terminé la présentation de leurs choix à leur équipe, leur demander de répondre individuellement aux trois questions de la rubrique **Réfléchis** (*voir page 271 du manuel*), soit dans le cadre d'une entrevue individuelle, soit en remettant à l'enseignant ou l'enseignante la fiche d'évaluation **4 : Gros plan sur tes apprentissages**, soit dans le journal de bord dans lequel ils auront noté leurs choix de travaux et justifications.

TÂCHE D'ÉVALUATION DE LA COMPRÉHENSION EN LECTURE

Une tâche d'évaluation de la compréhension en lecture est proposée pour clore ce module (*voir fascicule* Évaluation de la compréhension en lecture). Elle est constituée d'un texte et d'un questionnaire qui visent à vérifier le niveau de compréhension des élèves et à évaluer leurs progrès en lecture. Deux versions du texte sont proposées, chacune correspondant à un niveau de difficulté. Cette tâche d'évaluation peut être donnée à n'importe quel moment après l'exploitation des textes de lecture guidée.

BILAN DES APPRENTISSAGES

Revoir la page VI du présent document pour faire le point sur les apprentissages des élèves. Recueillir des données reliées à la communication orale, à la lecture, à l'écriture et à la littératie médiatique. Les données pour l'évaluation peuvent être recueillies parmi les éléments suivants :

Prendre en considération les différents domaines de la littératie

- le journal de bord des élèves et les autres traces de leurs réflexions;
- les réponses aux questions des rubriques du manuel (p. ex.: **Va plus loin**);
- les productions écrites;
- les productions médiatiques ou technologiques;
- les observations notées en cours d'apprentissage (p. ex.: avec la fiche d'évaluation **1**: **Observations continues**);
- les tâches des différentes sections du manuel (p. ex.: **À l'œuvre!**);
- la tâche d'évaluation de la compréhension en lecture en fin de module.

Les outils d'évaluation tels que la fiche d'évaluation **1**: **Observations continues** et la fiche d'évaluation **5**: **Grille d'évaluation du module** garantissent une évaluation qui repose sur des observations en lien direct avec les objectifs d'apprentissage du module. Joindre aux dossiers des élèves divers éléments probants, ainsi que des notes anecdotiques afin de mieux planifier les entrevues avec eux, individuellement ou en groupes. S'assurer que tous les travaux portent la date de réalisation.

Faire le bilan des apprentissages

Utiliser la fiche d'évaluation **6**: **Bilan des apprentissages** pour préparer les communications aux parents ou aux tuteurs, et fournir des rétroactions précises et utiles aux élèves.

FICHE D'ACTIVITÉ

1

MODULE 6

Lettre à l'intention des parents

Chers parents,
Cher tuteur, chère tutrice,

Dans le présent module intitulé Le Canada, notre héritage, *les élèves liront et écriront des dépliants touristiques. Ils écouteront et liront également une variété de textes dont des reportages, des vignettes, une chanson, un extrait d'un journal personnel et un récit d'aventures.*

Vous êtes invités à accompagner votre enfant dans son apprentissage de différentes manières. Par exemple, vous pouvez :

- *lui demander de parler des textes lus en classe sur les explorateurs et les exploratrices ;*
- *discuter des explorateurs et des exploratrices d'autrefois et d'aujourd'hui ;*
- *chercher, en sa compagnie, dans Internet, dans des journaux ou des magazines, des images ou des textes qui illustrent des aventures d'explorateurs et d'exploratrices actuels ;*
- *discuter de la valeur historique d'un journal personnel.*

À la fin du module, les élèves montreront ce qu'ils ont appris en écrivant un extrait du journal personnel d'un personnage historique de leur choix. Ils appliqueront ainsi les stratégies apprises en lecture, en écriture, en communication orale et en littératie médiatique.

Vous pouvez soutenir votre enfant dans son apprentissage en discutant du sujet du module ou en l'amenant à vous parler des habiletés et des stratégies mises en application en classe.

C'est avec plaisir que nous entreprenons ce module.

L'enseignant ou l'enseignante

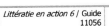
Littératie en action 6 / Guide
11056
Cette fiche accompagne la leçon 1 du guide d'enseignement.
43

Home Connection Letter

Dear Parents and Caregivers:

We are starting a new unit called Le Canada, notre héritage. *In this unit, students read and write about the early exploration of Canada. Furthermore, they read a variety of texts, among other, tourist pamphlets, reports, labels explaining origin of names for places in Canada, a song, a personal journal entry and an adventure story.*

You are invited to be part of our unit in a variety of ways. For example:

- *Invite your child to talk about explorers we have read and talked about at school.*

- *Talk about explorers who lived long ago and today.*

- *Look through newspapers and magazines together for stories that deal with explorers of today.*

- *Talk about the historical value of a personal journal entry.*

At the end of the unit, students will show what they have learned by writing a journal entry for an historical figure of their choice. They will use reading, writing, oral, and media skills and strategies to complete this task.

You can support the learning goals for this unit at home by discussing the unit topic, as well as the unit skills and strategies presented in this unit.

We're looking forward to an exciting unit!

Sincerely,

Teacher

Nom : _____ Date : _____

Un survol du module

Survole le module *Le Canada, notre héritage*, note les éléments suivants et réponds aux questions.

1. Trouve un titre qui t'intéresse. Pourquoi ce titre capte-t-il ton attention?

_____

_____

_____

2. Trouve une chose que tu connais ou que tu as l'impression de connaître. Qu'est-ce que cela te rappelle?

_____

_____

_____

3. Trouve une photo que tu aimes. Pourquoi l'aimes-tu?

_____

_____

_____

4. Trouve un texte qui te semble intéressant à lire ou une activité qui te paraît intéressante à faire. Explique ton choix.

_____

_____

_____

5. Lis les objectifs d'apprentissage de la page 228 du manuel. Lequel te semble le plus facile à atteindre? Explique pourquoi.

_____

_____

_____

_____

Littératie en action 6 | Guide
11056
Cette fiche accompagne la leçon 1 du guide d'enseignement.
45

*Utilise tes connaissances, détermine ce qui est important
et fais un résumé*

1. **a)** Survole le texte et écris ce que tu connais déjà sur les sites historiques canadiens.

_____

_____

_____

b) Comment ces connaissances pourraient-elles t'aider à mieux comprendre le texte ?

_____

_____

_____

2. Lis le texte et détermine ce qui est important. Présente les renseignements dans l'organisateur graphique de la page suivante. Suis la démarche proposée.

- Dans la première case, écris le titre du texte.
- Dans les quatre autres cases, note les renseignements importants qui pourraient te servir à résumer le texte.

3. Résume le texte à l'aide des renseignements que tu as notés dans l'organisateur graphique au numéro 2.

_____

_____

_____

_____

_____

_____

_____

_____

_____

_____

Nom : _____   Date : _____

Utilise tes connaissances, détermine ce qui est important et fais un résumé (suite)

Organisateur graphique

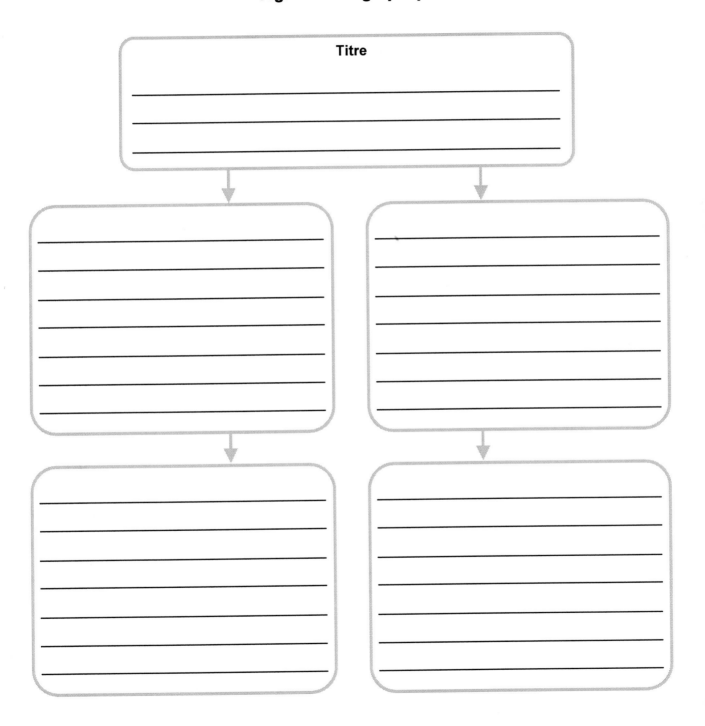

Littératie en action 6 | Guide
11056
Cette fiche accompagne les leçons 3 et 4 du guide d'enseignement.
47

FICHE D'ACTIVITÉ

4

MODULE 6

Compare la structure de différents textes

À l'aide de l'organisateur graphique ci-dessous, compare la structure du dépliant touristique avec celle de l'affiche publicitaire. En quoi sont-elles semblables ? En quoi sont-elles différentes ?

Je compare

	et	

Ce qui est semblable

_____
_____
_____
_____
_____

Ce qui est différent

Cette fiche accompagne la leçon 6 du guide d'enseignement.

Littératie en action 6 | Guide
11056

Nom : _____ Date : _____

Le tableau SVA Plus

S	V	A
Ce que tu sais :	Ce que tu veux savoir :	Ce que tu as appris :

PLUS

Où je vais trouver l'information :

Littératie en action 6 / Guide
11056
Cette fiche accompagne les leçons 7 et 12 du guide d'enseignement.
49

Nom : _____   Date : _____

Le tableau des questions

Qui ?	
Quoi ?	
Où ?	
Quand ?	
Pourquoi ?	
Comment ?	
Les idées secondaires intéressantes (mots)	
Les idées secondaires intéressantes (photos)	

FICHE D'ACTIVITÉ
7
MODULE 6

Planifie la rédaction d'un extrait du journal personnel
d'un personnage historique

Le sujet

Quel personnage historique
as-tu choisi?

_____
_____

Pourquoi ce personnage
t'intéresse-t-il?

_____
_____
_____

Les destinataires

Qui sont tes destinataires?

_____
_____

L'intention

Qu'aimerais-tu que
tes destinataires
apprennent et
pensent au sujet
de ce personnage
historique?

_____
_____
_____
_____

Les renseignements

Quels renseignements
présenteras-tu dans
l'extrait de ce journal?

_____
_____
_____
_____
_____

**La présentation
de l'information**

Quels éléments visuels
pourrais-tu utiliser pour
accompagner ton texte?

_____
_____
_____

FICHE D'ACTIVITÉ
8
MODULE 6

Le plus-que-parfait de l'indicatif et le présent du subjonctif

Réfléchis

- Quels temps de conjugaison connais-tu ?
- Ces temps de conjugaison sont-ils des temps simples ou des temps composés ?
- Quelles sont les terminaisons d'un verbe à l'imparfait ?
- Comment dois-tu conjuguer le verbe *faire* dans la phrase suivante ?

  Tu veux que je _____ mes devoirs.

Observe

> - *Toute la matinée, Edward <u>avait travaillé</u> dans la forêt avec son père.*
> - *Avant de trouver l'astrolabe, ils <u>avaient coupé</u> les troncs en rondins près du ruisseau.*
> - *Si Edward et son père <u>avaient su</u>, ils n'auraient pas donné l'astrolabe au capitaine.*

a) À quel temps l'auxiliaire *avoir* est-il conjugué dans les verbes soulignés ci-dessus ?

b) Ces verbes sont-ils conjugués à un temps simple ou à un temps composé ?

c) Ces verbes expriment-ils une action dans le présent, dans le passé ou dans le futur ? Explique ta réponse.

d) Explique, dans tes mots, comment tu peux former le temps de conjugaison de chacun des verbes soulignés ci-dessus.

> - *Il faut que tu <u>saches</u> que cet astrolabe est très précieux.*
> - *Nous souhaitons que cet astrolabe <u>soit</u> celui de Champlain.*
> - *Ils l'ont montré au capitaine pour qu'il leur <u>dise</u> ce qu'il en pense.*

e) D'après toi, les verbes soulignés ci-dessus expriment-ils une intention, un souhait ou une obligation ? Explique ta réponse.

Nom : _____ Date : _____

Le plus-que-parfait de l'indicatif et le présent du subjonctif (*suite*)

Consulte la règle

LE PLUS-QUE-PARFAIT DE L'INDICATIF

Le **plus-que-parfait** sert à exprimer une première action qui se déroule **avant** une deuxième action, dans le passé. On forme le plus-que-parfait avec l'**auxiliaire *avoir*** ou ***être*** conjugué à l'imparfait suivi du **participe passé du verbe**.

> *Exemples:* Champlain **avait passé** trois ans en Acadie avant de fonder Québec en 1608.
>
> Quelques années plus tôt, entre 1603 et 1607, il **avait fondé** Sainte-Croix et Port-Royal.

LE PRÉSENT DU SUBJONCTIF

Le **présent du subjonctif** sert habituellement à exprimer une intention, un souhait ou une obligation, c'est-à-dire une action possible à laquelle une personne pense.

> *Exemples:* Il faut que tu **apprennes** à reconnaître un astrolabe.
>
> Le Roi voulait que Champlain **dessine** des cartes du Canada.
>
> Bien qu'il **soit** très connu, Champlain reste un personnage assez mystérieux.

Pour conjuguer un verbe au présent du subjonctif, on place les **terminaisons** après le radical du verbe, comme dans les exemples du tableau suivant.

Description	Radicaux	Terminaisons du présent du subjonctif	Conjugaison du présent du subjonctif
Verbes réguliers en **-er** comme *aimer*	aim-	-e -es -e -ions -iez -ent	Il faut que j'*aime*, que tu *aimes*, qu'il ou qu'elle *aime*, que nous *aimions*, que vous *aimiez*, qu'ils ou qu'elles *aiment*.
Verbes réguliers en **-ir** comme *finir*	finiss-		Il faut que je *finisse*, que tu *finisses*, qu'il ou qu'elle *finisse*, que nous *finissions*, que vous *finissiez*, qu'ils ou qu'elles *finissent*.
Faire	fass-		Il faut que je *fasse*, que tu *fasses*, qu'il ou qu'elle *fasse*, que nous *fassions*, que vous *fassiez*, qu'ils ou qu'elles *fassent*.
Dire	dis-		Il faut que je *dise*, que tu *dises*, qu'il ou qu'elle *dise*, que nous *disions*, que vous *disiez*, qu'ils ou qu'elles *disent*.
Savoir	sach-		Il faut que je *sache*, que tu *saches*, qu'il ou qu'elle *sache*, que nous *sachions*, que vous *sachiez*, qu'ils ou qu'elles *sachent*.
Prendre	prenn- pren-		Il faut que je *prenne*, que tu *prennes*, qu'il ou qu'elle *prenne*, que nous *prenions*, que vous *preniez*, qu'ils ou qu'elles *prennent*.
Vouloir	veuill- voul-		Il faut que je *veuille*, que tu *veuilles*, qu'il ou qu'elle *veuille*, que nous *voulions*, que vous *vouliez*, qu'ils ou qu'elles *veuillent*.
Être	soi- soy-	-s, -s, -t, -ons, -ez, -ent	Il faut que je *sois*, que tu *sois*, qu'il ou qu'elle *soit*, que nous *soyons*, que vous *soyez*, qu'ils ou qu'elles *soient*.
Avoir	ai- ay-	-e, -es, -t, -ons, -ez, -ent	Il faut que j'*aie*, que tu *aies*, qu'il ou qu'elle *ait*, que nous *ayons*, que vous *ayez*, qu'ils ou qu'elles *aient*.

FICHE D'ACTIVITÉ

8

MODULE 6

Le plus-que-parfait de l'indicatif et le présent du subjonctif (suite)

Exerce-toi

1. Dans chaque phrase, conjugue le verbe à l'infinitif au plus-que-parfait de l'indicatif. Pour t'aider, consulte des tableaux de conjugaison.

a) Ce matin-là, mon père et moi _____ un objet ancien que nous avons
(trouver)

vendu par la suite.

b) Il _____ une pièce de monnaie au cours de la matinée.
(trouver)

c) Mon grand-père _____ cette histoire qu'il désirait publier.
(imaginer)

d) Nous _____ des personnages héroïques avant d'écrire notre scénario.
(imaginer)

e) Si j'_____ plus tôt, je n'aurais pas découvert ce drôle d'instrument.
(partir)

f) Vous _____ depuis deux jours quand vous avez décidé de revenir.
(partir)

g) Quelques jours avant ton départ, tu _____ me montrer ton astrolabe.
(venir)

h) Ma voisine et moi _____ vous emprunter un atlas de cartes anciennes.
(venir)

FICHE D'ACTIVITÉ

8

MODULE 6

Le plus-que-parfait de l'indicatif et le présent du subjonctif (*suite*)

Exerce-toi (*suite*)

2. Dans chaque phrase, conjugue le verbe à l'infinitif au présent du subjonctif. Pour t'aider, consulte des tableaux de conjugaison.

a) Il faut que nous _____ toute la journée pour atteindre notre destination.
(marcher)

b) Ils veulent que tu _____ pour te rendre au musée.
(marcher)

c) Nous souhaitons que les marins _____ s'absenter quelques heures
(pouvoir)
de leur poste.

d) J'aimerais que tu _____ me dévoiler l'endroit où se cache le trésor.
(pouvoir)

e) Ma sœur veut que je lui _____ une histoire dont l'action se déroule
(écrire)
à l'époque de Champlain.

f) Tous croyaient que vous _____ des récits d'aventures.
(écrire)

g) Les missionnaires souhaitaient que le jeune Amérindien _____.
(guérir)

h) Bien que nous _____ rapidement, ma mère nous épargnait
(guérir)
des travaux de la ferme.

FICHE D'ACTIVITÉ
9
MODULE 6

L'accord du verbe et la conjugaison

Réfléchis

- Quels temps de conjugaison expriment une action qui se déroule dans le présent ? dans le passé ? dans le futur ?

- Comment se nomme le groupe de lettres qui varie à la fin d'un verbe conjugué ? Pourquoi ces lettres varient-elles ?

Observe

> - *Le navigateur Roald Amundsen et son équipage ont traversé le Passage du Nord-Ouest.*
>
> - *Avant Amundsen, personne n'avait réussi à traverser ce passage.*
>
> - *Une bonne dose de courage était nécessaire pour faire cette expédition.*
>
> - *Il fallait que ces explorateurs soient très courageux pour tenter cette traversée.*
>
> - *À cause de la glace, peu de bateaux auront pu traverser le Passage du Nord-Ouest.*

a) Dans les phrases ci-dessus, quels sont les verbes conjugués ? Sont-ils formés à l'aide d'un auxiliaire (*avoir* ou *être*) ?

b) À quel temps chaque verbe est-il conjugué ?

c) Dans ces phrases, quel est le sujet de chaque verbe ? S'agit-il d'un pronom ou d'un groupe nominal ?

d) Dans tes mots et à l'aide d'un exemple, explique comment la dernière partie d'un verbe conjugué change selon la personne, le nombre et le temps de conjugaison.

L'accord du verbe et la conjugaison (*suite*)

Consulte la règle

On accorde le **verbe** avec le sujet. La **terminaison du verbe** varie selon **la personne** (1re, 2e ou 3e pers.) et **le nombre** (singulier ou pluriel) du sujet. Les exemples suivants montrent la règle générale et les cas particuliers de l'accord du verbe avec le sujet.

La règle générale de l'accord du verbe avec le sujet	
Si le sujet est un **pronom personnel**, le verbe reçoit la personne et le nombre de ce pronom.	Pronom sujet (3e pers. plur.) **Ils ont** cherché le Passage du Nord-Ouest.
Si le sujet est un **groupe nominal**, le verbe reçoit la 3e personne et le nombre (singulier ou pluriel) du **nom noyau** du groupe nominal sujet.	Groupe nominal (3e pers. plur.) Les premiers **explorateurs** cherch**aient** le Passage du Nord-Ouest.
Les cas particuliers de l'accord du verbe avec le sujet	
Si le sujet est formé de **plusieurs pronoms sujets** ou encore d'un **groupe nominal et d'un pronom sujet**, on doit mettre le verbe **au pluriel et à la personne** qui a la priorité en appliquant la règle suivante : la 1re personne a toujours la priorité sur la 2e personne, la 2e personne a toujours la priorité sur la 3e personne.	Nous **Vous et moi** ne connaiss**ons** pas ces explorateurs. Vous Ton **frère et toi** ne connaiss**ez** pas ces explorateurs.
Si le sujet est formé de **plusieurs groupes nominaux**, le verbe reçoit la 3e personne du pluriel.	Groupes nominaux (3e pers. plur.) **Martin Frobisher** et d'autres **explorateurs ont** dessiné des cartes du Grand Nord canadien.
Si le sujet est un **groupe verbal infinitif**, le verbe reçoit la 3e personne du singulier.	Groupe verbal infinitif (3e pers. sing.) **Trouver** le passage du Nord-Ouest **était** difficile.
Si le sujet est *chacun/chacune*, *aucun/aucune*, *personne*, *rien*, *tout* ou *tout le monde* ou *chaque* + *un nom*, le verbe reçoit la 3e personne du singulier.	3e pers. sing. **Tout le monde** admir**e** les grands explorateurs.

FICHE D'ACTIVITÉ
9
MODULE 6

L'accord du verbe et la conjugaison (*suite*)

Consulte la règle (*suite*)

Les cas particuliers de l'accord du verbe avec le sujet (*suite*)	
Si le sujet est **plusieurs** + *un nom*, **la plupart de** + *un nom*, ou que le sujet est **beaucoup**, **certains**, **quelques-uns**, **la plupart** ou **plusieurs**, le verbe reçoit la 3ᵉ personne du pluriel.	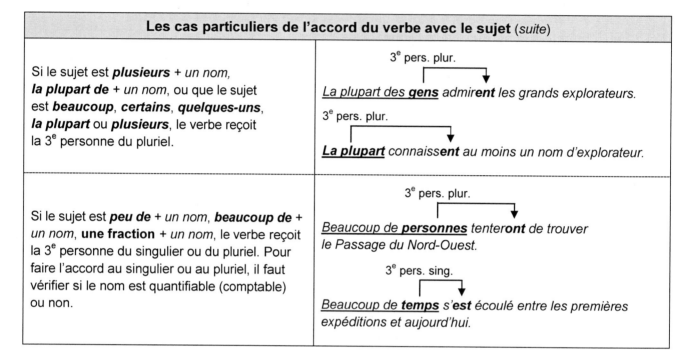 3ᵉ pers. plur. La plupart des **gens** admir**ent** les grands explorateurs. 3ᵉ pers. plur. **La plupart** connaiss**ent** au moins un nom d'explorateur.
Si le sujet est **peu de** + *un nom*, **beaucoup de** + *un nom*, **une fraction** + *un nom*, le verbe reçoit la 3ᵉ personne du singulier ou du pluriel. Pour faire l'accord au singulier ou au pluriel, il faut vérifier si le nom est quantifiable (comptable) ou non.	3ᵉ pers. plur. Beaucoup de **personnes** tenter**ont** de trouver le Passage du Nord-Ouest. 3ᵉ pers. sing. Beaucoup de **temps** s'**est** écoulé entre les premières expéditions et aujourd'hui.

LES TEMPS ET LES TERMINAISONS DES VERBES

Temps des verbes	Exemples	Terminaisons		
INFINITIF				
Les **verbes à l'infinitif** ne sont pas conjugués. On trouve des verbes à l'infinitif dans de nombreuses phrases.	Nous aimons <u>découvrir</u> la vie des explorateurs. <u>Explorer</u> le Passage du Nord-Ouest devait <u>être</u> dangereux.	**-er** (ex. : aim**er**) **-ir** (ex. : fin**ir**) **-oir** (ex. : pouv**oir**) **-re** (ex. : prend**re**, écri**re**)		
PRÉSENT DE L'INDICATIF				
Le **présent de l'indicatif** (ou *présent*) sert à exprimer une action qui se déroule dans le présent.	Nous <u>aim**ons**</u> lire les aventures des explorateurs. Ils <u>découvr**ent**</u> de nouveaux territoires.		Sing.	Plur.
		1ʳᵉ pers.	**-e, -is, -s, -x**	**-ons**
		2ᵉ pers.	**-es, -is, -s, -x**	**-ez**
		3ᵉ pers.	**-e, -it, -t, -d**	**-ent**
PASSÉ COMPOSÉ				
Le **passé composé** sert à exprimer une action qui se déroule dans le passé. On le forme avec l'**auxiliaire avoir ou être** (au présent de l'indicatif) et le **participe passé du verbe**.	Hier, j'<u>**ai** terminé</u> ma recherche sur Amundsen. Ce matin, elle <u>**est** arrivée</u> tôt à l'école.	**-é, -ée, -és, -ées** (ex. : aim**ée**) **-i, -ie, -is, -ies** (ex. : fin**ies**) **-s, -e, -s, -es** (ex. : pri**se**) **-u, -ue, -us, -ues** (ex. : rel**us**) **-t, -te, -ts, -tes** (ex. : écri**tes**)		

FICHE D'ACTIVITÉ
9
MODULE 6

L'accord du verbe et la conjugaison (suite)

Consulte la règle (suite)

Temps des verbes (suite)	Exemples	Terminaisons
IMPARFAIT		
L'**imparfait** sert à exprimer une action qui se déroule dans le passé. Il sert aussi à exprimer une supposition après un **si**.	*Avant, les explorateurs* <u>*naviguaient*</u> *pendant des mois.* *Si tu le* <u>*voulais*</u>*, tu le pourrais.* *Tout à l'heure, je* <u>*finissais*</u> *mon projet.*	Sing. Plur. 1re pers. **-ais** **-ions** 2e pers. **-ais** **-iez** 3e pers. **-ait** **-aient**
PLUS-QUE-PARFAIT		
Le **plus-que-parfait** sert à exprimer une première action qui se déroule avant une deuxième action, dans le passé. Il sert aussi à exprimer une supposition après un **si**. On le forme avec l'**auxiliaire *avoir* ou *être*** (à l'imparfait) et le **participe passé du verbe**.	*Mon ami* <u>*avait*</u> *terminé sa recherche quand j'ai commencé la mienne.* *Si j'*<u>*avais*</u> *terminé avant lui, j'aurais pu l'aider.*	*Voir les terminaisons des participes passés utilisés pour former le* ***passé composé***.
FUTUR SIMPLE		
Le **futur simple** sert à exprimer une action qui se déroule dans le futur.	*Demain, nous* <u>*terminerons*</u> *notre projet en histoire.* *Nous* <u>*finirons*</u> *notre document de présentation.*	Sing. Plur. 1re pers. **-(e)rai** **-(e)rons** 2e pers. **-(e)ras** **-(e)rez** 3e pers. **-(e)ra** **-(e)ront**
FUTUR ANTÉRIEUR		
Le **futur antérieur** sert à exprimer une première action qui se déroule avant une deuxième action, dans le futur. On le forme avec l'**auxiliaire *avoir* ou *être*** (au futur simple) et le **participe passé du verbe**.	*Lorsque vous* <u>*aurez*</u> *terminé votre projet sur les explorateurs, vous pourrez le présenter en classe.* *Tu pourras présenter ton projet lorsque tu* <u>*auras*</u> *terminé ton travail.*	*Voir les terminaisons des participes passés utilisés pour former le* ***passé composé***.
PRÉSENT DE L'IMPÉRATIF		
Le **présent de l'impératif** sert à exprimer un ordre, un conseil ou une demande. **Il n'a pas de sujet.** On conjugue l'impératif seulement à la 2e personne du singulier, et aux 1re et 2e personnes du pluriel.	<u>*Rentre*</u> *en classe.* <u>*Prends*</u> *ton crayon.* <u>*Allons*</u>*-y ensemble.* <u>*Rangez*</u> *vos livres et vos sacs.*	2e pers. sing. **-e, -is, -s** 1re pers. plur. **-ons** 2e pers. plur. **-ez**

Nom : _____   Date : _____

L'accord du verbe et la conjugaison (suite)

Consulte la règle (suite)

Temps des verbes (*suite*)	Exemples	Terminaisons		
CONDITIONNEL PRÉSENT				
Le **conditionnel présent** sert à exprimer une action future qui est incertaine ou une action future qui dépend d'une condition.	*Plus tard, j'aim**erais** faire le tour du monde.* *Si tu le voulais, tu le pour**rais**.*		Sing.	Plur.
		1re pers.	*-(e)rais*	*-(e)rions*
		2e pers.	*-(e)rais*	*-(e)riez*
		3e pers.	*-(e)rait*	*-(e)raient*
PRÉSENT DU SUBJONCTIF				
Le **présent du subjonctif** sert généralement à exprimer une intention, un souhait ou encore une obligation, c'est-à-dire une action possible à laquelle pense une personne.	*Il faut que je fini**sse** mon projet avant la fin de semaine.* *Mon enseignant veut que j'écriv**e** mon projet à l'aide de l'ordinateur.*		Sing.	Plur.
		1re pers.	*-e*	*-ions*
		2e pers.	*-es*	*-iez*
		3e pers.	*-e*	*-ent*

Exerce-toi

1. Une seule phrase contient un verbe conjugué au plus-que-parfait de l'indicatif. Entoure ce verbe.

   a) Quand tu auras payé le marchand, tu feras d'autres provisions.

   b) Avant de faire d'autres provisions, vous avez payé le marchand.

   c) J'avais payé le marchand avant de faire d'autres provisions.

2. Une seule phrase contient un verbe conjugué au présent du subjonctif. Entoure ce verbe.

   a) Nous savons que vous regardez principalement des films d'aventures.

   b) Nous pensions que vous regardiez principalement des films d'aventures.

   c) Nous pensions que vous regarderiez principalement des films d'aventures.

3. Conjugue les verbes suivants aux temps demandés. Pour t'aider, consulte des tableaux de conjugaison.

   a) Les exploratrices _____ toutes les chances de leur côté.
   mettre (futur simple)

FICHE D'ACTIVITÉ

9

MODULE 6

L'accord du verbe et la conjugaison (*suite*)

Exerce-toi (*suite*)

b) Le capitaine _____ son astrolabe toute la journée.
chercher (plus-que-parfait)

c) Mon frère et moi _____ une série sur les voyages de Champlain.
produire (présent de l'indicatif)

d) Nous _____ trois épisodes quand tu te joindras à nous.
écrire (futur antérieur)

e) _____ des éléments visuels.
discuter (présent de l'impératif, 1re pers. plur.)

f) Que nous le _____ ou non importe peu.
savoir (présent du subjonctif)

g) Tu _____ à la réunion si tu n'étais pas enrhumé.
venir (conditionnel présent)

h) Vous _____ trop tard.
arriver (passé composé)

i) _____ votre recherche aujourd'hui.
finir (présent de l'impératif, 2e pers. plur.)

j) Tu _____ une toile quand je t'ai aperçue.
peindre (imparfait)

k) J'_____ de bons résultats quand je m'applique.
obtenir (présent de l'indicatif)

l) Je _____ dans un petit village au bord de la mer.
naître (passé composé)

m) Mes amis _____ leurs devoirs quand ils viendront chez moi.
faire (futur antérieur)

n) Mes parents et moi _____ le train avant de prendre l'autobus.
prendre (plus-que-parfait)

o) Il fallait que Champlain _____ les étoiles pour naviguer la nuit.
connaître (présent du subjonctif)

L'accord du verbe et la conjugaison (suite)

Exerce-toi (suite)

4. Dans les phrases ci-dessous, souligne les sujets et encadre les pronoms ou les noms noyaux qui permettent d'accorder le verbe.

Accorde ensuite le verbe avec le ou les sujets en le conjuguant au temps demandé. Laisse des traces de ton accord, comme dans l'exemple.

(Ils) 3ᵉ pers. plur.

Exemple : Les premiers | explorateurs | et | Amundsen | cherchaient
                                                                    chercher (imparfait)

une voie maritime dans le Grand Nord.

a) Son équipage et lui _____ le Passage du Nord-Ouest.
                              découvrir (plus-que-parfait)

b) Les marins de cette expédition _____ Henry et
                                        abandonner (passé composé)
John Hudson dans une chaloupe.

c) Beaucoup d'explorateurs _____ avant
                                  mourir (futur antérieur)

qu'Amundsen _____ le fameux Passage.
               trouver (présent du subjonctif)

d) Après 1650, l'intérêt des explorateurs pour le passage vers le Nord _____.
                                                                              diminuer (futur simple)

FICHE D'ACTIVITÉ

9

MODULE 6

L'accord du verbe et la conjugaison (*suite*)

Exerce-toi (*suite*)

e) Certains historiens et vous _____ très intéressés
être (présent de l'indicatif)

par les explorateurs.

f) Les gens ne _____ pas si un
savoir (imparfait)

explorateur _____ ce passage un jour.
trouver (conditionnel présent)

g) Il est très possible que toi et moi _____ témoins
être (présent du subjonctif)

de nouvelles découvertes.

h) Il _____ attendre l'année 1977 avant
falloir (futur antérieur)

qu'un autre navigateur, Willie de Roos, _____
réussir (présent du subjonctif)

la célèbre traversée d'Amundsen.

FICHE D'ACTIVITÉ
10
MODULE 6

Les pronoms relatifs

Réfléchis

- Que connais-tu à propos des pronoms relatifs ? À quoi servent-ils ?
- À l'aide du pronom *qui*, comment construirais-tu une seule phrase à partir des deux phrases suivantes ?
    1. *Le nom Fort Qu'Appelle proviendrait de* Katepwe-Cipi.
    2. Katepwe-Cipi *signifie « rivière qui appelle ».*

Observe

- *Coquitlam est un mot **qui** désigne le saumon sockeye.*
- *Le saumon **que** l'on trouve en Colombie-Britannique est le sockeye.*
- *Le village **dont** je t'ai parlé s'appelle Cap Enragé.*
- *Il nous a montré **laquelle** de ces villes est d'origine amérindienne.*

a) Dans les phrases ci-dessus, quel mot remplace le pronom en gras ?

b) D'après toi, lesquels de ces pronoms sont variables ? Lesquels sont invariables ? Explique ta réponse.

c) Dans tes mots, explique comment ces pronoms en gras permettent d'insérer une phrase dans une autre phrase.

Cette fiche accompagne les activités langagières du guide d'enseignement.

FICHE D'ACTIVITÉ
10
MODULE 6

Les pronoms relatifs (*suite*)

Consulte la règle

Les **pronoms relatifs** remplacent un mot ou un groupe de mots dans une phrase. Le mot ou le groupe de mots remplacé par le pronom relatif s'appelle un **antécédent**.

Antécédent

Exemples :   *Coquitlam est* <u>*un mot*</u> **qui** *désigne le saumon sockeye bleu.*

le pronom relatif **qui** remplace *un mot*

Antécédent

<u>*Le saumon*</u> **que** *l'on trouve en Colombie-Britannique est le sockeye.*

le pronom relatif **que** remplace *Le saumon*

Les pronoms relatifs **qui**, **que** et **dont** sont invariables. On les utilise dans les situations suivantes.

- Lorsque le pronom relatif est le **sujet** de la phrase insérée, on utilise **qui**.

Exemple :   *Coquitlam est* <u>*un mot*</u> **qui** *désigne le saumon sockeye bleu.*

qui est le sujet de *désigne* (<u>*le mot*</u> *désigne…*)

- Lorsque le pronom relatif est le **complément direct (CD)** de la phrase insérée, on utilise **que**.

Exemple :   <u>*Le saumon*</u> **que** *l'on trouve en Colombie-Britannique est le sockeye.*

que est le CD de *trouve* (*on trouve* <u>*le saumon*</u>)

- Lorsque le pronom relatif est le **complément indirect (CI)** de la phrase insérée ou un **complément du nom**, on peut utiliser **dont**.

Exemples :   <u>*Le village*</u> **dont** *je t'ai parlé s'appelle Cap Enragé.*

dont est le CI de *ai parlé* (*je t'ai parlé* <u>*du village*</u>)

<u>*Le village*</u> **dont** *le nom est Cap Enragé est l'endroit où je suis née.*

dont est le complément du nom de *le nom* (*le nom* <u>*du village*</u>)

- Certains pronoms relatifs, comme **lequel**, sont variables. Ils prennent le genre (masculin ou féminin) et le nombre (singulier ou pluriel) de leur antécédent.

masc. plur.

Exemples :   <u>*Les canots*</u> *vers* **lesquels** *tu te diriges sont tous réservés.*

Antécédent

fém. plur.

<u>*Les installations*</u> *sur* **lesquelles** *les canots sont entreposés sont solides.*

Antécédent

Nom : _____ Date : _____

Exerce-toi

1. Encercle chaque pronom relatif et souligne son antécédent, comme dans l'exemple.

Exemple : Tuktoyaktuk signifie « <u>le lieu</u> qui ressemble au caribou ».

a) Les diamants que Jacques Cartier a trouvés n'étaient que du quartz.

b) *Portuichoa* est le mot dont Port au Choix proviendrait.

c) Les eaux tumultueuses sur lesquelles ils ont navigué sont très dangereuses.

d) Les villes que je connais portent souvent des noms d'origine amérindienne.

e) Il y a des histoires passionnantes qui se cachent derrière les noms de lieux.

f) L'animal dont le grognement ressemblait à celui du cochon est le morse.

2. Écris le pronom relatif qui convient et souligne son antécédent, comme dans l'exemple.

Exemple : <u>Les vestiges</u> ___qui___ ont été découverts à Port au Choix sont très anciens.
qui, que, dont

a) Les ruines _____ les gens ont visitées à Port au Choix sont très vieilles.
qui, que, dont

b) La ville _____ nous avons parlé aujourd'hui est Ottawa.
qui, que, dont

c) Les noms _____ ont été donnés par les Premières Nations sont très imagés.
qui, dont, auxquels

d) Les chefs _____ se sont rencontrés à Wetaskiwin ont fait la paix.
qui, que, dont

e) *Adawe* est le nom _____ l'on donnait au peuple _____ contrôlait la rivière.
que, dont, lequel *qui, que, lequel*

FICHE D'ACTIVITÉ

11

MODULE 6

Les groupes fonctionnels et la phrase de base

Réfléchis

- Qu'est-ce qu'une phrase de base? À quoi sert-elle?

- Quels groupes de mots sont obligatoires dans la phrase de base? Quels groupes de mots ne sont pas obligatoires?

- Comment sais-tu si un groupe de mots est obligatoire ou pas dans une phrase?

Observe

- *En 1542, Jacques Cartier croyait avoir trouvé des diamants.*
- *Le peuple adawe contrôlait le commerce sur la rivière des Outaouais.*
- *La Compagnie de la Baie d'Hudson a établi son poste de traite à Fort Qu'Appelle en 1852.*
- *Souvent, les noms amérindiens ou inuits de lieux sont amusants.*
- *La plupart du temps, des histoires passionnantes se cachent derrière les noms de lieux.*

a) Dans les phrases ci-dessus, quel mot ou quel groupe de mots fait partie du sujet? Quels mots font partie du groupe verbal?

b) Quels groupes de mots peux-tu effacer ou déplacer sans modifier le sens de ces phrases?

c) Dans tes mots, explique comment tu peux utiliser les manipulations linguistiques pour trouver les groupes de mots obligatoires et ceux qui ne le sont pas.

Nom : _____   Date : _____

Les groupes fonctionnels et la phrase de base *(suite)*

Consulte la règle

La **phrase de base** est composée de trois groupes fonctionnels.

- Elle a deux groupes obligatoires : le **groupe nominal sujet** (GNs) et le **groupe verbal prédicat** (GVp).

- Elle peut aussi avoir un groupe facultatif et mobile : le **complément de phrase** (Compl. de P).

Groupes obligatoires		Groupe facultatif et mobile
Groupe nominal sujet (GNs)	Groupe verbal prédicat (GVp)	Complément de phrase (Compl. de P)

Exemple :   *Plusieurs villes* **/** *ont un nom d'origine amérindienne* **/** *au Canada.*

Pour trouver les groupes fonctionnels dans une phrase, on peut utiliser différentes **manipulations linguistiques**.

1. Pour trouver le groupe nominal sujet (GNs)

- On encadre le GNs par l'expression *C'est… qui* ou *Ce sont… qui*.

Exemples :   *Plusieurs villes ont un nom d'origine amérindienne au Canada.*

→ ***Ce sont*** *plusieurs villes* **qui** *ont un nom d'origine amérindienne au Canada.*

- On remplace le GNs par les pronoms sujets *il, elle, ils, elles* ou *cela*.

Exemples :   *Plusieurs villes ont un nom d'origine amérindienne au Canada.*

→ ***Elles*** *ont un nom d'origine amérindienne au Canada.*

2. Pour trouver le groupe verbal prédicat (GVp)

- On encadre le verbe du GVp par l'expression *ne / n'… pas*.

Exemples :   *Plusieurs villes ont un nom d'origine amérindienne au Canada.*

→ *Plusieurs villes* **n'ont pas** *un nom d'origine amérindienne au Canada.*

- On remplace le verbe du GVp par un autre verbe.

Exemples :   *Plusieurs villes ont un nom d'origine amérindienne au Canada.*

→ *Plusieurs villes* **portent** *un nom d'origine amérindienne au Canada.*

- On remplace le complément direct (CD) par les pronoms *le, la, les, cela* ou *en* et on déplace le pronom devant le verbe.

Exemples :   *Plusieurs villes ont un nom d'origine amérindienne au Canada.*

→ *Plusieurs villes* **en** *ont un au Canada.*

3. Pour trouver le complément de phrase (Compl. de P)

- On efface ou on déplace le complément de phrase.

Exemples :   *Plusieurs villes ont un nom d'origine amérindienne au Canada.*

→ *Plusieurs villes ont un nom d'origine amérindienne* ~~*au Canada*~~*.*

→ ***Au Canada***, *plusieurs villes ont un nom d'origine amérindienne.*

FICHE D'ACTIVITÉ
11
MODULE 6

Les groupes fonctionnels et la phrase de base (*suite*)

Exerce-toi

1. Dans les phrases suivantes :

- sépare chaque groupe fonctionnel à l'aide d'un trait oblique (/) ;
- indique le nom de chaque groupe fonctionnel (GNs, GVp et Compl. de P).

N'oublie pas d'utiliser différentes manipulations linguistiques pour trouver les groupes fonctionnels et pour vérifier tes réponses.

          Compl. de P   GNs   GVp
Exemple : Depuis toujours, / les noms de lieux / cachent des secrets.

a) Pour nommer les villes du Canada, les Européens ont gardé plusieurs noms amérindiens.

b) *Puvirnituq*, en inuktitut, signifie « ça sent la viande pourrie ».

c) Les noms de lieux des Premières Nations et des Inuits sont très imagés.

d) Vendredi, nous ferons une recherche sur les noms des grandes villes canadiennes.

e) Pour ne pas qu'on les oublie, certains noms de lieux rappellent des événements.

2. Récris toutes les phrases de l'activité précédente selon le modèle de la phrase de base.

a) _____

_____

b) _____

_____

c) _____

_____

d) _____

_____

e) _____

_____

Les déterminants indéfinis

Réfléchis

- Que connais-tu à propos des déterminants ?

- Quels déterminants utilises-tu pour indiquer un nombre précis de personnes ou d'objets ? Donne des exemples.

- Quels déterminants utilises-tu lorsque tu ne connais pas le nombre précis de personnes ou d'objets dont tu parles ? Donne des exemples.

Observe

- *Dans le passé, **beaucoup d'**explorateurs étaient des hommes.*
- *Avant, **plusieurs** sociétés interdisaient aux femmes de voyager toutes seules.*
- ***Quelques** femmes attendaient le moment de montrer leur courage.*
- ***Certaines** femmes sont devenues exploratrices.*
- *Pendant cette expédition, **chaque** femme devait consommer 5000 calories par jour.*

a) Dans les phrases ci-dessus, où sont placés les déterminants en gras ? Quels noms accompagnent-ils ?

b) Parmi ces déterminants, lesquels sont au singulier ? au pluriel ?

c) Tous les déterminants en gras indiquent-ils des nombres précis de personnes ou de choses ? Explique ta réponse.

d) Dans tes mots, explique pourquoi ces déterminants se nomment des *déterminants indéfinis*.

Cette fiche accompagne les activités langagières du guide d'enseignement.

Les déterminants indéfinis (suite)

Consulte la règle

Les **déterminants indéfinis** sont composés d'un ou de plusieurs mots. Comme tous les autres déterminants, ils s'accordent en genre et en nombre avec le nom qu'ils précèdent.

Exemples: **Plusieurs** <u>femmes</u> *sont devenues des exploratrices.*
fém. plur.

Certains <u>voyages</u> *sont dangereux.*
masc. plur.

Déterminants indéfinis	Exemples
aucun / aucune	**Aucun** *membre de l'expédition n'a oublié son aventure.*
beaucoup de / beaucoup d'	**Beaucoup de** *femmes et* **beaucoup d'***hommes ont descendu la rivière Thomson.*
certain / certaine certains / certaines	**Certains** *Vikings se sont rendus jusqu'au Labrador.*
chaque	**Chaque** *jour, ils avançaient au milieu des crevasses.*
peu de	**Peu de** *sociétés permettaient aux femmes de voyager seules.*
plusieurs	**Plusieurs** *autochtones parlaient anglais.*
quelque quelques	*Ils ont aperçu* **quelques** *ours.*
tout / toute tous / toutes	**Tout** *individu peut rêver d'aventure.*

Les déterminants indéfinis (*suite*)

Exerce-toi

Écris le déterminant indéfini qui convient et indique l'accord avec le nom, comme dans l'exemple.

fém. plur.   masc. plur.

Exemple : _____**Certaines**_____ exploratrices ont fait _____**plusieurs**_____ voyages.
certain, certaine, certains, certaines   *chaque, plusieurs*

a) Dans le passé, il n'y avait que _____ femmes exploratrices.
chaque, quelques, plusieurs

b) _____ femmes ont participé à l'expédition de Denise et de Matty.
chaque, plusieurs

c) _____ exploratrice a fait preuve de _____ courage.
chaque, certain, certaine   *quelques, plusieurs, beaucoup de*

d) _____ femmes exploratrices ont escaladé des montagnes.
certain, certaine, certains, certaines

e) Tuquliqtuq, Ipiirqvik et Hall ont voyagé ensemble pendant _____ années.
chaque, plusieurs

f) Depuis 40 ans, _____ femmes astronautes ont participé
chaque, certaine, plusieurs
à des missions spatiales.

FICHE D'ACTIVITÉ
13
MODULE 6

Les synonymes et les antonymes

Réfléchis

- Quelle est la différence entre un synonyme et un antonyme ?
- À quoi servent les synonymes et les antonymes dans un texte ?
- Quel outil de référence te permet de trouver les synonymes et les antonymes d'un mot ?

Observe

> - *Gudrid est une **grande** exploratrice du Moyen Âge.*
> - *Denise et Matty ont utilisé de **grands** skis pour leur expédition.*
> - *Ces femmes ont pris de **grands** risques.*
> - *Catherine a fait un **grand** voyage.*
> - *Tuquliqtuq a fait preuve d'un **grand** courage.*

a) Dans les phrases ci-dessus, par quel synonyme pourrais-tu remplacer les adjectifs en gras ?

b) Peux-tu remplacer tous ces adjectifs par le même synonyme ? Pourquoi ?

c) Par quel antonyme pourrais-tu remplacer certains des adjectifs en gras ?

d) Peux-tu remplacer ces adjectifs par le même antonyme ? Pourquoi ?

e) Dans tes mots, explique comment tu choisis le synonyme ou l'antonyme qui convient le mieux pour remplacer un mot dans une phrase.

Les synonymes et les antonymes (suite)

Consulte la règle

Les **synonymes** sont des mots ou des expressions qui ont un sens semblable ou rapproché.

Exemples :   ***voyage****, expédition, excursion, exploration, aventure, ballade*

grand*, important, exceptionnel, gigantesque, gros, long, étendu, haut*

trouver*, découvrir, repérer, dénicher, deviner, imaginer, croire, penser*

faire un voyage*, voyager, aller, se rendre, se déplacer*

Les **antonymes** sont des mots ou des expressions qui ont un sens contraire.

Exemples :   *toujours ≠ jamais*   *premier ≠ dernier*   *facile ≠ difficile*

On peut former certains antonymes avec des préfixes.

Exemples :   *connu ≠ **in**connu*   *chanceux ≠ **mal**chanceux*   *organisé ≠ **dés**organisé*
                        préfixe   préfixe   préfixe

Les synonymes et les antonymes d'un mot ou d'une expression appartiennent toujours
à la même classe de mots.

		Synonyme	**Antonyme**	
Exemples :	***partir :***	*s'en aller*	*arriver*	*(verbes)*
	courage :	*bravoure*	*lâcheté*	*(noms)*
	peureuse :	*craintive*	*courageuse*	*(adjectifs)*

Dans les textes, on utilise les **synonymes** et les **antonymes** pour éviter les répétitions.

- L'utilisation d'un synonyme permet de créer de petites différences de sens appelées
  des nuances :
  - de **précision** : *naviguer* a un sens plus précis que *voyager*.
  - d'**intensité** : *délicieux* a un sens plus intense que *bon*.

- L'utilisation d'un antonyme permet de créer des effets :
  - de **contraste** : *ni noir, ni blanc, les petits et grands*.
  - **humoristiques** : *Elle aime voyager !* → *Elle ne déteste pas voyager !*

FICHE D'ACTIVITÉ
13
MODULE 6

Les synonymes et les antonymes (*suite*)

Exerce-toi

1. Relie chaque mot à ses synonymes possibles. Pour t'aider, consulte un dictionnaire.

● parcours

a) dangereux ● ● exploration

● risqué

b) aventure ● ● expédition

● menaçant

c) trajet ● ● itinéraire

● périlleux

● route

2. Relie chaque groupe verbal à son verbe synonyme. Pour t'aider, consulte un dictionnaire.

a) faire une découverte ● ● choisir

b) avoir ● ● frissonner

c) faire un voyage ● ● s'arrêter

d) faire un choix ● ● découvrir

e) faire peur ● ● voyager

f) faire un arrêt ● ● échanger

g) avoir des frissons ● ● posséder

h) faire du troc ● ● effrayer

Littératie en action 6 | Guide
11056
Cette fiche accompagne les activités langagières du guide d'enseignement.
75

Les synonymes et les antonymes (suite)

Exerce-toi (suite)

3. Relie chaque adjectif à ses antonymes possibles. Pour t'aider, consulte un dictionnaire.

● nouvelle

a) inconnu ●   ● trouvé

● connu

b) perdu ●   ● gagné

● célèbre

c) ancienne ●   ● récente

● légendaire

● moderne

4. Trouve un synonyme et un antonyme pour chaque mot souligné dans les phrases suivantes.

	Synonyme	Antonyme
a) Denise <u>aime</u> faire du ski.		
b) Elle est très <u>courageuse</u>.		
c) Nous avons fait un <u>long</u> voyage.		
d) Elle <u>ne déteste pas</u> la neige.		
e) Elles <u>poursuivent</u> leur expédition.		
f) Elles sont très <u>heureuses</u>.		

FICHE D'ACTIVITÉ
14
MODULE 6

Les comparatifs et les superlatifs

Réfléchis

- Que connais-tu à propos des comparatifs et des superlatifs ?
- Quel mot peux-tu utiliser pour dire qu'une chose est « plus mauvaise » qu'une autre ?
- Quel mot dois-tu utiliser pour dire qu'une chose est « plus bonne » qu'une autre ?

Observe

- *Partir pour le Nouveau Monde était une **bonne** idée.*
- *Partir pour le Nouveau Monde était une **meilleure** idée **que** de rester en Écosse.*
- *Partir pour le Nouveau Monde était **la meilleure** idée.*

- *Partir pour le Nouveau Monde était une **mauvaise** idée.*
- *Partir pour le Nouveau Monde était une **pire** idée **que** de rester en Écosse.*
- *Partir pour le Nouveau Monde était **la pire** idée.*

- *Partir pour le Nouveau Monde était **bien**.*
- *Partir pour le Nouveau Monde était **mieux** que de rester en Écosse.*
- *Partir pour le Nouveau Monde était **le mieux**.*

a) Dans les phrases ci-dessus, par quels mots ou groupe de mots a-t-on remplacé les mots *bonne*, *mauvaise* et *bien* pour former des comparatifs et des superlatifs ?

b) Dans tes mots, explique la façon d'utiliser des comparatifs et des superlatifs dans un texte.

Les comparatifs et les superlatifs (suite)

Consulte la règle

On forme généralement le **comparatif** des adjectifs et des adverbes à l'aide des expressions *plus… que* et *moins… que*.

Exemples :   L'avenir au Canada semblait **plus** brillant **qu'**en Écosse.

La vie au Canada semblait **moins** difficile **qu'**en Écosse.

On forme généralement le **superlatif** des adjectifs et des adverbes à l'aide des expressions *le plus…* et *le moins…*

Exemples :   L'avenir au Canada semblait l'avenir **le plus** brillant.

La vie au Canada semblait la vie **la moins** difficile.

Les adjectifs *bon* et *mauvais* ainsi que les adverbes *bien* et *mal* ont des formes particulières de comparatifs et de superlatifs. Elles sont indiquées en gras dans le tableau suivant.

	Comparatif		Superlatif	
	+	**–**	**+**	**–**
bon(ne)	**meilleur(e)**	*moins bon*	**le / la meilleur(e)**	**le / la pire**
mauvais(e)	*plus mauvais(e)*, **pire**	*moins mauvais(e)*	**le / la pire**	**le / la meilleur(e)**
bien	**mieux**	*moins bien*	**le / la mieux**	*le / la moins bien*
mal	*plus mal*	*moins mal*	**le / la pire**	*le / la moins mal*

Attention ! On ne doit pas utiliser l'adverbe *plus* avec les mots **pire**, **meilleur**, **bien** et **bon**.

Exemples : C'est la ~~plus~~ pire traversée de ma vie. C'est la ~~plus~~ meilleure idée que tu aies eue.

Les comparatifs et les superlatifs (suite)

Exerce-toi

Récris les phrases suivantes en corrigeant ou en remplaçant, selon le cas, les comparatifs et les superlatifs soulignés.

a) Cette idée est <u>la plus bonne</u> que tu aies eue.

_____

_____

b) Isabelle pensait que la vie au Canada était <u>plus bien</u> qu'en Écosse.

_____

_____

c) Cette traversée de l'océan est <u>la plus mauvaise</u> qu'ils aient connue.

_____

_____

d) Ce voyage a été <u>le plus pire</u> de leur vie.

_____

_____

e) Isabelle espère que leur vie au Canada sera <u>moins pire</u> qu'en Écosse.

_____

_____

Nom : _____   Date : _____

Observations continues

Nom de l'élève	Communication orale	Lecture	Écriture	Littératie médiatique
	L'élève : • exprime clairement ses idées • écoute activement • tient compte de son auditoire et adapte ses propos au besoin • vérifie sa compréhension des propos des autres • applique les stratégies apprises en communication orale	L'élève : • précise son intention de lecture • utilise ses connaissances • détermine ce qui est important • fait un résumé • réfléchit aux stratégies et à leur efficacité • applique les stratégies apprises en lecture	L'élève : • détermine l'intention et le public cible • planifie et organise les idées • choisit bien ses mots et ses expressions • utilise les commentaires et les critères pour réviser • applique les règles et les conventions apprises dans ses textes	L'élève : • reconnaît le sujet • reconnaît l'intention • reconnaît le public cible • crée des messages visuels • applique les techniques médiatiques apprises • analyse les points de vue représentés dans les médias

Note : Les comportements décrits sont donnés à titre d'exemples et ne constituent pas une liste exhaustive. Les ajuster en fonction de ce qu'on veut observer. Utiliser le symbole de notation en usage dans chaque région ou province : notes, codes, symboles.

Cette fiche accompagne toutes les leçons du guide d'enseignement.

Nom : _____ Date : _____

Grille d'évaluation de la section « À l'œuvre ! »

	Niveau 1	Niveau 2	Niveau 3	Niveau 4
Connaissance et compréhension	limitées	partielles	bonnes	approfondies
• Comprend la façon de concevoir un dépliant touristique	☐ connaît les techniques et les éléments utilisés dans la rédaction d'un dépliant touristique	☐ connaît les techniques et les éléments utilisés dans la rédaction d'un dépliant touristique	☐ connaît les techniques et les éléments utilisés dans la rédaction d'un dépliant touristique	☐ connaît les techniques et les éléments utilisés dans la rédaction d'un dépliant touristique
Habiletés de la pensée	efficacité limitée	certaine efficacité	efficacité	grande efficacité
• Détermine l'intention et le public cible	☐ détermine l'intention et le public cible	☐ détermine l'intention et le public cible	☐ détermine l'intention et le public cible	☐ détermine l'intention et le public cible
• Utilise des critères pour s'autoévaluer et réviser son travail	☐ utilise des critères pour s'autoévaluer et réviser son travail	☐ utilise des critères pour s'autoévaluer et réviser son travail	☐ utilise des critères pour s'autoévaluer et réviser son travail	☐ utilise des critères pour s'autoévaluer et réviser son travail
Communication	efficacité limitée	certaine efficacité	efficacité	grande efficacité
• Présente et explique le dépliant touristique	☐ présente le site historique illustré dans le dépliant touristique	☐ présente le site historique illustré dans le dépliant touristique	☐ présente le site historique illustré dans le dépliant touristique	☐ présente le site historique illustré dans le dépliant touristique
• Utilise des stratégies appropriées pour plaire au public cible	☐ capte l'attention du public cible	☐ capte l'attention du public cible	☐ capte l'attention du public cible	☐ capte l'attention du public cible
• Lit avec expression	☐ capte l'attention de son auditoire en présentant son dépliant	☐ capte l'attention de son auditoire en présentant son dépliant	☐ capte l'attention de son auditoire en présentant son dépliant	☐ capte l'attention de son auditoire en présentant son dépliant
• Fait preuve de créativité en présentant le dépliant touristique	☐ rend sa présentation intéressante	☐ rend sa présentation intéressante	☐ rend sa présentation intéressante	☐ rend sa présentation intéressante
• Demande une rétroaction	☐ invite son auditoire à donner une rétroaction	☐ invite son auditoire à donner une rétroaction	☐ invite son auditoire à donner une rétroaction	☐ invite son auditoire à donner une rétroaction
Mise en application	efficacité limitée	certaine efficacité	efficacité	grande efficacité
• Applique les connaissances et les stratégies apprises pour écrire un dépliant touristique	☐ applique les connaissances et les stratégies apprises	☐ applique les connaissances et les stratégies apprises	☐ applique les connaissances et les stratégies apprises	☐ applique les connaissances et les stratégies apprises

Voir aussi les grilles en lien avec les programmes dans le Compagnon Web de *Littératie en action 6*, à l'adresse suivante : [www.erpi.com/litteratie.cw].

Nom : _____ Date : _____

À ton tour !

Nom de l'élève	Présentation			Écoute	
	Présente l'extrait du journal personnel avec expression et créativité	Parle clairement et sait capter l'attention de son auditoire	Demande une rétroaction à son auditoire	Utilise des stratégies d'écoute active	Montre de l'intérêt envers les présentations des autres élèves

Note : Utiliser cet aide-mémoire pour évaluer le travail des élèves. Les élèves peuvent se servir de ces critères pour l'autoévaluation. Utiliser le symbole de notation en usage dans chaque région ou province : notes, codes, symboles.

82
Cette fiche accompagne la leçon 14 du guide d'enseignement.
Littératie en action 6 / Guide
11056

FICHE D'ÉVALUATION

4

Gros plan sur tes apprentissages

MODULE 6

1. Fais un retour sur les objectifs d'apprentissage de ce module.

- Choisis deux travaux montrant que tu as atteint les objectifs.
- Décris ce que chaque travail indique au sujet de tes apprentissages.
- Écris les raisons pour lesquelles tu ajoutes ces travaux à ton portfolio.

Tes choix de travaux et ce qu'ils indiquent sur tes apprentissages	Tes raisons d'ajouter ces travaux à ton portfolio

2. Écris une ou deux choses importantes que tu as apprises sur la façon de présenter un extrait du journal personnel d'un personnage historique.

_____

_____

_____

_____

3. Écris une découverte importante que tu as faite au sujet d'un explorateur ou une exploratrice.

_____

_____

_____

Nom : _____   Date : _____

Grille d'évaluation du module

	Niveau 1	Niveau 2	Niveau 3	Niveau 4
Connaissance et compréhension	**limitées**	**partielles**	**bonnes**	**approfondies**
• Connaît les caractéristiques et la structure du dépliant touristique	☐ utilise ses connaissances sur les caractéristiques et la structure du dépliant touristique	☐ utilise ses connaissances sur les caractéristiques et la structure du dépliant touristique	☐ utilise ses connaissances sur les caractéristiques et la structure du dépliant touristique	☐ utilise ses connaissances sur les caractéristiques et la structure du dépliant touristique
• Connaît les stratégies de compréhension (utiliser ses connaissances, déterminer ce qui est important, faire un résumé)	☐ connaît les stratégies de compréhension visées	☐ connaît les stratégies de compréhension visées	☐ connaît les stratégies de compréhension visées	☐ connaît les stratégies de compréhension visées
• Connaît et comprend le vocabulaire lié aux textes à l'étude	☐ démontre sa compréhension du vocabulaire lié aux textes à l'étude	☐ démontre sa compréhension du vocabulaire lié aux textes à l'étude	☐ démontre sa compréhension du vocabulaire lié aux textes à l'étude	☐ démontre sa compréhension du vocabulaire lié aux textes à l'étude
Habiletés de la pensée	**efficacité limitée**	**certaine efficacité**	**efficacité**	**grande efficacité**
• Utilise les stratégies de planification et les organisateurs graphiques pour rédiger ses textes	☐ utilise les stratégies de planification et les organisateurs graphiques	☐ utilise les stratégies de planification et les organisateurs graphiques	☐ utilise les stratégies de planification et les organisateurs graphiques	☐ utilise les stratégies de planification et les organisateurs graphiques
• Fait un raisonnement critique pour analyser l'efficacité d'un texte	☐ analyse des dépliants touristiques ☐ évalue l'efficacité de ses textes	☐ analyse des dépliants touristiques ☐ évalue l'efficacité de ses textes	☐ analyse des dépliants touristiques ☐ évalue l'efficacité de ses textes	☐ analyse des dépliants touristiques ☐ évalue l'efficacité de ses textes
Communication	**efficacité limitée**	**certaine efficacité**	**efficacité**	**grande efficacité**
• Exprime et organise ses idées et l'information présentée	☐ exprime et organise des idées et de l'information dans les contextes suivants : – les textes informatifs et explicatifs à l'écrit et à l'oral – les discussions – les jeux de rôles – la présentation orale	☐ exprime et organise des idées et de l'information dans les contextes suivants : – les textes informatifs et explicatifs à l'écrit et à l'oral – les discussions – les jeux de rôles – la présentation orale	☐ exprime et organise des idées et de l'information dans les contextes suivants : – les textes informatifs et explicatifs à l'écrit et à l'oral – les discussions – les jeux de rôles – la présentation orale	☐ exprime et organise des idées et de l'information dans les contextes suivants : – les textes informatifs et explicatifs à l'écrit et à l'oral – les discussions – les jeux de rôles – la présentation orale

Nom : _____ Date : _____

Grille d'évaluation du module (*suite*)

	Niveau 1	Niveau 2	Niveau 3	Niveau 4
Communication	efficacité limitée	certaine efficacité	efficacité	grande efficacité
• Prend en considération les destinataires visés et l'intention de communication	☐ prend en considé-ration les destinataires visés et l'intention pour : – rédiger ses textes – participer à une discussion – présenter l'extrait d'un journal personnel	☐ prend en considé-ration les destinataires visés et l'intention pour : – rédiger ses textes – participer à une discussion – présenter l'extrait d'un journal personnel	☐ prend en considé-ration les destinataires visés et l'intention pour : – rédiger ses textes – participer à une discussion – présenter l'extrait d'un journal personnel	☐ prend en considé-ration les destinataires visés et l'intention pour : – rédiger ses textes – participer à une discussion – présenter l'extrait d'un journal personnel
• Utilise les codes et les conventions de communication orale (expression, volume) et écrite (ponctuation, orthographe)	☐ utilise les codes et les conventions de communication orale et écrite	☐ utilise les codes et les conventions de communication orale et écrite	☐ utilise les codes et les conventions de communication orale et écrite	☐ utilise les codes et les conventions de communication orale et écrite
Mise en application	efficacité limitée	certaine efficacité	efficacité	grande efficacité
• Applique ses connaissances et ses habiletés pour lire une variété de textes	☐ lit une variété de textes de manière autonome	☐ lit une variété de textes de manière autonome	☐ lit une variété de textes de manière autonome	☐ lit une variété de textes de manière autonome
• Applique ses connaissances et ses habiletés pour rédiger une variété de textes	☐ rédige une variété de textes	☐ rédige une variété de textes	☐ rédige une variété de textes	☐ rédige une variété de textes
• Fait des liens avec ses expériences personnelles et les textes lus et écrits	☐ fait des liens	☐ fait des liens	☐ fait des liens	☐ fait des liens

Nom : _____   Date : _____

Bilan des apprentissages

Données sur le rendement et les progrès de l'élève :

☐ Entrevue individuelle

    (date : _____)

☐ Journal de bord (réponses, réflexions)

☐ Productions technologiques ou médiatiques

☐ Productions écrites (p. ex. : « À l'œuvre ! »)

☐ Communication orale

☐ Révision du portfolio (« Gros plan sur tes apprentissages »)

☐ Autoévaluation

☐ Évaluation continue (p. ex. : fiche d'évaluation 2 ; notes anecdotiques)

☐ Tâche d'évaluation de la compréhension en lecture

☐ Autre : _____

Domaine	Commentaire	Niveau
Communication orale		
Lecture		
Écriture		
Littératie médiatique		

Remarque : Pour formuler des commentaires et déterminer le niveau de rendement de l'élève, consulter la fiche d'évaluation **5 : Grille d'évaluation du module** et la grille d'évaluation du rendement publiée par le ministère de l'Éducation de la province.

Forces	
Besoins	
Prochaines étapes	

Corrélations avec les autres disciplines

LI = Liens interdisciplinaires ALL = Activités en lien avec les leçons AL = Activités langagières

ALL = Activités en lien avec les leçons

AL = Activités langagières

ÉTUDES SOCIALES (SCIENCES HUMAINES)

LE MULTICULTURALISME CANADIEN

	LI	ALL	AL	1	2	3	4	5	6	7	8	9	10	11	12	13	14	15
Connaissance et compréhension																		
Comprendre ses origines et préciser son identité.	•				•	•	•			•	•	•	•	•	•	•		
Reconnaître les traits de l'identité canadienne.	•				•	•	•			•	•	•	•	•	•	•		
Reconnaître la présence de francophones dans différentes régions du Canada.	•				•	•	•			•	•	•	•	•	•	•		
Répertorier des francophones du Canada qui se sont distingués dans divers domaines et tracer le portrait de certains d'entre eux.	•				•			•		•	•			•	•			
Démontrer, à l'aide d'exemples ou par d'autres moyens, l'influence naturelle entre la société canadienne et d'autres pays et cultures.	•						•			•				•				
Comprendre la portée des événements qui se produisent dans l'actualité ainsi que les changements qui s'opèrent dans la société.	•																	
Connaître et comprendre les concepts de base sur les secteurs de la production, de la distribution et de la consommation des biens.	•																	
Comprendre les institutions, les composantes des cultures et le fonctionnement des groupes.	•																	
Connaître et comprendre les facteurs de continuité ou de changement.	•				•	•				•	•			•		•		
Connaître et comprendre les structures et les systèmes mis en place par les humains pour gérer l'organisation naturelle ou sociale.	•						•											
Questionnement, recherche et communication																		
Formuler des questions qui orientent son enquête.	•				•	•	•	•		•	•	•	•	•	•	•		
S'appuyer sur des documents de sources primaires et secondaires pour effectuer une enquête.	•				•	•				•	•	•	•	•	•	•		

CORRÉLATIONS AVEC LES AUTRES DISCIPLINES (suite)

LI = Liens interdisciplinaires   ALL = Activités en lien avec les leçons   AL = Activités langagières

	LI	ALL	AL	1	2	3	4	5	6	7	8	9	10	11	12	13	14	15
Questionnement, recherche et communication *(suite)*																		
Se servir d'organisateurs graphiques pour transmettre l'information.	•								•	•	•	•	•	•	•			
Communiquer les résultats de son enquête en utilisant différents supports visuels.	•								•		•	•	•	•	•			
Transmettre des idées et de l'information selon différentes formes et divers moyens.	•		•		•		•		•	•	•	•	•	•	•		•	
Utiliser le vocabulaire approprié pour communiquer les résultats de son enquête.	•		•		•		•			•	•	•	•	•	•			
Utilisation des cartes géographiques et des éléments graphiques																		
Représenter l'information à l'aide de cartes, de tableaux, de diagrammes et de graphiques.	•									•		•		•				
Application																		
Mettre en application, dans des contextes familiers, les concepts, les connaissances et les habiletés qui lui ont été présentés et les transférer à des contextes nouveaux.	•												•				•	
Mettre en application le vocabulaire approprié au sujet à l'étude (p. ex. : populations francophones, différences culturelles, ressemblances culturelles, francophonie, multiculturalisme, équité, racisme).	•		•		•		•			•		•	•	•	•			

SCIENCES ET TECHNOLOGIE

L'ESPACE

Compréhension des concepts

	LI	ALL	AL	1	2	3	4	5	6	7	8	9	10	11	12	13	14	15
Identifier des composantes du système solaire incluant le Soleil, la Terre, les autres planètes, les satellites naturels, les comètes, les astéroïdes, les météoroïdes et décrire leurs caractéristiques physiques.																		
Expliquer comment les humains répondent à leurs besoins de base dans l'espace.																		
Identifier l'équipement et les outils technologiques utilisés pour l'exploration spatiale.																		
Décrire des effets du mouvement et de la position de la Terre, de la Lune et du Soleil.																		
Décrire qualitativement la relation entre la masse et le poids.																		

	LI	ALL	AL	1	2	3	4	5	6	7	8	9	10	11	12	13	14	15

Acquisition d'habiletés en recherche scientifique, en conception et en communication

Utiliser le processus de résolution de problèmes technologiques pour concevoir, construire et tester un objet qui utilise ou simule le mouvement des corps dans le système solaire.

Utiliser la démarche de recherche pour explorer les percées scientifiques et technologiques qui permettent aux humains de vivre et de s'adapter dans l'espace.

Utiliser les termes justes pour décrire ses activités de recherche, d'expérimentation, d'exploration et d'observation (p. ex. : planète, Lune, étoile, comète, éclipse, phase, astéroïde, météoroïde).

Communiquer oralement et par écrit en se servant d'aides visuelles dans le but d'expliquer les méthodes utilisées et les résultats obtenus lors de ses recherches, ses expérimentations, ses explorations ou ses observations.

Rapprochement entre les sciences, la technologie, la société et l'environnement

Évaluer la contribution des Canadiens et des Canadiennes dans l'exploration spatiale et le progrès scientifique.

Évaluer les avantages et les inconvénients de l'exploration spatiale pour la société et l'environnement.

MATHÉMATIQUES

Traitement des données et probabilités

Démontrer comment la grandeur de l'échantillon peut influencer la nature des résultats d'une enquête.

Prédire, à partir de ses connaissances générales ou de diverses sources d'informations, les résultats possibles d'un sondage avant de recueillir les données.

Concevoir et effectuer un sondage, recueillir les données et les enregistrer selon des catégories et des intervalles appropriés.

Construire, à la main ou à l'ordinateur, divers diagrammes (p. ex. : diagramme à bandes horizontales, verticales ou doubles et diagramme à ligne brisée).

Formuler, oralement ou par écrit, des inférences ou des arguments à la suite de l'analyse et de la comparaison de données présentées dans un tableau ou dans un diagramme.

CORRÉLATIONS AVEC LES AUTRES DISCIPLINES (*suite*)

LI = Liens interdisciplinaires   ALL = Activités en lien avec les leçons   AL = Activités langagières

	LI	ALL	AL	1	2	3	4	5	6	7	8	9	10	11	12	13	14	15
Traitement des données et probabilités (*suite*)																		
Comparer et choisir, à l'aide d'un logiciel de graphiques, le genre de diagramme qui représente le mieux un ensemble de données.																		
ÉDUCATION ARTISTIQUE																		
ART DRAMATIQUE																		
Produire plusieurs formes de représentation (p. ex.: monologue, improvisation, création collective) pour communiquer un message à partir d'une situation dramatique donnée.	•				•					•			•	•	•	•	•	
Créer plusieurs courtes productions pour un auditoire spécifique en utilisant un appui technique.	•				•					•			•	•	•	•	•	
Décrire comment l'art dramatique contribue à son propre développement et à celui de la communauté.	•											•						
ARTS VISUELS																		
Recourir au processus de création artistique pour réaliser diverses œuvres d'art.	•										•				•			
MUSIQUE																		
Recourir au processus d'analyse critique pour analyser et apprécier diverses œuvres musicales.													•					
Composer un message publicitaire et le mettre en musique.																		
Exprimer son appréciation d'une composition musicale dans diverses formes de représentation (p. ex.: danse, dessin).	•												•					

ÉDUCATION PHYSIQUE ET SANTÉ

HABILETÉS PERSONNELLES ET SOCIALES

	LI	ALL	AL	1	2	3	4	5	6	7	8	9	10	11	12	13	14	15
Communiquer oralement et par écrit en français pour s'affirmer sur le plan culturel et linguistique.	•								•		•	•	•	•	•	•	•	
Utiliser des habiletés personnelles pour développer son autonomie et un concept de soi positif.	•								•		•	•	•				•	
Utiliser des habiletés interpersonnelles pour communiquer et interagir avec les autres de manière positive et constructive.	•								•			•	•				•	
Utiliser la pensée critique et créative pour développer la capacité d'analyse et de discernement nécessaire pour se fixer des objectifs personnels, prendre des décisions éclairées et résoudre des problèmes.	•												•				•	

LEÇONS

Évaluation de la compréhension en lecture

11056

Directrice à l'édition
Monique Daigle

Chargée de projet
Lina Binet

Réviseure linguistique
Annick Loupias

Correctrices d'épreuves
Lina Binet
Sabine Cerboni

Recherchiste (photos et droits)
Marie-Chantal Masson

Directrice artistique
Hélène Cousineau

Coordonnatrice aux réalisations graphiques
Sylvie Piotte

Coordonnatrice à l'édition Web
Jeannette Lafontaine

Édition électronique
La Plume Virtu-Elle enr.

Coordonnatrice des illustrations
Valérie Deltour

Illustrateur (textes de lecture du module 5)
Stéphane Jorisch

Cartographe
Pierre Rochon (p. 67 et 69)

Directeurs de collection
Léo-James Lévesque
Johanne Proulx

Rédacteurs
Léo-James Lévesque (textes de lecture des modules 1, 2, 3, 4 et 6)
Guillaume Miszczak (textes de lecture du module 5)

© 2008 Pearson Canada Inc.

Traduction et adaptation autorisées de *Literacy in Action 6, Teacher's Guide*, par Jeroski et autres, publié par Pearson Canada Inc.

© ÉDITIONS DU RENOUVEAU PÉDAGOGIQUE INC. 2010

Tous droits réservés.

On ne peut reproduire aucun extrait de ce livre sous quelque forme ou par quelque procédé que ce soit – sur une machine électronique, mécanique, à photocopier ou à enregistrer, ou autrement – sans avoir obtenu, au préalable, la permission écrite de Pearson Canada Inc. Pour toute demande à ce sujet, veuillez vous adresser à Pearson Canada Inc., Rights and Permissions Department, 26 Prince Andrew Place, Don Mills, Ontario M3C 2T8 Canada.

Les utilisateurs de la collection *Littératie en action* sont néanmoins autorisés à reproduire les pages de cet ouvrage qui portent la mention « © **PEARSON-ERPI** Reproduction autorisée uniquement dans les classes où le manuel *Littératie en action 6* est utilisé » sans frais et sans autorisation préalable de l'Éditeur.

Dépôt légal – Bibliothèque et Archives nationales du Québec, 2010

Dépôt légal – Bibliothèque et Archives Canada, 2010

Imprimé au Canada   1234567890 TRN 13 12 11 10
ISBN 978-2-7613-2595-0   11056   OF10

Table des matières

Évaluation de la compréhension en lecture · Module 4

Évaluation de la compréhension en lecture · Module 5

Évaluation de la compréhension en lecture · Module 6

Introduction

Le fascicule *Évaluation de la compréhension en lecture* propose une tâche d'évaluation de la compréhension en lecture pour chaque module. Les élèves peuvent réaliser cette tâche à n'importe quel moment après avoir montré leur habileté à mettre en pratique les stratégies ciblées dans les textes de lecture guidée du manuel. Cette évaluation permet de faire le point sur les progrès des élèves et de planifier l'enseignement en conséquence.

Pour chaque tâche d'évaluation, deux versions d'un texte sont proposées. Dans la première version, le niveau de difficulté du texte correspond au niveau scolaire visé. Dans la seconde version, le niveau de difficulté du texte est inférieur au niveau scolaire visé. Vous pouvez choisir la version qui convient à vos élèves. La forme et le contenu des textes servent de balises pour évaluer la compréhension en lecture et l'application des stratégies ciblées dans chaque module.

Une grille d'évaluation accompagne chaque tâche d'évaluation et permet d'évaluer la compréhension en lecture des élèves.

Les textes, les tâches d'évaluation et les grilles d'évaluation contenus dans ce fascicule sont disponibles en version modifiable sur le cédérom qui accompagne la ressource ainsi que sur le Compagnon Web. Il vous est donc possible d'adapter les tâches d'évaluation aux besoins particuliers de vos élèves, si vous le jugez nécessaire.

Guide d'utilisation

Durée prévue	Niveaux de difficulté
60 à 90 min	Texte A : T-U, DRA 50-54 (niveau scolaire visé)
	Texte B : S-T, DRA 48-50 (niveau inférieur au niveau scolaire visé)

AVANT

PRÉPARER L'ÉVALUATION

Avant de proposer la tâche d'évaluation aux élèves, s'assurer qu'ils ont eu l'occasion :

- de mettre en pratique les stratégies de lecture ciblées dans le module 1 : faire des prédictions, vérifier ses prédictions et faire de nouvelles prédictions, faire des liens (manuel de l'élève, p. 9) ;
- d'utiliser des organisateurs graphiques semblables à ceux présentés dans les fiches suivantes : les fiches d'activités **3 : Fais des observations et des prédictions** et **4 : Fais des liens** du fascicule du guide d'enseignement lié au module 1 du manuel et la fiche d'activité modèle **9 : Faire des liens** du fascicule *Guide d'enseignement de la littératie* (*voir aussi l'organisateur graphique 9 et le transparent 9*) ;
- de prendre connaissance des critères d'évaluation retenus pour cette évaluation : survoler le texte pour faire des prédictions, faire des liens avec ses connaissances et ses expériences, avec d'autres textes et avec le monde, comprendre le texte lu.

Choisir le texte qui convient au niveau de lecture des élèves. Faire les photocopies du texte et de la tâche d'évaluation en nombre suffisant. Au besoin, reproduire des documents sur des transparents pour expliquer aux élèves la tâche d'évaluation qu'ils devront accomplir.

PRÉSENTER L'ÉVALUATION

Informer les élèves qu'ils liront un texte intitulé « Charlotte Whitehead Ross ». Il s'agit d'une biographie semblable aux textes de lecture partagée et de lecture guidée qu'ils ont lus dans le module (*Tommy Douglas, Gisèle Lalonde, Louise Arbour* et *Muhammad Yunus*). Il porte sur le même thème et il est présenté de la même façon (mise en pages similaire avec fiche descriptive de la personne, intertitres, etc.).

Préciser aux élèves qu'ils auront à démontrer leur compréhension en lecture en mettant en application les stratégies de compréhension présentées à la page 9 de leur manuel : faire des prédictions, vérifier ses prédictions et faire de nouvelles prédictions, faire des liens.

Remettre aux élèves le document reproductible **Tâche d'évaluation – Module 1** (présent fascicule, p. 10-13) et présenter les critères d'évaluation énoncés au début du document. Parcourir l'ensemble des questions afin de s'assurer de leur compréhension de la tâche. Des exemples de réponses sont fournis à la page 5 du présent fascicule.

Dire aux élèves que cette évaluation permettra de mieux connaître leurs habiletés en lecture et de planifier des activités de compréhension en lecture correspondant à leurs besoins.

PENDANT

Remettre aux élèves le texte choisi (A ou B), en préciser le temps alloué pour le lire, puis répondre aux questions. Selon les besoins, la durée prévue (60 à 90 min) peut varier. Tenir compte de l'option suivante : plutôt que d'inviter les élèves à accomplir la tâche d'évaluation en une seule séance, leur demander de répondre à une question à la fois, en fournissant à ce moment-là les explications nécessaires.

Inviter ensuite les élèves à accomplir la tâche d'évaluation en ayant pris soin, au préalable, de leur rappeler les points suivants.

- Survoler le texte avant de commencer à le lire.
- Prêter attention au titre, aux intertitres et aux photos.
- Mettre en application les stratégies de compréhension ciblées.
- Formuler des réponses complètes et précises.

APRÈS

FAIRE UN RETOUR SUR LA TÂCHE D'ÉVALUATION

Après avoir demandé aux élèves de vérifier leurs réponses, faire un retour sur la tâche d'évaluation en groupe-classe, en petits groupes ou dans le cadre d'entrevues individuelles. À noter que la question 5 de la tâche d'évaluation a permis aux élèves de réfléchir à des aspects de la tâche et de noter des éléments de réflexion. Pour favoriser la discussion et susciter une réflexion, poser les questions suivantes.

- En quoi le survol du texte a-t-il été utile pour comprendre le texte ?
- Quelles stratégies vous ont aidés à comprendre le texte ?
- Qu'avez-vous trouvé le plus intéressant ? Pourquoi ?
- Quelles parties de l'évaluation ont été les plus faciles ? les plus difficiles ?
- Comment avez-vous surmonté vos difficultés ?
- Comment avez-vous fait pour accomplir la tâche demandée dans le temps alloué ?

ÉVALUER LE RENDEMENT DES ÉLÈVES

Évaluer le rendement des élèves à l'aide de la **Grille d'évaluation – Module 1** (présent fascicule, p. 14). Cette grille propose des comportements à observer pour chaque critère d'évaluation et indique les numéros des questions correspondant à ces comportements.

EXEMPLES DE RÉPONSES

QUESTION 1

Exemples d'observations :

Charlotte Whitehead a étudié la médecine aux États-Unis.

Elle a mené une lutte pendant sa pratique de la médecine.

Elle a été officiellement reconnue comme médecin seulement après sa mort.

Exemples de prédictions :

Charlotte a étudié aux États-Unis parce que, à cette époque, les femmes ne pouvaient pas faire d'études en médecine au Canada.

Elle a lutté pour que les femmes, au Canada, obtiennent le droit d'exercer la médecine.

Cette femme courageuse a toujours pratiqué la médecine sans permis.

QUESTION 2

a) **Exemple de résumé :**

Charlotte Whitehead Ross est née en Angleterre. À l'âge de cinq ans, elle déménage à Montréal. Son père a été engagé pour construire la voie ferrée. Elle se marie à 18 ans et fonde une famille. Intéressée très jeune par la médecine, Charlotte doit étudier aux États-Unis, parce que les femmes ne sont pas admises dans les écoles de médecine canadiennes. Après avoir obtenu son diplôme, elle exerce la médecine au Manitoba, jusqu'à sa mort, à l'âge de 73 ans. On lui rend alors hommage pour avoir été la première femme médecin du Québec et du Manitoba.

QUESTION 3

a) *F*

b) *V*

c) *V*

d) *?*

e) *F*

f) *V*

g) *V*

h) *?*

i) *V*

j) *V*

k) *V*

l) *?*

m) *?*

Charlotte Whitehead Ross
Une femme médecin

Notes biographiques

- a étudié au Women's Medical College, à Philadelphie, aux États-Unis

- a été la première femme médecin du Québec et du Manitoba

- a reçu le permis de pratiquer la médecine après sa mort

Charlotte Whitehead Ross est née en Angleterre, en 1843. Elle est arrivée à Montréal à cinq ans. Son père, un mécanicien de chemin de fer, a été engagé pour construire la voie ferrée.

Au fil des ans, Charlotte découvre son intérêt pour la médecine en prenant soin de sa sœur aînée atteinte d'une maladie chronique. À 18 ans, elle se marie et fonde une famille. Plusieurs années après, Charlotte déclare qu'elle veut devenir médecin. Son mari appuie sa décision.

La lutte pour l'égalité

Malheureusement, à cette époque, les femmes n'étaient pas admises dans les écoles de médecine du pays. Charlotte doit sacrifier sa vie de famille, partir sans son mari et ses trois enfants, afin d'étudier au Women's Medical College, à Philadelphie, aux États-Unis. Elle obtient son diplôme de médecine au bout de cinq ans.

Une fois son diplôme en main, elle revient à Montréal, où elle crée un cabinet médical. Trois ans plus tard, en 1878, elle déménage au Manitoba, où son père et son mari travaillent à la construction d'une section de la voie ferrée du Canadien Pacifique. Au Manitoba, Charlotte est de nouveau très occupée. Un grand nombre de ses patients proviennent des camps de bûcherons avoisinants et des chantiers de construction ferroviaire. Elle immobilise des fractures et ampute des membres mutilés, en plus d'accoucher toutes les femmes de la région.

Toutefois, Charlotte exerce la médecine sans permis. Elle a présenté des demandes au Collège des médecins à Montréal et à Winnipeg, mais les deux ont été rejetées. Le Collège des médecins et chirurgiens du Manitoba, un conseil composé exclusivement d'hommes, lui propose de s'inscrire dans une école de médecine au Canada. Elle refuse de quitter sa famille, ses cinq enfants et ses patients pour entreprendre des études qu'elle a déjà faites. En 1887, elle demande à l'Assemblée législative du Manitoba de lui accorder son permis d'exercer la médecine, ce qui lui est encore refusé. Elle continue à exercer sans permis jusqu'en 1912. Elle meurt quatre ans plus tard à Winnipeg, à l'âge de 73 ans.

Charlotte a lutté pour devenir médecin et soigner les gens.

La reconnaissance méritée

En novembre 1993, plusieurs années après sa mort, le permis d'exercice de la médecine lui a été accordé. L'Assemblée législative du Manitoba a adopté une résolution voulant rendre hommage à cette pionnière courageuse et dévouée ainsi qu'à d'autres femmes comme elle, qui méritent des éloges pour leur rôle dans la construction du Canada.

Charlotte Whitehead Ross
Une femme médecin

Notes biographiques

- a étudié au Women's Medical College, à Philadelphie, aux États-Unis

- a été la première femme médecin du Québec et du Manitoba

- a reçu le permis de pratiquer la médecine après sa mort

Charlotte Whitehead Ross est née en Angleterre, en 1843. Elle est arrivée à Montréal à cinq ans. Son père était mécanicien de chemin de fer. Il a été engagé pour construire la voie ferrée.

Très jeune, Charlotte prend soin de sa sœur aînée qui souffrait d'une maladie grave. À 18 ans, elle se marie et a des enfants. Charlotte veut devenir médecin. Son mari est d'accord avec sa décision.

La lutte pour l'égalité

À cette époque, les femmes ne sont pas admises dans les écoles de médecine du pays. Alors, Charlotte doit partir sans son mari et ses trois enfants. Elle sacrifie sa vie de famille afin d'étudier aux États-Unis. Après cinq ans d'études, elle reçoit son diplôme de médecine.

Ensuite, elle revient à Montréal, où elle crée un cabinet médical. Trois ans plus tard, elle déménage au Manitoba. Son père et son mari travaillent à la construction de la voie ferrée du Canadien Pacifique. Au Manitoba, Charlotte est de nouveau très occupée. Elle soigne les blessés et les malades des camps de bûcherons et des chantiers de construction du chemin de fer. Elle répare les fractures et coupe des membres abîmés. En plus, elle accouche les femmes de la région.

Toutefois, Charlotte exerce la médecine sans autorisation. Elle demande plusieurs fois un permis à Montréal et à Winnipeg, mais elle ne l'obtient jamais. Le Collège des médecins et chirurgiens du Manitoba, composé exclusivement d'hommes, lui ordonne d'étudier la médecine au Canada. Elle refuse de refaire ses études et de quitter sa famille, ses cinq enfants et ses malades. En 1887, elle s'adresse à l'Assemblée législative du Manitoba pour obtenir le droit d'exercer la médecine. Elle reçoit encore une réponse négative. Alors, Charlotte pratique la médecine sans permis jusqu'en 1912. Elle meurt quatre ans plus tard à Winnipeg, à l'âge de 73 ans.

Charlotte a lutté pour devenir médecin et soigner les gens.

La reconnaissance méritée

En novembre 1993, plusieurs années après sa mort, on lui accorde le permis d'exercer la médecine. L'Assemblée législative du Manitoba veut ainsi rendre hommage à cette pionnière courageuse et dévouée, et reconnaître son rôle important dans l'histoire du Canada.

Tâche d'évaluation

MODULE 1

Charlotte Whitehead Ross

CRITÈRES D'ÉVALUATION

Tes réponses doivent démontrer que :

- tu survoles le texte pour faire des observations et des prédictions ;
- tu fais des liens avec tes connaissances et tes expériences, avec d'autres textes et avec le monde ;
- tu comprends le texte.

Avant de lire le texte, précise ton intention de lecture en prenant d'abord connaissance de l'ensemble de la tâche d'évaluation.

1. Survole le texte pour faire trois observations et trois prédictions. Écris-les dans les deux premières colonnes du tableau.

Ensuite, lis le texte pour vérifier tes prédictions et note ce que tu as découvert dans la troisième colonne.

Tes observations	Tes prédictions	Tes découvertes au fil du texte

Nom : _____   Date : _____

2. Dans l'organisateur graphique suivant, commence par résumer le texte. Ensuite, fais des liens avec tes connaissances et tes expériences, avec d'autres textes et avec le monde.

a) Résumé du texte

b) Liens avec tes connaissances et tes expériences

c) Liens avec d'autres textes

d) Liens avec le monde

Tâche d'évaluation *(suite)*

MODULE 1

3. Lis chacun des énoncés suivants et indique s'il est vrai (**V**) ou faux (**F**). Si tu ne trouves pas la réponse dans le texte, coche la dernière case (**?**).

		V	F	?
a)	Charlotte est née à Montréal.	☐	☐	☐
b)	À cette époque, les femmes ne sont pas admises dans les écoles de médecine au Canada.	☐	☐	☐
c)	Charlotte obtient son diplôme de médecine aux États-Unis.	☐	☐	☐
d)	Charlotte préfère accoucher les femmes plutôt que soigner les bûcherons.	☐	☐	☐
e)	Charlotte n'a pas de famille.	☐	☐	☐
f)	Charlotte pratique la médecine au Manitoba.	☐	☐	☐
g)	Charlotte a déjà trois enfants quand elle décide de devenir médecin.	☐	☐	☐
h)	Le premier patient de Charlotte est un bûcheron.	☐	☐	☐
i)	Charlotte pratique la médecine sans permis jusqu'en 1912.	☐	☐	☐
j)	Charlotte est décédée en 1916.	☐	☐	☐
k)	Charlotte a eu cinq enfants.	☐	☐	☐
l)	Charlotte voulait un salaire équitable pour son travail.	☐	☐	☐
m)	Charlotte a reçu son permis de conduire en 1993.	☐	☐	☐

4. Écris deux autres énoncés vrais au sujet de Charlotte Whitehead Ross.

a) _____

_____

_____

_____

b) _____

_____

_____

_____

Tâche d'évaluation (suite)

MODULE 1

5. Réfléchis à ton travail en répondant aux questions suivantes.

a) Quelles stratégies as-tu utilisées pour comprendre le texte ? Comment ces stratégies t'ont-elles été utiles ?

_____

_____

_____

_____

_____

_____

b) Quelle question a été la plus facile ? Explique pourquoi.

_____

_____

_____

_____

_____

c) Quelle question a été la plus difficile ? Explique pourquoi.

_____

_____

_____

_____

_____

d) Comment cette tâche d'évaluation peut-elle t'aider pour tes prochaines lectures ?

_____

_____

_____

_____

_____

Grille d'évaluation

MODULE 1

Littératie en action 6 | Guide
11056

Critères	Niveau 1	Niveau 2	Niveau 3	Niveau 4
Faire des observations et des prédictions et les vérifier				
• Survole le texte pour faire des observations et des prédictions. **[Q. 1]**	avec une efficacité limitée	avec une certaine efficacité	avec efficacité	avec une grande efficacité
• Vérifie ses prédictions en lisant le texte. **[Q. 1]**	avec une efficacité limitée	avec une certaine efficacité	avec efficacité	avec une grande efficacité
Faire des liens				
• Fait des liens avec ses connaissances et ses expériences. **[Q. 2 b)]**	avec une efficacité limitée	avec une certaine efficacité	avec efficacité	avec une grande efficacité
• Fait des liens avec d'autres textes. **[Q. 2 c)]**	avec une efficacité limitée	avec une certaine efficacité	avec efficacité	avec une grande efficacité
• Fait des liens avec le monde. **[Q. 2 d)]**	avec une efficacité limitée	avec une certaine efficacité	avec efficacité	avec une grande efficacité
Comprendre le texte lu				
• Résume le texte. **[Q. 2 a)]**	avec une efficacité limitée	avec une certaine efficacité	avec efficacité	avec une grande efficacité
• Démontre sa compréhension du texte. **[Q. 3 et 4]**	avec une efficacité limitée	avec une certaine efficacité	avec efficacité	avec une grande efficacité
• Vérifie des renseignements dans le texte. **[Q. 3 et 4]**	avec une efficacité limitée	avec une certaine efficacité	avec efficacité	avec une grande efficacité

Autres observations

_____
_____
_____
_____
_____
_____
_____
_____

Guide d'utilisation

Durée prévue	Niveaux de difficulté
60 à 90 min	Texte A : T-U, DRA 50-54 (niveau scolaire visé)
	Texte B : R-S, DRA 44-48 (niveau inférieur au niveau scolaire visé)

AVANT

PRÉPARER L'ÉVALUATION

Avant de proposer la tâche d'évaluation aux élèves, s'assurer qu'ils ont eu l'occasion :

- de mettre en pratique les stratégies de lecture ciblées dans le module 2 : utiliser ses connaissances, déterminer ce qui est important et évaluer le message (manuel de l'élève, p. 57) ;
- d'utiliser un organisateur graphique semblable à celui présenté dans la fiche d'activité **3 : Utilise tes connaissances, détermine ce qui est important et évalue le message** du fascicule du guide d'enseignement lié au module 2 du manuel ;
- de prendre connaissance des critères d'évaluation retenus pour cette évaluation : utiliser ses connaissances, déterminer ce qui est important, évaluer le message, comprendre le texte lu.

Choisir le texte qui convient au niveau de lecture des élèves. Faire les photocopies du texte et de la tâche d'évaluation en nombre suffisant. Au besoin, reproduire des documents sur des transparents pour expliquer aux élèves la tâche d'évaluation qu'ils devront accomplir.

PRÉSENTER L'ÉVALUATION

Informer les élèves qu'ils liront un texte intitulé « Rencontre avec un illustrateur de romans jeunesse ». Il s'agit d'une entrevue semblable aux textes de lecture partagée et de lecture guidée qu'ils ont lus dans le module (*Rencontre avec une artiste peintre* ; *Rencontre avec un photographe* ; *Rencontre avec une metteure en scène* et *Rencontre avec une bédéiste*). Il porte sur le même thème et il est présenté de la même façon (mise en pages similaire).

Préciser aux élèves qu'ils auront à démontrer leur compréhension en lecture en mettant en application les stratégies de compréhension présentées à la page 57 de leur manuel : utiliser ses connaissances, déterminer ce qui est important et évaluer le message.

Remettre aux élèves le document reproductible **Tâche d'évaluation – Module 2** (présent fascicule, p. 22-24) et présenter les critères d'évaluation énoncés au début du document. Parcourir l'ensemble des questions afin de s'assurer de leur compréhension de la tâche. Des exemples de réponses sont fournis à la page 17 du présent fascicule.

Dire aux élèves que cette évaluation permettra de mieux connaître leurs habiletés en lecture et de planifier des activités de compréhension en lecture correspondant à leurs besoins.

Remettre aux élèves le texte choisi (A ou B), en préciser le temps alloué pour le lire, puis répondre aux questions. Selon les besoins, la durée prévue (60 à 90 min) peut varier. Tenir compte de l'option suivante : plutôt que d'inviter les élèves à accomplir la tâche d'évaluation en une seule séance, leur demander de répondre à une question à la fois, en fournissant à ce moment-là les explications nécessaires.

Inviter ensuite les élèves à accomplir la tâche d'évaluation en ayant pris soin, au préalable, de leur rappeler les points suivants.

- Survoler le texte avant de commencer à le lire.
- Prêter attention au titre, aux illustrations et aux photos.
- Mettre en application les stratégies de compréhension ciblées.
- Formuler des réponses complètes et précises.

APRÈS

FAIRE UN RETOUR SUR LA TÂCHE D'ÉVALUATION

Après avoir demandé aux élèves de vérifier leurs réponses, faire un retour sur la tâche d'évaluation en groupe-classe, en petits groupes ou dans le cadre d'entrevues individuelles. À noter que la question 3 de la tâche d'évaluation a permis aux élèves de réfléchir à des aspects de la tâche et de noter des éléments de réflexion. Pour favoriser la discussion et susciter une réflexion, poser les questions suivantes.

- En quoi le survol du texte a-t-il été utile pour comprendre le texte ?
- Quelles stratégies vous ont aidés à comprendre le texte ?
- Qu'avez-vous trouvé le plus intéressant ? Pourquoi ?
- Quelles parties de l'évaluation ont été les plus faciles ? les plus difficiles ?
- Comment avez-vous surmonté vos difficultés ?
- Comment avez-vous fait pour accomplir la tâche demandée dans le temps alloué ?

ÉVALUER LE RENDEMENT DES ÉLÈVES

Évaluer le rendement des élèves à l'aide de la **Grille d'évaluation – Module 2** (présent fascicule, p. 25). Cette grille propose des comportements à observer pour chaque critère d'évaluation et indique les numéros des questions correspondant à ces comportements.

EXEMPLES DE RÉPONSES

QUESTION 2

a) *Il est illustrateur de romans jeunesse. Il a toujours voulu faire ce travail, c'est une passion.*

b) *Oui, il voulait mieux dessiner sa maison que son camarade de classe.*

c) *Les conseils de Marc Page :*
   - *avoir une passion pour ce métier ;*
   - *avoir une autre source de revenus, surtout au début de sa carrière ;*
   - *concevoir un site Internet ou un blogue pour montrer son travail ;*
   - *s'associer à des maisons d'édition pour créer un réseau de connaissances ;*
   - *étudier les travaux d'autres illustrateurs et illustratrices ;*
   - *fréquenter une école d'art spécialisée dans l'illustration.*

d) *Bien connaître les goûts de ses lecteurs et ses lectrices permet de mieux capter leur attention.*

e) *Les lecteurs et les lectrices, les responsables de la maison d'édition et l'auteur ou l'auteure du roman jeunesse.*

f) *Il est inspiré par d'autres illustrateurs ou illustratrices. D'autres illustrations l'inspirent aussi.*

g) *Oui, il exerce ce métier même si ce n'est pas toujours payant. Il éprouve beaucoup de plaisir à parler de son travail.*

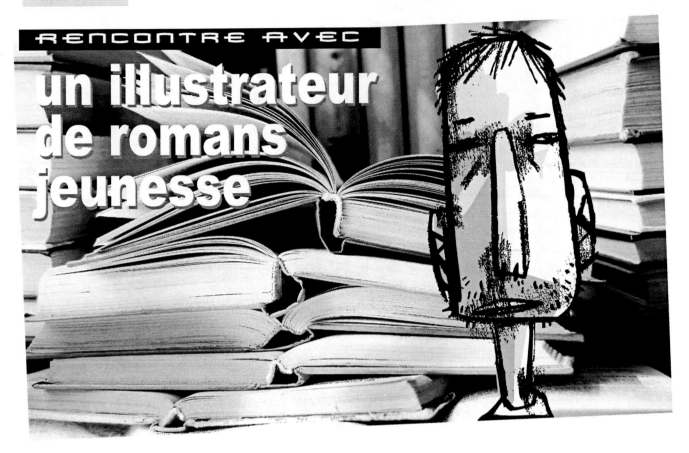

RENCONTRE AVEC un illustrateur de romans jeunesse

*Q*uels éléments influencent ton choix de roman à lire ? L'illustration de la page couverture capte-t-elle ton attention ? Une illustration est une représentation visuelle des idées d'un auteur ou d'une auteure. Elle est porteuse de sens, elle raconte une histoire. Qui sont les gens derrière les images des couvertures de romans jeunesse ? **Info-Jeunesse** a rencontré l'illustrateur Marc Page pour mieux te faire connaître cette profession intéressante.

INFO-JEUNESSE : Bonjour, Marc Page ! Pour commencer, dites-nous à quel âge vous avez décidé d'être illustrateur de romans jeunesse.

MARC PAGE : Vers six ou sept ans, quand un ami de la classe a dessiné une maison bien plus jolie que la mienne. Dès ce moment, je me suis dit que je devais faire mieux que lui et, qu'un jour, je serais illustrateur professionnel. Mes premiers dessins étaient exposés sur la porte du réfrigérateur familial. *(Rires.)* J'ai illustré mon premier livre à 10 ans, mais je préfère l'oublier. *(Rires.)* Ensuite, j'ai publié des bandes dessinées et illustré mon premier roman jeunesse à 26 ans.

I.-J. : Quels conseils donneriez-vous à nos lecteurs et nos lectrices qui souhaitent devenir illustrateurs ou illustratrices de romans jeunesse ?

M. P. : Je leur dirais qu'il faut surtout avoir une passion pour ce métier. J'ajouterais que ce travail n'est pas toujours avantageux sur le plan financier. C'est une réalité qu'on ne peut négliger. Il serait sage d'avoir une autre source de revenus, surtout quand on commence, car se faire connaître prend du temps. Je leur conseillerais de concevoir un site Internet ou un blogue pour montrer leur travail, car Internet est un bon moyen promotionnel. Il est important aussi de s'associer à des maisons d'édition pour créer un réseau de connaissances. Enfin, je leur dirais d'étudier les travaux d'autres illustrateurs et illustratrices. Il existe d'excellentes écoles d'art, et certaines sont spécialisées dans l'illustration.

I.-J.: Quelles qualités sont nécessaires pour illustrer des romans jeunesse?

M. P.: Bien sûr, il faut connaître la technique du dessin, mais avant tout, être complice de son public. Il faut imaginer ses goûts et ses intérêts, et se tenir au courant des nouvelles tendances dans l'illustration. Par exemple, je cherche à bien connaître la culture actuelle et celle du passé. De plus, je me fais un devoir de toujours travailler à élargir ma palette créative.

I.-J.: Comment procédez-vous pour illustrer un roman jeunesse?

M. P.: Il y a beaucoup de travail à faire avant de dessiner. D'abord, je lis et je relis le roman en prenant des notes. J'essaie d'imaginer ce qu'attendent les lecteurs et les lectrices. Ensuite, je jette mes premières idées sur le papier, puis je fais des croquis de plus en plus précis. Enfin, j'envoie mes dessins à la maison d'édition et à l'auteur ou à l'auteure pour d'éventuelles modifications.

I.-J.: Dans ce métier, qui inspire votre création?

M. P.: De nombreuses personnes m'inspirent. Je pense à Gilles Tibo qui a beaucoup de créativité et un très beau style. Je citerais aussi Fil et Julie, un couple qui illustre de façon intéressante. D'après ce que je sais, Fil fait les croquis et Julie, la coloration. Je suis toujours à la recherche d'illustrations qui captent mon attention.

I.-J.: Marc Page, merci de nous avoir accordé cette entrevue.

M. P.: C'est toujours un plaisir de parler de mon travail!

RENCONTRE AVEC
un illustrateur de romans jeunesse

*Q***u'est-ce qui t'aide à choisir un roman à lire ? L'illustration de la page couverture capte-t-elle ton attention ? Une illustration représente les idées d'un auteur ou d'une auteure. Elle raconte une histoire et t'aide à comprendre le texte. Qui sont les gens derrière les images des couvertures de romans jeunesse ? Info-Jeunesse a rencontré l'illustrateur Marc Page pour mieux te faire connaître cette profession intéressante.**

INFO-JEUNESSE : Bonjour, Marc Page ! D'abord, à quel âge avez-vous souhaité être illustrateur de romans jeunesse ?

MARC PAGE : Vers six ou sept ans. Un ami de la classe a dessiné une maison bien plus jolie que la mienne. Alors, j'ai décidé de faire mieux que lui et de devenir illustrateur professionnel. Mes premiers dessins étaient exposés sur la porte du réfrigérateur familial. *(Rires.)* J'ai illustré mon premier livre à 10 ans. Je préfère l'oublier. *(Rires.)* J'ai d'abord créé des bandes dessinées. Ensuite, à l'âge de 26 ans, j'ai illustré mon premier roman jeunesse.

I.-J. : Quels conseils pouvez-vous donner à nos lecteurs et nos lectrices qui souhaitent devenir illustrateurs ou illustratrices de romans jeunesse ?

M. P. : Il faut surtout avoir une passion pour ce métier. Je dois les prévenir que ce travail n'est pas toujours très payant. Il est sage d'en tenir compte et d'avoir une autre source de revenus, surtout au début. Se faire connaître prend du temps. Je leur conseille de concevoir un site Internet ou un blogue pour montrer leur travail. Internet est un bon moyen de promotion. Ils et elles doivent aussi montrer leur travail aux maisons d'édition. Enfin, je leur conseille d'étudier les dessins d'autres illustrateurs et illustratrices. Il existe d'excellentes écoles d'art spécialisées dans l'illustration.

I.-J. : Quelles qualités sont nécessaires pour être illustrateur ou illustratrice de romans jeunesse ?

M. P. : Il faut avoir une bonne technique de dessin, mais aussi bien connaître les goûts et les intérêts de ses lecteurs et ses lectrices. Il faut aussi être au courant des nouvelles tendances dans l'illustration. Il est important de connaître la culture actuelle et celle du passé. De plus, on doit toujours améliorer son produit.

I.-J. : Lorsque vous illustrez un roman jeunesse, comment procédez-vous ?

M. P. : Avant de dessiner, je lis et je relis le roman en prenant des notes. J'imagine les goûts et les intérêts des lecteurs et des lectrices. Ensuite, je dessine rapidement en suivant mes premières idées. Puis, je fais des dessins de plus en plus précis. Enfin, j'envoie mes croquis à la maison d'édition et à l'auteur ou à l'auteure pour connaître leur avis.

I.-J. : Dans ce métier, qui inspire votre création personnelle ?

M. P. : De nombreuses personnes m'inspirent. Je pense à Gilles Tibo qui a beaucoup de créativité. J'aime ses illustrations. Il y a aussi Fil et Julie, un couple d'illustrateurs intéressants. Fil fait les dessins et Julie, la coloration. Je suis toujours à la recherche d'illustrations qui retiennent mon attention.

I.-J. : Marc Page, merci de nous avoir accordé cette entrevue.

M. P. : C'est toujours un plaisir de parler de mon travail !

Tâche d'évaluation
MODULE 2

Rencontre avec un illustrateur de romans jeunesse

CRITÈRES D'ÉVALUATION

Tes réponses doivent démontrer que :
- tu utilises tes connaissances ;
- tu détermines ce qui est important ;
- tu évalues le message ;
- tu comprends le texte.

Avant de lire le texte, précise ton intention de lecture en prenant d'abord connaissance de l'ensemble de la tâche d'évaluation.

1. Lis le texte en appliquant les stratégies suivantes.

Utilise tes connaissances	Détermine ce qui est important	Évalue le message
a) Survole le texte et note ce que tu connais déjà de la personne ou du sujet présenté.	b) Lis le texte et note ce qui te semble important de communiquer sur cette lecture.	c) Comment l'information contenue dans cette entrevue pourrait-elle te servir ?

d) Formule une question que tu aimerais poser à la personne présentée dans cette entrevue.

Question : _____

_____

Tâche d'évaluation *(suite)*

2. Démontre ta compréhension en répondant aux questions suivantes.

a) Quelle est la profession de Marc Page ? Pourquoi exerce-t-il cette profession ?

_____

_____

b) À ton avis, Marc Page aime-t-il la compétition ? Explique ta réponse.

_____

_____

c) Nomme deux conseils que Marc Page donnerait à une personne qui souhaite illustrer des romans jeunesse.

_____

_____

_____

_____

d) Pourquoi est-ce important de bien connaître ses lecteurs et ses lectrices ?

_____

_____

_____

e) Quels sont les destinataires de l'illustrateur ou de l'illustratrice d'un roman jeunesse ? Nommes-en trois.

_____

_____

_____

f) Nomme deux sources d'inspiration de Marc Page.

_____

_____

g) Marc Page aime-t-il son travail ? Explique ta réponse.

_____

_____

Tâche d'évaluation *(suite)*

3. Réfléchis à ton travail en répondant aux questions suivantes.

a) Quelles stratégies as-tu utilisées pour comprendre le texte ? Comment ces stratégies t'ont-elles été utiles ?

_____

_____

_____

_____

_____

_____

b) Quelle question a été la plus facile ? Explique pourquoi.

_____

_____

_____

_____

_____

c) Quelle question a été la plus difficile ? Explique pourquoi.

_____

_____

_____

_____

_____

d) Comment cette tâche d'évaluation peut-elle t'aider pour tes prochaines lectures ?

_____

_____

_____

_____

_____

Grille d'évaluation

MODULE 2

Critères	Niveau 1	Niveau 2	Niveau 3	Niveau 4
Utiliser ses connaissances				
• Fait des liens avec ses connaissances. **[Q. 1 a)]**	avec une efficacité limitée	avec une certaine efficacité	avec efficacité	avec une grande efficacité
Déterminer ce qui est important				
• Reconnaît et relève les idées importantes présentées dans une entrevue. **[Q. 1 b)]**	avec une efficacité limitée	avec une certaine efficacité	avec efficacité	avec une grande efficacité
• Reconnaît la valeur d'un message. **[Q. 1 c)]**	avec une efficacité limitée	avec une certaine efficacité	avec efficacité	avec une grande efficacité
Évaluer le message				
• Peut montrer comment l'information pourrait servir dans une autre situation. **[Q. 1 c)]**	avec une efficacité limitée	avec une certaine efficacité	avec efficacité	avec une grande efficacité
Comprendre le texte lu				
• Démontre sa compréhension du texte. **[Q. 1 d), 2 a) à g)]**	avec une efficacité limitée	avec une certaine efficacité	avec efficacité	avec une grande efficacité

Autres observations

_____

_____

_____

_____

_____

_____

_____

_____

_____

_____

_____

_____

Guide d'utilisation

Durée prévue	Niveaux de difficulté
60 à 90 min	Texte A: W-X, DRA 60-64 (niveau scolaire visé) Texte B: U-V, DRA 54-58 (niveau inférieur au niveau scolaire visé)

AVANT

PRÉPARER L'ÉVALUATION

Avant de proposer la tâche d'évaluation aux élèves, s'assurer qu'ils ont eu l'occasion:

- de mettre en pratique les stratégies de lecture ciblées dans le module 3: poser des questions, vérifier sa compréhension, faire un résumé (manuel de l'élève, p. 103);

- d'utiliser des organisateurs graphiques semblables à ceux qui ont été présentés dans les fiches suivantes: la fiche d'activité **3: Pose des questions, vérifie ta compréhension et fais un résumé** du fascicule du guide d'enseignement lié au module 3 du manuel et la fiche d'activité modèle **5: Résumer l'information** du fascicule *Guide d'enseignement de la littératie* (*voir aussi l'organisateur graphique 5 et le transparent 5*);

- de prendre connaissance des critères d'évaluation retenus pour cette évaluation: poser des questions pertinentes, noter les renseignements avec exactitude, relever les idées principales et résumer le texte.

Choisir le texte qui convient au niveau de lecture des élèves. Faire les photocopies du texte et de la tâche d'évaluation en nombre suffisant. Au besoin, reproduire des documents sur des transparents pour expliquer aux élèves la tâche d'évaluation qu'ils devront accomplir.

PRÉSENTER L'ÉVALUATION

Informer les élèves qu'ils liront un texte intitulé «La Station spatiale internationale». Ce texte est un texte explicatif semblable aux textes de lecture partagée et de lecture guidée qu'ils ont lus dans le module (*Les débris spatiaux*; *Pluton, une planète naine?*; *La comète de Halley*; *Mars, la planète rouge*). Il porte sur le même thème et il est présenté de la même façon (mise en pages similaire).

Préciser aux élèves qu'ils auront à démontrer leur compréhension en lecture en mettant en application les stratégies de compréhension présentées à la page 103 de leur manuel: poser des questions, vérifier sa compréhension et faire un résumé.

Remettre aux élèves le document reproductible **Tâche d'évaluation – Module 3** (présent fascicule, p. 34-37) et présenter les critères d'évaluation énoncés au début du document. Parcourir l'ensemble des questions afin de s'assurer de leur compréhension de la tâche. Des exemples de réponses sont fournis à la page 29 du présent fascicule.

Dire aux élèves que cette évaluation permettra de mieux connaître leurs habiletés en lecture et de planifier des activités de compréhension en lecture correspondant à leurs besoins.

Littératie en action 6 | Guide
11056
Évaluation de la compréhension en lecture: Module 3
27

PENDANT

Remettre aux élèves le texte choisi (A ou B), en préciser le temps alloué pour le lire, puis répondre aux questions. Selon les besoins, la durée prévue (60 à 90 min) peut varier. Tenir également compte de l'option suivante : plutôt que d'inviter les élèves à accomplir la tâche d'évaluation en une seule séance, leur demander de répondre à une question à la fois, en fournissant à ce moment-là les explications nécessaires.

Inviter ensuite les élèves à accomplir la tâche d'évaluation en ayant pris soin, au préalable, de leur rappeler les points suivants.

- Survoler le texte avant de commencer à le lire.
- Prêter attention au titre, aux intertitres et aux photos.
- Mettre en application les stratégies de compréhension ciblées.
- Formuler des réponses complètes et précises.

APRÈS

FAIRE UN RETOUR SUR LA TÂCHE D'ÉVALUATION

Après avoir demandé aux élèves de vérifier leurs réponses, faire un retour sur la tâche d'évaluation en groupe-classe, en petits groupes ou dans le cadre d'entrevues individuelles. À noter que la question 6 de la tâche d'évaluation a permis aux élèves de réfléchir à des aspects de la tâche et de noter des éléments de réflexion. Pour favoriser la discussion et susciter une réflexion, poser les questions suivantes.

- En quoi le survol du texte a-t-il été utile pour comprendre le texte ?
- Quelles stratégies vous ont aidés à comprendre le texte ?
- Qu'avez-vous trouvé le plus intéressant ? Pourquoi ?
- Quelles parties de l'évaluation ont été les plus faciles ? les plus difficiles ?
- Comment avez-vous surmonté vos difficultés ?
- Comment avez-vous fait pour accomplir la tâche demandée dans le temps alloué ?

ÉVALUER LE RENDEMENT DES ÉLÈVES

Évaluer le rendement des élèves à l'aide de la **Grille d'évaluation – Module 3** (présent fascicule, p. 38). Cette grille propose des comportements à observer pour chaque critère d'évaluation et indique les numéros des questions correspondant à ces comportements.

EXEMPLES DE RÉPONSES

QUESTION 3

Exemples de réponses :

	Renseignements importants	Résumé de l'idée principale
Qu'est-ce que la Station spatiale internationale ?	• *Un laboratoire de recherche scientifique dans l'espace.* • *Le projet international d'ingénierie le plus complexe de tous les temps.* • *Un laboratoire qui se déplace autour de la Terre.* • *Un ensemble d'équipages internationaux qui se relaient.* • *Un module qui mesurera 108 m de long et 74 m de large, et qui pèsera 415 tonnes.*	*La SSI est un laboratoire de recherche scientifique dans l'espace auquel contribuent 16 pays.*
Pourquoi a-t-on construit la Station spatiale internationale ?	• *Pour mener des expériences scientifiques dans l'espace.* • *Pour étudier les effets d'un séjour prolongé en apesanteur sur les organismes vivants.* • *Pour découvrir de nouveaux médicaments, des matériaux ou des technologies impossibles à mettre au point sur Terre.*	*On a construit la SSI pour mener des expériences scientifiques.*
Quelle est la contribution canadienne ?	• *Le bras robotique Canadarm.* • *Le bras robotique Canadarm2.*	*Le Canada a fourni deux bras robotiques, Canadarm et Canadarm2, qui servent à l'assemblage et à l'entretien de la station.*

QUESTION 4

Exemple de résumé :

La Station spatiale internationale (SSI) est un laboratoire de recherche scientifique dans l'espace auquel contribuent 16 pays. Elle a été construite pour mener des expériences scientifiques. Le Canada a fourni deux bras robotiques, Canadarm et Canadarm2, qui servent à l'assemblage et à l'entretien de la station.

QUESTION 5

a) *Pour approfondir leurs connaissances des sciences de la vie.*

b) *Parce que 16 pays contribuent au projet en fournissant des ressources.*

c) *Cela nous permet de mieux comprendre le fonctionnement du corps humain dans cette condition et peut-être de découvrir de meilleures façons de traiter certaines maladies.*

d) *Ces bras télémanipulateurs servent à l'assemblage et à l'entretien de la SSI.*

e) *Dans la navette spatiale américaine* Endeavour.

EN ORBITE...

La Station spatiale internationale

La Station spatiale internationale est un laboratoire de recherche scientifique.

Pour approfondir leurs connaissances des sciences de la vie, des scientifiques ont eu l'idée de construire un laboratoire permanent dans l'espace. Il s'agit de la Station spatiale internationale, qui a la dimension d'un terrain de football. Aujourd'hui, des astronautes s'y rendent régulièrement en vaisseau spatial pour effectuer des travaux et des recherches.

Qu'est-ce que la Station spatiale internationale ?

La Station spatiale internationale (SSI) est un laboratoire de recherche scientifique. C'est le projet international d'ingénierie le plus important et le plus complexe de tous les temps. Seize pays, dont le Canada, y contribuent en fournissant des ressources scientifiques. La SSI se déplace autour de la Terre à une vitesse d'environ 28 000 km/h et à une altitude d'environ 400 km. Elle effectue un tour complet de notre planète en seulement 90 minutes. Des membres d'équipages internationaux se relaient depuis la construction des premiers modules, en 1998. Une fois achevée, en 2010 ou 2011, la station mesurera 108 m de long et 74 m de large. Sa masse sera de 415 tonnes.

Pourquoi a-t-on construit la Station spatiale internationale ?

Cette station a été construite dans le but de mener des expériences scientifiques dans l'espace. Par exemple, des spécialistes peuvent se consacrer à l'étude des effets d'un séjour prolongé en apesanteur sur les organismes vivants. Ces renseignements sont essentiels pour la poursuite de l'exploration spatiale, dont la réalisation des vols habités vers Mars et d'autres planètes. Des chercheurs et des chercheuses utilisent aussi les installations de la station pour découvrir de nouveaux médicaments, matériaux ou technologies impossibles à mettre au point sur Terre.

Quelle est la contribution canadienne ?

Le Canada a fourni le bras robotique Canadarm, puis Canadarm2. Ce bras télémanipulateur mesure plus de 17 m de long et sert à l'assemblage et à l'entretien de la station. Grâce à leur séjour dans la SSI, les membres d'équipage canadiens ont aussi contribué à l'avancement de la recherche spatiale. Et l'aventure de nos grands explorateurs de l'espace continue !

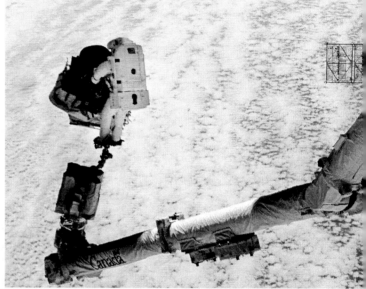

Le **bras canadien** est un dispositif de haute technologie.

RENSEIGNEMENTS SUPPLÉMENTAIRES		
Les astronautes canadiens ayant séjourné dans la Station spatiale internationale depuis 2000		
Astronaute	**Date de la mission**	**Véhicule de lancement**
Marc Garneau	30 novembre au 11 décembre 2000	Navette spatiale américaine *Endeavour*
Chris Hadfield	19 avril au 1er mai 2001	Navette spatiale américaine *Endeavour*
Robert Thirsk	15 au 25 avril 2005	Vaisseau spatial *Soyouz*
Steve MacLean	9 au 21 septembre 2006	Navette spatiale américaine *Atlantis*
Dave Williams	8 au 21 août 2007	Navette spatiale américaine *Endeavour*
Julie Payette	15 au 31 juillet 2009	Navette spatiale américaine *Endeavour*
Robert Thirsk	27 mai au 1er décembre 2009	Vaisseau spatial *Soyouz*

La Station spatiale internationale

La Station spatiale internationale est un laboratoire de recherche scientifique.

Les scientifiques ont construit un laboratoire dans l'espace pour étudier les sciences de la vie. Ce laboratoire est la Station spatiale internationale. Elle est aussi grande qu'un terrain de football. Aujourd'hui, des astronautes s'y rendent en vaisseau spatial pour travailler et faire des recherches.

Qu'est-ce que la Station spatiale internationale ?

La Station spatiale internationale (SSI) est un laboratoire de recherche scientifique. De nombreux pays ont participé à la construction de ce projet international. Le Canada, ainsi que 16 autres pays, fournit des ressources scientifiques. La SSI se déplace autour de la Terre. Elle voyage à une vitesse d'environ 28 000 km/h et à une altitude d'environ 400 km. Depuis 1998, des astronautes de divers pays partent travailler sur la SSI. À la fin de la construction, en 2010 ou 2011, la station mesurera 108 m de long et 74 m de large. Elle pèsera 415 tonnes.

Pourquoi a-t-on construit la Station spatiale internationale ?

Cette station a été construite pour mener des expériences scientifiques dans l'espace. Par exemple, des spécialistes étudient les effets d'un séjour prolongé en apesanteur sur les organismes vivants. Ces renseignements sont importants pour la poursuite de l'exploration spatiale. On utilise aussi les installations de la station pour créer de nouveaux médicaments, de nouveaux matériaux ou de nouvelles technologies.

Quelle est la contribution canadienne ?

Le Canada a fourni le bras robotique Canadarm, puis Canadarm2. Ce bras télémanipulateur mesure plus de 17 m de long. Il sert à l'assemblage et à l'entretien de la station. Grâce à leur travail dans la SSI, les membres d'équipage canadiens ont aussi participé au développement de la recherche spatiale. Et ça continue !

Le **bras canadien** est un dispositif de haute technologie.

RENSEIGNEMENTS SUPPLÉMENTAIRES		
Les astronautes canadiens qui ont habité dans la Station spatiale internationale depuis 2000		
Astronaute	**Date de la mission**	**Véhicule de lancement**
Marc Garneau	30 novembre au 11 décembre 2000	Navette spatiale américaine *Endeavour*
Chris Hadfield	19 avril au 1er mai 2001	Navette spatiale américaine *Endeavour*
Robert Thirsk	15 au 25 avril 2005	Vaisseau spatial *Soyouz*
Steve MacLean	9 au 21 septembre 2006	Navette spatiale américaine *Atlantis*
Dave Williams	8 au 21 août 2007	Navette spatiale américaine *Endeavour*
Julie Payette	15 au 31 juillet 2009	Navette spatiale américaine *Endeavour*
Robert Thirsk	27 mai au 1er décembre 2009	Vaisseau spatial *Soyouz*

Tâche d'évaluation

MODULE 3

La Station spatiale internationale

CRITÈRES D'ÉVALUATION

Tes réponses doivent démontrer que :
- tu poses des questions pertinentes avant de lire un texte ;
- tu notes des renseignements avec exactitude ;
- tu relèves les idées principales ;
- tu résumes le texte ;
- tu comprends le texte.

Avant de lire le texte, précise ton intention de lecture en prenant connaissance de l'ensemble de la tâche d'évaluation.

1. Survole le texte avant de le lire et écris deux questions que tu te poses sur le sujet.

- _____
  _____

- _____
  _____

2. Lis le texte, puis réponds à tes deux questions. Si tu n'as pas trouvé les réponses dans le texte, dans quelles sources d'information pourrais-tu aller les chercher ?

- _____
  _____
  _____

- _____
  _____
  _____

Tâche d'évaluation (*suite*)

MODULE 3

3. Relève les idées principales du texte que tu viens de lire en suivant la démarche suivante :

- dans la première colonne du tableau, note les renseignements contenus dans chaque section du texte ;
- dans la deuxième colonne, résume l'idée principale de la section.

	Renseignements importants	Résumé de l'idée principale
Qu'est-ce que la Station spatiale internationale ?		
Pourquoi a-t-on construit la Station spatiale internationale ?		
Quelle est la contribution canadienne ?		

Tâche d'évaluation (suite)

MODULE 3

4. Résume le texte à l'aide des idées principales que tu as notées à la question 3.

_____

_____

_____

_____

_____

_____

_____

5. Réponds aux questions suivantes.

a) Pourquoi les scientifiques explorent-ils l'espace ?

_____

_____

b) Comment sais-tu que l'exploration spatiale est importante pour de nombreux pays ?

_____

_____

c) Pourquoi est-ce important d'étudier les effets d'un séjour prolongé en apesanteur ?

_____

_____

d) Quelles sont les fonctions principales des bras robotiques Canadarm, puis Canadarm2 ?

_____

_____

e) Dans quelle navette spatiale les astronautes canadiens ont-ils le plus voyagé vers la Station spatiale internationale ?

_____

Tâche d'évaluation (*suite*)

6. Réfléchis à ton travail en répondant aux questions suivantes.

a) Quelles stratégies as-tu utilisées pour comprendre le texte ? En quoi t'ont-elles été utiles ?

_____

_____

_____

_____

_____

_____

b) Quelle question a été la plus facile ? Explique pourquoi.

_____

_____

_____

_____

_____

c) Quelle question a été la plus difficile ? Explique pourquoi.

_____

_____

_____

_____

_____

d) Comment cette tâche d'évaluation peut-elle t'aider pour tes prochaines lectures ?

_____

_____

_____

_____

_____

Grille d'évaluation

MODULE 3

Critères	Niveau 1	Niveau 2	Niveau 3	Niveau 4
Poser des questions				
• Pose des questions pertinentes avant de lire le texte. **[Q. 1]**	avec une efficacité limitée	avec une certaine efficacité	avec efficacité	avec une grande efficacité
• Répond à ses questions. **[Q. 2]**	avec une efficacité limitée	avec une certaine efficacité	avec efficacité	avec une grande efficacité
• Énumère des sources d'information lui permettant de trouver les réponses à ses questions. **[Q. 2]**	avec une efficacité limitée	avec une certaine efficacité	avec efficacité	avec une grande efficacité
Faire un résumé				
• Note les renseignements avec exactitude. **[Q. 3 et 4]**	avec une efficacité limitée	avec une certaine efficacité	avec efficacité	avec une grande efficacité
• Résume les idées principales. **[Q. 3]**	avec une efficacité limitée	avec une certaine efficacité	avec efficacité	avec une grande efficacité
• Résume le texte. **[Q. 4]**	avec une efficacité limitée	avec une certaine efficacité	avec efficacité	avec une grande efficacité
• Présente clairement ses idées. **[Q. 3 et 4]**	avec une efficacité limitée	avec une certaine efficacité	avec efficacité	avec une grande efficacité
Comprendre le texte lu				
• Trouve des renseignements dans le texte. **[Q. 5 a) et d)]**	avec une efficacité limitée	avec une certaine efficacité	avec efficacité	avec une grande efficacité
• Démontre sa compréhension en réagissant à un texte lu. **[Q. 5 c)]**	avec une efficacité limitée	avec une certaine efficacité	avec efficacité	avec une grande efficacité
• Fait des inférences à partir de ce qu'il ou elle a lu dans un texte. **[Q. 5 b) et e)]**	avec une efficacité limitée	avec une certaine efficacité	avec efficacité	avec une grande efficacité

Autres observations

_____

_____

_____

Guide d'utilisation

Durée prévue	Niveaux de difficulté
60 à 90 min	Texte A: W-X, DRA 60-64 (niveau scolaire visé)
	Texte B: V-W, DRA 58-60 (niveau inférieur au niveau scolaire visé)

AVANT

PRÉPARER L'ÉVALUATION

Avant de proposer la tâche d'évaluation aux élèves, s'assurer qu'ils ont eu l'occasion:

- de mettre en pratique les stratégies de lecture ciblées dans le module 4: utiliser ses connaissances, visualiser, faire une synthèse (manuel de l'élève, p. 147);
- d'utiliser des organisateurs graphiques semblables à ceux qui ont été présentés dans les fiches suivantes: les fiches d'activités **3: Utilise tes connaissances et visualise** et **4: Fais une synthèse** du fascicule du guide d'enseignement lié au module 4 du manuel et la fiche d'activité modèle **6: Comparer** du fascicule *Guide d'enseignement de la littératie* (*voir aussi l'organisateur graphique* **6** *et le transparent* **6**);
- de prendre connaissance des critères d'évaluation retenus pour cette évaluation: utiliser ses connaissances, visualiser, faire une synthèse et comprendre le texte.

Choisir le texte qui convient au niveau de lecture des élèves. Faire les photocopies du texte et de la tâche d'évaluation en nombre suffisant. Au besoin, reproduire des documents sur des transparents pour expliquer aux élèves la tâche d'évaluation qu'ils devront accomplir.

PRÉSENTER L'ÉVALUATION

Informer les élèves qu'ils liront un texte intitulé «Les médias ont-ils le pouvoir de créer des idoles?». Ce texte est un texte d'opinion semblable aux textes de lecture partagée et de lecture guidée qu'ils ont lus dans le module (*L'information trouvée dans Internet est-elle fiable?*; *La musique peut-elle aider les parents à mieux connaître leurs enfants?*; *La télévision a-t-elle une influence sur le développement des enfants?*; *Le sport est-il dangereux pour les jeunes?*). Il porte sur le même thème et il est présenté de la même façon (mise en pages similaire).

Préciser aux élèves qu'ils auront à démontrer leur compréhension en lecture en mettant en application les stratégies de compréhension présentées à la page 147 de leur manuel: utiliser ses connaissances, visualiser et faire une synthèse.

Remettre aux élèves le document reproductible **Tâche d'évaluation – Module 4** (présent fascicule, p. 46-49) et présenter les critères d'évaluation énoncés au début du document. Parcourir l'ensemble des questions afin de s'assurer de leur compréhension de la tâche. Des exemples de réponses sont fournis à la page 41 du présent fascicule.

Dire aux élèves que cette évaluation permettra de mieux connaître leurs habiletés en lecture et de planifier des activités de compréhension en lecture correspondant à leurs besoins.

PENDANT

Remettre aux élèves le texte choisi (A ou B), en préciser le temps alloué pour le lire, puis répondre aux questions. Selon les besoins, la durée prévue (60 à 90 min) peut varier. Tenir également compte de l'option suivante : plutôt que d'inviter les élèves à accomplir la tâche d'évaluation en une seule séance, leur demander de répondre à une question à la fois, en fournissant à ce moment-là les explications nécessaires.

Inviter ensuite les élèves à accomplir la tâche d'évaluation en ayant pris soin, au préalable, de leur rappeler les points suivants.

- Survoler le texte avant de commencer à le lire.
- Prêter attention au titre et aux photos.
- Mettre en application les stratégies de compréhension ciblées.
- Formuler des réponses complètes et précises.

APRÈS

FAIRE UN RETOUR SUR LA TÂCHE D'ÉVALUATION

Après avoir demandé aux élèves de vérifier leurs réponses, faire un retour sur la tâche d'évaluation en groupe-classe, en petits groupes ou dans le cadre d'entrevues individuelles. À noter que la question 5 de la tâche d'évaluation a permis aux élèves de réfléchir à des aspects de la tâche et de noter des éléments de réflexion. Pour favoriser la discussion et susciter une réflexion, poser les questions suivantes.

- En quoi le survol du texte a-t-il été utile pour comprendre le texte ?
- Quelles stratégies vous ont aidés à comprendre le texte ?
- Qu'avez-vous trouvé le plus intéressant ? Pourquoi ?
- Quelles parties de l'évaluation ont été les plus faciles ? les plus difficiles ?
- Comment avez-vous surmonté vos difficultés ?
- Comment avez-vous fait pour accomplir la tâche demandée dans le temps alloué ?

ÉVALUER LE RENDEMENT DES ÉLÈVES

Évaluer le rendement des élèves à l'aide de la **Grille d'évaluation – Module 4** (présent fascicule, p. 50). Cette grille propose des comportements à observer pour chaque critère d'évaluation et indique les numéros des questions correspondant à ces comportements.

QUESTION 2

Exemples de réponses :

Ton opinion	L'opinion d'Annie Laliberté
Ton opinion : *L'élève devrait être en mesure d'exprimer clairement son opinion et de présenter des arguments solides pour l'appuyer.* Tes arguments : *Réponse personnelle.*	L'opinion exprimée dans le texte : *Les médias ont le pouvoir de créer des idoles.* Les arguments présentés dans le texte : • *Les médias sont capables de définir des normes et des stéréotypes et d'influencer la population. Ils affectent notre jugement.* • *Les médias comprennent que le public s'intéresse aux vedettes et aux célébrités.* • *Les médias créent des idoles pour s'enrichir et influencent nos choix.*

Pourquoi? *L'élève devrait être capable d'expliquer pourquoi il ou elle partage l'opinion exprimée dans le texte.*

QUESTION 4

• *Les médias s'intéressent aux vedettes et aux célébrités en tout genre.*
• *Ils influencent notre jugement.*
• *Ils profitent de l'intérêt de la population envers ces vedettes pour faire de l'argent.*
• *Il faut avoir un esprit critique envers l'influence des médias sur notre jugement.*

Les MÉDIAS ont-ils le pouvoir de créer des idoles ?

par Annie Laliberté, 15 ans

Depuis quelques années, les médias et une partie de la population idolâtrent les stars de cinéma, les sportifs et les sportives de haut niveau et autres célébrités. Le développement d'Internet et l'accès facile à l'information expliquent en partie ce phénomène. Devant cette réalité, nous devons nous pencher sur l'influence des médias sur la création d'une idole.

À mon avis, les médias ont le pouvoir de créer des idoles grâce à leur grande liberté d'expression et à leur capacité de définir des normes et des stéréotypes. Ils affectent notre jugement en nous imposant ainsi des critères à mon avis irréalistes.

Tout d'abord, il faut comprendre le rôle important de l'apparition de nouveaux médias au cours des deux dernières décennies. Avec l'arrivée d'Internet, la concurrence entre divers médias a causé une guerre centrée sur le profit. Les médias ont compris que le public s'intéresse aux vedettes de cinéma ou de sport et aux célébrités en tout genre. Ils profitent donc de cette situation pour créer des idoles dans un but financier. Malheureusement, ils sont aussi capables de les détruire. Selon moi, ce contrôle des médias dans le choix des idoles est mauvais pour notre société.

Par ailleurs, pour de nombreuses personnes, les médias ne font que transmettre l'opinion des adolescents et adolescentes. S'il est vrai qu'ils nous demandent parfois notre point de vue sur un sujet particulier, il est faux de penser la même chose dans le cas de la création d'une idole. Il ne faut pas oublier à quel point les médias influencent nos choix. Prenons l'exemple d'une jeune actrice. Avant même la sortie du film dans lequel elle joue, des photos, des vidéos et des informations sur sa vie privée circulent. De plus, comme les médias utilisent des stéréotypes physiques dans la création d'une idole, cette jeune actrice est jugée sur son aspect physique et non sur son talent.

« À mon avis, les médias jouent un rôle important dans la création des idoles. »

Finalement, il m'apparaît bien difficile d'ignorer le rôle des médias dans la création des idoles. Notre société a fermé les yeux devant cette tendance qui est devenue un phénomène grandissant. Nous devons nous poser des questions sur le message envoyé par les médias. Qu'en pensez-vous ?

Les MÉDIAS ont-ils le pouvoir de créer des idoles ?

par Annie Laliberté, 15 ans

Depuis quelques années, les médias et une partie de la population s'intéressent beaucoup aux stars de cinéma, aux sportifs et aux sportives de haut niveau et à d'autres célébrités. Internet et l'accès facile à l'information rendent, en partie, ce phénomène possible. Voilà pourquoi nous devons étudier l'influence des médias sur la création d'une idole.

À mon avis, les médias peuvent créer des idoles. Grâce à leur grande liberté d'expression et à leur capacité d'établir des normes et des idées toutes faites, les médias influencent notre jugement. Ils nous imposent des critères irréalistes.

Examinons le rôle important des nouveaux médias au cours des vingt dernières années. Avec l'arrivée d'Internet, la compétition entre les divers médias a augmenté. Les médias ont compris que le public s'intéresse aux vedettes de cinéma ou de sport et aux célébrités en tout genre. Alors, ils profitent de cette situation pour créer des idoles et s'enrichir. Malheureusement, ils sont aussi capables de détruire ces vedettes. Selon moi, ce pouvoir des médias est mauvais pour notre société.

D'un autre côté, certaines personnes pensent que les médias représentent l'opinion des adolescents et adolescentes. Bien qu'ils nous demandent parfois notre point de vue sur un sujet particulier, il est faux de penser qu'ils font la même chose pour créer des idoles. Il ne faut pas oublier à quel point les médias influencent nos choix. Prenons l'exemple d'une jeune actrice. Avant même la sortie du film dans lequel elle joue, les médias publient des photos, des vidéos et des informations sur sa vie privée. De plus, comme les médias utilisent des stéréotypes physiques dans la création d'une idole, cette jeune actrice est jugée sur son aspect physique et non sur son talent.

« À mon avis, les médias jouent un rôle important dans la création des idoles. »

Enfin, je crois qu'il est difficile d'ignorer le rôle des médias dans la création des idoles. Notre société a fermé les yeux devant cette situation qui est devenue un phénomène grandissant. Nous devons faire davantage attention à l'influence des médias. Qu'en pensez-vous?

Tâche d'évaluation

MODULE 4

Les médias ont-ils le pouvoir de créer des idoles ?

> **CRITÈRES D'ÉVALUATION**
>
> Tes réponses doivent démontrer que :
> - tu utilises tes connaissances ;
> - tu te fais une image mentale du contenu du texte (visualiser) ;
> - tu fais une synthèse du texte ;
> - tu comprends le texte.

Avant de lire le texte, précise ton intention de lecture en prenant connaissance de l'ensemble de la tâche d'évaluation.

1. Survole le texte et réponds aux questions suivantes.

a) Utilise tes connaissances. Que sais-tu déjà au sujet du pouvoir des médias de créer des idoles ?

_____

_____

_____

_____

_____

b) Comment ces connaissances pourraient-elles t'aider à mieux comprendre le texte ?

_____

_____

_____

_____

_____

Nom : _____ Date : _____

Tâche d'évaluation *(suite)*

MODULE 4

2. a) Dans le tableau suivant, note ton opinion et tes arguments au sujet de l'influence des médias dans la création d'une idole. Ensuite, compare ton opinion avec celle exprimée dans le texte.

Ton opinion	L'opinion d'Annie Laliberté
Ton opinion : _____	L'opinion exprimée dans le texte : _____
Tes arguments :	Les arguments présentés dans le texte :

Es-tu d'accord avec l'opinion exprimée dans le texte ? ☐ Oui ☐ Non

b) Pourquoi? _____

Tâche d'évaluation *(suite)*

MODULE 4

3. a) Dessine les images qui te viennent en tête en lisant le texte.

b) Écris une phrase qui aidera ton enseignant ou ton enseignante à comprendre ton dessin.

_____

_____

4. Quels renseignements importants du texte devrais-tu retenir au sujet de la création d'une idole ?

_____

_____

_____

_____

_____

_____

_____

_____

_____

_____

_____

Tâche d'évaluation *(suite)*

MODULE 4

5. Réfléchis à ton travail en répondant aux questions suivantes.

a) Quelles stratégies as-tu utilisées pour comprendre le texte ? En quoi t'ont-elles été utiles ?

_____

_____

_____

_____

_____

_____

b) Quelle question a été la plus facile ? Explique pourquoi.

_____

_____

_____

_____

_____

c) Quelle question a été la plus difficile ? Explique pourquoi.

_____

_____

_____

_____

_____

d) Comment cette tâche d'évaluation peut-elle t'aider pour tes prochaines lectures ?

_____

_____

_____

_____

_____

Nom : _____ Date : _____

Grille d'évaluation

MODULE 4

Critères	Niveau 1	Niveau 2	Niveau 3	Niveau 4
Utiliser ses connaissances				
• Fait des liens entre le sujet et ses connaissances sur le sujet. **[Q. 1 a)]**	avec une efficacité limitée	avec une certaine efficacité	avec efficacité	avec une grande efficacité
• Fait ressortir l'importance d'utiliser ses connaissances pour comprendre un texte. **[Q. 1 b)]**	avec une efficacité limitée	avec une certaine efficacité	avec efficacité	avec une grande efficacité
• Utilise ses connaissances pour exprimer son opinion. **[Q. 2 a) et b)]**	avec une efficacité limitée	avec une certaine efficacité	avec efficacité	avec une grande efficacité
Visualiser				
• Se fait une image mentale du contenu du texte par le dessin. **[Q. 3 a)]**	avec une efficacité limitée	avec une certaine efficacité	avec efficacité	avec une grande efficacité
• Explique son dessin en rédigeant une phrase. **[Q. 3 b)]**	avec une efficacité limitée	avec une certaine efficacité	avec efficacité	avec une grande efficacité
Faire une synthèse				
• Relève les renseignements importants du texte. **[Q. 4]**	avec une efficacité limitée	avec une certaine efficacité	avec efficacité	avec une grande efficacité
• Compare son opinion avec celle exprimée dans un texte. **[Q. 2 a) et b)]**	avec une efficacité limitée	avec une certaine efficacité	avec efficacité	avec une grande efficacité
• Peut justifier son opinion à l'aide d'arguments. **[Q. 2 b)]**	avec une efficacité limitée	avec une certaine efficacité	avec efficacité	avec une grande efficacité
• Démontre sa compréhension du texte. **[Q. 2, 3 et 4]**	avec une efficacité limitée	avec une certaine efficacité	avec efficacité	avec une grande efficacité

Autres observations

_____

_____

_____

_____

Évaluation de la compréhension en lecture

Guide d'utilisation

Durée prévue	Niveaux de difficulté
60 à 90 min	Texte A: W-X, DRA 60-64 (niveau scolaire visé)
	Texte B: V-W, DRA 58-60 (niveau inférieur au niveau scolaire visé)

AVANT

PRÉPARER L'ÉVALUATION

Avant de proposer la tâche d'évaluation aux élèves, s'assurer qu'ils ont eu l'occasion:

- de mettre en pratique les stratégies de lecture ciblées dans le module 5: faire des prédictions, faire des inférences, faire des liens (manuel de l'élève, p. 191);
- d'utiliser des organisateurs graphiques semblables à ceux qui ont été présentés dans les fiches suivantes: les fiches d'activités **3: Fais des prédictions et des inférences** et **4: Fais des liens** du fascicule du guide d'enseignement lié au module 5 du manuel;
- de prendre connaissance des critères d'évaluation retenus pour cette évaluation: faire des prédictions et les vérifier, faire des inférences, faire des liens et comprendre le texte lu.

Choisir le texte qui convient au niveau de lecture des élèves. Faire les photocopies du texte et de la tâche d'évaluation en nombre suffisant. Au besoin, reproduire des documents sur des transparents pour expliquer aux élèves la tâche d'évaluation qu'ils devront accomplir.

PRÉSENTER L'ÉVALUATION

Informer les élèves qu'ils liront un texte intitulé « Le journal de Philippe ». Ce texte est un récit semblable aux textes de lecture partagée et de lecture guidée qu'ils ont lus dans le module (*Le journal de Renate*; *Le journal de Mikhailo*; *Le journal de Nadža*; *Le journal de Catherine*). Il porte sur le même thème et il est présenté de la même façon (mise en pages similaire).

Préciser aux élèves qu'ils auront à démontrer leur compréhension en lecture en mettant en application les stratégies de compréhension présentées à la page 191 de leur manuel: faire des prédictions, faire des inférences et faire des liens.

Remettre aux élèves le document reproductible **Tâche d'évaluation – Module 5** (présent fascicule, p. 58-61) et présenter les critères d'évaluation énoncés au début du document. Parcourir l'ensemble des questions afin de s'assurer de leur compréhension de la tâche. Des exemples de réponses sont fournis à la page 53 du présent fascicule.

Dire aux élèves que cette évaluation permettra de mieux connaître leurs habiletés en lecture et de planifier des activités de compréhension en lecture correspondant à leurs besoins.

Littératie en action 6 / Guide
11056
Évaluation de la compréhension en lecture: Module 5
51

Remettre aux élèves le texte choisi (A ou B), en préciser le temps alloué pour le lire, puis répondre aux questions. Selon les besoins, la durée prévue (60 à 90 min) peut varier. Tenir également compte de l'option suivante : plutôt que d'inviter les élèves à accomplir la tâche d'évaluation en une seule séance, leur demander de répondre à une question à la fois, en fournissant à ce moment-là les explications nécessaires.

Inviter ensuite les élèves à accomplir la tâche d'évaluation en ayant pris soin, au préalable, de leur rappeler les points suivants.

- Survoler le texte avant de commencer à le lire.
- Prêter attention au titre et aux illustrations.
- Mettre en application les stratégies de compréhension ciblées.
- Formuler des réponses complètes et précises.

APRÈS

FAIRE UN RETOUR SUR LA TÂCHE D'ÉVALUATION

Après avoir demandé aux élèves de vérifier leurs réponses, faire un retour sur la tâche d'évaluation en groupe-classe, en petits groupes ou dans le cadre d'entrevues individuelles. À noter que la question 4 de la tâche d'évaluation a permis aux élèves de réfléchir à des aspects de la tâche et de noter des éléments de réflexion. Pour favoriser la discussion et susciter une réflexion, poser les questions suivantes.

- En quoi le survol du texte a-t-il été utile pour comprendre le texte ?
- Quelles stratégies vous ont aidés à comprendre le texte ?
- Qu'avez-vous trouvé le plus intéressant ? Pourquoi ?
- Quelles parties de l'évaluation ont été les plus faciles ? les plus difficiles ?
- Comment avez-vous surmonté vos difficultés ?
- Comment avez-vous fait pour accomplir la tâche demandée dans le temps alloué ?

ÉVALUER LE RENDEMENT DES ÉLÈVES

Évaluer le rendement des élèves à l'aide de la **Grille d'évaluation – Module 5** (présent fascicule, p. 62). Cette grille propose des comportements à observer pour chaque critère d'évaluation et indique les numéros des questions correspondant à ces comportements.

EXEMPLES DE RÉPONSES

QUESTION 1

Exemples de prédictions :

Questions	Tes prédictions et l'indice qui te permet de faire ces prédictions	Ce que tu as découvert en lisant le texte
Quel sera le sujet de ce journal personnel ?	*Puisque c'est le journal de Philippe, le sujet sera le personnage de Philippe.*	*Réponse personnelle.*
Qu'arrivera-t-il ?	*Le journal est daté du 6 mai 1956. L'illustration montre des personnages sur un paquebot. Ces personnes quittent probablement leur pays.*	*Réponse personnelle.*

QUESTION 2

Exemples de réponses (à partir du texte B) :

Renseignements donnés dans le texte	Renseignements que tu peux inférer	Ce qui te permet de faire ces inférences
Mes parents voulaient quitter la France, et je n'aimais pas leur choix.	*Philippe aime la France et ne veut pas quitter ses amis.*	*Philippe n'aimait pas le choix de ses parents de quitter la France.*
J'étais triste en pensant à Jean, mon meilleur ami, qui sera maintenant à plusieurs milliers de kilomètres de moi.	*Il ne pourra pas communiquer facilement avec son ami.*	*Jean sera à des milliers de kilomètres de Philippe.*
Papa m'a changé les idées.	*Le père de Philippe connaît bien son fils et est sensible à ses besoins.*	*Il a su lui changer les idées.*
En 1917, l'explosion d'un navire chargé de munitions avait tué plus d'un millier de personnes.	*L'explosion de Halifax a causé beaucoup de dégâts et détruit plusieurs vies.*	*L'explosion a tué des milliers de personnes.*
Tu vas voir, Philippe, les personnes là-bas ont un accent différent du nôtre.	*Les Québécois ont un accent différent de celui des Français.*	*Chaque peuple a un accent différent.*
Malgré les commentaires de papa, je m'inquiète.	*Philippe est une personne qui se pose des questions sur la nouvelle vie qui l'attend.*	*Il se demande s'il va trouver des amis, s'il va aimer sa nouvelle école, sa nouvelle vie.*

QUESTION 3

a) **Exemple de résumé :**

Après la Deuxième Guerre mondiale, les parents de Philippe décident de quitter la France et d'immigrer au Québec. Le voyage à bord du paquebot dure sept jours. Philippe pense à ses amis, il est triste de les quitter. Il se remémore ce qu'il a entendu sur son pays d'accueil et réfléchit à sa nouvelle vie.

Le journal de
Philippe

Le 6 mai 1956

Cher journal,

Enfin, nous sommes arrivés au Canada ! Le voyage de sept jours
à bord de l'*Homérique* a été pénible pour toute ma famille, mais
davantage pour ma sœur Françoise et moi. Nous avons souffert
d'un horrible mal de mer depuis notre départ du Havre. Mes parents
avaient décidé de quitter la France, et je regrettais leur choix.
C'est vrai qu'ils avaient connu la misère de la Deuxième Guerre
mondiale et que mon père avait failli mourir prisonnier des nazis.
Je pense que leur vie difficile en France les a convaincus de venir
s'établir au Québec. Je suis un peu triste de laisser mes amis, mais
l'idée d'une nouvelle vie m'intrigue.

En sortant du paquebot contenant près de 500 passagers, je me
suis rappelé la fête organisée par maman pour mon 13e anniversaire,
tout juste avant de quitter le pays. J'ai versé quelques larmes
en pensant à Jean, mon meilleur ami, qui sera dorénavant à plusieurs
milliers de kilomètres de moi.

Papa a su encore une fois me changer les idées. Pourtant,
ma rage a éclaté quand nous avons constaté le mauvais état de
nos bagages. Le transport à fond de cale les avait tous endommagés.
Puis, nous sommes partis vers la gare Pier 21, située à quelques pas
du port d'Halifax, pour monter à bord du train *Ocean Limited*.
J'avais déjà mon billet en poche. Comme le train ne partait
qu'à 18 h 35, j'en ai profité pour visiter les lieux. Sur un des murs
de briques, une grande affiche commémorative a attiré mon attention.
En 1917, l'explosion d'un navire chargé de munitions avait coûté

la vie à plus d'un millier de personnes. Même si elle s'était déroulée de l'autre côté de l'océan, la guerre avait encore fait d'innocentes victimes !

 À bord de ce train qui ressemble à une boîte de conserve, je me suis rappelé les propos de Jean sur la population du Québec : « Tu vas voir, Philippe, les personnes là-bas ont un accent différent du nôtre. » Ma sœur Brigitte m'a expliqué que c'est normal, chaque peuple a un accent qui lui est propre. Plus tard, Papa m'a décrit notre nouvelle demeure près d'une ferme et le très petit village voisin. Les gens sont aimables et aident avec plaisir les familles qui s'installent. Je me posais quand même des questions : Vais-je trouver des amis ? Comment sera ma nouvelle école ? Aimerai-je ma nouvelle vie ? Finalement, bercé par le mouvement du train, je commence à m'endormir.

Le journal de
Philippe

Le 6 mai 1956

Cher journal,

Enfin, nous sommes arrivés au Canada! Le voyage de sept jours à bord de l'*Homérique* a été difficile pour toute ma famille, mais encore plus pour ma sœur Françoise et moi. Nous avons eu le mal de mer depuis notre départ du Havre. Mes parents voulaient quitter la France, et je n'aimais pas leur choix. Ils avaient eu des problèmes pendant la Deuxième Guerre mondiale, et mon père avait failli mourir prisonnier des nazis. Je pense que leur vie difficile en France les a amenés à vouloir s'établir au Québec. Je suis un peu triste de laisser mes amis, mais l'idée d'une nouvelle vie m'intéresse.

Le paquebot contenait près de 500 passagers. En sortant, je me suis rappelé la fête organisée par maman pour mon 13e anniversaire. C'était tout juste avant de quitter le pays. J'étais triste en pensant à Jean, mon meilleur ami, qui sera maintenant à plusieurs milliers de kilomètres de moi.

Papa m'a changé les idées. Pourtant, je me suis fâché quand nous avons vu le mauvais état de nos bagages. Le transport à fond de cale les avait tous endommagés. Ensuite, nous sommes partis vers la gare Pier 21, située à quelques pas du port d'Halifax, pour monter à bord du train *Ocean Limited*. J'avais déjà mon billet en poche. Comme le train ne partait qu'à 18 h 35, j'ai profité de ce temps libre pour visiter les lieux. Sur un des murs de briques, une grande affiche a attiré mon attention. En 1917, l'explosion d'un navire chargé de munitions avait tué plus d'un millier

de personnes. Même si elle s'était déroulée de l'autre côté de l'océan, la guerre avait encore fait d'innocentes victimes !

À bord de ce train qui ressemble à une boîte de conserve, je me suis rappelé les paroles de Jean sur la population du Québec : « Tu vas voir, Philippe, les personnes là-bas ont un accent différent du nôtre. » Ma sœur Brigitte m'a expliqué que c'est normal, chaque peuple a un accent qui lui est propre. Plus tard, Papa m'a décrit notre maison près d'une ferme et le très petit village voisin. Les gens sont aimables et aident avec plaisir les familles qui s'installent. Malgré les commentaires de papa, je m'inquiète. Vais-je trouver des amis ici ? Comment sera ma nouvelle école ? Vais-je aimer ma nouvelle vie ? Finalement, bercé par le mouvement du train, je commence à m'endormir.

Tâche d'évaluation

MODULE 5

Le journal de Philippe

CRITÈRES D'ÉVALUATION

Tes réponses doivent démontrer que :
- tu fais des prédictions et les vérifies ;
- tu fais des inférences ;
- tu fais des liens avec tes expériences, et tu les compares avec celles d'un personnage ;
- tu comprends le texte.

Avant de lire le texte, précise ton intention de lecture en prenant d'abord connaissance de l'ensemble de la tâche d'évaluation.

1. Dans le tableau suivant, réponds aux questions posées en survolant le texte pour faire des prédictions. Écris tes prédictions dans la deuxième colonne et fournis l'indice qui t'a aidé à faire ces prédictions.

Ensuite, lis le texte pour vérifier tes prédictions et note ce que tu as découvert dans la troisième colonne.

Questions	Tes prédictions et l'indice qui te permet de faire ces prédictions	Ce que tu as découvert en lisant le texte
Quel sera le sujet de ce journal personnel ?		
Qu'arrivera-t-il ?		

Tâche d'évaluation *(suite)*

MODULE 5

2. Dans la première colonne du tableau, écris trois renseignements donnés dans le texte qui te permettent de faire des inférences sur le personnage principal de ce récit.

Pour chaque renseignement, fais une inférence et écris-la dans la deuxième colonne.

Explique ce qui te permet de faire cette inférence dans la troisième colonne.

Renseignements donnés dans le texte	Renseignements que tu peux inférer	Ce qui te permet de faire ces inférences

Tâche d'évaluation (suite)

MODULE 5

3. Dans l'organisateur graphique suivant, commence par résumer le texte. Ensuite, fais des liens avec tes expériences. Compare tes expériences avec celles du personnage. En quoi sont-elles semblables ? En quoi sont-elles différentes ?

a) Résumé du texte

_____

_____

_____

_____

_____

_____

_____

_____

_____

_____

_____

_____

_____

_____

_____

_____

_____

_____

b) En quoi tes expériences sont-elles semblables à celles de Philippe ?

_____

_____

_____

_____

_____

_____

c) En quoi tes expériences sont-elles différentes de celles de Philippe ?

_____

_____

_____

_____

_____

_____

Tâche d'évaluation (suite)

4. Réfléchis à ton travail en répondant aux questions suivantes.

a) Quelles stratégies as-tu utilisées pour comprendre le texte ? Comment ces stratégies t'ont-elles été utiles ?

_____

_____

_____

_____

_____

_____

b) Quelle question a été la plus facile ? Explique pourquoi.

_____

_____

_____

_____

_____

c) Quelle question a été la plus difficile ? Explique pourquoi.

_____

_____

_____

_____

_____

d) Comment cette tâche d'évaluation peut-elle t'aider pour tes prochaines lectures ?

_____

_____

_____

_____

_____

Grille d'évaluation

MODULE 5

Critères	Niveau 1	Niveau 2	Niveau 3	Niveau 4
Faire des prédictions et les vérifier				
• Répond à des questions et fait des prédictions. **[Q. 1]**	avec une efficacité limitée	avec une certaine efficacité	avec efficacité	avec une grande efficacité
• Justifie ses prédictions à l'aide d'indices trouvés dans le texte. **[Q. 1]**	avec une efficacité limitée	avec une certaine efficacité	avec efficacité	avec une grande efficacité
• Vérifie ses prédictions en lisant le texte. **[Q. 1]**	avec une efficacité limitée	avec une certaine efficacité	avec efficacité	avec une grande efficacité
Faire des inférences				
• Fait des inférences en s'appuyant sur des renseignements donnés dans le texte. **[Q. 2]**	avec une efficacité limitée	avec une certaine efficacité	avec efficacité	avec une grande efficacité
• Fait des inférences vraisemblables. **[Q. 2]**	avec une efficacité limitée	avec une certaine efficacité	avec efficacité	avec une grande efficacité
Faire des liens				
• Fait des liens avec ses expériences. **[Q. 3 b)]**	avec une efficacité limitée	avec une certaine efficacité	avec efficacité	avec une grande efficacité
• Compare ses expériences avec celles d'un personnage. **[Q. 3 c)]**	avec une efficacité limitée	avec une certaine efficacité	avec efficacité	avec une grande efficacité
Comprendre le texte lu				
• Résume le texte. **[Q. 3 a)]**	avec une efficacité limitée	avec une certaine efficacité	avec efficacité	avec une grande efficacité
• Démontre sa compréhension du texte. **[Q. 3 a)]**	avec une efficacité limitée	avec une certaine efficacité	avec efficacité	avec une grande efficacité

Autres observations

_____

_____

_____

_____

Évaluation de la compréhension en lecture

Guide d'utilisation

Durée prévue	Niveaux de difficulté
60 à 90 min	Texte A: W-X, DRA 60-64 (niveau scolaire visé)
	Texte B: V-W, DRA 58-60 (niveau inférieur au niveau scolaire visé)

AVANT

PRÉPARER L'ÉVALUATION

Avant de proposer la tâche d'évaluation aux élèves, s'assurer qu'ils ont eu l'occasion:

- de mettre en pratique les stratégies de lecture ciblées dans le module 6: utiliser ses connaissances, déterminer ce qui est important, faire un résumé (manuel de l'élève, p. 235);

- de faire les tâches proposées dans la fiche d'activité **3: Utilise tes connaissances, détermine ce qui est important et fais un résumé** du fascicule du guide d'enseignement lié au module 6 du manuel;

- de prendre connaissance des critères d'évaluation retenus pour cette évaluation: utiliser ses connaissances, déterminer ce qui est important, résumer le texte et le comprendre.

Choisir le texte qui convient au niveau de lecture des élèves. Faire les photocopies du texte et de la tâche d'évaluation en nombre suffisant. Au besoin, reproduire des documents sur des transparents pour expliquer aux élèves la tâche d'évaluation qu'ils devront accomplir.

PRÉSENTER L'ÉVALUATION

Informer les élèves qu'ils liront un texte intitulé «Lieu historique national du Canada: le Fort-Beauséjour – Fort-Cumberland». Ce texte est un texte informatif semblable aux textes de lecture partagée et de lecture guidée qu'ils ont lus dans le module (*Les Fortifications-de-Québec*; *La Forteresse-de-Louisbourg*; *La Maison-Laurier*; *Le village de Batoche*). Il porte sur le même thème et il est présenté de la même façon (mise en pages similaire).

Préciser aux élèves qu'ils auront à démontrer leur compréhension en lecture en mettant en application les stratégies de compréhension présentées à la page 235 de leur manuel: utiliser ses connaissances, déterminer ce qui est important et faire un résumé.

Remettre aux élèves le document reproductible **Tâche d'évaluation – Module 6** (présent fascicule, p. 70-73) et présenter les critères d'évaluation énoncés au début du document. Parcourir l'ensemble des questions afin de s'assurer de leur compréhension de la tâche. Des exemples de réponses sont fournis à la page 65 du présent fascicule.

Dire aux élèves que cette évaluation permettra de mieux connaître leurs habiletés en lecture et de planifier des activités de compréhension en lecture correspondant à leurs besoins.

PENDANT

Remettre aux élèves le texte choisi (A ou B), en préciser le temps alloué pour le lire, puis répondre aux questions. Selon les besoins, la durée prévue (60 à 90 min) peut varier. Tenir également compte de l'option suivante : plutôt que d'inviter les élèves à accomplir la tâche d'évaluation en une seule séance, leur demander de répondre à une question à la fois, en fournissant à ce moment-là les explications nécessaires.

Inviter ensuite les élèves à accomplir la tâche d'évaluation en ayant pris soin, au préalable, de leur rappeler les points suivants.

- Survoler le texte avant de commencer à le lire.
- Prêter attention au titre, aux intertitres et aux éléments visuels.
- Mettre en application les stratégies de compréhension ciblées.
- Formuler des réponses complètes et précises.

APRÈS

FAIRE UN RETOUR SUR LA TÂCHE D'ÉVALUATION

Après avoir demandé aux élèves de vérifier leurs réponses, faire un retour sur la tâche d'évaluation en groupe-classe, en petits groupes ou dans le cadre d'entrevues individuelles. À noter que la question 6 de la tâche d'évaluation a permis aux élèves de réfléchir à des aspects de la tâche et de noter des éléments de réflexion. Pour favoriser la discussion et susciter une réflexion, poser les questions suivantes.

- En quoi le survol du texte a-t-il été utile pour comprendre le texte ?
- Quelles stratégies vous ont aidés à comprendre le texte ?
- Qu'avez-vous trouvé le plus intéressant ? Pourquoi ?
- Quelles parties de l'évaluation ont été les plus faciles ? les plus difficiles ?
- Comment avez-vous surmonté vos difficultés ?
- Comment avez-vous fait pour accomplir la tâche demandée dans le temps alloué ?

ÉVALUER LE RENDEMENT DES ÉLÈVES

Évaluer le rendement des élèves à l'aide de la **Grille d'évaluation – Module 6** (présent fascicule, p. 74). Cette grille propose des comportements à observer pour chaque critère d'évaluation et indique les numéros des questions correspondant à ces comportements.

EXEMPLES DE RÉPONSES

QUESTION 2

Dans le paragraphe d'introduction : *Le fort Beauséjour est aussi appelé le fort Cumberland. Il est situé à la frontière du Nouveau-Brunswick et de la Nouvelle-Écosse.*

Dans la section « Remontez dans le temps ! » : *Le fort Beauséjour a été construit en 1751, époque où la France et l'Angleterre se disputaient le contrôle de l'Acadie. Craignant que le peuple acadien s'allie avec le peuple français, les Britanniques ont attaqué le fort en grand nombre. C'est à la suite de cette bataille que des milliers d'Acadiens et d'Acadiennes ont été déportés. En 1926, le gouvernement du Canada a déclaré Fort-Beauséjour lieu historique national.*

Dans la section « Vivez une expérience inoubliable ! » : *On invite les personnes qui viendront visiter le site historique à découvrir la vie à l'époque de la Nouvelle-France.*

Dans la section « Venez nous visiter… » : *On donne les indications pour se rendre au site à partir de la ville de Moncton.*

QUESTION 3

L'élève devrait écrire dans l'organisateur graphique des renseignements importants qu'il ou elle a notés au numéro 2.

QUESTION 4

Exemple de résumé :

Le fort Beauséjour, situé à la frontière du Nouveau-Brunswick et de la Nouvelle-Écosse, a été construit en 1751. À cette époque, la France et l'Angleterre se disputaient l'Acadie. Les Britanniques ont attaqué le fort, ont gagné la bataille et l'ont renommé fort Cumberland. À la suite de cette bataille, des milliers d'Acadiens et d'Acadiennes ont été déportés. En 1926, le gouvernement du Canada a déclaré le fort lieu historique national. On peut visiter le site et vivre une aventure inoubliable !

LIEU HISTORIQUE NATIONAL DU CANADA :

le Fort-Beauséjour – Fort-Cumberland

Le fort Beauséjour, aussi appelé le fort Cumberland, est situé au fond de la baie de Fundy, à la frontière du Nouveau-Brunswick et de la Nouvelle-Écosse. En parcourant ce lieu historique national, vous découvrirez un site mémorable et l'aventure de tout un peuple.

Remontez dans le temps !

Le fort Beauséjour a été construit en 1751, à une époque où la France et l'Angleterre se disputaient le contrôle de l'Acadie. En 1755, le peuple acadien refusait de prêter serment d'allégeance et de devenir citoyen britannique. Craignant que les Acadiens s'allient avec le peuple français, les Britanniques ont attaqué le fort Beauséjour en grand nombre. Après deux semaines de bataille, la population française a dû quitter le fort.

Les Britanniques l'ont alors renommé « fort Cumberland ». C'est à la suite de cette bataille que des milliers d'Acadiens et d'Acadiennes ont été déportés.

Le fort, qui était un lieu stratégique, a été réparé au début de la guerre de 1812. Jusqu'en 1833, il a abrité des militaires, puis il a été abandonné en 1835.

En 1926, le gouvernement du Canada a déclaré Fort-Beauséjour lieu historique national.

Vivez une expérience inoubliable !

- Prévoyez passer une journée
  à explorer le site historique
  de Fort-Beauséjour.

- Profitez d'une visite guidée
  des marais salés avoisinants
  et de leurs aboiteaux.

- Admirez les remparts couverts
  de gazon.

- Profitez du paysage exceptionnel
  et de la beauté de la baie de Fundy.

- Promenez-vous dans le site
  et plongez au cœur de la vie
  des garnisons des débuts
  de la Nouvelle-France.

- Prenez le temps de visiter
  l'exposition sur l'historique
  du fort.

- Attardez-vous dans les ruines
  des fortifications fidèles
  aux plans de l'époque.

- Joignez-vous aux Acadiens et
  aux Acadiennes à l'occasion
  de leur fête nationale, le 15 août.

- Participez à une chasse au trésor
  pour découvrir les vestiges
  du fort et son histoire.

- Devenez soldat ou soldate
  d'un jour et tentez de monter
  en grade dans votre armée.

Venez nous visiter...

COMMENT S'Y RENDRE ?

Le site historique de Fort-Beauséjour
est situé au sud-est de Moncton,
à environ 57 km, soit approximativement
à 45 minutes. Empruntez la route 2 (route
transcanadienne). Prenez la sortie 513A
et suivez le symbole du castor sur
les panneaux routiers. Il vous mènera
à Aulac.

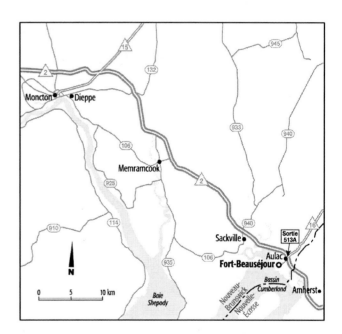

COMMENT NOUS JOINDRE ?

**Lieu historique national du Canada
du Fort-Beauséjour – Fort-Cumberland**
111, chemin Fort-Beauséjour
Aulac (Nouveau-Brunswick)
Canada
E4L 2W5
Tél. : 506 364-5080

DES SITES HISTORIQUES À DÉCOUVRIR

LIEU HISTORIQUE NATIONAL DU CANADA :

le Fort-Beauséjour – Fort-Cumberland

Le fort Beauséjour est aussi appelé le fort Cumberland. Il est situé dans la baie de Fundy, à la frontière du Nouveau-Brunswick et de la Nouvelle-Écosse. En parcourant ce lieu historique national, vous découvrirez un site inoubliable et l'aventure de tout un peuple.

Remontez dans le temps !

Le fort Beauséjour a été construit en 1751. À cette une époque, la France et l'Angleterre se disputaient le contrôle de l'Acadie. En 1755, le peuple acadien refusait d'obéir au roi d'Angleterre et de devenir citoyen britannique. Les Britanniques ont alors attaqué le fort de peur que le peuple acadien et le peuple français se battent contre eux. Après deux semaines de bataille, la population française a dû quitter le fort.

Les Britanniques ont alors donné au fort le nom de « fort Cumberland ». À la suite de cette bataille, des milliers d'Acadiens et d'Acadiennes ont été déportés.

Le fort était un lieu stratégique. Il a été réparé au début de la guerre de 1812. Jusqu'en 1833, il logeait des militaires. Ensuite, en 1835, il a été abandonné.

En 1926, le gouvernement du Canada a déclaré Fort-Beauséjour lieu historique national.

Vivez une expérience inoubliable !

- Programmez une journée
  pour explorer le site historique
  de Fort-Beauséjour.

- Profitez d'une visite guidée
  des marais salés avoisinants et
  de leurs aboiteaux.

- Admirez les remparts couverts
  de gazon.

- Regardez avec plaisir le paysage
  exceptionnel et la beauté de
  la baie de Fundy.

- Promenez-vous dans le site
  et découvrez la vie d'autrefois
  en Nouvelle-France.

- Prenez le temps de visiter
  l'exposition sur l'histoire du fort.

- Découvrez les ruines des
  fortifications qui correspondent
  aux plans de l'époque.

- Joignez-vous aux Acadiens
  et aux Acadiennes à l'occasion
  de leur fête nationale, le 15 août.

- Participez à une chasse au trésor
  pour découvrir les restes du fort
  et son histoire.

- Devenez soldat ou soldate d'un jour
  et tentez d'avoir une promotion dans
  votre armée.

Venez nous visiter...

COMMENT S'Y RENDRE ?

Le site historique de Fort-Beauséjour
est situé au sud-est de Moncton,
à environ 57 km, soit approximativement
à 45 minutes. Roulez sur la route 2 (route
transcanadienne). Prenez la sortie 513A
et suivez le symbole du castor sur
les panneaux routiers. Il vous mènera
à Aulac.

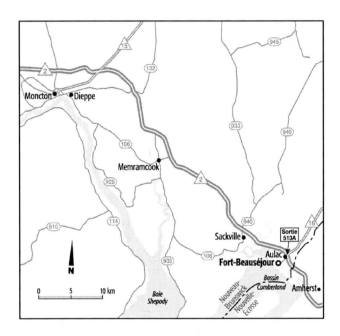

COMMENT NOUS JOINDRE ?

**Lieu historique national du Canada
du Fort-Beauséjour – Fort-Cumberland**
111, chemin Fort-Beauséjour
Aulac (Nouveau-Brunswick)
Canada
E4L 2W5
Tél. : 506 364-5080

Le Fort-Beauséjour – Fort-Cumberland

CRITÈRES D'ÉVALUATION

Tes réponses doivent démontrer que :
- tu utilises tes connaissances ;
- tu détermines ce qui est important dans le texte ;
- tu résumes le texte ;
- tu comprends le texte.

Avant de lire le texte, précise ton intention de lecture en prenant d'abord connaissance de l'ensemble de la tâche d'évaluation.

1. Survole le texte et réponds aux questions suivantes.

   a) Utilise tes connaissances. Que sais-tu déjà au sujet des sites historiques canadiens ?

   _____

   _____

   b) Comment ces connaissances pourraient-elles t'aider à mieux comprendre le texte ?

   _____

   _____

2. Lis le texte et détermine ce qui est important. Quels renseignements devrais-tu retenir au sujet du site historique du Fort-Beauséjour – Fort-Cumberland ?

_____

_____

_____

_____

_____

_____

_____

_____

Tâche d'évaluation *(suite)*

MODULE 6

3. Présente les renseignements importants du texte dans l'organisateur graphique suivant. Suis la démarche proposée.

- Dans la première case, écris le titre du texte.
- Dans les quatre autres cases, note des renseignements importants qui pourraient te servir à résumer le texte.

Titre

_____

_____

_____

Tâche d'évaluation *(suite)*
MODULE 6

4. Résume le texte à l'aide des renseignements que tu as notés dans l'organisateur graphique au numéro 3.

_____

_____

_____

_____

_____

_____

_____

_____

_____

_____

_____

_____

_____

_____

_____

5. Quels renseignements as-tu appris au sujet du Fort-Beauséjour – Fort-Cumberland ?

_____

_____

_____

_____

_____

_____

_____

_____

_____

_____

Tâche d'évaluation *(suite)*

MODULE 6

6. Réfléchis au travail que tu viens de réaliser en répondant aux questions suivantes.

a) Quelles stratégies as-tu utilisées pour comprendre le texte ? En quoi t'ont-elles été utiles ?

_____

_____

_____

_____

_____

_____

b) Quelle question a été la plus facile ? Explique pourquoi.

_____

_____

_____

_____

_____

c) Quelle question a été la plus difficile ? Explique pourquoi.

_____

_____

_____

_____

_____

d) Comment cette tâche d'évaluation peut-elle t'aider pour tes prochaines lectures ?

_____

_____

_____

_____

_____

Nom : _____   Date : _____

Grille d'évaluation

Critères	Niveau 1	Niveau 2	Niveau 3	Niveau 4
Utiliser ses connaissances				
• Fait des liens entre le sujet et ses connaissances sur le sujet. **[Q. 1 a)]**	avec une efficacité limitée	avec une certaine efficacité	avec efficacité	avec une grande efficacité
• Fait ressortir l'importance d'utiliser ses connaissances. **[Q. 1 b)]**	avec une efficacité limitée	avec une certaine efficacité	avec efficacité	avec une grande efficacité
Déterminer ce qui est important				
• Relève les renseignements importants dans le texte. **[Q. 2]**	avec une efficacité limitée	avec une certaine efficacité	avec efficacité	avec une grande efficacité
• Présente les renseignements importants dans un organisateur graphique. **[Q. 3]**	avec une efficacité limitée	avec une certaine efficacité	avec efficacité	avec une grande efficacité
• Note les renseignements avec exactitude. **[Q. 2 et 3]**	avec une efficacité limitée	avec une certaine efficacité	avec efficacité	avec une grande efficacité
Faire un résumé				
• Relève les renseignements importants dans chaque section du texte. **[Q. 2 et 3]**	avec une efficacité limitée	avec une certaine efficacité	avec efficacité	avec une grande efficacité
• Résume le texte. **[Q. 4]**	avec une efficacité limitée	avec une certaine efficacité	avec efficacité	avec une grande efficacité
Comprendre le texte lu				
• Démontre sa compréhension du texte. **[Q. 2, 3, 4 et 5]**	avec une efficacité limitée	avec une certaine efficacité	avec efficacité	avec une grande efficacité

Autres observations

_____

_____

_____

_____

Sources des photographies

DREAMSTIME
p. 43, 45 (micro) : P. Hunton

ISTOCKPHOTO
p. 18, 20 (personnage) : Doodlemachine
p. 19, 21 (photo 2) : B. Greer ; (photo 3) : M. Bretherton ; (photo 4) : M. Gajic ;
(photo 5) : Rikidoh
p. 54 à 57 (fond texturé) : J. Santaniemi

NASA
p. 30 à 33

PARCS CANADA
p. 67, 69

SHUTTERSTOCK
p. 18, 20 (livres) : Smit
p. 19, 21 (photo 1, détail) : Smit
p. 42, 44 : Marisha
p. 43, 45 (jeune fille) : Phase4Photography

UNIVERSITY OF MANITOBA
p. 6 à 9

WIKIPÉDIA
p. 66, 68

otub 307 x 4